D1544390

EL ABOGADO DE POBRES

mr

**Abogacía
Española**
CONSEJO GENERAL

MUTUALIDAD DE LA
ABOGACIA

Esta obra resultó ganadora del Premio Abogados de Novela 2014, convocado por el Consejo General de la Abogacía Española, la Mutualidad de la Abogacía y Ediciones Martínez Roca (Grupo Planeta), y fallado por un jurado compuesto por Lorenzo Silva, como presidente, Silvia Grijalba, Màxim Huerta, Nativel Preciado, José Calabrús Lara (vocal de la Junta de Gobierno, presidente de la Comisión de Prestaciones y vicepresidente de la Fundación de la Mutualidad de la Abogacía), Jesús López-Arenas González (vicesecretario general del Consejo General de la Abogacía Española y editor de la revista *Abogados*) y Ana Rosa Semprún, directora del Área Espasa (Espasa, Temas de Hoy, MR/Grupo Planeta).

Juan Pedro Cosano

EL ABOGADO DE POBRES

mr ediciones martínez roca

El papel utilizado para la impresión de este libro es cien por cien libre de cloro y está calificado como papel ecológico

© 2014, Juan Pedro Cosano Alarcón
© 2014, Ediciones Planeta Madrid, S. A.
Ediciones Martínez Roca es un sello editorial de Ediciones Planeta Madrid, S. A.
C/ Josefa Valcárcel, 42. 28027 Madrid
www.mrediciones.com
www.planetadelibros.com
Primera edición: abril de 2014
Tercera edición: mayo de 2014
ISBN: 978-84-270-4115-8
Depósito legal: M. 7.824-2014
Preimpresión: MT Color & Diseño
Impresión: Rotapapel, S. L.

Impreso en España-Printed in Spain

A mi padre, Juan Pedro Cosano Alemán, hombre bueno

«Si de oficio
prestan otros, señor, ese servicio,
yo a los pobres consagro mis vigilias
por compasión, y a falta de otros dones,
más de cuatro familias
mi nombre colman ya de bendiciones.
¿Qué ocupación más noble y meritoria
puedo yo ambicionar? ¿Qué mayor gloria?»

DON MANUEL BRETÓN DE LOS HERREROS.
El abogado de pobres, *escena primera*

PRÓLOGO

Londres, abril, a 17 del año del Señor de 1752, y vigesimo-
quinto del reinado de su graciosa majestad don Jorge Segundo,
rey del reino de Gran Bretaña y de Irlanda.

Mi muy respetado e ilustre caballero y amigo:
Confirmando mis anteriores epístolas, me place confirmarle el in-
terés de mi muy considerado cliente mister John Blackwood en el nego-
cio propuesto a través de su mandatario mister Giovanni Conti, así
como su disposición a satisfacer el precio solicitado por las pinturas
que le han sido detalladas. Como ya sabe, mi cliente mister Blackwood
dispone de una admirable colección de maestros españoles, como el se-
villano don Bartholomé Esteban Murillo, don José de Ribera llamado
Españoleto, don José Jiménez Donoso, don Juan Bautista de Espinosa,
don Juan Bautista Maíno y varios otros. Muchas de ellas adquiridas
en la almoneda de la condesa de Verrie, como ya tuve ocasión de expli-
carle. Y mucho le placerá a mister Blackwood completarla con las pin-
turas ofrecidas de ese gran pintor español que tantos elogios merece de
todos nosotros, al que tanto recomiendo y que tan grandes obras ejecu-
tó para ustedes.

Otros asuntos me retendrán en Francia y Flandes durante este ve-
rano, y a su finalización he de completar otros negocios en Inglaterra,
en Liverpool y Brighton. Pero, sin duda, poco antes de Samhain tengo
previsto partir desde Dover para Cádiz, adonde, si el Señor así lo quie-
re, llegaré en los primeros días de noviembre.

Entonces podré hacerle entrega del primer plazo del precio pactado
y al que mister John Blackwood ha asentido y confío en poder regresar
con algunas de las telas comprometidas. A la entrega de las restantes se
pagará el total precio, según lo convenido, a través de nuestros banque-
ros los señores Baring, mediante el corresponsal que allí mantiene.

Comprendo la dificultad testamentaria para hacer entrega de una vez de todas las telas y mister Blackwood también la comprende y consiente. Únicamente hace ver que la comisión de mister Conti habrá de correr por cuenta de usted, como es norma.

Agradeceré confirmación de ésta. Si no pudiera estar presente usted o un enviado suyo en el puerto de Cádiz en el día que en su momento le señale para hacerme llegar a Jerez y a su casa, no dude que sabré encontrar los medios.

Recibirá noticias mías prontamente.

Quedo afectísimo suyo y por usted elevo mis oraciones en súplica de las mejores venturas para usted y sus socios, y las familias de todos, al Dios que es de ambos.

Firmado
Francis Jameson

* * *

Jacinto Jiménez Bazán, sotasacristán de la iglesia colegial, abrió con cuidado y procurando no hacer ruido la puerta de la casucha que habitaba en la cuesta del Aire, a pocos pasos de la puerta de la Visitación del templo en obras. Atravesó el sombrío zaguán, asomó la calva cabeza y, mirando a diestra y siniestra, comprobó que no transitaba nadie por el callejón y que todos los velones de las casas contiguas estaban apagados. Era noche cerrada ya. La hora undécima de las nocturnas había sonado hacía unos instantes en el cercano campanil de San Dionisio, avisando de la queda. Se acomodó bajo el brazo el cantarillo que portaba, se ajustó la capucha, cruzó la balaustrada de piedra y se plantó ante el portalillo de la iglesia. Abrió con su llave, cuidando de que los goznes no chirriaran. Volvió a comprobar que nadie rondaba y se adentró en el templo.

Cerró la puerta tras de sí y aguardó a que sus ojos se acostumbraran a la oscuridad de la nave. Poco a poco fue distinguiendo bultos y volúmenes. A esas alturas del siglo, y después de muchas décadas de esfuerzos, colectas, súplicas y dineros, se veía cercano el final de unas obras que a todos los jerezanos se les habían antojado eternas. La nave principal, la del Evangelio y el presbiterio ya sólo estaban a falta de remaches, algunas cubriciones, ornatos y acabados. Para las naves de la Epístola todavía quedaban años de trabajos, pues aún no se habían cubierto, y era allí donde se amontonaban materiales, herramientas y pertrechos: arenas del Guadalete, ladrillos de arcilla y piedras para labrar, maderas nobles y bastas, lenguas de gato, paletas y talochas, cimbras y andamios, escaleras, marros, cribas, picos y demás utensilios de maestros de obras y alarifes, canteros y tallistas, oficiales y peones.

Jacinto Jiménez, cierto de que la iglesia en obras estaba desierta, se dirigió hacia el improvisado cuarto donde el cabildo guardaba el vino de misa. Como hacía a principios de cada mes en los últimos años, desde que los canónigos regresaran de San Dionisio después de que este templo amenazase ruina, aprovechaba el relleno del tonel donde se guardaba el moscatel que el cabildo colegial adquiría a un bodeguero de la calle Muro para hurtar unos cuartillos —no más que dos azumbres o dos azumbres y medio— con los que completar la dieta de sus cinco hijos, que, a falta de carnero o perdiz, bien podían alimentar su sangre con las sopas de ese caldo dulce y nutritivo. Y para calmar su propia sed, que no era poca. Hasta hacía un par de años, los canónigos guardaban el tonel del vino de misa en la pequeña capilla adosada a la torre de la colegial, allí donde el cabildo se había recogido al tener que abandonar San Dionisio. Ahora, con las obras del nuevo templo tan avanzadas, ya cubierta la nave del Evangelio y siendo harto escaso el espacio disponible en aquella capilla, habían acondicionado en la colegiata un cuarto donde atesoraban a buen recaudo el vino de consagrar, las palmas del pasado Domingo de Ramos que habrían de ser después quemadas para obtener las cenizas con que marcar las frentes de los feligreses en el primer miércoles de Cuaresma, cálices y patenas y otros utensilios sagrados. Aunque los oficios y el coro aún se seguían celebrando a duras penas en la pequeña capilla de la torre.

Jacinto había conseguido hacerse con una llave del candado que cerraba el cuarto aprovechando un descuido de uno de los canónigos. Allí se dirigió, cuidando de no hacer ruidos y de no tropezar con nada. Manipuló el candado, lo abrió con torpeza y se adentró en la tosca dependencia. Se acercó al tonel, desenroscó la botana y comprobó que estaba lleno. Colocó bajo la espita el cantarillo que portaba, la abrió y dejó que el líquido, fragante y oscuro, color de almendra garrapiñada, lo llenase. Antes de que rebosara, cerró la espita, se llevó el cántaro a los labios y pegó un buen buche. Se limpió la boca con el dorso de la mano, se pasó la lengua por los labios con deleite, como para no desaprovechar ni una gota, y tornó a beber largamente. Volvió a abrir la espita y colmó el cántaro otra vez. Ajustó el corcho en la boca de la vasija y se la puso bajo el brazo. Comprobó que todo estuviese como antes de su llegada y abandonó la estancia. Salía a la nave del Evangelio cuando oyó un ruido, el rumor de una conversación que llegaba no muy distante. Del presbiterio o de lo que habría de ser la capilla de las Ánimas, como muy lejos. Alarmado, se escondió, trastabillando, detrás de una de las columnas istriadas de la nave y allí aguardó, medio temblando.

Las voces se fueron acercando. Eran varias y resonaban en la soledad y en el silencio del templo. Poco a poco fue distinguiendo palabras, primero inconexas, luego, inteligibles. A medida que la conversación lo iba asombrando hasta el extremo de aturdirlo, cedieron la aprensión y el miedo y dieron paso a la curiosidad. Asomó la cabeza por la columna y a no más de diez pasos y envueltas en sombras distinguió cuatro figuras oscuras que formaban corro en medio de la nave, frente al presbiterio. Quedó escuchando, intrigado, procurando permanecer entre las sombras. Al principio sólo consiguió entender palabras difusas que parecían referirse a pinturas, a cuadros, a doña Catalina de Zurita y Riquelme, que sabía Dios quién sería, y a una carta de Londres. Y también consiguió entender otro nombre que tampoco le sonaba de nada: Ignacio de Alarcón. O algo así.

Aguzó el oído, logró captar otras frases y otros designios y lo embargó una sensación de pasmo. «¡No era posible!», se dijo. Un rayo de luna asomó entonces por una de las partes descubiertas del templo e iluminó fugazmente a los contertulios. Distinguió a uno, a dos, a tres de ellos. «¡Aquello no podía ser verdad!», volvió a decirse.

Se recostó tras la columna e intentó amansar la respiración, que se le antojaba ruidosa. Poco a poco las voces se fueron alejando, hasta hacerse de nuevo el silencio. Un silencio aciago y al mismo tiempo auspicioso. Abrió el cantarillo y dio un trago largo del vino de misa que le chorreó por las comisuras de sus labios. Cuando se sintió seguro, salió del refugio y se apresuró a abandonar el templo por el portillo de Visitación. Comprobó que el callejón estaba desierto y buscó la protección de su casa. Se sentó junto al fogón, abrió de nuevo el cántaro y dio otro trago largo. Quedó pensativo, incrédulo, atónito ante lo que había oído.

Jacinto Jiménez Bazán era sotasacristán —o «sacristanillo», como el vulgo motejaba tal oficio— de la iglesia colegial de Jerez de la Frontera. Dado que las obras habían reducido a la mínima expresión los oficios y misas en la colegiata, el cargo de sacristán, reservado a curas y eclesiásticos, estaba vacante. Y era Jacinto quien tenía que ocuparse de la limpieza de los enseres sagrados, de asistir a los canónigos y sacerdotes, de cuidar los altares, de vigilar cepillos y limosnas, de mantener alejados de las sotanas los polvos y las barreduras de las obras y de todo aquello que los ilustrísimos y reverendísimos señores tuviesen a bien ordenarle. Por todo ello, el cabildo colegial, que sí pagaba bien a doctorales, magistrales y racioneros, sufragaba al sacristanillo unos pocos de miles de maravedíes al año. Sueldo que le era insuficiente para dar de comer a cinco hijos y una mujer, y eso que no pagaba arriendo por la casucha de la cuesta del Aire —cuatro habitaciones mal ventiladas en las que matrimonio e hijos vivían amontonados—, que el cabildo le cedía de balde.

El alba de mayo lo sorprendió sumido en cavilaciones. Sin darse cuenta, había vaciado el cantarillo de vino de misa, mas no se sentía achispado. Muy al contrario, se sentía despierto y perspicaz. Enseguida había descartado dar cuenta al corregidor o a los justicias de la ciudad de lo que había visto y oído. Ante ellos, su palabra, frente a la de hombres poderosos, nada valdría. Tendría, pues, que tomar otros atajos.

Lo que había escuchado esa noche en la iglesia colegial habría de reportarle beneficios, o dejaba de llamarse Jacinto Jiménez Bazán, natural de Jerez, de la collación del Salvador, hijo de Sancho y Josefa. Vive Dios que así sería.

Aquellos cuatro hombres, a tres de los cuales había reconocido sin duda alguna, no hablaban de poquedades por sus marrullerías. Hablaban de cientos, de miles de escudos de oro. Y algunas de esas monedas, el diezmo como mínimo —ellos, que tanto sabían de diezmos, lo entenderían—, tendrían, se dijo Jacinto, que acabar en su bolsa, como que Dios existe y es bueno y poderoso.

I

EL ABOGADO DEL CONCEJO

«¡Qué guapa es, voto a bríos!».

El pensamiento le pasó por las mientes como un relámpago, mientras se levantaba de la silla desvencijada, rodeaba la mesa y se plantaba ante la mujer que lo observaba con ojos turbios. «Y buenas carnes tiene la hembra», se dijo. Le hizo un gesto con la barbilla, negando, ante el ademán de ella de levantarse faldas y enaguas. Se llevó a los labios un dedo manchado de tinta y la mujer entendió de inmediato, no sin antes dejar escapar un mohín de turbación. El letrado se acercó a la puerta y la apalancó poniendo bajo el postigo la silla que antes ocupaba su visitante. Pues no era cuestión de que un escribano curioso o un archivista fisgón o un simple criado viniesen a interrumpir los menesteres que se barruntaban.

Volvió donde la mujer y se plantó ante ella. Ésta, muerta de vergüenza, con la cara redonda llena de rubores, se abrió haciendo pucheros la camisa y dejó escapar dos pechos grandes, surcados de venas grises, que cayeron sobre el justillo, rebosándolo. Y bajó la mirada hasta hundirla en las losetas del suelo. Él tocó, agasajándolos, esos grandes pechos que se bamboleaban sobre la tela tirante, los palpó y pensó que tenían la textura de las telas buenas. Le puso luego una mano sobre la cabeza y empujó para abajo. La mujer se arrodilló y plantó la mirada en su entrepierna, que comenzaba a hincharse. Con la mano izquierda sobre el pelo de ella, usó la derecha para bajarse al mismo tiempo calzón y calzoncillos y dejar al descubierto el miembro palpitante. Alzó la cabeza y cerró los ojos cuando percibió que los labios de la mujer se ceñían sobre el glande, y emitió un gemido

17

cuando lo sintió chocar contra las profundidades de su garganta. Se dejó caer sobre la mesa y se dejó llevar por aquella sensación placentera. La oyó proferir una ahogada exclamación de dolor cuando le tiró del pelo al experimentar los primeros estremecimientos que participaban el clímax, pero, ajeno al daño, le asió la cabeza con las dos manos obligándola a introducir aún más el miembro en su boca.

Luego, cuando todo acabó, se recompuso la ropa y se dio la vuelta sin mirar a la mujer, buscando de nuevo el refugio de mesa y silla. Se limitó a hacerle un gesto con la mano, indicándole la jarra de agua sobre el anaquel en el que descansaban los escasos libros que adornaban esa oficina de la Casa del Corregidor. Todos viejos y usados, sin valor alguno, salvo un ejemplar del *Tratado del cuidado que se debe tener con los presos pobres*, de Sandoval, una segunda impresión de principios del siglo anterior que era lo único valioso en esa estancia. Y que más de una vez estuvo tentado de hurtar y hacer suyo. Oyó el ruido de las gárgaras y no pudo evitar una sonrisa taimada cuando la observó mover los ojos de un lado a otro buscando dónde soltar el buche de agua que ya se derramaba por las comisuras de sus labios. Y sonrió abiertamente cuando, ante su prolongado silencio, la mujer se tragó el enjuague con un gesto de asco.

—Siéntate.

Hizo un gesto hacia la única silla que, aparte de la que él ocupaba, había en la minúscula dependencia y que aún atrancaba el postigo. Aguardó a que la mujer se sentara, se abrochó la portañuela, se acomodó el calzón y fingió revisar unos pliegos amarillentos.

—¿Cómo dijiste que se llamaba tu hombre? —preguntó al fin, levantando la mirada pero evitando fijarla en la mujer. Estuvo buscando dónde asentar la vista hasta que decidió depositarla en el ajado mapamundi que adornaba la pared de enfrente, junto al marco de la puerta. Luego la regresó a los legajos.

—Ya se lo dije antes a usted —le respondió la mujer, ronca la voz después de la succión—. Cuando me aseguró que se ocuparía con interés en el caso y que defendería a mi marido si yo...

—Pero si te digo que me lo repitas, me lo repites y punto final, ¿entiendes, mujer? —interrumpió el abogado, que no deseaba que se le recordase aquella insinuación. Ya comenzaba a sentirse asqueado. De sí mismo.

Había hablado sin levantar la cabeza de los legajos que fingía examinar. Asió una pluma y la sostuvo en el aire hasta que oyó la voz de la clienta.

—Saturnino García.

Rebuscó entre los pliegos, eligió uno medio limpio, observó la pluma con detenimiento, mojó el cálamo en el tintero y, frunciendo los labios, se aplicó en escribir el nombre del cliente.

—¿Cargos?

—Ninguno, usted.

El abogado levantó la mirada, sorprendido. Ahora sí la fijó en la mujer que se sentaba frente a él. Volvió a reparar en sus labios gruesos, hinchados tras la chupadura, en su pelo espeso y ahora desarreglado, en su piel atezada y sus ojos negros, y se dijo que era realmente guapa. Apartó la vista con cierto apuro.

—¿Cómo que ninguno...? Entonces, ¿qué haces aquí, pardiez?

La mujer lo miró sin comprender. El abogado mostró la palma de la mano libre urgiéndola a responder.

—Fue resinero, como su padre y como su abuelo antes que su padre, hasta que nos vinimos a Jerez. Después de la última hambruna. Desde entonces ha trabajado en lo que ha podido. Ahora se gana la vida como mozo de cuerda. Desde no hace mucho, señor. Cargo nunca tuvo.

—Pero ¿de qué me hablas?... ¡Los cargos! Me refiero a los cargos, ¿no me entiendes? La acusación, mujer...

Ésta pareció al fin entender la pregunta del letrado. Iba a responder pero se quedó en silencio, haciendo una mueca extraña con los labios. Se introdujo con cuidado los dedos índice y pulgar de su mano derecha en la boca y extrajo un vello rizado y negro. Púbico, claro. Sin mirar al abogado, buscó dónde depositarlo, pero como no encontrara sitio para ello y como no se atreviera a tirarlo al suelo sin más, sacó un pañuelo húmedo y arrugado de la manga y allí lo guardó, esmeradamente.

—Embriaguez, señor abogado. Lo detuvo la ronda el sábado. En los Llanos de San Sebastián, según me dijo el alguacil.

—Y como no está aquí contigo, he de suponer que o bien sigue borracho o bien está preso.

—Preso, señor. Saturnino está preso desde... desde el mismo sábado, sí. Ni siquiera me han permitido verlo.

—Así que ni fianza ni caución juratoria...

—Fianza no, usted. Tampoco hubiéramos tenido con qué pagarla, seguramente. Lo segundo no sé qué es.

—Caución juratoria. Bueno, algo así como libertad bajo palabra. Se sale libre hasta el juicio sin necesidad de pagar ni un maravedí. Por tanto, mucho me temo, buena mujer, que no hablemos sólo de embriaguez.

—Embriaguez —insistió ella—, eso fue lo que me aseguró Tomás de la Cruz, el alguacil que vive cerca de nuestra casa que es la suya, señor.

—Tal vez, pero me extraña. Si sigue en la cárcel real desde el sábado es que ha habido algo más. ¿Desórdenes públicos, te suena?

La mujer no respondió. Una lágrima se derramó desde sus ojos negros mejilla abajo. Hizo ademán de sacar el pañuelo de la manga, pero se acordaría del huésped que desde hacía unos minutos allí habitaba y detuvo su mano. La subió hasta la mejilla y se limpió como pudo las lágrimas que empezaban a desbordarse.

—¿Cuánto le puede caer? —preguntó con la voz trémula—. Tenemos cuatro hijos, señor. Y aunque yo coso cuando hay encargos y cuando puedo comprar hilos y lanas, y aunque trabajamos ambos en la vendimia cuando llega el verano y este año también nos ayudará mi hijo mayor si crece lo suficiente de aquí a entonces y el capataz de la viña no pone reparos, no puedo alimentar a mis hijos sola. Y Saturnino jamás anduvo en riñas ni acostumbra a emborracharse. Es un buen hombre, lo juro por Dios y por la Santísima Virgen de los Dolores.

El abogado se removió incómodo en el asiento. Odiaba los llantos de las mujeres y que le hicieran partícipe de los infortunios ajenos. Que le hablaran de niños hambrientos o viudas desamparadas. ¡Como si él fuera el Altísimo, que todo lo puede! Raro era el día que no se preguntaba si no había errado al elegir oficio. Sabía que ése era precisamente el cometido del abogado: embeberse de los dramas de los demás y hacerlos propios. Eso le decía una vez y otra tanto su padre como don Antonio de la Fuente, el ilustre abogado que fuera su maestro y que había muerto hacía un par de años, cuando el siglo comenzaba a enfilar su cuesta abajo. Pero no podía evitar que el estómago se le contrajese y que los hígados destilasen bilis a chorros cuando oía hablar a clientes de sus miserias y calamidades, como si así él fuese a poner mayor énfasis en sus discursos. ¡Él era bueno y hacía bien su trabajo sin necesidad de que se le removiese el desayuno con desdichas, pardiez!

—Dependerá de lo que reclame el fiscal de justicia. Y de lo clemente que se sienta el juez, que, para que lo sepas, mujer, no es como yo, letrado, sino de capa y espada.

La mujer asintió, aunque su gesto evidenciaba que no había entendido ni mu de lo que le había dicho el abogado.

—¿Cárcel? —preguntó la mujer, atribulada, temiendo la respuesta.

—Cárcel, o pena de extrañamiento, o la leva forzosa. Vete a saber.

—Pero eso... eso no puede ser, señor —le expuso la mujer, quebrada la voz—. Mis hijos morirán de hambre. No tenemos más familia en Jerez. Mis padres y mis suegros murieron en Bornos hace un par de lustros ya, y mis hermanos y cuñados allí siguen, pobres como ratas. Haré... haré lo que usted me pida. Lo que quiera. Pero tiene que ayudar usted a mi Saturnino. Por favor se lo pido. ¿Irá a verlo?

Y levantó la mirada, firme ahora, y decidida, y la clavó en los ojos del abogado, a quien tocó entonces azorarse. No se le iba de la cabeza lo que había pasado hacía unos minutos. Sentía cómo las agujas del remordimiento acribillaban detrás de su frente.

—Haré lo que pueda —aseguró, una vez recobrada la compostura. Asió de nuevo el recado de escribir—. Dime cómo te llamas.

—Catalina. Catalina Cortés.

—¿Domicilio?

—En la calle Encaramada, más o menos a mitad de la cuesta. En la collación de San Miguel.

—Te avisaré del señalamiento. Y haré lo que pueda, mujer.

—¿Irá a verlo? —insistió.

—¿A la cárcel, dices?

Ella se limitó a asentir.

—Tengo mucho trabajo, mujer. No tengo tiempo para...

Catalina rebuscó en sus enaguas, sacó una bolsa de fieltro desgastada, metió la mano en ella y mostró un puñado de monedas —chavos y calderilla— que todas juntas no harían ni cinco docenas de maravedíes.

—No tienes que pagarme —se apresuró a atajar el letrado—. No puedo aceptar tus dineros. Está prohibido. Podrían encausarme si los tomara.

—Son para Saturnino. Tomás... Tomás de la Cruz, el alguacil que vive en la calle de los Zarzas, me aseguró que sería bueno que le llevara algo de dinero, aunque sea poco. Dice que le hará falta allí dentro, que no es mucho el pan que dan allí ni hay mantas si no hay monedas, aunque sean de cobre. Y aunque es mayo, las noches siguen siendo frías. ¿Irá usted a verlo? —preguntó de nuevo—. ¿Tendría usted la bondad de hacerle llegar esta bolsa? No es mucho, pero es todo lo que tenemos. Se lo ruego...

—¿No sería mejor que guardaras esos dineros para ti y tus hijos?

—Él los va a necesitar más ahora. Nosotros ya nos aviaremos. Tenemos buenos vecinos.

El abogado se quedó pensativo unos momentos, tomó luego la bolsa que la mujer le tendía, la sopesó y la guardó sin decir palabra en uno de los bolsillos de la casaca.

La observó mientras abandonaba el minúsculo despacho del abogado de pobres en la Casa del Corregidor, en la plaza de la Justicia, haciendo esquina con la calle de la Casa de Armas. La mujer volvió la mirada al llegar al umbral de la puerta, pero no dijo nada. Se limitó a cerrarla despacio, sin hacer ruido, dejando solo al abogado. Pedro de Alemán depositó la pluma sobre la escribanía, se levantó, se ajustó los ropajes y se le vino a las mientes la imagen de la mujer postrada ante él. Se le aciduló la saliva y pugnó por alejar de sí ese recuerdo. Intentó convencerse de lo que sabía que no era verdad. Se dijo que la vida era así, que el pobre no pagaba abogados si tenía derecho a ello por no tener rentas o sueldos de al menos tres mil maravedíes al año. Pero la mujer pobre, a falta de dineros, tenía otras cosas con las que pagar. Su cuerpo, o su boca en este caso. Y ni siquiera había tenido que pedírselo, había bastado una insinuación, un gesto. La vida era así, se repitió, y él, abogado de pobres, no iba a cambiarla así porque sí. No estaba en su mano y, posiblemente, tampoco en su voluntad. Pero a pesar de sus disquisiciones no pudo evitar que la saliva siguiera sabiéndole agria.

Se asomó al ventanuco que daba a la calle y vio a la mujer cruzando el Arco del Corregidor. Se fijó en sus andares lentos y en sus ropas bastas. La vio que, sin detenerse, sacaba el pañuelo de la manga y lo aventaba. Creyó ver el vello púbico revoloteando como un negro insecto de mal agüero. Se apartó de la ventana, se sentó ante el escritorio e intentó enfrascarse en legajos y sumarios. Al poco, dejó la pluma, cerró los legajos, palpó la bolsa que la mujer le había dado y abandonó la estancia y la Casa de los Justicias Mayores de la muy noble y muy leal ciudad de Jerez de la Frontera.

* * *

Cruzó el Arco del Corregidor y llegó a la plaza del Arenal. Entró en una taberna de montañeses y pidió un vaso de vino tinto con el que, más que beber, se enjuagó la boca. Sintió hambre y pidió un huevo duro con sal y aceitunas, que pagó con sus propios dineros. Le pasó por la cabeza abrir la bolsa que la mujer le había entregado y costear el pedido con esa calderilla, mas desechó la idea. No quiso que la saliva volviera a agriársele. Luego se dirigió a la plaza de los Escribanos. En ella, desde el pasado siglo, tenían sus despachos los escribanos públicos por disposición del concejo. Y en ella se desarrollaba buena parte de la vida de la ciudad, de la que era corazón y médula. Allí despachaban los escribanos, se reunían concejiles y suplicantes, se vendían melones y cebollas a espaldas de los alguaciles, pues no se permitía la venta en aquel lugar, se lucían hijosdalgo y caballeros veinticuatros, se negociaban tierras y privanzas, se urdían manejos y casamientos e incluso, a pesar de la cercanía de justicias y corchetes, ofrecían sus encantos mesalinas con ínfulas y hacían de las suyas los más osados *peinabolsas*. Y allí, en un lateral de la plaza, se hallaba la Casa de la Justicia y la cárcel de la ciudad.

Alguaciles y ujieres le conocían. Cuando el litigio lo requería —no más de tres o cuatro veces al año—, visitaba la cárcel para verse con clientes presos. Y le era un trance tan penoso como el

23

oír los infortunios ajenos. El Rey Sabio, el que cinco siglos antes había conquistado, y ya para siempre, la ciudad a los moros, dejó dicho en sus *Partidas* que la cárcel es para guardar a los presos y no para otro mal. ¡Ingenua afirmación la del buen rey! Aunque ya se habían abandonado prácticas tan crueles como la rueda, el aceite hirviendo, el maceramiento y el desmembramiento por rueda o con caballos que antaño se usaban para arrancar confesiones a los cautivos, y aunque también se habían mejorado las condiciones de salud y limpieza de las prisiones, éstas seguían siendo lóbregos establecimientos donde poco o nada se respetaban las condiciones humanas del preso. Y donde seguía apestando a muladar y la mugre se colaba por cada intersticio.

La cárcel real de Jerez no escapaba a esos perfiles. Se ubicaba en los sótanos de la Casa de la Justicia y se componía de varias estancias abovedadas, húmedas y lúgubres donde se hacinaban reclusos sin distinción de delitos ni castigos. Era demasiado pequeña para una ciudad como Jerez, donde ya vivían más de cuarenta mil almas entre la ciudad y los campos, pero el concejo no tenía ni caudales ni ganas de invertir arbitrios en una cárcel de mayores proporciones.

Dio el nombre del preso y aguardó a que lo trajeran a la minúscula habitación que servía para menesteres como ése. Tuvo que esperar un buen rato. Y lo tuvo que hacer de pie, pues no había donde sentarse, atosigado por los gritos y maldiciones de presos y carceleros y respirando el hedor que hasta allí llegaba desde la mazmorra.

Saturnino García era un hombre de media talla, ni gordo ni enjuto, ni atezado ni pálido. Le raleaba el pelo, lacio y oscuro, desgreñado; el vello se le desparramaba sin orden por la cara después de varios días sin pasarse la cuchilla, y en su rostro se manifestaban los estragos de los días de presidio. Era, empero, como el común de los mozos de cuerda, fibroso y de músculos largos. Y en su mirada titilaba un brillo de rudeza, o tal vez de desafío. No debía de ser considerado preso peligroso, pues venía sin aherrojar. El guardia lo tuvo que empujar para que entrara, interrogó con la mirada al abogado, que negó con la cabeza después de apreciar por unos instantes a su cliente, y abandonó la estancia.

—¿Saturnino García? —inquirió el letrado.

El preso dudó antes de responder. Examinó primero al hombre que se hallaba ante él, desconfiando. Sus motivos tendría.

—¿Y usted quién es?

—Quien tendrá que defenderte de aquí a poco. Pedro de Alemán y Camacho, letrado y, porque Dios aún así lo quiere, abogado de pobres de este concejo. Toma.

Le tendió la bolsa de fieltro que Catalina le había dado. La tomó el preso, miró en su interior y se apresuró a guardarla en los mugrientos calzones.

—Dios se lo pague.

—Nada tiene que pagarme a mí ni Dios ni su Santísima Madre. Ni tú, por cierto, mal que me pese. Es tu mujer quien te manda esas monedas. Y haz buen uso de ellas, pues no sé qué tiempo te queda aún en la cárcel. Según me dice tu mujer, se te acusa de embriaguez. Pero la embriaguez no es delito para que se te tenga aquí desde hace días, sin cauciones ni fianzas. Algo más debe de haber, o poco sé de cómo se administra la justicia en esta ciudad. Que, para que lo sepas, es poco dada, como todas, a alimentar de balde a quien no es ni peligroso ni tiene traza de malandrín. Como tú.

Saturnino García bajó la mirada hasta su puño diestro, que aparecía amoratado y magullado, y la alzó luego hacia el abogado.

—Pegué a un alguacil de la ronda.

—Vaya, atentado a la autoridad. Pues me aseguró tu mujer que no eras dado a las peleas ni a las borracheras.

Saturnino García fijó la mirada encendida en el letrado y cerró los puños, conteniéndose.

—¡No estaba borracho! ¡Los pocos dineros que gano con mis brazos y mi cuerda no me dan para vinos, teniendo que alimentar a mujer y a cuatro hijos!

El abogado hizo un gesto de hastío. Otro cliente pobre que proclamaba su inocencia. Buscó un lugar donde apoyarse, pero, como no había sitio para ello, probó a recostarse en la pared. Destilaba humedades, se separó raudo de ella y se contentó con permanecer de pie cambiando a cada poco el peso del cuerpo de una pierna a otra.

—Pues tú dirás qué pasó —expuso, sin poder disimular el fastidio.

—¿Servirá de algo lo que yo diga?

—Lo que no servirá de nada es que nos perdamos en circunloquios. Y es delito desconfiar de la justicia del rey. Cuéntame lo que pasó y ya está. No tengo todo el día, vive Dios.

—Acababa de dejar una carga junto a los Llanos de San Sebastián, en el asilo que hay en la calle Piernas, el del beaterio de las Recogidas, para más señas. Había estado todo el día yendo y viniendo a requerimiento de uno de los mayordomos de un marqués. Era ya el atardecer del sábado y me habían pagado bien. Decidí volver a casa. Vivimos en la calle Encaramada. Así que me dispuse a cruzar la puerta de Sevilla, comprar algo de comida en la plaza de los Plateros si aún estaban los puestos de pan y de carne, y seguir hasta San Miguel y Encaramada. Pero me topé con la ronda y con ese maldito alguacil, Juan Maestra...

—Juan Maestra... —repitió el letrado, pensativo. El tono de fastidio había bajado una octava. Conocía a ese alguacil, pequeño como un búcaro, pero malencarado y hosco, con fama de prevaricador y asustaviejas.

—Juan Maestra, sí —continuó su relato el preso—. Me alertaron los llantos y gritos de una moza, una mendiga de las que habitualmente piden en extramuros, en la puerta de Sevilla y a las puertas del hospital de San Juan de Dios. Poco más que una niña. Me alarmé ante sus súplicas y me quedé allí parado, sin saber qué hacer.

Contó entonces cómo el alguacil se dirigió a él, preguntándole por el motivo de su interés. Que comenzó con burlas y mofas y acabó queriendo requisarle navaja y dineros. Que como él se opuso e intentó zafarse, fue golpeado por el alguacil, que intentó arrebatarle por la fuerza lo que era suyo y de sus hijos, la ganancia de todo un día de trabajos acarreando bultos como una mula.

—Y no tuve más remedio que darle una puñada para que me soltara —concluyó Saturnino García—. A él le costó un diente y a mí la libertad. El alcaide me ha dicho que me acusan de atentado, de tenencia de armas blancas prohibidas y de embriaguez. Y no sé si de algo más. En cuanto a lo primero, es verdad que ataqué al tal Maestra, pero fue para defenderme, para que me dejara en paz y pudiera irme. En cuanto a lo segundo, la única arma que portaba era la navaja que uso para mis cargas: para cortar bridas y deshacer amarras. Y en cuanto a lo tercero, le juro por lo más sagrado que no había probado ni una gota de aguardiente en todo el día, que ni la carga permite ir alumbrado ni tengo yo dinero para gastarlo en holandas.

El preso había hablado como hablaban los mozos de cuerda, en su jerga, pero lo había hecho con tal rotundidad, con tanta firmeza, que el abogado de pobres no tuvo más remedio que creerle. A su pesar. Y al mismo tiempo decirse que ese caso podría darle más de un quebradero de cabeza. Porque todos los curiales conocían el criterio de don Nuño de Quesada y Manrique de Lara, juez de lo criminal, de capa y espada, del corregimiento de Jerez. Y todos sabían que no era recomendable para la prosperidad del oficio que el abogado se ofuscara demasiado en la defensa de quienes eran acusados de atentar contra la autoridad. Además, enemistarse con un alguacil, y más si era de la catadura de Juan Maestra, no iba a traerle más que complicaciones. Que, dicho fuera de paso, en mal iban a ayudar a su economía maltrecha y a su reputación en la curia.

—Haré cuanto pueda —fue lo único que acertó a decir, sin solemnidad y sin excesivas certidumbres.

Se acercó a la puerta, llamó al guardia, haciéndole ver que ya había acabado con el preso. Saturnino García, antes de marchar, miró con fijeza al abogado y le anunció:

—En usted confío. Y en la justicia del rey. Que no se diga.

Pedro de Alemán no supo discernir si había sorna en la voz y en la mirada del mozo de cuerda. Lo que sí pudo advertir fue el ramalazo de frustración que experimentó en sus adentros. Tenía la certeza de que ese hombre era inocente. De que si había agredido a un alguacil, había sido en defensa de su propia persona. De que no portaba armas blancas con intenciones criminales, sino como instrumento de su oficio, y que no estaba borracho al momento de ser detenido. ¿De qué servía ser abogado si no podía conseguir la libertad de un hombre en esas circunstancias? Cerró los ojos un segundo intentando detener el palpitar de sus sienes. Y maldijo por lo bajo como si el preso fuera el culpable de su propia tribulación.

—Y gracias —dijo el hombre, volviéndose, antes de salir definitivamente del lugar.

Abandonó la cárcel real y la Casa de la Justicia. Al salir a la calle, a la plaza de los Escribanos, menos bulliciosa a medida que se acercaba la hora del almuerzo, el sol de ese mediodía de mayo lo cegó casi tanto como la sensación de fracaso que cruzaba como un rayo por sus mientes.

II

EL PLEITO DE DON SEBASTIÁN DE CASAS

Contempló los puestos de fruta que había en la plaza de Plateros. Oyó las voces de los fruteros, que pregonaban las excelencias de sus mercancías. Por más que no debiera haber diferencias entre las de un puesto u otro, ya que todos los fruteros de Jerez estaban obligados a comprar sus mercaderías, fueran frutas frescas o secas, en un almacén de la calle Larga propiedad del marqués del Buen Suceso, según ordenanza del concejo.

Compró un limón en uno de los puestos y mordió uno de sus gajos. El frescor ácido de la fruta le quitó la sed y el mal sabor de boca. Y le ayudó a alejar de sí la mirada del preso, que parecía corretear por su piel como una garrapata. Y la de Catalina Cortés, a quien había ultrajado. La ciudad se mostraba radiante y lánguida. La feria que cada año se celebraba en primavera había finalizado pocos días antes, a finales de abril. El bullicio de los tratantes que habían venido hasta Jerez de la Frontera desde todas las partes de Andalucía buscando buenos negocios con los caballos de los monjes de la cartuja de la Defensión, con los vinos que afamaban la ciudad, con los cereales de sus campos y con las vacas y bueyes que pastaban en la fértil campiña, había dejado paso a un ambiente relajado, de vísperas, pues la ciudad ya se preparaba para la celebración de las Cruces de Mayo en patios, plazas y revueltas. Sintió hambre y se dirigió, pensativo, a su casa en la calle Cruces. Era una calle estrecha cercana a la iglesia colegial que recibía su nombre de una casa en cuya portada había tres cruces, la de Nuestro Señor Jesús y las de Dimas y Gestas. La casa del abogado estaba un poco más arriba, casi en la esquina de la que se llamaba Visitación y daba a la calle de las Vacas.

Antes de entrar en su calle se acercó a una carnicería que había en la plaza del Hospital, que se llamaba así porque allí se ubicaba, hasta la reducción hospitalaria de dos siglos antes, el hospital de Santa Catalina. Compró con los últimos maravedíes que llevaba en la bolsa un par de chicharrones y un filete duro para el almuerzo. Se distrajo en los trajines de las obras hasta que el sol comenzó a molestarle. Ya apretaba lo suyo en ese principio de mayo. Se refugió en su casa, soasó el filete en el fogón y acabó los chicharrones acompañados de un par de vasos de vino oloroso. Durmió una siesta inquieta, durante la cual le asaltaron malos sueños, y despertó a media tarde.

En la habitación delantera de las tres que componían la casa tenía su bufete, donde recibía a los clientes particulares —escasos— y donde guardaba sus cuadernos y sus libros, entre los cuales tres destacaban: una *Práctica civil y criminal*, de Gabriel de Monterroso, la *Praxis criminalis, civilis et canonica*, de Juan Gutiérrez, y la *Orden de los juicios y penas criminales*, de Antonio de la Peña. Todos ellos herencia de su padre, del que poco más, desde el punto de vista material, había recibido. Compatibilizaba su trabajo de abogado de pobres, que remuneraba el corregimiento, con el ejercicio privado de la abogacía, con el que intentaba complementar el exiguo sueldo de su oficio público. Así lo permitían las pragmáticas reales. Pero, por desgracia, no abundaban los clientes dispuestos a pagar por sus servicios en una ciudad donde tres o cuatro abogados de largo prestigio copaban la clientela con posibles. En esos tiempos sólo tramitaba en el bufete cinco o seis pleitos civiles de escasa enjundia y que le iban a reportar menguados honorarios.

Se enfrascó en uno de ellos: un litigio sobre la impugnación del testamento de una viuda sin hijos de la collación de San Juan de los Caballeros que había legado su casa a un presbítero de la parroquia y había instituido a su propia alma heredera universal del resto de sus bienes. Éstos se liquidarían para convertirlos en misas y responsos, con lo que irían también a engrosar el peculio del presbítero y la parroquia. Para su único sobrino, huérfano de su hermana, sólo había instituido una manda de unos miles de maravedíes. Y hacía más o menos cinco meses ese sobrino, mozo de mala cabeza, se había personado en el bufete de Pedro de Alemán y Camacho para hacerle el encargo de que impugnara el testamento de su ingrata tía, redactado pocos días antes de su muerte. Lo había remitido allí Jerónimo de Hiniesta, procurador, con quien habitualmente trabajaba y que debía al abogado un par de favores. El cliente le había dicho que adujera lo que se le antojara, ya fuera incapacidad de la causante para testar o ya fuera la falsedad del testamento mismo. O que había sido terciado por Satanás, si ése era el caso. Lo que mejor le fuese, que de lo que se trataba era de enganchar algunos de los escudos que veía se le escapaban. Sebastián de Casas, que así se llamaba el cliente, sólo había podido entregarle a cuenta de honorarios un puñado de reales que si acaso, una vez pagara su parte al personero Hiniesta, le darían para costearse el pan y el carbón vegetal de una semana. Y no más. Pese a lo cual aceptó pleito y monedas y ni siquiera advirtió a su cliente del riesgo de las costas procesales, cuya imposición, supuesto nada desatinado, le podría acarrear la ruina cuando no la prisión, de la que por causa del impago de las costas del proceso privado no se libraban más que los pobres por disposición del quinto rey Felipe.

Estuvo un par de horas aplicado en la preparación del escrito de proposición de pruebas, rebuscando en las *Partidas* del Rey Sabio, en la *Recopilación* de Felipe Segundo, en los precedentes que pudo hallar en la doctrina de los juristas y en sus polvorientos y ajados libros jurídicos. Intentando cimentar una construcción realmente débil, porque la verdad era que, después de las alegaciones iniciales que ya habían sido evacuadas por ambas partes, las expectativas de ganar el litigio habían decrecido como una ola mansa. Reestudió de nuevo la demanda, que había redactado poniendo en ella sus mejores conocimientos. Leyó con satisfacción su exordio, en el que instaba al alcalde mayor, que habría de conocer del pleito en primera instancia, a hacer justicia, dándosela, por supuesto, a su cliente el demandante:

Nadie duda, y menos que nadie don Sebastián de Casas, hombre de valor y arrojo, de mesura y buenos sentimientos, que sabrá usía administrar correctamente la justicia en su tribunal, haciendo valer en sus estrados los derechos de este vecino al que ilegítimamente se le ha privado de lo suyo. Y decretar en favor del agraviado lo que se impetra, esto es, la nulidad testamentaria, por haber sido dictado el codicilo cuando no se hallaba la causante en posesión de sus potencias. Y en tal sentido dictar sentencia, haciéndola cumplir, ayudado, si fuere menes-

ter, de la fuerza pública. De modo que, mediante los trámites y procedimientos que la justicia enseña, se consiga una reparación la más acertada, pronta y llevadera de los perjuicios y daños que por desgracia se han irrogado al respetado señor de Casas. Sólo así se hará justicia, que es la inapreciable ventaja que la sociedad principalmente nos procura.

«Realmente elocuente», se dijo. Brillante. Siguió, no obstante, leyendo la demanda y se vio obligado a reconocer, no sin pesar, que el resto de la fundamentación de hecho y de derecho ni era tan brillante ni era tan persuasivo. Y la pretendida incapacidad de doña Virtudes de Sotomayor, a la sazón testadora en el testamento que se impugnaba, era de demostración harto compleja.

Su disgusto fue mayor cuando releyó la *litiscontestatio* de don Luis de Salazar y Valenzequi, afamado abogado especializado en la protección de los intereses de parroquias, curas y eclesiásticos y con suntuoso bufete en la calle Letrados, como todo jurisconsulto que se preciase. Salazar, notorio por el desprecio con que se dirigía, de palabra y por escrito, a pasantes y abogados jóvenes, ya fueran adversos o de su cuerda, había iniciado su contestación a la demanda lanzando dardos envenenados contra la acción que respondía y contra el autor de lo que no tuvo reparos en tildar de dislate procesal:

> *Es cosa de admirar, cuando no de repudiar abiertamente, en algunos pleitos y litigios como éste, que una gran porción de sus sustentos se reduce a nimiedades y cosas de mal pensar, acusaciones sin probanzas que al fin y al cabo concluyen en dilaciones que sólo buscan el aumento de dineros y aranceles. Todo lo cual pudiera muy bien evitarse si hubiera menos indulgencia en los jueces respecto de los curiales, que frecuentemente osan iniciar pleitos que más que acción de buen pedir son desaguisados sin causa legítima que los cohoneste.*

Cerró de un golpe el legajo, musitó por lo bajo un «cabrón» dirigido a ese viejo letrado que lo motejaba de fullero y se levantó del escritorio. No estaba en disposición de concentrarse para redactar escritos procesales. De todas maneras, le restaban varios días de plazo. Se asomó a la ventana, vio que el sol aún estaba alto y abandonó la casa dando un portazo que desprendió un puñado de caliches.

Enfadado con ese cliente pícaro que lo había situado en la tesitura de tener que soportar los insultos del abogado Salazar y que se había creído que por unos cuantos reales podría hacerse con la herencia de su devota tía y desentenderse de todo, se dirigió sin pensárselo hacia la calle Salas, donde vivía el tal Sebastián de Casas. Llegado a la casa de su cliente, golpeó la puerta con la aldaba como si la madera fuese la cara de don Sebastián, hasta conseguir que le abriera. Sólo con verlo advirtió que había bebido. Presentaba la tez encendida, los ojos brillantes y la mirada abotargada. Su aliento hedía a vino aguapié. Saludó sin complacencia a su abogado, dudó antes de ofrecerle pasar y finalmente se hizo a un lado para permitirle la entrada a su casucha de dos habitaciones y una cocina tan pequeña como un ropero.

Las dos únicas sillas de la estancia principal —por así llamarla, pues poco de principal tenía— y la mesa estaban atiborradas de restos de comida y ropa sucia. De Casas los recogió con manos vacilantes y los amontonó en un rincón. Ofreció asiento a Alemán, mas éste rehusó sentarse.

—Gracias, pero sólo será un instante —dijo sin preámbulos—. Y voy a ir al grano. Tenemos que presentar las pruebas que demuestren que su tía doña Virtudes de Sotomayor tenía sus facultades mermadas a la hora de dictar su testamento. —Comprobó que su cliente le estaba prestando atención, aunque con esfuerzo, y continuó—: De los dos testigos que firmaron el documento junto con el escribano don Juan Bautista de los Cobos, uno ha muerto y al otro, un tal Argüelles, Francisco de Paula, todavía no lo hemos encontrado. Vivía en la calle de la Sedería, pero ha debido de mudar su residencia y no hemos podido dar con él. Su procurador don Jerónimo de Hiniesta se ha comprometido a encontrarlo y a concertar un encuentro para conocer qué va a decir en el juicio. Este testimonio es importante, pero no es tan crucial como el del médico de doña Virtudes, con quien usted, Sebastián —a estas alturas de la charla, el abogado ya le había quitado el «don» a su cliente—, se obligó a hablar. No hará falta que le diga la relevancia de la opinión científica de ese testigo. Su informe será, más que un testimonio, una pericia. ¿Ha hablado usted con él, Sebastián? Porque sepa que los abogados no hacemos milagros, pardiez, y menos cuando se nos paga de forma tan escasa.

—Se niega... ejem... a hablar conmigo, don Pedro. —Su voz era pastosa y sus ojos rehuían la mirada del letrado—. He ido a verle no menos de tres veces y se ha negado a recibirme. Y me he hecho el encontradizo en varias ocasiones, y en todas ellas me ha eludido, dejándome con la palabra en la boca. Afirma no tener nada que hablar conmigo y que lo que tenga que decir lo dirá ante los escribanos del alcalde mayor, si se le llama a juicio. Sé que va diciendo pestes de mí y de la demanda, y que quien se niega a aliviar el alma de una difunta con las misas ordenadas, pretendiendo gastarse en vinos lo que serviría para sacar a doña Virtudes del purgatorio, no tiene perdón de Dios. Pero con palabras más gruesas, incluso.

—Pues mire, Sebastián, considero que las palabras de ese médico deberían hacerle reflexionar. Y lo digo porque mala ayuda dará usted a su demanda y a sí mismo si se le ve como yo le estoy viendo ahora. Ebrio a media tarde y oliendo como un alambique. Con perdón. Pero recuerde: el éxito de todo proceso judicial reside tanto en la habilidad del letrado como en las razones del cliente. Y si el cliente se empeña en quedarse sin razones, viviendo en continua chispera, mal porvenir le auguro, a usted, a su acción y, de camino, a mí y a mi reputación, que no es la menor de las cosas que están en juego.

De Casas no pudo ocultar un gesto de hartura. Insolente, derramó la mirada por la habitación hasta dar con un vaso que aún tenía un resto de vino. Lo asió, lo apuró, se limpió los labios con el dorso de la mano y quedó mirando al abogado, díscolo.

—Si no lo entendí mal cuando recibí sus explicaciones, de lo que se trata en este maldito pleito no es de si yo bebo más o menos, sino de si mi tía estaba o no en condiciones de dictar testamento cuando lo hizo. Es decir, si estaba en sus jodidos cabales cuando decidió que el cura de San Juan se quedase con todo lo que tendría que ser para mí. ¿O yerro acaso, letrado?

—Así consta en el suplico de la demanda que presenté en su nombre, amigo mío. Y ése es el objeto de la *litis*, efectivamente. Pero sepa usted que pleiteamos contra una parroquia y un presbítero, con lo que eso supone, y que el buen nombre del demandante es tan importante, si no más, que la invocación de fueros y partidas. Y su fama, permítame que se lo diga de nuevo, Sebastián, y disculpe usted, es más estrecha que el coladero de una monja. Y más que disminuirá si persiste en pasarse el día entre mistelas y rufianes.

—No le consiento a usted, caballero, que me hable así, por muy abogado que sea. Entérese bien de que yo...

—¡Por Dios, por Dios!... —exclamó el abogado, abriendo ambas manos, como para contener a su cliente—. Está bien. No es momento de perderse en disputas, Sebastián. Que no es poco lo que está en juego: su patrimonio y mis honorarios. ¿Cómo se llama el médico? ¿Y dónde vive?

—Clemente Álvarez. Tiene casa y consulta en la calle Francos, junto a la pañería de los Gallego. Es un hombre ya de edad, con prestigio entre pacientes y colegas, pero de malas pulgas. Y no soy santo de su devoción, como ya le he advertido. No espere mucho de él.

—¿Ese don Clemente fue siempre el médico de su tía?

—Desde que yo tengo uso de razón. Y sus buenos reales que le sacó a la vieja, vive Dios, tan propensa como era a los males imaginarios y a los remedios caros que le recetaba día sí y otro también el dichoso galeno. Que, dicho sea de paso, no sé qué interés tiene en que sean los curas, y no yo, quienes se queden con lo que él no pudo rapiñar.

—Hablando de interés, ¿cree usted que es hombre ese don Clemente Álvarez que se dejaría... digamos... tentar?

—¿A qué se refiere, letrado? —preguntó el cliente, avivado su interés de repente y con ademán perspicaz, como si la borrachera se le hubiese evaporado por ensalmo.

—La herencia de su tía no es moco de pavo —dijo Alemán, odiándose al oír su voz engolada, el tono de suficiencia de sus palabras—. Según el inventario, como bien le consta, sus depósitos ascendían a casi veintiocho mil reales. O lo que es lo mismo, más o menos setecientos escudos en la fecha de su muerte. Que no es que fueran a asegurar la opulencia de su descendencia futura, pero sí que le permitirían, Sebastián, vivir como un marqués durante muchos años. O como un canónigo, por lo menos. Y más si tenemos en cuenta que la casa de la calle Palma, joyas y otros bienes importarán, una vez se liquiden, una suma similar, si no superior.

—Bien que lo sé, señor. Que por eso ando en pleitos.

—Pues a lo que me refiero es a que no debería tener usted reparos en invertir parte de esas futuras ganancias en asegurar testimonios favorables.

—Hábleme en román paladino, letrado, y déjese de circunloquios de una vez por todas.

—Creo que me ha entendido perfectamente, Sebastián. No me pida que sea más explícito, hombre, que mi decoro y la deontología me lo impiden.

—¿Me está hablando de comprar al médico? ¿De pagarle para que diga lo que nos convenga? ¿De hacerle cometer perjurio?

—¡Oh, oh, oh, por todos los santos! Mal empezamos, señor, si confunde usted el perjurio con un testimonio favorable a nuestras tesis. Le recuerdo que me aseguró que su tía carecía de luces cuando testó. Por lo tanto, entiendo que decir tal cosa no puede ser de ningún modo perjurio. ¿O es que acaso no me dijo usted la verdad?

—¡De ningún modo, de ningún modo, don Pedro...! Que doña Virtudes tenía el seso sorbido desde hace años de tanto inhalar incienso y recitar tedeums es cosa que no se puede discutir.

—Pues entonces, por favor, cuide usted su lenguaje.

—Bien, discúlpeme. Pero, pardiez, dígame entonces a qué se refiere.

—Me refiero única y exclusivamente a que, tal vez, una buena bolsa ayude a don Clemente Álvarez a recordar cosas, sucesos, detalles, datos que tal vez ha olvidado con el tiempo y que posiblemente ahora le harían dictaminar que su tía tenía la cabeza ida cuando acudió al escribano don Juan Bautista de los Cobos. Con quien también habré de tener una conversación, por cierto. Oséase, que estaba como una cabra, dicho sea mal y pronto. De eso hablo, hombre, y no de otra cosa.

—No sé yo si el físico es persona dada a cohechos... —argumentó De Casas.

—¡No se entera usted, por Dios! Le insisto, señor, que no hablo de cohechos. ¿Por quién me toma? De lo que hablo es de avivar la memoria, de refrescar recuerdos. Ya está. De cualquier forma, lo digo en su interés, que no en el mío, pues es usted quien más se juega, no lo olvide.

—Pues por evitar más digresiones, ¿de cuánto hablamos?

—Usted conoce al médico mejor que yo, que no lo conozco en absoluto —explicó Alemán.

—Como ya le he dicho, don Clemente es hombre de edad. Cuarenta y muchos, por no decir cincuenta. Ello quiere decir que lleva años y años ejerciendo de médico y cobrando buenos dineros por sus recetas. Además, está casado con doña Juana Meléndez, que es de insigne linaje y le aportó buena dote. No se va a conformar con poco. Y ello pensando que esté dispuesto a ayudarme, que es mucho pensar.

—¿Quince escudos, tal vez?

—¡Ni lo sueñe! —objetó el cliente—. Y no me refiero a que se pueda o no conformar con esa suma. Me refiero a que soy yo quien no la tiene. No tengo ni un maldito real, don Pedro. Recuerde que ni siquiera pude pagarle ni la décima parte de lo que me pidió como adelanto.

—Por ahora, Sebastián, por ahora. Que estamos hablando de honorarios que, como supongo sabrá, es vocablo que deriva de honor. Y el honor es algo que ni se regala ni se dispensa. ¿Qué suma podría usted reunir de aquí a unos días?

—¡Quince escudos, ni por asomo! —aseguró el otro—. Cuatro o cinco, todo lo más, y eso si consigo vender el último camafeo que me resta de la herencia de mi madre.

—Pues póngase a ello. Yo hablaré con el médico. Hoy mismo, si es posible. Y si el tal don Clemente no se aviniese a testificar a nuestro favor, tendremos que encontrar otro perito. Déjelo también de mi cuenta. Conozco a un físico que vive en la calle de la Sangre que nos ayudará si se lo pido. Y otra cosa: debe hacerme usted llegar antes de tres días la relación de los testigos que habremos de proponer, gente que conociese a su señora tía y esté dispuesta a decir que no estaba en sus cabales. E intente usted que sean personas respetables.

Pedro de Alemán abandonó la casa de su cliente con una media sonrisa en los labios. Veía la oportunidad de embolsarse unos buenos escudos con los tejemanejes de los peritos. Pero a medida que andaba la sonrisa se fue convirtiendo en una mueca de disgusto. Poco a poco, como un atardecer lánguido en el que el sol camina hasta su ocaso despaciosamente. Al fin, se sintió mal consigo mismo. Una vez más. Y le ocurría más veces de las deseadas en los últimos tiempos. Rememoró la conversación con su cliente, ese marrullero Sebastián de Casas. Recordó también el episodio lamentable con Catalina Cortés, cómo se había aprovechado de la desgracia de la mujer para conseguir un placer efímero. Y otras muchas peripecias de similar índole. Cerró los ojos con fuerza para arrinconar esos pensamientos, pero no logró ni evitarlos ni que la saliva le supiese a pura hiel.

Si alguien le hubiese preguntado qué sentía por sí mismo en ese preciso instante, «asco» habría sido el primer vocablo que se le habría pasado por las entendederas. Intentó de nuevo apartar de sí ese sentimiento que le disgustaba como un trozo de hueso clavado en el cielo de la boca diciéndose que la vida es lucha y que en la lucha hay que usar todas las armas que se tienen al alcance de la mano. Y que él no tenía culpa de que la vida fuese un guiso en el que tan bien mezclaba la virtud como el pecado. «La vida, pardiez, es como es, hay que tomarla como viene, y de nada vale lamentarse», se dijo. Él, Pedro de Alemán y Camacho, abogado de pobres, era como era, y difícil le iba a resultar cambiarse a esas alturas de la vida. Que no eran tampoco muchas, pero sí las suficientes como para saber que el tronco del árbol, cuando nace torcido, ya no se endereza por mucho que se lo apuntale.

Siguió andando masticando desazón, descontento consigo mismo. Y contrariado, además, por haberse puesto en manos de ese granuja de De Casas, a quien le había revelado propósitos nada decentes. Que, de trascender, acabarían con una carrera tan fugaz como poco afortunada. Se lamentó de ser tan poco reflexivo, tan imprudente en cuanto atisbaba la posibilidad de embolsarse un par de escudos. Absorto en tales pensamientos llegó a la calle Francos, buscó la pañería de los Gallego y localizó la casa del médico Álvarez. Inconfundible por el tufo a pociones y mejunjes que escapaba de su zaguán, se adentró en ella, llamó la atención de una vieja criada y preguntó por el galeno. No se hallaba allí. Había tenido que acudir a una urgencia, un paciente de la plaza de Jaramago aquejado de calenturas.

Levantó la mirada y vio que el sol ya declinaba. Sin embargo, aún quedaban dos o tres horas para que tañeran las campanas de la queda de San Dionisio. No tenía ganas de encerrarse en su casa, donde sus oscuros pensamientos lo agobiarían, ni de entrar en un mesón para que su soledad se acrecentara, pues era de los que pensaban que la soledad se ensancha en compañía de gente desconocida. Se dijo que era un momento tan bueno como cualquier otro para encontrar un poco de bálsamo para sus tribulaciones en casa de don Bartolomé Gutiérrez.

III

El sastre don Bartolomé Gutiérrez

Pedro de Alemán había hallado a don Bartolomé Gutiérrez en la habitación delantera de su casa de calle Algarve, donde tenía su negocio de sastre. Pero, como era costumbre, y más a esas horas, no lo halló enfrascado en costuras y tejidos, sino en libros y escrituras, que eran su verdadera pasión, mientras que su trabajo de cortar telas y confeccionar camisas y casacas no era sino el instrumento con el que dar de comer a su mujer y a sus hijos. Instrumento que cada vez más delegaba en su hijo primogénito, Dimas de nombre, que a sus dieciséis años mostraba especial habilidad con hilos, tizas, dedales y alfileres.

En un rincón de la sastrería, en el poco espacio que dejaban los rollos de paño, las perchas, los metros, las tijeras y restantes útiles de su oficio, don Bartolomé Gutiérrez había instalado un pequeño escritorio tras el cual se amontonaban por docenas libros de todo tipo, aunque principalmente de historia y poesía, que colmaban hasta tal punto los anaqueles que muchos se desparramaban por el suelo.

Bartolomé Gutiérrez, nacido en los primeros años del reinado de Felipe Quinto, provenía de familia pobre y por eso no había tenido maestros ni instrucción en su infancia. Pese a ello, era un hombre sabio, o al menos eso pensaba el abogado. Y otros muchos en Jerez. Aunque autodidacta, era erudito, docto y adornado de letras. Y a pesar de ser enclenque y cojo —defecto este que suele dotar de carácter áspero a quien lo padece—, era persona afable, buen conversador, cariñoso, amigo de escuchar y de dar buenos consejos cuando le eran requeridos. Amaba a Jerez y a su historia por encima de todas las cosas, hasta el punto

41

de que cada día era más renuente a los hilvanes y los paños, para gran disgusto de su mujer, y más propenso a los versos y a sumergirse en el pasado de una ciudad que lo obsesionaba. Hacía ya casi un cuarto de siglo que había visto publicada su primera obra, *Relación nueva de la hermosa Arida*, que había sido impresa en pliego de cordel en los talleres sevillanos del impresor Antonio de Hermosilla. Después había seguido su célebre *Descripción memorable al beneficio de concedernos el agua nuestro Dios y Señor, mediante el patrocinio de María Santísima en su portentosa imagen de Consolación*, impresa en 1739 en Cádiz, en la imprenta de la viuda de Gerónimo de Peralta, obra que le había encargado don Gil José Virués de Segovia para conmemorar el éxito de las rogativas que acabaron con la sequía que ese año amenazaban las cosechas. Y otras varias obras, tanto en verso como en prosa.

Don Bartolomé recibió al letrado con alegría, a pesar de la hora. Había sido íntimo amigo de Pedro de Alemán y Lagos, padre de su visitante, a quien consideraba como un sobrino. Dejó la escritura en la que estaba concentrado: el primer tomo de los cuatro que se proponía escribir sobre *Historia de las antigüedades y memorias de Xerez de la Frontera*, al que daba los últimos retoques. Hizo que el abogado se sentara en una silla que vació de libros y folios garabateados, le ofreció un vasito de aguardiente y le preguntó por sus nuevas. Entre sorbo y sorbo del licor, y sin querer adentrarse en profundidades, Alemán le contó algunos de los chismes que circulaban por la ciudad y por la curia, como aquellas hablillas sobre lo que había pasado en un confesionario de la iglesia de San Francisco entre uno de los frailes y la hija de un veinticuatro.

—La niña salió del convento como alma que lleva el diablo —explicó— y contó luego a su padre que el fraile había atentado contra su pudor. Y el padre no supo si empuñar la espada e irse a buscar al fray o contratar a un abogado. Comoquiera que ese veinticuatro tampoco es en exceso hábil con el acero ni se caracteriza por su fogosidad, decidió irse a la calle Letrados y contratar a don Martín de Espino y Algeciras.

—Buen abogado, por cierto. Y amigo de tu padre.

—Para nada me sirvió esa amistad, mire usted por dónde. Como bien le consta.

—Lo sé, lo sé, hijo, pero continúa, que me tienes en vilo...

—El caso es que don Martín, antes de iniciar proceso, habló con el prior del convento buscando una reparación. Ya conoce usted a Espino y Algeciras: siempre presto a una componenda que deje a todos satisfechos y bien colmada su faltriquera. El prior lo remitió a don Luis de Salazar, abogado del convento, con la súplica de que hicieran todo cuanto estuviera en sus manos para que el asunto no trascendiese. Y desde entonces se encuentran ambos letrados en conciliábulos cerrando los flecos del acuerdo. Y o mucho me equivoco o todo quedará en nada: cambiarán de manos varias bolsas de escudos de oro y algunas aranzadas de buenas tierras franciscanas pasarán a engrosar el patrimonio del caballero veinticuatro. Y aquí paz y después gloria, y si te vi no me acuerdo. Que más valen oro y tierras que la virtud de una muchacha, por muy noble que ésta sea, si por medio hay curas y abogados. Aunque esté mal que yo lo diga, ya lo sé.

—¿No habrías hecho tú lo mismo, Pedro?

—Posiblemente, posiblemente, no lo niego. Aunque por lo menos habría exigido que el fraile rijoso no volviese a encargarse del confesonario de San Francisco. Qué menos..., ¿no?

Luego, sin excesivo interés, le fue relatando algunos de sus últimos casos, deteniéndose en el del mozo de cuerda. Le contó los detalles del incidente con Juan Maestra y la situación del preso. Se cuidó muy mucho, claro está, de contarle el incidente con Catalina, la mujer del mozo, en el despacho del abogado de pobres.

—Bueno, bueno... —dijo Gutiérrez cuando el abogado hubo terminado—. Y ahora cuéntame de verdad qué pasa por tu cabeza.

El abogado simuló sorprenderse: sabía de la agudeza del sastre.

—¿A qué se refiere usted, don Bartolomé? —preguntó.

—Hombre, Pedro, que te conozco desde que saliste del vientre de tu madre y sé cuándo estás bien y cuándo no. Estos ojos míos son ya viejos y están cansados de tanto ensartar agujas. Y de tanto leer y de tanto escribir a la luz de estas lámparas. Pero aún pueden distinguir cuándo alguien está preocupado. Y más si ese alguien eres tú. Así que tú dirás qué es lo que te aflige. Si quieres, claro.

Pedro apuró su vaso de aguardiente para no tener que responder de inmediato. Se quedó pensativo mientras el sastre, que comprendió esa momentánea necesidad de silencio, rellenaba los vasos. Don Bartolomé se cruzó de brazos y se repantigó en su asiento, masajeándose de vez en cuando la pierna mala, a la espera de que el otro hablase.

—No se le va una, don Bartolomé —dijo el letrado, como rindiéndose. Su voz sonaba apagada y sus ojos rehuían los del alfayate—. Es verdad que estoy inquieto, que ando últimamente sumido en cavilaciones. Para qué negárselo.

—¿Problemas de dinero, tal vez? Bien sabes que no nado en la abundancia, pero con algunos reales te puedo ayudar.

—¡No, no, válgame el cielo, buen amigo! —repuso el letrado, mostrando las palmas de ambas manos como si quisiera atajar al otro—. No es ése el problema, de verdad. Con mi sueldo de abogado del corregimiento y lo que me saco en el bufete tengo para vivir. Ya acabé de pagar las deudas de mi padre hace algunos meses y no tengo ahogos. Tampoco es que me sobre, pero sobrevivo. El problema es otro.

—¿Mujeres? —Y comoquiera que el abogado negara con la cabeza, añadió—: Pues si no son dineros ni mujeres, es algo realmente grave. Tal vez desees contármelo, pero si no, ten por seguro que no me molestaré. Sé cuándo un hombre debe guardar las cosas para sí.

—No sé qué hago en esta vida, don Bartolomé —espetó Pedro de pronto, casi como si eructara.

—¡Por los clavos de Cristo, que sí que es arduo el negocio! —argumentó el sastre—. ¡No tienes ni edad ni dificultades para esos pensamientos, Pedro!

—Pues así ando, sin saber quién soy. Me levanto, voy a la Casa de la Justicia apenas desayuno y allí paso la mañana cuando no tengo juicios o pleitos, leyendo sumarios, estudiando autos y, sólo muy de higos a brevas, recibiendo a clientes pobres que se atreven a visitar al abogado de balde del corregimiento. Almuerzo, las más de las veces solo, duermo la siesta y paso la tarde en el bufete esperando clientes que no llegan, y allí aguardo hasta el atardecer. Leyendo y adquiriendo conocimientos que sé que no voy a tener oportunidad de usar, pues sólo me entran litigios de tres al cuarto. Y así día tras día, semana tras semana, mes tras mes. Sin más expectativas que conservar el cargo, que no está el oficio para ejercer sólo de liberal, y sabiendo que no soporto a la mayor parte de la gente con la que por razón del trabajo tengo que tratar. Y sabiendo también que las más de las veces tampoco me soporto a mí mismo ni a las cosas que hago.

—¿Y qué cosas son ésas, Pedro?

—¿Defender a pícaros, representar a tahúres, asistir a putas y cortabolsas le parecen a usted cosas de las que sentirse orgulloso, don Bartolomé? ¿Le parecen un reto profesional...? Y eso cuando no tengo que lamentarme de conductas peores.

—Ésa es una pregunta que deberías responder tú y no yo, abogado. Pero si me pides parecer, te diré que no son asuntos que deban hacerte así de infeliz. No sé de partidas ni de leyes, como bien conoces, pues lo mío son las octavas reales y los libros polvorientos. Pero sí oí a tu padre decir en más de una ocasión que todo el mundo, incluso el más abyecto y el más pobre, tiene derecho a ser asistido por quien sabe navegarse entre fueros, compilaciones y atenuantes. Y que la justicia, para ser tal, ha de ser para todos, y para todos por igual, pues si no dejaría de ser justicia.

—Si así fuera... Recuerde usted lo que le acabo de contar sobre el franciscano y la hija del veinticuatro. Si en vez de ser fraile, el agresor es, qué le digo yo, curtidor, sillero, esterero o fabricante de fideos, estaba ya en galeras con la espalda lacerada, cuando no muerto por garrote. Mas no es eso a lo que me refiero. Lo que quiero decirle es que... ¡Que no estoy contento conmigo mismo, voto a bríos! Y no sé explicarme mejor.

—Pues si no te faltan maravedíes para llegar a fin de mes ni añoras ninguna hembra, ni tienes excesivos problemas por tu concepto de la justicia, lo cierto es que no logro entenderte, Pedro. ¿Qué te reprochas?

Se quedó el abogado de nuevo en silencio. Dudando si continuar o no. Si desnudar su alma ante ese sastre que era como un segundo padre para él. Dudando si mostrarse como realmente era y exponerse a la recriminación de su amigo. Se animó al fin a hablar.

—Me reprocho... Me reprocho no ser quien habría querido ser. Eso es lo que me reprocho, don Bartolomé.

—La pregunta es obvia: ¿quién habrías querido ser? Porque, hasta donde sé, siempre soñaste con ser abogado, como tu padre. Y abogado eres.

—Abogado de pobres, como él. Cuyo cargo heredé gracias a no pocas ayudas como la que usted me procuró hablando con el concejo y el abad de la colegial. Pero no me refería a mi oficio. O sí, tal vez. No sé, la verdad es que estoy hecho un lío.

—Pues si tú no lo sabes, Pedro... Realmente me preocupas.

—A ver si consigo explicarme. Y espero no arrepentirme mañana. Por contar estas cosas. O simplemente por pensarlas. —Hizo una pausa, tomando aliento. Suspiró y dijo—: Me gustaría ser un abogado de los buenos, eso por supuesto. Y defender a parroquias y conventos, como don Luis de Salazar, o a caballeros e hijosdalgo como don Martín de Espino, o incluso a cosecheros y terratenientes como don Juan Polanco Roseti. Y disponer de un bufete lujoso en la calle Letrados. Claro que sí. Pero tampoco el no serlo me turba ni me impide dormir. Lo que me abruma es verme obligado, pleito sí y otro también, a defender a truhanes y tunantes y, con el paso de los días, convertirme en uno de ellos. Para lo que poco me falta, vive Dios.

Le detalló entonces, a duras penas y con la voz que se entrecortaba cada dos por tres, el pleito encomendado por don Sebastián de Casas, la conversación mantenida horas antes y las estipulaciones de corruptelas que entrambos, y más el abogado que el cliente, habían tramado.

—¿Qué cree usted que diría mi padre si pudiera juzgarme ahora? Y lo peor es que a pesar de todo estoy seguro de que mañana iré a buscar a ese médico, don Clemente Álvarez, a proponerle que testifique en falso y que, si se niega y por mediación de la Virgen Santísima no me denuncia, de lo cual ni siquiera tengo certeza, iré a ver a su colega de la calle de la Sangre, a don Jenaro Basurto, a ese médico borrachín que seguro que se aviene a mis componendas por apenas uno o dos escudos. Y me embolsaré tres o cuatro engañando a De Casas, a quien aseguraré que la pericia del médico vale cinco. Ya ve usted, don Bartolomé: ése soy yo. Y mientras tanto seguiré desatendiendo y despreciando a los clientes pobres de quienes me encargo por encomienda del corregimiento. Porque sepa usted que, salvo excepciones como la del mozo de cuerda de que antes le hablé, eso es lo que me provoca la mayor parte de quienes tengo que defender de balde: desprecio. ¡Y lo verdaderamente grave es que sé que soy buen abogado y que, además, no sé hacer otra cosa ni valgo para ningún otro oficio! ¡Eso es lo que me pasa! ¿Diría usted que no tengo razones para sentirme angustiado?

Ahora fue el turno del sastre de quedar en silencio, ensimismado. Volvió a llenar los vasos de aguardiente, escudriñó entre sus papeles, halló lo que buscaba y se sentó de nuevo.

—Escucha este verso, hijo.

—No estoy para versos, don Bartolomé —objetó el letrado.

—Una sola octava real, una nada más. La compuse hace poco e irá en la segunda entrega de mis *Historias*. Escucha sólo un instante, te lo ruego.

Y declamó con voz pausada y suave:

Alégrome de dar aliento a alguno
que más bien instruido, lastimado
de ver metro tan basto e importuno
quiera dar su desorden, ordenado.
Sólo por este logro, uno por uno,
libro o renglón daré por bien borrado,
por ver univocados en su historia
autor, obra, verdad, luz y memoria.

—Muy inspirado, don Bartolomé. Pero no sé en qué puede ayudarme el verso.

—Claro, porque no le has prestado atención. Si me hubieras escuchado, podrías haberte dado cuenta de su sentido, de lo que quiere decir: te lamentas por las cosas malas, pero no ves lo bueno que haces. Y al igual que un solo verso bueno sirve para borrar la mancha de diez ripios, una sola buena acción compensa a una decena de las que no lo son tanto. Reflexiona sobre lo que te digo, Pedro.

—El problema es cuando no conseguimos componer ni un verso bueno, don Bartolomé. Y no lo digo por los suyos, sino por seguir con su verbigracia.

Guardó silencio durante el tiempo de una campanada. Luego, explotó:

—¿Qué diría usted de un abogado que abusa de sus clientas, cobrándose en sus carnes pleitos que debería llevar de balde, pues es el corregimiento quien paga? —preguntó, agobiado.

Don Bartolomé Gutiérrez abrió mucho los ojos, desconcertado. Se esforzó por recuperar la compostura, advirtiendo que su

47

actitud podría agravar la angustia del joven. Pensó detenidamente lo que iba a decir y habló después de unos minutos de reflexión:

—Pues le diría dos cosas: en primer lugar, que sólo los débiles de carne y de espíritu abusan de quienes están en situación inferior. Y le aconsejaría que morigerase sus pasiones y domara sus instintos, so pena de verse un día en manos de quien no desea y de quien le profesa animadversión. Pero también le diría que nadie da lo que no quiere dar, por lo que el pecado puede ser más venial de lo que se piensa.

Pedro fue a argumentar sobre lo que había dicho el sastre, pero se sintió cansado, sintió que todo se le iba de las manos. Sonó en ese momento la campana de la queda de San Dionisio. El letrado, incómodo por sus propias confesiones y por el derrotero de la charla, aprovechó el repique para levantarse y despedirse del alfayate, que lo miró con cierto deje de pena y compasión.

Resguardándose en las sombras y procurando que sus zapatos no resonasen en el adoquinado, se apresuró por la calle Calcetería y por la cuesta de la Cárcel Vieja. Llegó a la casa de la calle Cruces, mordisqueó un trozo de queso lleno de hongos y se acostó enseguida. Aunque cansado y exhausto después de un día intenso, le costó mucho dormir.

IV

PLEITOS Y QUERELLAS

Se levantó con el alba y, no obstante las prevenciones del sastre y sus propios escrúpulos, decidió ir en busca del médico don Clemente Álvarez. Sólo eran los primeros días del mes y ya tenía casi vacía la despensa, se veían las losas de la carbonera, no había ni dos dedos de líquido en la frasca del aceite y el tonelillo de vino apenas sonaba si se lo agitaba. Se había gastado en libros y alquiler casi todo su sueldo de abogado de pobres y los honorarios obtenidos en el bufete no le habían dado para reabastecer la alacena ni para comprar carbón. Y el cofre de las monedas que guardaba en la alcoba estaba repleto de telarañas. ¡Y la hogaza de pan de dos libras ya costaba casi veinte maravedíes...! Algo tenía que hacer.

Se desayunó con uno de los últimos vasos de vino que quedaban en el tonel, un mendrugo de pan y los restos del queso verduzco de la cena de la noche anterior. Salió a la calle y se dio de bruces con una mañana espléndida: el sol naciente bruñía las piedras de calles y edificios, la ciudad se aromaba con los azahares de los naranjos y los limoneros, y todo en Jerez era bullicio y trajín. Las obras de la nueva iglesia colegial llenaban toda la zona de los griteríos y ruidos que descendían por el reducto hasta el Arroyo de los Curtidores: órdenes dadas a voz en grito por alarifes y capataces, canturrias de los albañiles, los sonidos diversos de útiles y herramientas en sus ajetreos.

El Arroyo de los Curtidores era la plaza más amplia de las que había dentro de las murallas de Jerez. Por ella discurría antaño una corriente de agua utilizada desde los tiempos de los moros para el curtido de las pieles. Nacía en las cercanías de la calle Martín Dávila y transcurría por la plaza de los Peones y la calle Curtidores hasta estancarse en esa explanada y salir del recinto murado por la puerta del Arroyo. El regato fue cubierto casi dos siglos atrás para acabar con la insalubridad y malos olores que provocaba, dando lugar a una plaza que se había convertido en una de las más elegantes y bulliciosas de la ciudad. Por allí lucían hermosas casas de piedra, se arracimaban vendedores de frutas, leche y quesos, transitaban rebaños de cabras, se apresuraban obreros y albañiles en dirección a la plaza de los Peones, donde se reunían en busca de trabajos quienes no los habían conseguido en las obras de la nueva iglesia, y deambulaban alquiladores de carruajes y literas en dirección a la plaza de los Escribanos, a la plaza del Mercado y a la plaza del Arenal, donde habrían de ofrecer sus servicios y buscar clientela.

Pedro de Alemán y Camacho se embebió durante unos instantes en los olores y sonidos de la plaza y notó como nunca el contraste entre esa ciudad tan viva y su espíritu angustiado. Aturdido, se encaminó hacia la calle Francos y se hizo anunciar en la casa del médico. El criado le advirtió de que tenía éste alguna prisa y sólo le podría conceder unos minutos, pues no había concertado cita. Aguardó un buen rato hasta ser recibido por el galeno, que lo acogió de mal talante y sin ofrecerle asiento.

—Usted dirá. Porque me temo que no viene por ningún achaque —fueron las palabras con que lo saludó don Clemente Álvarez, sin un «buenos días» siquiera.

—Buenos días le dé Dios, señor Álvarez —cumplió el letrado, reacio a perder las formas y a comenzar con mal pie el encuentro—. Soy Pedro de Alemán y Camacho, para servirle.

—Sé quién es usted, abogado.

—Vengo en representación de mi cliente don Sebastián de Casas.

—Eso también lo sabía. Vaya al grano, por favor, que mis pacientes no aguardan. Y a las enfermedades no se las puede hacer esperar.

—Como sabrá, don Sebastián de Casas ha impugnado el testamento de su tía, doña Virtudes de Sotomayor, por considerar que la buena señora no se hallaba en uso de sus facultades cuando dictó su testamento al escribano. El pleito se halla ahora en fase de proposición de pruebas, y pensaba don Sebastián de...

—Ahórrese la palabrería, señor Alemán —interrumpió de mala forma el médico—, que hace ya tiempo que me husmeé las intenciones de su cliente. Y de usted, dicho sea de paso, que no hay pleito sin abogado. Y óigame bien, señor mío, doña Virtudes de Sotomayor se hallaba al cabo de la calle cuando testó. Lúcida como un cardenal. La misma mañana de su muerte estuve con ella para recetarle unas cataplasmas y la vi en sus cabales y sin merma alguna. Y si murió pocas horas después fue porque el corazón quiso fallarle y no porque no estuviese en posesión de todas sus facultades, mentales fundamentalmente por lo que a usted le toca. —Calló para tomar aire y continuó—: Y eso es lo que diré delante del alcalde mayor, si es que tiene la temeridad de llamarme como testigo, o si la otra parte me llama. Y sepa también que ni el señor de Casas, ni usted y ni Dios siquiera es nadie para poner en entredicho la voluntad de una difunta. Y si la señora quiso dejar sus caudales a la iglesia para misas y rezos, eso es lo que hay y no hay más que hablar. A los demás sólo nos toca respetar su voluntad y no enjuiciarla. Y ahora, buenos días tenga usted, letrado, que esta conversación aquí se acaba antes de que vaya a mayores.

—Tal vez quisiera usted, don Clemente, escuchar lo que tengo que decirle.

—Mejor que no, que de lo contrario tal vez me vea obligado a llamar a la ronda. Y no tengo ni ganas ni tiempo de meterme en denuncias. Germán —dijo, llamando al criado—, este señor ya se marcha.

Pedro abandonó la casa del médico tan iracundo como cabizbajo. Pero dispuesto a proseguir en sus designios a pesar de que las palabras del galeno le habían fastidiado aún más, si es que ello era posible, esa mañana que tan luminosa había amanecido. Tomó calle Francos abajo, llegó a calle Ancha y desde allí, dejando a la izquierda la iglesia de Santiago, alcanzó la calle de la Sangre, llamada así por el hospital de la Sangre de Nuestro Señor Jesucristo.

Don Jenaro Basurto, de la rama pobre de una familia rica, vivía a pocas casapuertas del hospital y había trabajado en él como cirujano hasta que su desmedida afición a los vinos y aguardientes había acabado con su empleo hacía más de cinco años. Hasta entonces había gozado de prestigio por su habilidad con el bisturí, cuyo uso él mismo se limitó cuando advirtió que su pulso temblaba como las carnes de una novia.

En aquellos años, la profesión de médico en Jerez no estaba bien regulada, y aunque era obligatorio el permiso del concejo para ejercer en la ciudad, la realidad era que había quien hacía uso de lancetas y cataplasmas sin permiso ninguno e incluso sin título que le habilitara para prescribir dietas o realizar sangrías. Así que incluso había que agradecer a don Jenaro Basurto el que la decisión de no ejercer como médico hubiese sido propia, porque, en caso contrario, nadie se habría preocupado de prohibirle el ejercicio. Ahora malvivía administrando pomadas, sacando muelas, sajando forúnculos y aliviando callos a cambio de unos pocos chavos, las menos de las veces, o de una telera de pan o un trozo de pescado seco las más de ellas.

Pedro de Alemán llamó a la puerta de la casa del médico hasta convencerse de que no estaba. Lo halló en una taberna vecina, trasegando mostos a pesar de lo temprano del momento. Tardó menos de un cuarto de hora en convenir con él honorarios —quinientos maravedíes— y términos de la pericia. Como Jenaro Basurto no tenía ni idea de quién había sido doña Virtudes de Sotomayor, ni la había conocido en vida ni sabía de sus potencias o mermas, se comprometió a indagar entre los conocidos de la difunta para que su testimonio tuviese alguna base. Se obligó asimismo a escudriñar entre los documentos médicos que obraban en los autos, cuya copia le facilitaría el letrado, para determinar si algunos de los diagnósticos de don Clemente Álvarez podían indiciar la existencia de trastornos de la mente, y hasta a examinar la rúbrica de la testadora en el codicilo por si podía advertir deficiencias. Le aseguró una pericia fiable que validaría las tesis de la demanda y aprovechó la visita del abogado para escanciar una jarra de vino invitación de aquél. Con todo, y a pesar de los más de cuatro escudos que iba a embolsarse si su cliente vendía el camafeo de su madre en cinco monedas de oro, cuando Pedro de Alemán y Camacho bajó la calle de la Sangre volvía a sentir en el paladar un regusto acerbo, como si en vez de buen vino oloroso hubiese trasegado absenta con el médico Basurto.

Desde allí se dirigió a la calle Salas, a casa de su cliente, a quien informó de la contratación del perito, le recordó la relación de testigos que tenía que hacerle llegar y le compelió a la venta del camafeo de su difunta madre y a la entrega de las monedas prometidas. Abrevió la visita y de allí se dirigió a su despacho de abogado de pobres en la Casa del Corregidor, junto a la calle Armas. Y lo hizo sintiéndose como una cucaracha a punto de ser aplastada por un zapato enorme, ajeno a la belleza del día y al ambiente festivo que destilaban las calles de Jerez.

* * *

Los días siguientes fueron tediosos y largos. Incómodo como estaba consigo mismo, eludió la compaña de colegas y amistades, sorteó tabernas, mesones y calles principales, rehuyó a don Bartolomé Gutiérrez, todavía avergonzado por los desahogos que había tenido con él, y pasó las horas y los días recluido en su despacho de la Casa del Corregidor y en su casa de la calle Cruces, dedicado a pleitos y juicios.

Recibió, apurando el plazo, la relación de testigos que le hizo llegar en una esquela manchada de grasa y vino don Sebastián de Casas. Había esperado encontrar en ella el nombre de dos o tres ancianas amigas de doña Virtudes de Sotomayor, beatas y fervorosas como la difunta, de buenos apellidos, que pudieran dar fe del desvarío de la buena mujer en sus últimas horas, pero en su lugar leyó el nombre de dos sujetos de apellidos nada insignes de los que enseguida supo, con solo un par de indagaciones, que eran dos malandrines, compañeros habituales del sobrino demandante en sus desenfrenos y borracheras. Y que jurarían lo que fuera menester, hasta que doña Virtudes había sido la reencarnación de Cleopatra, si con ello se garantizaban un par de jarras bien colmadas.

Intentó hablar con el escribano público don Juan Bautista de los Cobos, redactor del testamento, pero le advirtió el notario de la inconveniencia de tratar fuera del foro lo que sólo en la curia habría de ventilarse. Habló asimismo con el procurador Jerónimo de Hiniesta, quien le informó de que no había podido hallar al testigo superviviente don Francisco de Paula Argüelles, que al parecer se hallaba en Carmona visitando a un familiar enfermo, pero le animó a que lo propusiera en su relación de pruebas en la certeza de que estaría de regreso cuando éstas fueran a ser practicadas.

53

Con tan escasos mimbres, y desanimado, redactó el escrito de proposición de pruebas. Relacionó en el papel timbrado la confesión de los demandados —el presbítero y el párroco de San Juan de los Caballeros—, la documental obrante en los autos y la testifical del médico Basurto, del escribano De los Cobos, del testigo testamentario Argüelles y de los dos bribones amigos del actor, rogando en su fuero interno para que don Luis de Salazar tuviera la clarividencia de tacharlos, ante el sainete en que preveía podría convertirse su interrogatorio. Sólo con imaginarse a esos dos truhanes, hasta la coronilla de mostos, respondiendo con desbarros a las preguntas del abogado contrario, le entraban incontenibles ganas de echarse a llorar.

A los pocos días recibió el escrito de proposición de pruebas de don Luis de Salazar y esas ganas de echarse a llorar se convirtieron en franco llanto. Don Luis proponía como testigo a don Clemente Álvarez y Espínola así como a dos de los más afamados médicos de la ciudad; a cinco fervorosas ancianas de linajudos apellidos —Adorno, Villavicencio, Perea...—, todas ellas amigas íntimas de doña Virtudes; al escribano don Juan Bautista de los Cobos; a don Ramón Álvarez de Palma, párroco de San Miguel y uno de los más admirados prohombres de Jerez, que había sido ocasional consejero de la causante en el último año; y hasta a dos caballeros veinticuatros, un jurado y el síndico procurador del concejo, a quienes reputaba amigos cercanos de la difunta. Leyó con atención los pliegos de preguntas del letrado y a punto estuvo de correr hasta la calle Salas para intentar convencer a don Sebastián de Casas de la conveniencia de formular desistimiento para evitar perjuicios y costas mayores. Se contuvo, sin embargo, inseguro de la reacción del cliente y de su propia responsabilidad.

Leyó luego la providencia del alcalde mayor don Fernando de Paredes y García Pelayo, redactada según el rito y fórmula habituales, ordenando la práctica de las pruebas propuestas, que se demoraba hasta más de un mes después, lo cual fue escaso alivio para su ánimo:

Antes y primero que comenzaren dicha probanza, asegúrese estar citada la parte del precitado don Sebastián de Casas y de los reverendos señores demandados, quienes podrán dentro del décimo día nombrar a

su escribano acompañado, que se junte por el nombrado por el de la
otra parte para que por ante ambos a dos los dichos escribanos pase y se
haga la dicha probanza, y no le nombrando y juntando dentro de dicho
término según dicho es, mandamos pase y se haga por ante el sólo por
el otro nombrado, lo cual valga y haga tanta fe y prueba como si por
ante ambos a dos los dichos escribanos pasaran y se hicieran.

Fórmula inútil, pues ya don Luis de Salazar bien que se había preocupado de nombrar a su propio escribano y no iba a permitir que se practicase la prueba sólo ante el designado por el actor, que era don Beltrán Angulo, viejo amigo del padre de Pedro de Alemán y con quien habitualmente trabajaba.

Intentó olvidarse por un tiempo de ese malhadado litigio y se dedicó en esos días a los otros que tramitaba en su bufete que incluían desde una reclamación entre hermanos por unos censos hasta la defensa de un carnicero acusado de alterar los pesos.

En la oficina del abogado de pobres no había por aquel entonces gran ajetreo, a la espera de que fueran llegando los sumarios de los delitos cometidos durante la pasada feria, que sí serían numerosos. Pedro preveía un verano arduo, pero en esos días sólo tramitaba apenas una decena de causas en la oficina del corregimiento entre las que destacaba la del mozo de cuerda, aún en fase sumarial y que era la que le provocaba desasosiego. No sólo porque creía en la inocencia del mozo —algo extremadamente infrecuente en el abogado de pobres, acostumbrado a lidiar con culpables sin excusas—, sino porque Catalina Cortés, hembra perseverante hasta límites insospechados a pesar de su primera escaramuza con el letrado, no cejaba en sus visitas. Raro era el día en que no se apostaba a la puerta de la Casa del Corregidor a la espera de ser recibida por el abogado y saber las nuevas que hubiere, que solían ser pocas por no decir ninguna. Más de un día le llevó tortas de carne y dulce de membrillo y en un par de ocasiones le preguntó:«Si usted requiere algo más de mí», enterrada la mirada en las losetas y muerta de vergüenza. Tentado estuvo el abogado en alguna ocasión de decir que sí, recordando sus labios expertos, la redondez de sus pechos y la blancura de sus carnes. Pero evocó la mirada fiera de Saturnino, los ojos acuosos de la mujer después de su primer encuentro y, sobre todo, el sabor agrio de su saliva, la comezón de sus entrañas tras aquella visita y la charla con don Bartolomé

Gutiérrez. Y se obligó a negar con la cabeza, también acharado, como ella.

Sin embargo, las solicitudes de la mujer hicieron mella en su ánimo. No sólo visitó en una ocasión más a Saturnino García en la cárcel real, sino que incluso redactó una solicitud de libertad bajo caución juratoria. La basaba en la levedad de los delitos y en la calamidad que suponía para el acusado el estar cautivo y no poder atender a su trabajo y a la manutención de su familia. Aunque la petición fue desestimada por el juez de lo criminal don Nuño de Quesada, sí aceleró finalmente el proceso. En junio se declaró concluso el sumario, tras prestar declaración Juan Maestra y los corchetes que lo acompañaban en la ronda. Y poco después el promotor fiscal formuló su acusación contra el mozo de cuerda: sendas penas de multa de tres mil maravedíes cada una por portar armas con propósito criminal y por embriaguez, y pena de tres años de reclusión en el Arsenal de la Carraca de Cádiz por el delito de acometimiento a la autoridad causando lesiones. El abogado pidió la absolución de su cliente. Propuestas las pruebas por ambas partes, el juicio fue señalado para el segundo día del mes de septiembre.

Antes de todo ello, entre pleito y pleito tuvo el abogado de pobres ocasión de hacer una visita a un alguacil en la calle de los Zarzas y de hallar a una mendiga a la que durante varios días había buscado infructuosamente por los alrededores de los Llanos de San Sebastián y la puerta de Sevilla. Después de asegurarse de su comparecencia —para lo que requirió la ayuda de Jerónimo de Hiniesta—, él mismo se sorprendió del afán que había puesto en la búsqueda. Y en la defensa de un pobre.

V

LAS ANDANZAS DEL SACRISTANILLO

Jacinto Jiménez, sotasacristán de la iglesia colegial, había tardado casi tres meses en hallar la ocasión propicia, pero al fin, a mediados de ese mes de julio, la había hallado.

Hasta entonces había intentado hacerse el encontradizo con las tres personas que aquella noche de mayo había sorprendido en la iglesia colegial hablando de tramas y dineros, a fin de plantearle sus exigencias y las consecuencias de desatenderlas, pero en todos los casos se había tropezado con un muro de criados y servidores, cuando no de guardaespaldas, que le habían impedido todo acercamiento. Había tratado de hacerles llegar esquelas, pero desistió de inmediato cuando comprobó su incapacidad para redactar una misiva inteligible. Y tampoco era cuestión de pedir ayuda para tal menester.

La ocasión llegó cuando menos se la esperaba y cuando la desesperación ya le empujaba a cometer una imprudencia. Fue un viernes de julio, caluroso, tórrido, en el que el sudor pegaba la ropa a la piel. Caminaba hacia el alcázar, a mediodía, a llevar a la residencia de don Lorenzo Fernández de Villavicencio y Spínola, veinticuatro de Jerez y alcaide de sus alcázares, tercer marqués de Vallehermoso y señor de Casa Blanca, unas facturas del abad por un servicio prestado días atrás en la capilla privada del noble. Y, de camino, a dejar unos papeles en la Universidad de Canónigos y Beneficiados Propios de Jerez, que tenía su sede en la real capilla de Santa María del Alcázar.

Llegó a la puerta de la fortaleza andando distraído, rumiando sus pesares. Advirtió un coche de rúa con doble capota y tirado por dos caballos negros de gran estampa aparcado un poco más allá de la puerta, pero no le echó cuentas. Unos pasos antes de llegar al portón vio que éste se abría y que un caballero, alto y delgado, de distinguido porte y vestido de sedas y paños buenos, recibía el saludo respetuoso de los dragones que estaban de guardia y salía del alcázar embebido en sus propios pensamientos. Ni reparó en la presencia del sacristanillo cuando pasó junto a él, como si Jacinto no fuera más que un matorral.

Jacinto se paró en seco cuando vio al gentilhombre y se quedó mirándole como un pasmarote, sin reaccionar. Fijó su vista en la espalda del caballero mientras éste se acercaba al coche de caballos, y habría permitido que se alejara sin decir esta boca es mía si no hubiese sido porque el hombre se paró poco antes de llegar al carruaje para sacar de la bocamanga un pañuelo y limpiarse el sudor. Entonces el sacristanillo pareció despertar de su estupor y, tras respirar hondo, dio unos pasos para acercarse al noble y se atrevió a llamarle:

—¡Señor...! ¡Excelencia...!

Y comoquiera que el caballero se disponía a reanudar la marcha sin hacer caso de su llamada, bien porque no la hubiera advertido o bien porque no estaba dispuesto a atender a alguien como Jacinto, volvió éste a insistir, alzando ahora la voz:

—¡Caballero, he de hablar con usted! ¡Señor! ¡Mi señor!

El noble ladeó la cabeza y miró a Jacinto Jiménez con un gesto de fastidio. Con la misma mirada de desprecio que si observase a una lagartija. Y siguió andando sin atender al sacristanillo. Éste, sin embargo, aceleró el paso, se puso a la altura del hombre y se atrevió a asirle del brazo.

—Excelencia, he de hablar con vuesa merced... —insistió, usando la anticuada fórmula.

—¡Suelta, botarate! —espetó el caballero, desenganchándose de un tirón—. ¿Cómo te atreves a tocarme?

El cochero, advertido del incidente, se dispuso a bajar del pescante para auxiliar a su amo, que le hizo un gesto para que se quedara donde estaba. No le hacían falta ayudas para desembarazarse de alguien tan insignificante como aquel hombrecillo calvo que pretendería limosna o súplica. Empujó al sacristanillo, que a punto estuvo de caer sobre la arena, y reanudó su camino hacia el carruaje.

—¡Le vi en la colegial aquella noche de mayo con el cura y los otros caballeros...! —gritó Jacinto cuando el gentilhombre ya se disponía a subir al coche de rúa—. ¡Y lo oí todo!

El caballero se detuvo en seco. Como si le hubiese alcanzado un rayo. Se volvió lentamente, escrutando los alrededores como para comprobar si alguien más había oído a ese bribonzuelo que hablaba de lo que nadie, más que unos pocos, debería saber. Se tranquilizó al percatarse de que el Llano del Alcázar estaba desierto.

—¿Qué es lo que pretendes? —preguntó el noble, queda la voz, acercándose a Jacinto Jiménez, amenazador—. ¿De qué noche y de qué oídas hablas?

—Bien que lo sabe usted y bien que me ha costado hacérselo llegar. Llevo semanas intentando dar con vuesa merced. Y sí que es difícil hablar con ella, así que no puedo desaprovechar esta oportunidad.

El caballero fue a hablar, pero se apercibió de que un faetón enganchado en tronco se acercaba por el Llano con dirección al alcázar. Posiblemente trayendo a casa a una de las hijas de Fernández de Villavicencio. Hizo un gesto imperativo al sacristanillo y le ordenó:

—Cállate, pardiez, y sígueme.

Y sin esperar respuesta se dirigió a su propio coche de caballos. Susurró al cochero unas palabras inaudibles, abrió la puerta del carruaje, que tenía ambas capotas cerradas para proteger del sol, e indicó a Jacinto que entrase. Así lo hizo éste, y quedó admirado. Más que por el simple hecho de hallarse en el coche de regalo de una de las más insignes personalidades de Jerez o por los lujosos terciopelos rojos que cubrían los asientos y el interior de las capotas, fue el aroma que se respiraba en el interior del coche lo que lo dejó encandilado. Olía a lilas, a perfume caro. Ahora que con las calores del verano las calles de Jerez de la Frontera hedían por las basuras que los vecinos dejaban en la vía pública y que se freían bajo el sol inclemente de la época, por los excrementos de los animales que trajinaban por las calles y plazas y por los orines y heces que muchos desaprensivos lanzaban al suelo desde ventanas y balcones, allí, en ese carruaje, olía a gloria. Durante un buen rato, ni sotasacristán ni caballero hablaron, y eso puso nervioso a Jacinto, que sentía la mirada del otro clavada en él. Luego, cuando el coche tomaba una curva, el noble rompió el silencio. Su voz era firme y calma y no dejó de mirar a Jacinto mientras hablaba.

—Tú dirás —se limitó a decir.

Todo cuanto el sacristanillo había preparado en tantas noches de vigilia se le olvidó en ese instante. La mirada del caballero, negra, intensa y candente, parecía quemarle. Comenzó a hablar, pero el tartamudeo le obligó a callarse y tosió para esconder su azoramiento.

—Tú dirás —repitió el otro, impaciente, y ahora con un deje de ira en la voz—. Supongo que no me habrás molestado para ahora no decir nada, ¿no? Si es así, baja de inmediato, diantres.

Y acercó los nudillos a la capota para dar una nueva orden al cochero. Jacinto, viendo que su oportunidad se le esfumaba por su propia torpeza, salió de su apocamiento y, sin pensárselo, espetó:

—¡Lo oí todo! ¡Todo, todo, todo!

El caballero bajó la mano con la que iba a golpear la capota y la llevó a su regazo. Respiró con gesto de hastío y de nuevo quedó mirando fijamente a su interlocutor.

—¿Qué viste? Dime. ¿Y qué oíste?

—¡Todo! —repitió el sacristanillo—. Vi a vuesa merced y a quienes le acompañaban en esa noche. Y lo oí todo.

—Eso ya lo has dicho, imbécil. Pero ¿a quién viste? ¿Y qué oíste? Porque hasta ahora no me has dicho nada... —Y concluyó la frase evitando el exabrupto que a punto estuvo de escapar de sus labios.

Jacinto contó todo atropelladamente. La extraña reunión al amparo de las sombras de la colegial en obras. La conversación sobre la carta de Londres, las pinturas, los cuadros y ese tal Ignacio de Alarcón. La hora intempestiva. Las identidades de los tres dignatarios a los que había reconocido. Y lo que habían hablado: la trama, sus intenciones, los planes que trazaban a media voz.

Cuando hubo terminado, se recostó en el asiento del coche, como si se hubiese desinflado. Aunque enseguida se arrepintió —no fuera a ser que el gentilhombre viera en ese gesto una falta de respeto— y se enderezó de nuevo. Y se quedó aguardando.

El caballero no dijo nada. Clavó aún más su mirada en el sacristanillo, como si quisiera hendirle la carne con ella. Después, muy lentamente, esbozó una sonrisa torcida en sus labios finos.

—Me sería muy fácil acabar contigo. Lo sabes, ¿verdad? —repuso.

—No le serviría de nada a vuesa merced. Hay otra persona que también sabe lo mismo que yo —mintió el sacristanillo, con una seguridad que a él mismo le pasmó—. No estaba yo solo ese día.

El noble meneó la cabeza e intensificó la sonrisa.

—¿Y qué es lo que quieres? —preguntó al fin.

—Una buena bolsa por mi silencio. Creo que es justo. Tengo mujer y cinco hijos y los canónigos me pagan miserablemente. Si contase lo que sé a los justicias, seguro que me recompensarían. Lo que hago es ofrecer a vuesa merced la oportunidad de recompensarme y dejar que todo se acabe aquí. Y que los señores puedan continuar con sus designios.

—¿Cuánto?

Jacinto dudó. En sus fantasías, había pensado pedir trescientos, doscientos, cien escudos de oro. Apenas nada teniendo en cuenta las ganancias previstas de los caballeros. Sin embargo, ahora, viendo el brillo fiero en la mirada de aquel noble y la sonrisa torcida bajo la que intentaba contener la ira que se le desbordaba, decidió ser más modesto.

—Cincuenta escudos de oro.

—Ni lo sueñes. Mañana por la mañana tendrás en tu casa una bolsa con diez escudos de oro. Y te puedes dar por contento. Y dando gracias a Dios por seguir vivo. ¿Dónde vives?

El sacristanillo meditó si discutir la cifra, pero finalmente decidió conformarse.

—En el callejón del Aire. La puerta roja, a pocos pasos de la puerta de la Visitación de la colegial.

—Y confío en no verte más. Por ningún motivo. Y por tu propio bien. ¿Entendido? —Y sin dar tiempo a contestar al sacristanillo, mientras abría la puerta del carruaje, y sin disimular ya la ira, le indicó—: Y ahora, vete de una vez, antes de que me arrepienta.

El sotasacristán bajó del coche y enfiló el Llano del Alcázar con rumbo al callejón del Aire. Ni siquiera se acordó de las facturas que el abad de la colegial le había dado para su entrega a don Lorenzo Fernández de Villavicencio ni de los papeles para la Universidad de Canónigos y Beneficiados Propios de Jerez.

Que les fueran dando a todos, a uno y a otros. Ya tendría tiempo de cumplir el maldito encargo. Quería alejarse cuanto antes de aquel coche de rúa y de aquella mirada incandescente.

El caballero siguió con la vista al sotasacristán hasta que su figura esmirriada se perdió en el Llano. Luego, asomó la cabeza y le dijo al cochero:

—A casa. Y en cuanto lleguemos, trata de buscar a Andrés. Tengo un encargo que hacerle. Y me urge.

* * *

Jacinto Jiménez Bazán no pegó ojo aquella noche. Y no sólo por el calor, que asfixiaba en esa madrugada donde no corría ni un soplo de brisa, sino por la agitación que embargaba su ánimo. Agitación que era ora esperanza por poner mano en esa bolsa que para él era una pequeña fortuna y que podría alejar de sí y de sus hijos el hambre y la miseria, ora miedo y prevención cada vez que recordaba la mirada del caballero, y el poder que su figura destilaba, y la autoridad y señorío que eran consustanciales a su apellido y a su casa. Al amanecer, empero, esa agitación dejó de ser ambivalente para convertirse sólo en angustia.

No había transcurrido ni una hora desde el alba cuando sintió que aporreaban la puerta. Se quedó paralizado en la cama, de la que ni siquiera se había levantado a pesar de que a esas horas ya debería haber comenzado sus faenas en la colegial, y dejó que fuera su mujer quien abriese. Le había dicho que se encontraba mal, que tenía calenturas y que iba a quedarse un rato más en el lecho. Al poco la vio asomarse al dormitorio, con gesto de intriga y en cierto modo de preocupación, y le dijo que un hombre venía a visitarle, que no había querido pasar y que le aguardaba en el zaguán. Que le había dicho que se encontraba indispuesto, pero que el hombre le había respondido que sin duda su marido querría verle.

El sotasacristán pensó que su mentira sobre las calenturas se había tornado verdad, pues sudaba frío y temblaba. Mas se dijo que no era hora de pusilanimidades. Sin decir nada a su mujer, que lo miraba extrañada, se levantó de la cama, se pasó las manos por los cuatro pelos que se desperdigaban por su cabeza para alisarlos, se vistió deprisa con la raída sotana que usaba para su oficio, se olvidó de calzarse y, descalzo, salió a recibir a esa visita. De la que iba a depender, lo sabía, su suerte y la de los suyos.

El hombre que lo esperaba en el zaguán apenas si era más alto que el sacristanillo. Pero era el doble de ancho y la ropa parecía que iba a estallarle en cualquier momento, tanta era su musculatura. Pero lo que de verdad asustó a Jacinto fue su sonrisa, los dos dientes de oro que asomaban por sus labios entreabiertos y sus ojos bravíos. Iba tocado con chambergo y vestido con ropajes negros nada lujosos. Más bien al contrario, toscos y con brillos de viejos. No iba armado —o no enseñaba las armas—, pues los bandos del concejo prohibían portar armas a quien no estuviese autorizado por el corregimiento. Sin embargo, todo en él asustaba. Su tez picada por las viruelas, el mostacho negro que escondía una cicatriz que le atravesaba todo el labio superior, los ruidos que hacía con la boca al mascar tabaco, el desprecio que titilaba en sus ojos. Y esa sonrisa.

—Usted dirá —se atrevió a decir el sacristanillo con un hilo de voz.

El bravo se quedó mirándole y no dijo palabra. Hurgó en su casaca de tosco paño y sacó una bolsa de cuero en la que tintinearon las monedas. Se la tendió al sacristanillo, mas cuando éste, después de unos instantes de duda, la asió, siguió agarrándola, sin soltarla. Jacinto no supo qué hacer y permaneció con la mano en la bolsa, aunque sin tirar de ella. Al fin, el esbirro —pues eso fue lo que el sotasacristán pensó que era— soltó la bolsa y ésta quedó en manos de Jacinto.

—Gracias —se limitó éste a decir e intentó cerrar la puerta.

El bravo se lo impidió, introduciendo la bota entre la puerta y la jamba.

—¿Ni siquiera vas a contar las monedas? —inquirió. En su voz rugosa latía la sorna.

—Me fío de usted y de quien le manda.

El hombre intensificó la sonrisa y retiró el pie. Hizo un ruido extraño con la boca y frunció los labios para escupir la bola de tabaco que mascaba, que cayó sobre uno de los pies descalzos de Jacinto Jiménez. Después, sin decir palabra, se dio la vuelta y se alejó por la cuesta.

A punto estuvo el sacristanillo de salir corriendo y devolverle la bolsa. Sabía que se estaba metiendo en un enredo del que le iba a ser difícil salir airoso. Pero pudo más la avaricia. Escondió el dinero entre las ropas y, mirando a diestra y siniestra y asegurándose de que ningún vecino había presenciado aquel encuentro, se refugió en la seguridad de su casa. Se encerró en la alcoba y contó las monedas. Diez escudos. De oro. La única diferencia, se dijo, con las monedas de Judas es que éstas eran de plata. Y que eran treinta en vez de diez. Se lamentó enseguida del símil, pues se le vino a las mientes la suerte final del avaricioso discípulo.

A media mañana, con la despensa bien surtida —¡hasta un chorizo y un queso compró!—, ropas para los críos, usadas pero limpias, adquiridas en el ropavejero de la calle Caridad, un delantal para su mujer, un cajón de velas, vino, carbón y aceite a espuertas y algunos cacharros para la cocina, todas las prevenciones y todos los miedos quedaron en el olvido. ¡Y no había gastado ni un par de los escudos de oro! Era, sin duda, rico.

VI

El juicio del mozo de cuerda

Había sido un verano dificultoso, conforme a lo previsto. Desde finales de mayo, Pedro de Alemán se vio envuelto en una vorágine de responsabilidades y pleitos que no finalizó hasta principios de agosto.

Durante esos meses hubo de defender a las putas y proxenetas que permanecían en la cárcel real acusados de ejercer su oficio sin licencia y fuera de los mesones autorizados las primeras, y de lucrarse de su tráfico carnal los segundos. Fueron condenados todos a penas de destierro de los territorios de la Audiencia de Sevilla, multa de diez mil maravedíes cada uno de los encausados y al pago de las costas procesales. La feria de abril había dado lugar a veintiún procesos, que se ventilaron sumariamente.

Y a principios de julio llegó la sentencia del pleito de don Sebastián de Casas. Practicadas las pruebas a mediados de junio con resultado deplorable para los intereses del demandante, cuyos testigos se libraron de ser encausados por perjurio sólo gracias a la clemencia, si no a la desidia, del alcalde mayor don Fernando de Paredes y García Pelayo, ambas partes presentaron sus escritos de alegaciones finales en los últimos días del mes. Pedro se afanó buscando antecedentes, doctrinas y justificaciones de tipo vario, mas todo fue en vano. Recién acabado el plazo de esas alegaciones fue dictada sentencia: la demanda fue desestimada con imposición de costas a la parte actora. Las imprecaciones de don Sebastián de Casas se oyeron hasta en los Llanos de Caulina, mas ni arredraron al abogado ni le convencieron de presentar apelación ante la Real Chancillería de Granada.

Por su cuantía, el pleito quedaba fuera de la competencia de los jueces consistoriales, que sólo conocían en segunda instancia de los recursos presentados contra sentencias dictadas en procedimientos sumarios o de muy escasa repercusión económica. Después supo que su antiguo cliente había conseguido embaucar a un joven letrado de la ciudad llamado José Joaquín Triano de Paradas, con bufete en calle Gloria, para presentar el recurso a cambio de diez escudos de oro de los que nadie supo cómo dispuso el recurrente.

En el mes de agosto se celebró en Jerez, como cada año, la segunda de las ferias anuales que había instituido el Rey Sabio tras la conquista de la ciudad. Tenía lugar desde tiempo inmemorial en los alrededores del convento de la Merced, en la collación de Santiago, y como cada año el concejo dictó bandos regulando la celebración de la feria. Las disposiciones eran variadas y exhaustivas: entre otras cosas, se ordenaba que los coches de caballos entraran de uno en uno desde Santiago a dar la vuelta por la calle Muro hasta llegar al convento; se prohibía beber fuera de las aguardenterías y se mandaba que los puestos que se instalasen en la calle de la Merced no interrumpiesen el tráfico de caballos y carruajes; se decretaba que turroneros y alfajoreros tuviesen bien a la vista precios y pesas, bajo penas de multa, y más graves si eran reincidentes; y se impedía a las mujeres despachar en los mesones y aguardenterías. Tal cúmulo de prohibiciones, disposiciones, ordenanzas e interdicciones dio lugar a muchos procesos menores, de varios de los cuales tuvo que encargarse el abogado de pobres. Y es que si muchas eran las prescripciones, más eran los que las contravenían.

El juicio contra el mozo de cuerda Saturnino García se celebró el día 2 de septiembre de 1752 en la sala de audiencias de la Casa de la Justicia, en la plaza de los Escribanos. Era miércoles, por más señas, y ese mismo día tenía Pedro otros dos juicios señalados como abogado de pobres. El primero, celebrado a primera hora de la mañana, era contra un «juanero»: un ratero de mala muerte especializado en desvalijar los cepillos de iglesias y parroquias, que recibían el nombre de «juanes» o «juanillos». También se le acusaba de daños y de haber agredido al fray portero del convento de San Cristóbal. El juanero, de nombre Cipriano Baena, fue sentenciado a cincuenta azotes en flagelación ambulante —esto es, practicada a lo largo de las calles principales de la ciudad—, escarnio público y galeras perpetuas. La única prueba que existía en su contra era su propia confesión, obtenida después de pasar por el potro y la tortura de aguas. El segundo juicio, que tuvo lugar poco después del primero, pues éste apenas si duró diez minutos, fue contra un aguador que se hallaba en libertad provisional dado que su único delito era el de haber jurado poniendo a Dios por testigo, *fechoría* por la que tomó sentencia de diez días de cárcel.

Saturnino García entró en la sala de audiencias vestido con ropa limpia, aherrojado con grillos y con la mirada horizontal y bizarra. Había algo atrabiliario en ese hombre enjuto, como si tras sus ojos discurrieran dos corrientes de fuerza insospechada que constantemente se esforzaba en controlar.

Presidía el tribunal don Nuño de Quesada y Manrique de Lara, juez de lo criminal de residencia del corregimiento de la muy noble y muy leal ciudad. Ocupaba la mesa de madera labrada que se situaba en la cabecera de la sala. Vestía la garnacha negra de los ministros del Real Consejo de Castilla, distintiva también de los jueces en aquella época para el conocimiento de su dignidad y persona. Era juez de capa y espada, oséase, militar y no letrado. Por tal motivo estaba asesorado por don Rafael Ponce de León, hombre de letras, que, vestido con casaca y chupa de riguroso negro, se sentaba en una mesa más pequeña que la del juez pero también situada en la cabecera de la sala a la mano derecha de la presidencia. A su izquierda se ubicaba otra mesa pequeña que ocupaba el actuario don Damián Dávalos y Domínguez, escribano del cabildo, con traje ordinario y ferreruelo.

Ostentaba el cargo de promotor fiscal el fiscal de justicia del concejo don Laureano de Ercilla Marín, que también vestía garnacha y que ocupaba mesa con tapete y sillón de terciopelo. Se situaba a la izquierda del estrado según se le miraba, y encarando la pared opuesta. Justo enfrente se disponía la mesa del abogado defensor de modo que ninguna de las partes diera la espalda al público.

En esa mesa se encontraba don Pedro de Alemán y Camacho, abogado de pobres del concejo de Jerez de la Frontera. Ante la mesa, con tapete y espacio para los legajos y los cuadernos donde tomar los apuntes que fueren necesarios, se situaba un banco forrado y con respaldo donde se aposentaba el letrado defensor. Vestía éste a la antigua usanza de los abogados: golilla blanca rizada, capa negra con capilla también negra y redonda que le llegaba hasta la cintura y gorra con la que debía cubrirse durante todo el juicio, aunque debía entrar a la sala descubierto. Bajo la gorra negra, el pelo empolvado y coleta postiza.

Comenzó el juicio con la lectura de cargos por parte del actuario, lectura que aburrió al escaso público que había en la sala, apenas un par de curiosos y algunos estudiantes, además de Catalina y sus hijos. Tras la lectura de la acusación, tomó la palabra el juez quien, con voz engolada, gesto como de tedio y ajustándose el monóculo que le confería más aspecto de archivero que de militar, se dirigió a Saturnino García:

—¿Se considera el acusado culpable o inocente?

—Inocente, usía —respondió el preso según le había instruido el letrado.

—Pues que comience el juicio y que la justicia se haga en esta sala por la gracia de Dios. Tiene la palabra el promotor fiscal señor de Ercilla. Alguacil, que el acusado se levante, pero que siga aherrojado.

Y se reclinó en el asiento, extrajo de un bolsillo una tabaquera de rapé e inhaló dos pizcas del polvo, una por cada orificio nasal. Después cerró los ojos y dejó que el promotor fiscal tomase la palabra.

—Con la venia de su señoría. ¿Saturnino García es su nombre? —preguntó el fiscal al preso.

—Para servir a Dios y a usía —respondió el acusado, intentando acomodar uno de los grillos sobre la muñeca dañada.

—Diga el preso qué hacía el día 3 de mayo, al lubricán.

—¿Se refiere usía al día en que ocurrieron los hechos por los que estoy preso?

—¿A qué si no voy a referirme, buen hombre?

—Pues si eso es lo que quiere saber, yo se lo voy a contar. Y se lo voy a contar con la verdad, y ya usía dirá si me cree o no...

—Es a su señoría a quien tendrá que convencer, no a mí. Pero no nos haga el preso perder más el tiempo y cuente de una vez por todas qué ocurrió ese día. Que no tenemos toda la mañana, vive Dios.

Saturnino García bajó la cabeza, como intentando evitar un desplante, y volvió a levantarla para responder a la pregunta del fiscal.

—Pues ocurrió que había estado buena parte de ese día, sábado si mal no recuerdo, acarreando bultos hasta los Llanos de San Sebastián, por encargo de un señor noble. Hasta el beaterio de las Recogidas, en la calle Piernas. Y que cuando ya había acabado la faena y me disponía a regresar a mi casa, me topé con el alguacil Juan Maestra. Justo en la puerta de Sevilla. Se hallaba discutiendo con una moza, una de las que piden cada día en aquel lugar, y oí a la niña gritar. Y quedé parado, sorprendido por los gritos y sin saber qué hacer.

—¿Y por qué se detuvo usted, si puede saberse? —interrumpió el fiscal de justicia.

Buscó el preso la mirada del fiscal y, con voz firme, respondió:

—Porque a las mujeres, por muy mozas y mendigas que sean, no se las pega ni se las humilla, señor fiscal. O eso me enseñó mi difunto padre al menos.

El juez de lo criminal don Nuño de Quesada abrió los ojos por primera vez desde que el interrogatorio comenzara. Miró al preso con disgusto y volvió a inhalar rapé. Saturnino García no se intimidó por la mirada de reprobación del magistrado. Muy al contrario, se la sostuvo sin vergüenzas.

—¿Y se enfrentó usted al señor alguacil? —continuó el acusador.

—No hubo tiempo siquiera, usía. Fue el señor Juan Maestra quien se encaró conmigo al verme mirar el suceso.

Y contó Saturnino García lo mismo que ya había contado al abogado de pobres en la cárcel real: que el alguacil se le enchuló, se burló de él y que, como él permaneciera en silencio pues sabía las consecuencias de enfrentarse con el oficial, ello envalentonó aún más a Maestra, que le exigió navaja y dineros. Y que como el mozo se negara, se produjo la acometida y que tuvo el preso que defenderse.

Cuando Saturnino García hubo terminado su relato y respondido a un par de preguntas del promotor fiscal con las que éste buscó flaquezas sin hallarlas, dijo el acusador que no había más preguntas y regresó a su estrado haciendo un gesto de desprecio al preso.

—¿Alguna pregunta el señor abogado de pobres? —preguntó don Nuño.

—Ninguna, su señoría —respondió el letrado. Y al mirar de reojo hacia el sitio del público no pudo dejar de ver el gesto de desconsuelo de Catalina Cortés.

Fue llamado luego al estrado el alguacil Juan Maestra. Era un individuo de poco más de cuatro codos de alto, piel estragada y mirada huidiza. Apareció vestido con su uniforme de alguacil: bicornio negro con plumaje, capa con esclavina hasta la cintura y calzón y medias negros. Juró decir verdad y quedó de pie en el estrado de los testigos, situado delante del juez, aguardando las preguntas del fiscal. Contó de forma deslavazada lo que había pasado con Saturnino García aquel sábado de mayo y relató la agresión de que había sido objeto según su versión. No desaprovechó ocasión para mostrar la melladura que el puñetazo del acusado le había producido en el lado izquierdo de la boca.

Cuando hubo acabado, dijo el juez, sin ni siquiera abrir los ojos:

—¿La defensa va a preguntar?

Pedro estaba sentado ante su mesa enfrascado en papeles. Y así siguió durante unos segundos a pesar de la pregunta del juez. Finalmente, levantó la cabeza de los pliegos y dijo, con la voz muy calma y sin levantarse del asiento:

—Sólo un par de preguntas, señoría. Con su venia.

El juez abrió los ojos, como sorprendido porque el letrado fuese a tomar la palabra. Se encogió después de hombros y se reclinó aún más en su sitial.

—¿Puede contarnos el testigo lo que estaba ocurriendo con esa moza, con la mendiga? —preguntó Alemán, mirando fijamente al alguacil.

Juan Maestra hizo un gesto de fastidio en el estrado, aprovechó unos segundos durante los que fingió ajustarse la esclavina para ganar tiempo, y luego respondió:

—La mendicidad y la vagancia están prohibidas. Conoce usted la policía de vagos, ¿verdad? El nomadismo y desapego de los mendigos y holgazanes es una seria amenaza para el reino y las ciudades.

—¿Y fue usted a aprehender a la moza?

70

—A fin de ingresarla en el hospital de San Bartolomé, a expensas de lo que después se decidiera. Que tampoco es cuestión de alimentar y dar cobijo de balde a los vagos durante más de una noche.

—¿Y para eso, señor alguacil, era preciso que usted descubriera y manoseara los pechos de la moza?

El promotor fiscal dio un respingo en su asiento al escuchar la pregunta del abogado, pero se quedó sin habla. El actuario formó un estrépito al volcar el tintero y el juez de lo criminal abrió los ojos, desconcertado, y fue asaltado por una tos persistente. Cuando logró calmarla, inhaló rapé y, tras sorber ruidosamente para acomodar los polvos en la nariz, dijo:

—Letrado, ¿he oído bien su pregunta o estoy delirando? Faltar al respeto a un oficial del corregimiento puede ser constitutivo de desacato, se lo advierto. ¿Desea retirar la pregunta?

Pedro se quedó pensativo unos segundos. Vislumbró a Saturnino García, que lo contemplaba con mirada impenetrable, y a Catalina, que tenía en brazos al menor de sus hijos y que observaba al abogado con brillo en los ojos. Miró luego al juez de lo criminal, sacudió la cabeza de forma imperceptible y respondió:

—No, su señoría.

—¿Que desea mantener la cuestión o que desea retirarla?

—Quiero que el testigo responda, señor juez.

Don Nuño contempló fijamente al abogado de pobres, tan asombrado como furioso. Consultó luego con su asesor letrado en voz baja y, cuando el conciliábulo acabó, se ajustó el monóculo, lanzó una última mirada colérica al letrado, rumiando por lo bajo, y se dirigió al alguacil:

—Responda el testigo. —Y añadió, dirigiéndose entonces al letrado—: Y hago ver que acusar sin fundamento puede ser conducta criminal. Aténgase a las consecuencias, señor De Alemán.

Juan Maestra paseó la mirada del juez al abogado; después observó al fiscal, que permanecía turbado, tosió para aclararse la voz y dijo:

—No puse mano sobre la moza. Y quien diga lo contrario miente. Y no olvidaré la afrenta, abogado.

Pareció como si la tensión acumulada en la sala en los últimos minutos se desvaneciese por conjuro. Sin embargo, el letrado volvió a tomar la palabra sin dejar lugar a pausa alguna.

—¿Estaba muy borracho el acusado?

Juan Maestra pareció respirar al descubrir el cambio de asunto.

—Como si se hubiera bebido una arroba de vino peleón —respondió de inmediato.

—¿Y también estaba bravo?

—Agresivo, por el mal vino y supongo que por su propia condición.

—¿Y cuándo se le encara?

—Cuando le digo que siga su camino. Y sin venir a cuento me amenaza y luego me lanza el puño y me deja sin un diente.

Y volvió a exhibir la melladura.

—¿Y no vio venir el golpe?

—Ni verlo ni evitarlo. Fue un golpe directo, una puñada atinada y sin posibilidad de esquiva. Y tremenda, voto a bríos, tanto que hizo volar la muela.

—Pues explique usted, señor alguacil, cómo alguien que se ha trasegado una arroba y borracho como una cuba puede asestar puñada tan atinada que ni pudo usted verla venir, ni mucho menos esquivarla.

Juan Maestra se quedó contemplando al abogado con expresión estúpida, sin saber qué responder. Don Nuño abrió los ojos y examinó al abogado con mayor interés.

—¿Y eso qué tiene que ver? —respondió al fin el testigo, titubeando—. Me golpeó y ya está, y mire usted cómo me dejó la boca e imagine el daño. Eso es lo que importa.

—¿Y dejó entonces usted caer su bastón al suelo? —interrogó el letrado, cambiando nuevamente de tema de forma inesperada.

—No portaba el bastón en ese instante. Lo había dejado en manos de uno de los corchetes.

—¿Y eso por qué? ¿Acaso porque necesitaba tener ambas manos libres para desnudar a la moza?

—¡Sus palabras me ofenden, señor letrado!

—¿Dónde llevaba el preso la bolsa?

Desconcertado ante el nuevo cambio de rumbo del interrogatorio, el alguacil tardó en responder.

—Dentro de la camisa, creo. Sí, eso es. Dentro de la camisa, seguro.

—Entonces, ¿el preso portaba una bolsa al momento de ser detenido?

—Dentro de su camisa, ya se lo he dicho.

—¿Y puede usted explicar, alguacil Juan Maestra, por qué no se relaciona ninguna bolsa entre las pertenencias del preso cuando fue ingresado en la cárcel real?

—Pregúntele usted al alcaide o a los carceleros —respondió el testigo después de un instante de duda. Y añadió, exasperado—: ¡A mí qué me cuenta!

—Si resulta que reconoce usted que el preso llevaba bolsa al ser aprehendido, y si resulta que no la llevaba cuando es ingresado en la prisión, pues la conclusión es clara, alguacil: alguien la hurtó. Y si acusa usted al señor alcaide, tal vez deba el fiscal de justicia pensarse si incoar proceso.

Don Laureano de Ercilla, promotor fiscal, que había presenciado el interrogatorio estupefacto, reaccionó al fin. Se recompuso la peluca, se levantó y, alzando las manos, exclamó:

—¡Esto ya pasa de castaño oscuro, señoría! ¡Se está acusando a un alguacil del reino!

—No acuso de nada a nadie, su señoría, pues no es mi trabajo —repuso el abogado—. Simplemente expongo hechos. La bolsa estaba y después dejó de estar. Eso es todo.

El juez de lo criminal se quedó sin saber qué decir ni hacer. Se hizo en la sala un pesado silencio hasta que don Rafael Ponce de León, asesor letrado del juez, se inclinó hacia éste y le susurró unas pocas palabras al oído. Luego, dijo don Nuño:

—El tribunal toma nota y hará las indagaciones que procedan. Y advierte al abogado del concejo de que si comprueba que ha habido falsedad en sus aseveraciones, tomará medidas. ¿Alguna pregunta más?

—Sí, su señoría —afirmó el abogado.

—No tenemos todo el día, señor De Alemán —advirtió el juez.

—Seré muy breve, usía, se lo aseguro.

—Más le vale, abogado. Prosiga.

—Con su venia. —Y, dirigiéndose de nuevo a Maestra, inquirió—: ¿Esgrimió en algún momento el acusado la navaja?

—Para amenazarme —respondió Maestra con presteza—. Haciendo ademán de hincarla, además.

—¿Y en qué mano la llevaba?

—El preso es diestro, no me quiera usted confundir, letrado —apostilló el testigo, con sonrisa aviesa—. La llevaba en la mano derecha, según recuerdo. Eso es, en la diestra, seguro.

—¿Y eso fue antes o después de la puñada?

—Antes, con toda certeza. Ya le dije que antes de agredirme me amenazó.

—Pues explique el testigo a este tribunal cómo podía el acusado esgrimir la navaja con la mano derecha si con esa misma mano golpeó en la quijada al alguacil. Si hubiere llevado la navaja, no habría volado la muela, sino media cara. ¿O no es así, señor Maestra?

—Presume usted que me agredió con la mano derecha, mas yo no he dicho tal cosa. Me golpeó con el puño izquierdo, abogado.

—¿Y se hallaban ustedes cara a cara?

—Yo siempre doy la cara, señor.

—Ya nos enseñó usted en varias ocasiones la melladura, alguacil. Y deducimos, por tanto, ya que la tiene en la parte izquierda del rostro, que fue allí donde le golpeó el acusado.

—Así es, justo aquí —aseguró el testigo, señalando la parte izquierda de la mandíbula.

—Pues si resulta que estaban ambos dos, agresor y agredido, frente a frente, y si resulta que sufrió usted el golpe en la parte izquierda de la cara, resulta también que el puñetazo tuvo que ser necesariamente propinado con la mano derecha. Es pura cuestión de física, señor alguacil. Así que explique usted a su señoría cómo pudo el preso atizarle un puñetazo con la mano derecha si al mismo tiempo portaba en esa mano la navaja.

Juan Maestra no supo qué responder, mirándose alternativamente la mano derecha y la izquierda, como haciendo cábalas. Antes de que pudiera reponerse, manifestó el letrado:

—Ninguna pregunta más, señoría.

El juez observó fijamente al abogado y bajó la mirada a renglón seguido hacia su mano derecha, como si también estuviese comprobando el sentido y las consecuencias de la pregunta del letrado. Luego, sacudió la cabeza y dijo:

—Puede retirarse el testigo.

Juan Maestra abandonó la sala confuso, no sin antes dirigir una mirada deletérea al abogado de pobres. Cuando pasó por el lado de Saturnino García, no obstante, rehuyó la vista del preso, que lo contemplaba sin amilanarse.

Declararon después dos de los corchetes que componían la ronda el día de los hechos. Como no habían estado presentes durante el interrogatorio del alguacil, incurrieron en muchas contradicciones al responder las preguntas del defensor. Cuando éste dijo que no había más cuestiones para aquellos testigos, don Nuño interpeló al fiscal:

—¿Algún testigo más de la acusación pública?

—Ninguno, su señoría.

—¿Algún testigo de la defensa? —Y sin dar tiempo a responder al abogado, prosiguió—: Pues si no hay más...

—Con la venia, señoría —interrumpió el letrado—. Esta defensa propuso dos testigos. Constan en el sumario.

—¿Qué testigos aparte del alguacil y los corchetes pueden deponer en este juicio, abogado?

—Los que figuran, don Nuño.

El juez de lo criminal, impaciente, asió el sumario, hojeó las páginas hasta encontrar lo que buscaba, se ajustó de nuevo el monóculo y leyó durante unos instantes. Después interrogó al letrado:

—¿Otro alguacil? ¿También estuvo presente esa noche, abogado? ¿Una ronda con dos alguaciles?

—No, señoría. Ese testigo no presenció los hechos. Pero servirá a la defensa, pues conoce al preso y sus costumbres. Y fue admitido en su día.

—Pues si es así, que pase. Y sea usted breve, por el amor de Dios.

—Lo seré, señor.

El ujier llamó a Tomás de la Cruz, alguacil del concejo, que entró en la sala con paso decidido pero sonrisa tímida. Era un hombre de algo más de cuarenta años, de buena estatura aunque entrado en carnes y con cara de bonachón. Prestó juramento con voz clara y alta y dio cuenta de su nombre, oficio y domiciliación. Luego que el juez diese la palabra al defensor con un displicente gesto de la mano, se dispuso a responder a sus preguntas.

Vino a decir que conocía a Saturnino García desde unos años atrás, no tanto por razón de vecindad —vivía en la calle de los

Zarzas y el preso lo hacía en Encaramada, distantes entre sí apenas unas decenas de varas—, sino porque el acusado, junto con un par de mozos más, le había ayudado en la mudanza que a principios del año anterior había hecho desde la Hoyanca a su actual vivienda. Y dijo de él que era un hombre cabal y honrado, preocupado por dar una vida lo mejor posible a su mujer y a sus cuatro hijos.

—¿Y es amigo de pendencias? —interrogó el abogado.

—En absoluto, señor. Jamás supe, desde que lo conozco, de que mantuviera riña alguna, ni con compañeros de oficio, ni con clientes ni con autoridades.

—¿Y suele beber?

—Nunca lo vi abusar. Si acaso un vaso de vino después de oír misa los domingos en San Miguel, en el mesón que hay en la plazuela de Antón Daza, junto a la abacería. Cuando hay dinero, que no es frecuente.

Pedro de Alemán formuló algunas preguntas más, todas referidas al carácter del encausado, a sus costumbres y comportamientos, que fueron contestadas por el alguacil Tomás de la Cruz con respuestas halagüeñas para el preso. Don Laureano de Ercilla renunció a interrogar al testigo, que abandonó la sala.

El ujier hizo pasar a la última testigo de la defensa, a la que acompañaba el procurador Jerónimo de Hiniesta, que la había traído desde el arrabal y se había asegurado de que no huyera y de que no fuera vista por el resto de deponentes: una muchacha de no más de quince años que respondía al nombre de Trinidad Amaya Expósito. Vestía de harapos, aunque no sucios en exceso, e iba descalza. Bajo sus ropas de paño basto se adivinaban sus formas de mujer y sus buenas hechuras. Y bajo su melena negra y enmarañada, sus ojos desconfiados que no cesaban de mirar a un lado y otro como si en cualquier momento alguien se fuera a abalanzar sobre ella, y bajo su actitud renuente, se adivinaba una belleza que no tardaría en florecer.

Avanzó con pasos inseguros hasta el estrado de los testigos, observando asustada a preso, juez, fiscal, actuario y abogado. Temblaba perceptiblemente cuando apoyó sus manos sobre la baranda del estrado, que casi le llegaba a la altura de los ojos.

—¿Nombre? —preguntó el juez, extrañado de la presencia de esa niña en el juicio.

—Trinidad Amaya Expósito —contestó ella, insegura—, para servir a Dios y a vuesa merced.

—¿Domicilio?

—Ninguno, señor. Duermo en los Llanos de San Sebastián, donde puedo. Y muy de cuando en vez, en el hospital de San Bartolomé, aquí al lado, hasta que me echan.

El juez se removió incómodo en su asiento y renunció a seguir preguntando a la testigo por su profesión u oficio. Ya se barruntaba lo que venía.

—¿Juras decir verdad a lo que se te pregunte?

—¿Jurar no es pecado, señor?

—No aquí, niña. ¿Juras o no? Y te advierto que debes hacerlo.

—Pues juro, y que Dios me perdone.

—Tiene la palabra el abogado de pobres —indicó don Nuño con ademán de hartura—. Y tenga cuidado el letrado, que ya mi paciencia está agotada.

Pedro se levantó de su asiento por primera vez durante el juicio. Se acercó al estrado de los testigos, se mantuvo a cierta distancia para no invadir el espacio de la niña y le sonrió brevemente, para tranquilizarla. Ella le devolvió la sonrisa y fijó sus ojos negros y grandes en el letrado.

—Su señoría no te ha preguntado, Trinidad, por tu dedicación. Yo sí te lo quiero preguntar, ¿en qué trabajas, niña?

—En nada, desde que mi madre desapareció. O me abandonó, mejor dicho. A mi padre jamás lo conocí. Y no tengo hermanos ni familia.

—¿De qué vives, entonces?

—De la caridad de los cristianos. Pido limosna en la puerta de Sevilla y junto al hospitalito de Juan Pecador.

—¿Qué edad tienes, Trinidad?

—En el próximo diciembre cumpliré los catorce, creo, si Dios así lo quiere.

—¿Conoces al alguacil Juan Maestra?

La niña empezó entonces a temblar con mayor ímpetu, inconteniblemente. Tiritaba, más que temblaba. Comenzó a hacer pucheros, intentó tragarse el llanto, pero al fin las lágrimas se le desbordaron por sus mejillas tersas y se puso a llorar sin consuelo. El abogado se acercó más a ella, sacó un pañuelo de la bocamanga de su traje y se lo puso en la mano estremecida, animándola a usarlo. El fiscal enterró la cara en sus legajos, el actuario quedó con la pluma suspendida y el juez fue presa de un nuevo ataque de tos. Cuando el llanto amainó, el abogado le dijo:

—Aquí no tienes nada que temer. Este señor que ves ahí es el juez de lo criminal de Jerez, don Nuño. Estando él aquí, no tienes por qué tener miedo.

El juez volvió a removerse en su asiento y a ajustarse el monóculo, sin saber si había sido halagado o condicionado.

—¿Conoces al alguacil Juan Maestra? —repitió el defensor.

La niña se sorbió los mocos, intentó hablar, pero, al no salirle las palabras, se limitó a asentir con la cabeza.

—Debes decirlo con palabras, Trinidad, para que el señor actuario pueda hacerlo constar en las actas.

La niña miró a un lado y otro de la sala. Parecía querer cerciorarse de que aquel por quien se le preguntaba no se hallaba en la estancia.

—Sí, sí, lo conozco —reconoció a la postre, velozmente, queriendo acabar lo antes posible con aquello.

—¿Y te acuerdas de este hombre? —preguntó Alemán, señalando a Saturnino García, que miraba con compasión a la niña.

—Me acuerdo de él, sí.

—¿Y puedes contarnos de qué?

Dos lagrimones volvieron a deslizarse por las mejillas de la mendiga.

—Gracias a él, el alguacil no me atacó la primera vez —explicó.

—¿Y podrías contarnos qué pasó?

Trinidad Amaya relató lo acontecido en el atardecer de aquel sábado de mayo: que se topó con la ronda mientras limosneaba en la puerta de Sevilla. Que Juan Maestra la vio cuando ya se marchaba y se aseaba en un caño de los Llanos de San Sebastián. Que se acercó a ella y vio su camisa mojada. Que adivinó sus pechos pequeños bajo la tela mojada. Y que comenzó a manosearla. Que ella lloró y gritó, intentando desasirse. Y que entonces ese hombre, el preso, apareció por allí y, alarmado por sus gritos, se detuvo y quedó mirando la escena. Y que el alguacil se fue para él y comenzó a mofarse del hombre, y que luego le exigió navaja y bolsa. Y que entonces ella aprovechó para salir huyendo y que ya no sabía más.

El letrado dejó que el silencio se hiciera en la sala cuando la niña acabó su relato. Sólo se oían el vuelo de algunas moscas de septiembre, gordas como castañas, y el rasgar de la pluma del actuario sobre el papel.

—¿Volviste a ver al alguacil? —preguntó el letrado al cabo de unos instantes.

Las lágrimas de la mendiga ya se habían convertido en un río silencioso. Asintió de nuevo con la cabeza, mas recordó que tenía que hablar y se obligó a decir con voz apenas audible:

—Sí.

—¿Cuándo, niña?

—Al día siguiente. El domingo, un rato después de la última misa del convento.

—¿Y qué ocurrió, Trinidad?

—Él... él... me atacó...

El juez se irguió sobre el sitial y se agarró con ambas manos a la mesa. El fiscal derramó su mirada por la sala como si buscara en ella a Juan Maestra, que la había abandonado hacía tiempo ya.

—¿Y podrías decirnos, Trinidad, cómo te atacó ese hombre? —preguntó el defensor, muy suave la voz y poniendo una de sus manos sobre las de la niña, que temblaban como paños tendidos al viento.

—Él... él... me llevó más allá de los Llanos... me golpeó... me desnudó y... y...

Pero ahí se acabaron las palabras de la niña. Su voz se convirtió en un hipido y sus sollozos agitaron su cuerpo entero. Dejó caer la cabeza sobre el estrado y sus hombros se mecieron al compás de su llanto.

—No hay más preguntas, señoría —anunció el abogado, trémula la voz y húmedos los ojos.

Silencio de muerte en la sala hasta que don Nuño habló.

—Supongo que el fiscal de justicia no va a preguntar —arguyó el juez con un tono de voz que no daba opciones a contradecirlo.

—El fiscal no tiene preguntas —anunció don Laureano de Ercilla, sin levantarse del asiento ni alzar la vista de los legajos.

Don Nuño hizo que el ujier hiciera salir de la sala a Trinidad Amaya Expósito, dándole orden de que se asegurara de que iba a ser conducida al cercano hospital de San Bartolomé, donde se alojaría hasta que él dispusiera.

Practicadas las pruebas, dio la palabra el juez al promotor fiscal, a quien preguntó si mantenía la acusación. Respondió don Laureano afirmativamente, pero sin hacer uso de la palabra en un discurso final: se limitó a dar por reproducido su escrito de acusación. Y lo hizo con tono de cuita en la voz.

—Pues tiene la palabra el abogado de pobres, señor de Alemán.

Pedro se levantó de su asiento, se situó junto a Saturnino García y encaró al juez. Habló sin alzar la voz y sin servirse de notas y apuntes. Fluido y firme.

—Con su venia, su señoría. Para interesar que dicte usía sentencia por la que se absuelva a Saturnino García, aquí a mi lado, de todos los cargos que se le vienen imputando. Por ser de justicia lo que pido. —Regresó a su asiento y se quedó de pie junto a su banco, sin dejar de mirar al juez—. En todo reino —prosiguió— es esencial una potestad de hacer leyes, por las cuales hayan de decidirse todas las contiendas de los ciudadanos y particulares. Y las leyes han de ser aplicadas por los justicias, a los que se les encomienda, cuando son nombrados, que durante el tiempo que tuvieren el oficio que les es confiado, usen de él bien, fiel y diligentemente, guardando el servicio del rey nuestro señor y el bien común de la tierra que llevaren en cargo y el derecho de las partes. Y yo he de decirle ahora, señoría, que durante los cuatro meses en que mi cliente ha estado preso ni ha existido justicia en esta ciudad ni ha existido juez que la aplique. Porque si algo se ha probado hoy en este juicio que usía ha presidido, es que ni se pueden sostener cargos contra este hombre ni se puede confiar el auxilio de los jueces a quien, como el primero de los alguaciles que hoy han testificado ante usía, hacen un uso malo de sus potestades y pervierten la autoridad que se les ha dispensado.

Hizo de nuevo una pausa el letrado, atento a la reacción del juez, que no se produjo. Ello le animó a continuar sin miedos a represiones. Resumió las pruebas practicadas en el juicio, haciendo hincapié en la decencia del encausado y las contradicciones en que el alguacil Maestra había incurrido. Y se detuvo muy especialmente en el testimonio de Trinidad Amaya.

—Nos aseguraba Epicteto que «no hay que tener miedo de la pobreza, ni del destierro, ni de la cárcel, ni de la muerte: de lo que hay que tener miedo es del propio miedo». —Nueva pausa. Y después, alzando la voz—: ¡Este humilde abogado de pobres del concejo de la muy noble y muy leal ciudad de Jerez de la Frontera no va a tener miedo de decir que el único delito que se ha probado en este proceso es el atentado que cometió el alguacil Juan Maestra contra la virtud de Trinidad Amaya! Es ésta una niña pobre, sí, sin casa y sin oficio, sí, que ha de buscar el pan de cada día moviendo a los buenos cristianos a la caridad que la fe de Cristo Jesús nos ordena. Pero recuerde su señoría que todos somos pobres cuando nacemos, pues venimos al mundo desnudos y sin más equipaje que nuestro llanto. Y nadie es responsable de que la vida no le concediera a ella lo que a otros sí les dio. Y tampoco olvide que no sólo la virtud puede estar en la pobreza, sino que habitualmente habita en ella. Y la virtud de una mujer es tan valiosa en una mendicante como en una dama.

»Juan Maestra, alguacil del corregimiento, atentó contra la castidad de una niña, violentó su virtud, y ése es el único delito que aquí se ha probado. Y torpe como es, para ocultar su desatino inventó los cargos que nos han traído aquí en el día de hoy y que han hecho que Saturnino García, que ningún mal hizo nunca a nadie, haya estado cuatro meses lejos de su mujer y de sus hijos. Dijo que estaba ebrio y se ha demostrado que ello es falso. Dijo que hizo uso de un arma blanca con propósito criminal y se ha demostrado que ello es falso. Dijo que le agredió y lesionó y se ha demostrado que si lo hizo fue en defensa de su propia persona y sus propios bienes, lo que la ley permite. Hora es de que usía, juez de lo criminal de residencia de este corregimiento, haga la justicia que la conciencia nos exige, porque, de no hacerla, nadie en Jerez podrá ya vivir tranquilo, sino siempre todos amedrentados. Porque la injusticia que se hace a uno, a todos es hecha. Y a todos amenaza y más injusticia genera, porque es madre fértil.

»Señoría, quien toma bienes de los pobres es un asesino de la caridad. San Agustín lo dijo. Y a Trinidad Amaya, a esa niña, se le ha robado lo único que tenía: su virtud. Y también dijo San Agustín que quien a los pobres ayuda es un virtuoso de la justicia, que es el más grande don que ha de prevalecer en el reino. Sea usía, pues, el más virtuoso de los hombres y haga justicia, y hágala pronto, pues la misma demora injusticia ya es. Hoy mismo, así lo ruego. Suplicando de nuevo la absolución de mi defendido, le devuelvo la palabra a su señoría, respetuosamente.

Pedro de Alemán, con la boca seca, regresó a su asiento. Contempló a Saturnino García, que se mordía el puño entre los hierros, nervioso. Y miró de reojo a Catalina, que lloraba en silencio.

—¿Tiene el acusado algo que decir? —preguntó don Nuño, después de un largo silencio—. Y póngase en pie si lo tiene.

El preso levantó la testa y miró a su abogado, que no advirtió la mirada. Luego, negó con la cabeza y volvió a dejarse caer en su asiento.

—Pues queda el juicio visto para sentencia —notificó el juez—, que dictaré en el plazo y con las formas debidas.

Y cuando todos se aprestaban a levantarse y los ujieres instaban al preso a incorporarse para abandonar la sala, don Nuño de Quesada y Manrique de Lara, con la voz grave y sin consultar ni siquiera con don Rafael Ponce de León, agregó:

—Pero, aunque dictemos sentencia escrita como los fueros previenen, hemos de decir en este momento que en este proceso, y por la inocencia que de él resulta contra el dicho Saturnino García, preso en la cárcel real, mandamos que se le libere en este mismo instante y sin demora, que se le quiten hierros y grilletes y se le devuelva lo que incautado le hubiere sido. Y órdenes damos para que se busque desde este momento al llamado Juan Maestra, que se le aprehenda y encarcele por los cargos que se le dirán, y que sea preso en la cárcel real en el mismo lugar donde estuvo Saturnino García y en los mismos modos, hasta que se le notifique la acusación. Y mandamos que todo así se haga sin demora y con presteza, en el nombre del rey don Fernando.

Miró con gesto grave y circunspecto al abogado de pobres. Y golpeó con su mazo la mesa, levantando la sesión.

* * *

Exhausto, Pedro se sentó en un banco de la plaza de los Escribanos junto a la iglesia de San Dionisio, patrón de la ciudad. El sol del mediodía de septiembre acariciaba las losas de la plaza pero no era molesto. En la sala de la Casa de la Justicia, mal aireada, había hecho en cambio un bochorno más propio de junio o julio, y se sentía acalorado y con las ropas sudadas. Se aflojó la golilla y agradeció la brisa que ventilaba el ambiente. Vio venir a Jerónimo de Hiniesta, carnudo, calvo y con un gran mostacho que adornaba su cara franca.

—Enhorabuena, letrado —le dijo, palmeándole el hombro—. Buen trabajo.

Reconoció la felicitación del procurador con un ademán y sin decir palabra.

—¿Te hace un buen vaso de vino en el mesón de la calle Caridad?

Pedro tenía la boca seca, pero no le apetecía volver a estar en lugar cerrado. Negó con la cabeza y agradeció la invitación de su colega.

—Me aseguraré de que la niña está en San Bartolomé —dijo el personero antes de marcharse—. Ya te digo algo.

El abogado de pobres se quedó solo en el banco. La plaza, aún a esa hora del mediodía, bullía de actividad y de trajines. Sintió hambre. Se levantó y, cuando se disponía a enfilar la cuesta de la Cárcel, vio salir de la Casa de la Justicia a Saturnino García. Llevaba un atado con sus escasas pertenencias, entre las que no se hallaría la bolsa que Juan Maestra le había birlado. Tampoco su navaja, que le sería devuelta tras el dictado de la sentencia. Un paso por detrás iban Catalina Cortés y sus cuatro hijos. Permaneció allí, de pie, contemplando a quien había sido su cliente, que lo divisó a su vez y fue a su encuentro. Al llegar a su altura, le tendió la mano y dijo simplemente:

—Gracias.

—No tiene por qué —respondió el abogado, estrechando la mano que el mozo de cuerda le ofrecía—. Déselas al juez, que ha mandado su liberación.

—Los dos sabemos por qué. Y sepa que me tiene para cuanto precise.

Y siguió andando, sin volver la vista atrás. Cuando Catalina llegó a su altura, llevaba la mirada sepultada en las losas de la plaza. Sin embargo, poco antes de sobrepasarlo, la levantó y lo miró. Fue una mirada tímida, apocada. Y le sonrió. También de una forma corta, pero suficiente. Había agradecimiento en esa mirada, sí, pero también consuelo, también perdón. Por lo que había pasado hacía ya meses. Y no dijo nada. Siguió andando con sus hijos en pos de su marido. Al abogado de pobres le bastó, empero. Tragó para bajar la emoción que le atenazaba la garganta. Y por primera vez en mucho tiempo, la saliva no le supo agria. Muy al contrario, cálida y apacible. Casi dulce, como el fruto de las granadas.

VII

TIEMPO DE ZOZOBRAS

Corría el año del Señor de 1752 y reinaba en España don Fernando de Borbón, sexto rey de ese nombre, también llamado el Prudente. Había sucedido a su padre, el quinto rey Felipe, seis años antes. Gobernaba el reino con el consejo de don Zenón de Somodevilla y Bengoechea, marqués de la Ensenada, y de don José de Carvajal y Lancaster. Perspicaz, galante, exigente y enérgico el primero, y prudente, discreto, desconfiado y austero el segundo, se servían uno a otro de contrapunto y entrambos habían conseguido normalizar el estado y dar comienzo a las necesarias reformas.

Eran tiempos de cambio y la abogacía no iba a ser una excepción. El abogado ya no era solo orador, vocero: era jurista. Y se planteaba la necesidad de su organización corporativa. Nacían los colegios de abogados y entre sus obligaciones asumían la de defender a los pobres gratuitamente.

En la muy noble y muy leal ciudad de Jerez de la Frontera no existía en esos tiempos, sin embargo, Colegio de Abogados. En Jerez, al igual que ocurría en otras grandes ciudades de España (y Jerez lo era, pues con sus casi cincuenta mil habitantes sólo era superada en población por Madrid, Granada, Sevilla, Valencia, Barcelona, Cádiz y pocas ciudades más), la defensa de quienes no tenían medios para pagar honorarios se encomendaba al abogado de pobres, oficio público dependiente del concejo y del corregimiento, que lo remuneraban aunque de forma exigua: apenas unos miles de maravedíes al año, no más de seis o siete mil. Se encargaba de defender a todos aquellos considerados por la ley como pobres: quienes no tenían sueldos o salarios

superiores cada año a los tres mil maravedíes; las viudas y huérfanos sin posibles; los presos sin medios y los desvalidos por su
avanzada edad.

Ostentaba el cargo de corregidor de Jerez don Juan Basilio de
Anguiano y Moral, que había nombrado para el cargo de abogado de pobres de Jerez de la Frontera a Pedro de Alemán y Camacho, en sustitución de su propio padre, don Pedro de Alemán y
Lagos, muerto de un síncope casi seis años atrás. Los buenos
oficios de don Bartolomé Gutiérrez, quien había hablado en favor del huérfano ante caballeros veinticuatros, regidores, curiales y canónigos, habían posibilitado que el joven Pedro de Alemán accediera al puesto y obtuviera sustento con que pagar sus
propias deudas y las que su padre le había legado. Porque don
Pedro de Alemán y Lagos, aunque hombre docto, de gran bondad y grandes conocimientos de fueros, leyes y precedentes, impenitente lector de recopilaciones y libros jurídicos, había sido
tan buen abogado como mal administrador de sus bienes y de
sus provechos. Desde muchos años antes de su muerte se había
dedicado casi por completo a la defensa de pobres, abandonando en la misma medida su bufete de calle Letrados, que otrora
había sido rentable y acreditado. Cuando murió por un síncope
con cuyas secuelas ni las hierbas ni las sangrías pudieron, dejó
tras de sí los llantos de más de un cliente pobre y, sobre todo,
unos cuantos cientos de ducados de deudas. Deudas que obligaron a su hijo a malvender la casa de calle Letrados y casi todos los libros y bienes de su progenitor, y ni aun así tuvo para
pagar todo cuanto su padre debía. De modo que hubo de convenir con sus acreedores en el pago de las deudas heredadas aplazándolas en el tiempo y con la garantía de su sueldo de abogado
de pobres y de los escasos honorarios que obtenía en su bufete
privado.

Pedro de Alemán y Camacho había nacido a mediados de la
tercera década del siglo, un 5 de agosto de 1725, en un parto que
le costó la vida a su madre doña Mercedes Camacho, primeriza
en esas lides y de salud frágil. Unas hemorragias internas que
los médicos no pudieron atajar acabaron con la vida de la parturienta. Llegada la edad establecida, Pedro estudió primeras letras en el colegio de Santo Domingo, en el convento del mismo
nombre, situado en los Llanos de San Sebastián, y tuvo como

preceptores a dominicos no demasiado intemperantes y a maestros beneméritos y pacientes, de costumbres sanas y limpios de sangre. Aunque no por ello dejaban unos y otros de azotar nalgas, propinar coscorrones y golpear nudillos cuando las letras y los números no entraban por las buenas en las entendederas del niño. Aprendió escritura, lectura y geografía, y dominó pronto las cinco reglillas de sumar, restar, multiplicar, partir y medio partir; continuó con el latín y la gramática, la historia en los compendios del reino y la catequesis con el *Catecismo histórico* del abad Fleury y los libros de religión señalados como aptos por el arzobispado de Sevilla. Después obtuvo el grado de bachiller en la Facultad de Cánones y Leyes de la universidad hispalense, en la que su padre gastó sus últimos dineros. En esa escuela superior del colegio de Santa María de Jesús adquirió los adecuados conocimientos de quienes impartían lecciones en las cátedras de Prima de Cánones, Decreto, Vísperas de Cánones, Digesto viejo, Código y Decretales Mayores. A la vuelta a Jerez estuvo realizando las prácticas en el bufete de su padre y, con la enfermedad de éste, en el del licenciado don Antonio de la Fuente. Así pudo acreditarse como abogado demostrando tener conocimientos de lógica, de metafísica, de teología y de historia; conocer el derecho romano, el derecho canónico y el derecho real; haber estudiado cuatro años de leyes —dos de fueros del reino y otros dos de derecho canónico—, y haber realizado pasantía de dos años con un abogado de Chancillería o Audiencia. Por demás, no incurría en ninguna de las prohibiciones que limitaban el acceso a la profesión de abogado: no era mudo, sordo, ciego ni pródigo, no era clérigo y no había sido encarcelado. Con ese bagaje y la ayuda de don Bartolomé Gutiérrez accedió al oficio remunerado de abogado de pobres del concejo de Jerez de la Frontera. No sin antes asegurarse el concejo de que no había otro candidato dispuesto a aceptar el exiguo salario y de que el joven no tenía las mismas inclinaciones que su difunto padre.

Y así, desde entonces, y de ello hacía unos años ya, malvivía en Jerez de la Frontera Pedro de Alemán y Camacho, abogado de pobres del corregimiento de la ciudad.

* * *

Levantó la vista del libro que estaba leyendo: el segundo tomo de las *Cartas eruditas y curiosas* del padre Feijoo, que don Bartolomé Gutiérrez le había prestado unos días antes y que había comenzado a leer con cierto interés. Sin embargo, a duras penas había podido terminar la carta primera, titulada «Reforma de abusos». Se había sentido azorado cuando leyó uno de sus pasajes, aquél en el que el sabio benedictino reflexionaba sobre la justicia y sobre los hombres:

> *Sería gran cosa para este efecto, si hubiese alguna balanza, en que se pudiesen pesar juntamente las opuestas fuerzas, agente y resistente del que gobierna, y de los súbditos. Por la falta de esta balanza se cometen grandes errores. El intrépido se juzga fácil lo más difícil; el tímido toda la dificultad imagina insuperable; y ninguna advertencia hará que el osado sea circunspecto o el pusilánime animoso. Aquél concibe sus fuerzas mayores, éste menores de lo que son. Sólo algunas almas, tan raras como grandes, tienen como vinculado a sus singulares talentos, aun en las constituciones más arduas, el acierto.*

Cerró de un golpe el libro, que aún olía a tinta y a cuero, y lo dejó a un lado, agitado e inquieto. Sacudió la cabeza para alejar de sí la reflexión del benedictino, que le había alterado el pulso: durante un buen rato había estado rumiando esas frases y pensando que, en efecto, sólo el equilibrio del alma proporcionaba paz y éxito, y que ese equilibrio estaba tan lejos de él como Jerez de las Américas.

«No soy un hombre —se había dicho—, soy varios a la vez. Soy el que buscó con ahínco en los Llanos a Trinidad Amaya y la convenció para que testificase en el juicio del mozo de cuerda, y al mismo tiempo soy quien propuso como perito a Jenaro Basurto en el pleito de doña Virtudes de Sotomayor, propiciando el soborno y desfalcando al cliente un puñado de escudos. Soy el que desenmascaró al alguacil Juan Maestra y también quien se aprovechó de Catalina Cortés. Todos esos hombres soy yo. Pero ¿cuál de ellos soy en realidad?».

Se levantó de la silla y a punto estuvo de tirarla, tanta violencia hubo en su gesto. Se asomó al ventanal que daba a la calle Cruces y vio que la tarde poco a poco decaía. Los días ya comenzaban a acortarse en ese mes de septiembre y la tarde era dorada como un racimo de uvas. Derramó la vista por el pequeño bufete y se detuvo a contemplar su reflejo en un espejo mal azogado que colgaba de la pared como único adorno: sus ojos, que despedían un relumbre de inquietud, de desasosiego; su pelo oscuro y ondulado, que ya empezaba a escasear por las sienes; su tez pálida, de pasar tanto tiempo en sitios cerrados; y su aspecto general que destilaba ansiedad porque era el reflejo de la lucha interior que mantenía. Se alejó del espejo como si huyese de su imagen y volvió a sentarse ante el escritorio. Volvió a fijar la vista en el libro del padre Feijoo, pero, incapaz de concentrarse en las deliberaciones del benedictino, continuó absorto en sus propias cavilaciones.

Después del juicio del mozo de cuerda y del éxito de la absolución de Saturnino García, había albergado la esperanza de que su situación mejorase. Y, de hecho, ese éxito le había deparado una cierta tranquilidad de espíritu, no mucha, pero pocos dineros para su bolsa.

Por un lado, la angustia que lo había congojado en los últimos meses y que le había movido a referir a don Bartolomé Gutiérrez asuntos y conductas que hasta entonces había guardado para sí en el más recóndito desván de su conciencia se había atenuado en cierta medida. Sin embargo, y aunque mitigada esa desazón, la zozobra no lo había abandonado por completo. Ni mucho menos. Porque no se sentía capaz de no volver a recaer en esas conductas, porque se sabía vulnerable ante esas tentaciones. Aunque ducho con las letras y hábil con los interrogatorios y los discursos, se sentía débil frente a sus impulsos, incapaz de resistirse a sus instintos, a sus necesidades. Instintos con respecto a los cuales sospechaba que no era ajena la sensación de autoridad y de dominio que experimentaba. Y necesidades que nacían de que su sueldo como abogado de pobres del concejo de Jerez mal le alcanzaba para sufragarse sus más primarios menesteres como ropa, comida, casa, velas, aceite, carbón y algún que otro vaso de vino en momento propicio.

Pedro de Alemán y Camacho estaba en continua lucha consigo mismo, ése era realmente su problema. Y se decía, cada vez que discurría sobre esa lucha que lo abrumaba, que era por ser el resultado de un aprendizaje paradójico: no habiendo tenido en su infancia la figura de su madre como punto de equilibrio, la de su padre había llenado toda su niñez, y a medida que lo iba conociendo se iba imbuyendo de sus valores: de su rectitud, de su bonhomía, de su decencia. Pero cuando esos valores ya estaban impregnando su ánimo para anidar en él de forma indeleble, apareció la figura de don Antonio de la Fuente, y todos esos valores se tambalearon. De la Fuente era un abogado respetado en la ciudad, al que se le atribuía ética intachable, deontología sin mácula e integridad a prueba de arcabuzazos. Frecuentador de regidores y curas, comulgante de misa diaria, se codeaba con lo mejor de la sociedad jerezana. Pero detrás de esa fachada perfecta se escondía un truhán que no tenía impedimento en dejar de lado los escrúpulos morales cada vez que la ocasión lo requería, y no eran pocas las ocasiones. Y cada vez que Pedro meditaba sobre la honradez de su padre, muerto en la miseria e incomprendido por unos y otros, y la sinvergonzonería revestida de principios de don Antonio de la Fuente, que nadaba en la opulencia y recibía alta consideración de los jerezanos, las dudas le asaltaban como sanguijuelas que le chupaban todos los altos valores que había aprendido de don Pedro de Alemán y Lagos. Y así andaba por la vida, sin saber en realidad quién era: si el abogado honesto que había sido su padre o el jayán que había sido don Antonio de la Fuente. O una inverosímil mezcolanza de ambos.

Por otro lado, su situación económica no había mejorado gran cosa después del juicio de Saturnino García. Nadie discutía que había ejercido una defensa brillante en el proceso: la absolución del mozo se había comentado entre curiales y letrados y su actuación había merecido elogios. Pero, por lo que se veía, ese éxito no había tenido gran difusión entre potenciales clientes, pues su nómina de clientes privados en el bufete apenas si se había incrementado con un par de pleitos de mala muerte. Todo lo contrario de lo ocurrido en la oficina del abogado de pobres en la Casa del Corregidor, que en esas fechas no daba abasto.

El reguero de casos se inició apenas unos días después de terminado el juicio del mozo. Un par de putas fueron arrestadas por ejercer su comercio en el mesón del Toro sin pagar alcabalas, detención que a la postre se saldaría con multa y destierro como era habitual. Dos mujeres de la callejuela de la Barona iniciaron una trifulca por un celemín de judías cuya propiedad se disputaban, trifulca que acabó con lesiones leves de ambas por los alpargatazos que se propinaron y la pena de arresto domiciliario. Un mancebo que apaleó a una mujer mientras lavaba en San Telmo acusándola de haber afrentado a su hermana y acabó condenado a dos años en las galeras reales.

En todos estos casos, Pedro apenas si levantó la cabeza de los papeles durante el juicio. Casi no interrogó, se limitó a pronunciar alguna que otra alegación final breve y concisa, y sólo en un par de casos consiguió rebajar la pena que solicitaba el fiscal de justicia. No dejó de advertir las miradas de extrañeza que le dirigió en más de una ocasión don Nuño de Quesada, como si no entendiera la mudanza en la actitud del letrado. Y posiblemente alguna rebaja de la pena obedeció, más que al buen hacer del abogado de pobres, al reconocimiento del juez a que desde la defensa no se le complicara la vida como ocurriese en el juicio del mozo de cuerda.

VIII

La aparcería de Juan Ramírez

—¿Da usted su permiso?

Pedro de Alemán levantó la cabeza de los papeles que estaba leyendo y observó al hombretón que asomaba la cabeza por la puerta del bufete de la calle Cruces. Había conseguido escapar de sus cavilaciones, había dejado de lado el libro del padre Feijoo y se hallaba enfrascado en esos momentos en el estudio de una demanda que tenía que contestar en plazo de no más de diez días, interpuesta por el abogado don Juan Mateos Murillo en nombre de un mesonero de la calle de las Lealas que reclamaba el importe de los daños causados en su establecimiento por un tal Gregorio Benítez, zapatero con taller abierto en la calle Rendona, a quien acusaba de haber destrozado varias sillas, mesas, una lámpara y dos cántaras en el curso de una trifulca que había iniciado ebrio como un indio.

—¿Da usted su permiso? —repitió el hombretón, descubriéndose la cabeza y arrugando la gorra de paño entre las manos. Era joven, poco más de veinte años, y parecía estar reconcomido por la agitación.

—Adelante —se limitó a decir el letrado, sorprendido de que a esas horas de la tarde apareciese alguien por el bufete.

—Con el permiso de usted.

El abogado se levantó, tendió la mano al visitante, que se la estrechó con fuerza, y le señaló la única silla disponible situada ante el pequeño escritorio. El hombre dudó antes de sentarse, como si temiera ensuciar el asiento. Se sacudió los calzones, aguardó a que el letrado ocupase su silla y, como pensándolo mejor, negó con la cabeza y dijo:

—No tenemos tiempo, señor. Es urgente lo que me trae por aquí.

El abogado, sin saber qué hacer, se levantó de su sillón.

—Pues usted dirá el motivo de su urgencia, que ni sentarse le permite. Y su nombre, si no es mucho pedir.

—Disculpe usted, me llamo Juan Ramírez. Es usted el abogado, ¿verdad?

—El abogado que ocupa este bufete, en efecto. Pedro de Alemán y Camacho. ¿En qué puedo ayudarle?

—Están registrando la casa de mi padre. También se llama Juan Ramírez, como yo. O yo como él, mejor dicho. —Y como el abogado nada dijera, insistió—: ¡Están registrando nuestra casa y amenazan con llevarse detenido a padre! Tiene usted que ayudarnos, por el amor de Dios. Tomás de la Cruz nos ha dicho que usted podría ayudarnos, señor.

Pedro recordó enseguida a Tomás de la Cruz, el alguacil que había testificado en el juicio de Saturnino García y que tenía fama de hombre decente que usaba justamente de su cargo. Aunque no era normal que un alguacil remitiese clientes privados a un letrado. O, al menos, a él jamás le había ocurrido.

—Que están registrando vuestra casa, me dices. ¿Os han comunicado los cargos que se imputan a tu padre?

—No nos han dicho nada, señor, tan sólo que portan una orden del juez de lo criminal y que, de encontrar lo que buscan, detendrán a padre. Creo que debemos ir ya para allá. Estamos perdiendo un tiempo precioso.

—¿Dónde vives?

—Mi padre es aparcero de cuatro fanegadas de tierra propiedad de don Diego López de Morla. Están en el camino de Sanlúcar, a menos de media legua de Jerez saliendo por la puerta de la Alcubilla. Tenemos derecho de habitación sobre un pequeño caserío que hay allí. Y allí vivimos.

—¿Traes montura?

—Un carro con una mula joven. Si la arreo bien, estaremos allí antes de media hora.

—¿Y tenéis dinero con que pagar los honorarios de un abogado?

—Poco, pero cumpliremos con lo que nos pida.

—Poco es algo. ¿Dónde tienes el carro?

—En la plaza, señor.

—Pues vamos para allá.

Un carro de dos ruedas en cuya lanza estaba enyugada una mula negra de buena planta aguardaba en la plazuela del Hospital, vigilado por un mozuelo que resultó ser hermano del tal Juan Ramírez y llamarse Francisco, aunque le llamaban Curro, según dijo sin que nadie le preguntara.

Durante el trayecto, Pedro pensaba si no se estaba inmiscuyendo en un asunto grave a cambio de honorarios dudosos y escasos. Y pensaba así porque de haberse dictado, como se le había asegurado, orden de registro expedida por el juez de lo criminal, el delito perseguido no sería trivial. En esos tiempos era precisa orden judicial escrita para poder proceder a un registro domiciliario. Un auto del Consejo de Castilla de 9 de febrero de 1704 había dispuesto que: «Ningún ministro inferior pueda por sí allanar casa alguna no llevando auto de juez que expresamente lo mande». Y dicho auto, aun no siendo infrecuente, solía reservarse en el corregimiento de Jerez para asuntos de gravedad.

Llegaron a la finca en menos de media hora, tal como Juan Ramírez había asegurado. El sol ya se disponía a zambullirse en el horizonte de poniente, pero aún daba buena luz. Las tierras que la familia Ramírez poseía en aparcería estaban sembradas de trigo, que ya había sido cosechado durante el mes de junio y buena parte de julio. Había también algunas viñas, poco más de un cuarto de aranzada, que ya habían sido vendimiadas. Lo que el mozo había llamado caserío no era más que una construcción ruinosa de cinco o seis varas cuadradas y por cuyos alrededores correteaban unas docenas de gallinas y pastaban un par de cabras y una vaca vieja. En una pequeña porqueriza un poco alejada de la casa se recogían tres o cuatro cerdos. Había también un pequeño huerto sembrado de verduras de temporada y justo donde acababa el huerto se hallaba aparcado el coche de la ronda. Un corchete montaba guardia en la puerta de la casucha. Vio llegar el carro con sus tres ocupantes y adoptó postura de alerta. Juan Ramírez, Pedro de Alemán y el mozuelo desmontaron y se acercaron al corchete. Fue Pedro quien habló:

—Soy Pedro de Alemán y Camacho, abogado de esta familia. ¿Quién está al mando?

El corchete miró al letrado con gesto de indiferencia y, sin responder, haciendo un gesto para que aguardaran allí, se introdujo en la casa. El pequeño Curro lo siguió hasta el interior, pero el mozo Juan Ramírez se quedó junto al abogado. El corchete volvió al poco, acompañado del alguacil Tomás de la Cruz.

—A la paz de Dios, abogado.

—Buenas tardes tenga usted, alguacil. O buenas noches casi. ¿Qué está ocurriendo aquí, si puede saberse?

Tomás de la Cruz hizo un gesto al corchete como dándole a entender que él se ocupaba de todo. Asió del codo al letrado, lo apartó unos pasos y habló después en voz queda:

—Han formulado una denuncia contra esta familia. El señor de estas tierras. Al parecer, esta madrugada han escopeteado la fachada de su casa, cerca de la calle Chancillería, y se acusa a Juan Ramírez de haberlo hecho y de haber dejado un anónimo en la puerta. Con amenazas. Cuenta que mantenía disputa con su aparcero, pues el dueño de las tierras se negaba a prorrogar el contrato si no era en condiciones más ventajosas, y el aparcero se negaba aduciendo su ruina. No se ponían de acuerdo y el amo amenazaba con la extinción del contrato y el desalojo por la fuerza. Y en ésas estaban cuando se produjeron los escopetazos. Y se me ha ordenado registrar la casa para hallar la escopeta. He procurado demorar el registro hasta que usted llegara.

—Y ha sido usted quien le ha dado también mi nombre, por lo que me cuentan. ¿Por qué hace esto, alguacil?

—¿El qué? ¿Recomendarle o enlentecer el registro?

—Ambas cosas, vive Dios. No creo que su actuación gustara al corregidor, si llegase a sus oídos.

—A mí también hay cosas que no me gustan —argumentó, bajando el tono de su voz—. Y hago lo que puedo, si no para evitarlas, sí al menos para aliviarlas. No me pida más explicaciones, pardiez, que con buen entendedor, las palabras sobran. Y si le cuento esto es porque ni usted ni yo ganaríamos nada si lo da a conocer. Y en cuanto a lo de dar su nombre, creo que hizo usted un buen trabajo en lo de Saturnino García. Pero vayamos dentro, letrado. No debemos demorarnos más en charlas, so pena de que alguien murmure.

Tomás de la Cruz y Pedro entraron en la casa seguidos por Juan Ramírez hijo. La construcción era un espacio diáfano con techo de tejas en muy mal estado y cuyo lado izquierdo estaba separado por cortinas para dotar de algo de intimidad a dos espacios que servían de alcobas. El resto de la estancia lo ocupaban una mesa vieja, unas sillas desvencijadas, un par de estantes con cacharros y una vajilla basta, un horno para cocer pan y los fogones donde la familia cocinaba. Los colchones de las camas estaban por los suelos y las almohadas, tiradas de cualquier manera. Un puñado de papeles estaba esparcido en el suelo de tierra compactada. Sentados a la mesa, Juan Ramírez padre y su mujer miraban con ojos espantados a los corchetes que iban y venían hurgando por huecos y rincones. Ambos frisaban la cincuentena y tenían sus rostros arrugados por el sol de muchas cosechas y muchas vendimias.

—¿Tanto destrozo para hallar una escopeta? —preguntó el letrado—. Si se hallara aquí, ya habrían ustedes dado con ella. No hay muchos escondites en esta casa.

—¿Y en la cochinera? —preguntó uno de los corchetes.

—Ve tú con Jesús —ordenó el alguacil—. Y mirad también por los alrededores, en la huerta y en cualquier lugar donde pudiese estar escondida. Y daos prisa, que se nos va la luz.

Los dos corchetes, el que había preguntado y el llamado Jesús, abandonaron la casa. Los otros continuaron registrando la vivienda, aunque realmente ya no había dónde buscar.

Tomás de la Cruz se aproximó al viejo, le mostró un papel y, tendiéndoselo, le preguntó:

—¿Había visto usted antes este pasquín?

Juan Ramírez padre se desasió de las manos de su mujer, tomó en las suyas el papel que el alguacil le tendía y, frunciendo los ojos, lo miró. Al cabo se lo devolvió a De la Cruz.

—Mi padre no sabe leer, señor —aseguró Juan Ramírez hijo—. Y tampoco sabe escribir. Y yo hago ambas cosas con mucha dificultad.

Pedro de Alemán se acercó y tomó el anónimo de manos del alguacil. Era un papel de mala calidad, garabateado con carboncillo y lleno de manchones. La letra era tosca y todo él estaba escrito con letras mayúsculas, mal alineadas y torcidas:

LOS POBRES NO PUEDEN PAGAR LAS CARGAS Y USTEDES COMPRAN MOLINOS Y VIÑAS... Y LES ADVIERTO POR EL AMOR DE DIOS QUE NO LO TOMEN A CHANZA, PORQUE CUANDO LO QUIERAN

El abogado devolvió el escrito a Tomás de la Cruz y se quedó mirándole:

—¿Dónde se halló este papel?

—Como ya le dije, en la puerta de la casa de don Diego López de Morla, después de que la escopetearan. Su esposa, doña María Joaquina Virués de Segovia y López de Spínola, que se encuentra delicada, ha tenido que ser atendida por los médicos después del tiroteo. El asunto es grave, abogado. Don Diego, como le consta, es señor de los Arquillos y caballero veinticuatro de Jerez. Y su administrador presentó este mediodía denuncia contra Juan Ramírez por esos hechos. Dice que el atentado se llevó a cabo para coaccionar a don Diego y que éste cambiase sus pretensiones.

—Don Diego es hombre de buena fama —afirmó el abogado—. Por lo que me extraña que esté en querellas con sus aparceros.

—Ahí ni entro ni salgo —manifestó el alguacil, encogiéndose de hombros—. Pero no anda usted errado en lo que dice.

—¿Y por qué se sospecha de mis clientes, alguacil?

—Según don Bernardo Torres, administrador de la casa de Morla y encargado de gestionar sus tierras y contratar con aparceros y arrendatarios, su cliente Juan Ramírez, aquí presente, no se avenía a firmar la prórroga del contrato de aparcería en las condiciones que la propiedad quería, por lo que había sido conminado de desalojo. Y se manifestó violento y profiriendo amenazas, según consta en la denuncia. Y tras los escopetazos, todas las sospechas apuntan contra su cliente.

—¿Alguien lo vio tirotear la casa?

—Nadie, abogado. Fue de madrugada, y cuando los de la casa despertaron, ya no había nadie en la calle.

—Pues si eso es todo lo que hay contra él, y si no se ha hallado la escopeta en el registro, poca causa existe contra Juan Ramírez. ¿De cuántas tierras es dueño don Diego López de Morla?

El alguacil se encogió de hombros. Fue Juan Ramírez hijo quien respondió la pregunta del letrado.

—Cientos y cientos de fanegas. O miles, qué sé yo. Muchas de las tierras que colindan con estas fanegadas son suyas.

—¿Y cuántos aparceros o arrendatarios tiene?

—Decenas, señor —respondió de nuevo el joven.

—¿Y con algunos más mantiene contienda?

—Que nosotros sepamos, al menos con dos más, cuyos contratos también vencen ahora: con Gabriel Alconchel y con José Tierno. No sé si con alguien más.

—Y entonces —inquirió el abogado, dirigiéndose al alguacil—, ¿por qué todas las sospechas se dirigen hacia mi cliente? Que, por cierto, de mal modo pudo redactar ese pasquín, pues no sabe ni escribir.

La llegada de los dos corchetes que habían salido a registrar la cochinera ahorró la respuesta al alguacil.

—No hemos encontrado ninguna escopeta, señor —aseveró el llamado Jesús. Y enseñando una especie de garrote, añadió—: Pero hemos hallado esto.

Tomás de la Cruz cogió el bastón que el corchete le tendía. Era una tranca que medía casi dos codos y en cuya punta tenía una bola de cinco o seis pulgadas de diámetro. Dadas las severas penas con que se castigaba la tenencia ilícita de armas de fuego, los palos y bastones eran los objetos contundentes más utilizados en reyertas y peleas por su fácil accesibilidad, y su uso también había sido regulado por diversos bandos del concejo.

—Ese palo es para amansar a las bestias —afirmó Juan Ramírez padre, hablando por primera vez en la noche. Tenía la voz bronca de quien habla poco y el tono conciso de quien mide las palabras.

—Tendré que requisarlo, de todos modos. Y someterlo al criterio de un maestro carpintero que dictamine si es de los permitidos y si la gordaria está dentro de los límites de los bandos.

—Pues lléveselo usted, alguacil —admitió el abogado—. No hay obstáculo por mi parte. Pero tome buena nota de que no se ha hallado escopeta ni arma de fuego en esta casa. Y ahora, si a la ronda no se le ofrece nada más, creo que ya es hora de que dejemos a esta familia descansar. ¿O trae usted, don Tomás, orden de arresto?

—Bien sabe que no la necesito, abogado. Podría detener a su cliente sin un mal papel, si mi criterio lo aconsejara. Pero no lo aconseja, pues no hallo delito flagrante ni se han encontrado las pruebas que veníamos a buscar. Pero Juan Ramírez tendrá que presentarse ante el juez de aquí a tres días. ¿Desea que lo llevemos a Jerez en el coche?

—Se lo agradezco, pero creo que podré volver como vine. Sí le agradeceré que advierta a la ronda de noche, por si volvemos después de la queda. Me gustaría hablar con esta familia antes de irme.

Tomás de la Cruz se despidió del letrado y de sus clientes y abandonó la casa. Pedro de Alemán guardó silencio hasta que oyó alejarse al coche de la ronda. Entonces, dirigiéndose al padre, preguntó:

—Cuénteme qué ha ocurrido. Y hágalo en pocas palabras, pues ya es tarde.

—Tal vez desee un vaso de vino antes que nada. Y también antes que nada, gracias, señor, por haber acudido a la llamada de mi hijo. Rosario —indicó, dirigiéndose a su mujer—, algo de vino aguapié nos debe de quedar, ¿no, mujer?

La mujer, sin decir palabra, se levantó, se dirigió a los fogones, trasteó en ellos y volvió al momento con tres vasos de vino —uno para cada uno de los hombres— y los restos de un pastel que debía de ser de zanahorias por el color que tenía y que el letrado, pese a la hora que era, no probó.

—Lo que ha ocurrido es que llevamos semanas discutiendo con el administrador de don Diego sobre las condiciones del nuevo contrato, pues ni yo quiero acceder a las que quiere imponerme, ni él quiere que sigan como están, que sería lo justo a la vista de los tiempos que corren. Pero, de todas formas, es mi hijo quien podrá explicarle mejor esos detalles, pues yo entiendo de sarmientos, de trigos y de semillas, pero no de leyes ni de contratos. Y lo que sí puedo asegurarle, poniendo el futuro de mi alma como prenda, es que ni yo ni mi hijo tenemos nada que ver ni con el papelucho ese que nos han enseñado ni con los escopetazos a la casa de don Diego. A quien, además, ningún mal le deseo, pues siempre nos trató con justicia y con amabilidad, hasta que llegó ese nuevo administrador. Ese tal Bernardo Torres, mal rayo lo parta. Con perdón de usted.

Durante un buen rato, Juan Ramírez hijo detalló al abogado los pormenores del contrato de aparcería por el que la propiedad y el aparcero se habían venido rigiendo en los últimos años, desde 1745 en concreto, prorrogándolo anualmente, y las condiciones que quería imponer el administrador de los Morla para la nueva prórroga. Y le hizo entrega de los contratos —el vigente y el borrador del que se pretendía firmar ahora—, para que el abogado pudiese hacerse una idea por sí mismo.

La aparcería era una figura jurídica habitual en la Andalucía de aquellos años en las relaciones agrícolas. Mientras que en otras regiones del reino de España los campesinos se convertían en la práctica casi en propietarios de la tierra dada la larga duración de los contratos y eran los únicos organizadores de la empresa agraria, en muchas zonas de Castilla y Andalucía, por el contrario, la situación se invertía. Aquí eran los señores y terratenientes los que gestionaban sus tierras dividiéndolas en parcelas de pequeño y mediano tamaño y explotándolas mediante colonos con contratos de arrendamiento o aparcería a corto plazo. Así mantenían intacta la disponibilidad sobre sus propiedades y podían acomodar la renta a la coyuntura económica.

Cuando Juan Ramírez hijo cesó en sus explicaciones, el abogado, levantándose y apurando el vaso de vino, se limitó a decir:

—Confíen en mí. Creo que puedo dar solución a sus problemas. Si no les importa, me llevo estos papeles —dijo, refiriéndose al antiguo contrato y al nuevo que don Bernardo Torres había propuesto al aparcero—. Y ahora, si son tan amables de llevarme de nuevo a Jerez...

Regresaron en el carro de mulas deshaciendo el trayecto de ida y en tiempo parecido. Cuando Pedro de Alemán llegó a su casa de calle Cruces aún no habían sonado las campanas de la queda de San Dionisio. Se despidió de Juan Ramírez hijo y de su hermano Curro y los instó a que regresasen deprisa a sus tierras, asegurándoles que pronto recibirían noticias suyas.

Después de una cena en extremo parca, advirtió que ni siquiera había solicitado honorarios a Juan Ramírez. No supo si lamentarse o, por el contrario, congratularse. Sea como fuere, lo cierto es que esa noche durmió de un tirón hasta poco antes del alba y no recordó ninguna pesadilla al despertar.

* * *

101

Don Diego López de Morla habitaba cerca de la calle Chancillería. Era dueño de una veinticuatría, con rentas anuales de cuatrocientos trece mil cuatrocientos cincuenta y cinco reales, de los cuales trescientos noventa y seis mil trescientos veintiuno provenían de las rentas de sus tierras, que sumaban cinco mil setecientas treinta y cinco aranzadas, según el reciente catastro del marqués de la Ensenada. Era hombre ilustre, de buena fama, perteneciente a una familia de rancio abolengo y arraigo en Jerez. No sería, pues, adversario fácil para el abogado de pobres. Por más que tuviera fama de piadoso y compasivo, de hacedor de buenas obras.

Pedro de Alemán y Camacho llegó a la residencia de los Morla a primera hora de la mañana. Sobre la fachada se advertían aún los desconchones producidos por las perdigonadas disparadas de madrugada. Fue recibido por un criado y pidió audiencia con don Diego. Preguntado por el asunto que lo traía, explicó que era el abogado de Juan Ramírez, que había sido denunciado por el administrador de la casa como autor de los escopetazos descargados sobre la fachada de la vivienda y que quería hacer saber a don Diego la postura de su defendido y su inocencia.

—Pues aguarde usted aquí mismo —le indicó el criado— y ya le diré si don Diego está de humor.

Esperó unos buenos diez minutos hasta que el criado regresó.

—Que dice el señor don Diego que no le puede recibir ahora porque don Bernardo aún no ha llegado porque está en los campos y quiere que don Bernardo esté presente en la reunión. Y que venga usted a eso del mediodía y que será recibido.

Pedro dijo que regresaría a la hora fijada y que agradecía al señor de la casa su atención. No le cupieron dudas de que ese don Bernardo a quien el sirviente se refería era don Bernardo Torres, el administrador de las tierras del caballero. Bajó la calle Chancillería, salió de intramuros por la puerta Nueva y desayunó en una taberna de la calle Porvera. Sin ganas de enclaustrarse en la oficina del abogado de pobres, aprovechó que corría una brisa agradable que atenuaba el calor de mediados de septiembre para pasear por la calle Porvera y la calle Larga, calles ambas que discurrían paralelas a la muralla. Cuando el sol comenzó a apretar, se acercó a San Dionisio y comprobó en el reloj de la torre de la Atalaya que ya faltaba poco para el mediodía. Tomó la calle Laneros, siguió por Carmen, Mantería y Francos y llegó a la casa de los Morla cuando el cercano campanil de San Juan anunciaba las doce del mediodía.

Esta vez no tuvo que esperar. Sin necesidad de ser anunciado, fue acompañado por el mismo criado que lo había recibido por la mañana hasta la primera planta del caserón, donde le esperaban don Diego López de Morla, señor de la casa, y don Bernardo Torres, administrador de sus tierras.

Don Diego recibió a Alemán de pie, con la mano tendida y sin ningún tipo de tiranteces. Era un hombre de buena estatura, cercano a la cincuentena, bien vestido con casaca de seda granate y entrado en carnes. Mostraba una sonrisa afable y su apretón de manos fue firme. Don Bernardo Torres era un hombre de menor alzada que el noble, vestido de negro y con gesto serio y suficiente. Su mirada, sin ser torva, no tenía la franqueza de la de su señor.

Tras las presentaciones, don Diego invitó a Pedro a tomar asiento en un canapé alargado, con respaldo y brazos, y forrado de damasco rojo. Él, por su parte, tomó asiento en un sillón forrado con la misma tela y don Bernardo Torres lo hizo en una silla algo más baja, a la derecha del de Morla. Antes de que la conversación se iniciara, una doncella trajo una bandeja con un tarro de cristal lleno de vino, tres copas pequeñas finamente talladas y un recipiente con queso y galletas que dejó en la mesa de madera labrada situada delante del canapé. Sirvió el vino en las copas llenándolas hasta el borde y se retiró a un rincón.

—Sírvase usted mismo —invitó don Diego, señalando las copitas.

Pedro cogió una de las copas, se deleitó en el buqué del vino antes de probarlo y después se la llevó a los labios. El licor tenía el color del ébano y el aroma de las pasas y los dátiles. Dio un buche pequeño, lo saboreó y asintió complacido.

—Magnífico vino, don Diego.

—De mi propia bodega, don Pedro. Un dulce elaborado con uvas soleadas del tipo de las de Peter Siemens. ¿Quiere probar las nueces? ¿O desea algo más consistente?

—Ya desayuné, señor, y aún no es hora del almuerzo. Se lo agradezco de todos modos, don Diego.

—Pues usted dirá, abogado. Me tengo por hombre clemente, pero tirotear mi casa no me mueve precisamente a la misericordia. Si viene usted a pedir compasión para ese tal Juan Ramírez, que así creo se llama su cliente, he de decirle que el asunto está ya en manos de la justicia.

—No vengo a pedir ni compasión ni clemencia, don Diego. Sino precisamente a que se haga justicia y a que usted la procure. Como usted mismo ha dicho, represento a Juan Ramírez, aparcero de cuatro fanegadas de sus tierras situadas a media legua de Jerez, según se sale por la puerta de la Alcubilla, en el camino de Sanlúcar. Fue denunciado ayer por usted. O por alguien de parte de usted. Se le acusa de haber sido quien la noche antes disparó contra la fachada de su casa y dejó un anónimo en su umbral con amenazas graves. He de decirle que ayer por la tarde-noche se registró su casa por la ronda y no fue hallada escopeta alguna.

—Tuvo tiempo de deshacerse de ella —afirmó Bernardo Torres, hablando por primera vez—. O de esconderla fuera de su casa y de sus tierras. Por desgracia, y como usted sabrá, la justicia no se caracteriza por su rapidez. Puse la denuncia por la mañana y hasta bien entrada la tarde no se practicó el registro. Tuvo tiempo de sobra para lo que le placiera.

—Pues comprenderán ustedes, señores, que sin escopeta no hay causa.

—Aún tenemos el anónimo —insistió Torres—. Se habrán de hacer las pruebas de caligrafía que correspondan para saber si Juan Ramírez fue su autor.

—Juan Ramírez no sabe ni leer ni escribir, señor Torres.

—Pues habrá sido su hijo, entonces.

—Sabe leer y escribir, pero malamente. Y en el papel que yo vi, aunque de letras mayúsculas mal alineadas y torcidas, lo cual puede obedecer a propia voluntad de quien lo escribió más que a torpeza, no se aprecia ni una sola falta de ortografía. Se podrán hacer las pruebas que se quieran, pero les aseguro que ni Juan Ramírez ni su hijo tuvieron nada que ver con lo que aquí pasó.

—No me puede extrañar que usted hable así —intervino don Diego—. Lo raro sería que el abogado del detenido manifestase lo contrario.

—Mi cliente no está detenido, don Diego. Quedó en libertad tras el registro, con la única obligación de comparecer ante el juez de aquí a dos días.

—Pues buen trabajo hizo usted, don Pedro. Lo que no alcanzo a comprender entonces es el motivo de su visita —advirtió don Diego—. Si no quiere ni compasión ni clemencia, no sé qué es lo que quiere. Entiendo que lo que procede es dejar que la justicia siga su curso y ya veremos.

—El motivo de mi visita, don Diego, es que tal vez a usted no le interese que la justicia siga su curso.

Don Diego, que estaba recostado en su sitial, se enderezó y miró al abogado con interés. Con un interés no exento de cierta exasperación.

—No sé si ofenderme, abogado, o sentir curiosidad. ¿Podría ser más explícito?

—Nada más lejos de mi intención que faltarle al respeto, señor, por lo que le ruego que no se ofenda. Ocurre simplemente que, conociendo lo que dicen de usted, me extraña que...

—¿Y qué es lo que dicen de mí? —preguntó el caballero, al mismo tiempo que hacía un gesto a la doncella para que rellenase las copas y le ordenaba después que abandonara la estancia.

—Que es usted un hombre de bien, señor —afirmó el abogado cuando la doncella se hubo ido—. Y por eso me extraña que esté al tanto de lo que está sucediendo y lo consienta. ¿Conoce los pormenores del contrato de aparcería que mantiene con Juan Ramírez?

—Es Torres, aquí presente, quien se ocupa de todos esos menesteres. Yo tengo otras ocupaciones. Pero supongo que será como todos los de mis aparceros.

El abogado sacó del bolsillo interior de su casaca un fajo de papeles. Eligió un documento y lo puso sobre la mesa.

—Éste es el contrato que celebró usted con mi cliente en septiembre de 1745 y que ha venido siendo prorrogado hasta la fecha. Compruebe que está ahí su firma, don Diego, se lo ruego. También verá la estampilla del escribano.

El caballero cogió el documento, lo examinó y asintió.

—Mi nombre, mi rúbrica y mi sello, en efecto. Y los del escribano. Aquí están. ¿Y qué quiere usted decirme con ello?

—Verá usted que se trata de un contrato de aparcería al tercio.

—Así es, en efecto.

—Lo cual quiere decir —expuso el letrado— que mediante este contrato usted cede a su aparcero las tierras que se estipulan y que es obligación del aparcero hacerle entrega de un tercio de los frutos que se recolecten.

—Es lo justo, entiendo —aseveró el caballero de Morla.

—Yo también lo entiendo, señor. Además, mediante este contrato, el aparcero se obliga a explotar lealmente la finca que se le cede, a cuidarla como si fuere suya, a aportar la parte de semillas y abonos que se convenga o, en su defecto, la que marquen los usos y costumbres del lugar, y a devolverle la posesión de la tierra cuando el contrato venza.

—Y en ésas estamos, abogado —repuso Bernardo Torres.

—Déjenme continuar, se lo ruego. Y déjeme decirle, don Diego, que, desde que se firmó el contrato, Juan Ramírez ha cumplido puntual y escrupulosamente con las obligaciones que le incumbían. Por gravosas que le hayan sido.

—No se ha puesto en duda tal cuestión, creo yo —expuso don Diego—. De todos modos, no sé a qué viene esta lección de jurisprudencia, letrado. Sé lo que es un contrato de aparcería y creo conocer más o menos los usos y costumbres del lugar.

—Por su parte —continuó el abogado, sin hacer caso de la observación del noble—, el cedente, es decir, la propiedad, usted, se obliga a permitir la pacífica posesión del aparcero, a pagar los impuestos que gravan las tierras, a entregar al aparcero los útiles y aperos necesarios para la labranza y a aportar su parte de semillas y abonos. Y he de decir que hasta ahora también usted ha cumplido con lo que se obligó.

—Entonces, no sé dónde está el problema, ni encuentro motivo para que escopeteen mi casa y pongan en trance la salud de doña Joaquina, mi esposa.

—A eso voy, don Diego —dijo Pedro. Extrajo otro documento del fajo de papeles que traía y se lo ofreció a su anfitrión—. Y éste es el contrato que se pretende que Juan Ramírez firme para continuar en su aparcería.

Don Diego tomó el contrato que el abogado le tendía, comenzó a leerlo y su faz se fue demudando a medida que iba leyendo. Dejó de leer unos instantes, miró ceñudo a su administrador y continuó en su lectura.

—Como verá, don Diego —explicó el letrado cuando vio que el caballero ya acababa de leer—, ese contrato que se pretende firme mi cliente es bien diferente al anterior. Ya no se trata de una aparcería al tercio, sino de una aparcería a medias. Es decir, se quedará usted con la mitad de las cosechas. Pero eso no es lo más grave. Lo más grave es que se impone al aparcero, so pena de desposeerlo de sus derechos y no renovar el contrato, la obligación de sufragar la totalidad de las semillas y abonos, pagar la mitad de los impuestos que gravan las tierras y costear el precio de los útiles y aperos de labranza. Y como se sabe que no podrá hacer frente a este gasto, se le ofrece un préstamo a esos fines con un interés usurario. Y ya por último, se le obliga a contratar exclusivamente con los molinos y norias de su propiedad, so pena también de rescisión del contrato.

Don Diego bajó de nuevo la vista a los papeles, como dándose tiempo para pensar; y la subió después hasta el abogado para al final quedar mirando fijamente a su administrador don Bernardo Torres, que si bien al principio le sostuvo la mirada, la apartó al cabo. Luego, se volvió hacia el abogado, estuvo en silencio unos instantes y al fin dijo:

—No estaba al tanto de este contrato, señor. Tiene usted mi palabra.

—Juan Ramírez —declaró Pedro— ha venido malviviendo desde hace años con su aparcería al tercio. Ha sudado de sol a sol para arar los campos, para abonar las vides y los trigos, para cuidar la huerta, para comprar su parte de semillas y abonos, para dar de comer a las bestias, para espantar las plagas y cosechar los frutos. Con su parte de la cosecha, cuando el año ha sido bueno, pudo comprar una mula, un par de cabras, una vaca y algunos cerdos. Pero ni pudo dar educación a sus hijos ni dar un regalo a su mujer. Y cuando el año fue malo, hambre fue lo que tuvo. Pretender que firme este documento es abocarlo a la miseria, señor. Y eso ni usted ni yo lo podemos consentir.

—El mundo cambia —terció entonces Bernardo Torres—. Lo que estaba al uso hace siete años puede que ya no lo esté, señores. Y también los dueños de los campos tienen sus gastos y sus costes. Los contratos se pactan entre las partes y no es usted nadie, abogado, para imponer condiciones al legítimo propietario de las tierras. Si su cliente no quiere el contrato, que se busque otras fanegadas donde labrar. Pero que no escopetee las casas ajenas.

—Pero sí soy quién para ir al alcalde mayor y recordarle que la usura está prohibida desde el Concilio de Nicea, en lo que a nuestra madre la Iglesia católica hace. Y que, en lo que hace al derecho común, la prohibición se remonta a las Cortes de Castilla de 1348, que prohibieron su práctica reunidas en Alcalá de Henares bajo el reinado de Alfonso el Undécimo. O podría irme al juez de lo criminal y hacerle ver que la usura no es sólo motivo de nulidad del contrato, sino de delito que debe ser perseguido. Y eso sin hablar del resto de abusos que usted, señor Torres, pretende.

—No le consiento, abogado...

—¡Cállate, Torres!

La voz de don Diego López de Morla sonó como un mosquetazo en esa elegante estancia. Un criado se asomó alertado por el grito y no se fue hasta que el señor de la casa le hizo un gesto para que se marchara. Don Diego se recostó en su asiento, cerró los ojos y aguardó unos instantes en silencio. Después, llenó su copa y la apuró de un trago.

—Abogado —dijo al fin—, le ruego le diga a su cliente que el contrato se renovará en las condiciones que se pactaron en 1745. Firmaremos cuando usted lo tenga a bien. Y mañana mismo retiraré la denuncia formulada en la Casa de la Justicia contra Juan Ramírez. Como bien sabe, retirada la denuncia se acaban las diligencias.

—¿Y con qué duración se firmará el contrato, señor? —preguntó Alemán.

—Entiendo que no debemos modificar la duración que entonces se pactó, letrado.

—Le sugiero contemple la posibilidad de extender su vigencia a lustros renovables, don Diego.

—¿Y eso por qué razón, don Pedro?

—Por dos razones: la primera, que así no será necesario estar pactando cada año; y la segunda y fundamental, señor, es que si aseguráis a un labriego que podrá disfrutar durante años de un erial, os lo devolverá convertido en un vergel. Pero si le entregáis un jardín en arriendo de plazo corto, os devolverá un desierto.

Don Diego quedó pensativo.

—No le falta ingenio, abogado —afirmó—. Más bien le so-bra... Se hará como dice usted. Si mañana por la mañana trae al escribano con el nuevo contrato, se lo llevará firmado por mí. Sólo le impongo una condición.

—Dígame usted cuál es, don Diego, y si está en mi mano...

—¡Que no le cuenten ustedes esto a nadie, pardiez!

El abogado sonrió. Asintió con la cabeza y se levantó. Don Diego hizo lo propio, y al cabo también Bernardo Torres, que había presenciado los últimos acuerdos cariacontecido.

—Y ahora, me gustaría tener una conversación a solas con mi administrador. Vaya usted con Dios, don Pedro.

—Una última cuestión, señor —dijo el abogado, estrechando la mano que el caballero de Morla le tendía—. Si no tiene inconvenientes, mañana también le haré llegar mi minuta. No creo que deba cargar a mi cliente con mayores obligaciones.

* * *

A media mañana del día siguiente, Pedro de Alemán compareció en la escribanía de don Beltrán Angulo y recogió al escribano y las escrituras que se habían preparado la tarde anterior y en las que constaba el nuevo contrato de aparcería que durante el lustro siguiente vincularía a don Diego López de Morla y a Juan Ramírez. Con escribano y escrituras se dirigió a la collación de San Juan, a casa del de Morla, donde el caballero estampó su nombre, rúbrica y sello en el documento. Y satisfizo tanto los honorarios del letrado —dos escudos de oro que vinieron a Alemán como agua de mayo— como los aranceles del fedatario. Y lo hizo sin rechistar y sin objeciones. Don Bernardo Torres no apareció por parte alguna.

Con las escrituras ya firmadas por el noble, Pedro alquiló en la Porvera un coche de colleras tirado por dos mulas jóvenes y enfiló el camino de Sanlúcar junto con el escribano público.

—Buen día le dé Dios. La causa contra usted ha sido sobreseída —anunció el abogado a Juan Ramírez nada más bajarse del coche y ser recibido por el aparcero a la puerta de su casa—. Don Diego López de Morla ha retirado los cargos.

—¿Y cómo ha sido eso, señor? —preguntó Ramírez, con cara de no entender nada.

—Cosas de las leyes, amigo. Y aquí le traigo el nuevo contrato para que lo firme. Don Diego ya lo hizo en presencia del escribano don Beltrán Angulo, aquí presente. ¿Desean usted o su hijo leer el documento o quiere que sea el señor escribano quien se lo lea?

—Ya sabe usted que no sé leer y mi hijo Juan tampoco es muy ducho. Que lo lea este señor, si usted lo cree necesario.

Don Beltrán Angulo leyó las estipulaciones de la escritura. Lo hizo despacio y en voz alta, y dando las explicaciones necesarias cuando las cláusulas del contrato no eran claras para hombres de pocas letras como los Ramírez. Cuando hubo terminado, Juan Ramírez padre preguntó, arrebolada la tez:

—¿Un lustro? ¿Quiere ese papel decir que podremos estar tranquilos al menos un lustro y con la aparcería al tercio, tal como estaba?

—Así lo pone en el contrato, Juan.

—¡No tendré con qué pagarle lo que ha hecho usted por nosotros, señor!

—Y ni falta que le hace, que ya se encargó el caballero de Morla de pagar todo cuanto procedía.

Y sin más, firmado el contrato y después de recibir agradecimientos y efusiones de la familia Ramírez, letrado y escribano regresaron en el coche de caballos a Jerez. Al día siguiente, el carro de mulas de los Ramírez apareció en hora temprana por la calle Cruces, y lo hizo con dos canastos repletos de hogazas de pan recién cocidas, racimos de uva, cebollas y berenjenas, calabacines y judías, pepinos y pimientos, peras, higos, manzanas, melones y otras frutas y verduras de la temporada. Y un cantarillo de vino oloroso. Durante unas buenas semanas, el abogado de pobres comió y bebió como hacía tiempo.

IX

EL CANÓNIGO DE LA COLEGIAL

Al fin llovía. Y aunque era una lluvia cálida, lo hacía con una ferocidad insólita para la época que corría, pleno veranillo de San Miguel. Habrían sido las rogativas a la Virgen de la Merced, que había salido varias veces en procesión por la collación de Santiago. O habrían sido las súplicas a la Virgen de Consolación, también patrona de la ciudad y en cuyo honor se celebraban soberbios fastos cada 8 de septiembre ante su retablo en la iglesia de Santo Domingo. O habría sido que ya la ciudad no podía aguantar más repleta de basuras, de ratas que roían los desperdicios que se amontonaban en la vía pública y que amenazaban con epidemias, de orines que reverberaban sobre el empedrado y con el aire enrarecido y pesado por el calor y la falta de agua. Y había clamado al cielo y el cielo la había oído. Lo cierto es que ese mediodía de primeros de octubre de 1752 llovía a cántaros en la muy noble y muy leal ciudad de Jerez de la Frontera.

La lluvia sorprendió a Pedro de Alemán en plena puerta Real, cuando se dirigía desde la oficina del abogado de pobres en el Arco del Corregidor hasta su casa en la calle Cruces. Pingando y sin posibilidad de refugio, pues los puestos y comercios donde podría haberse resguardado estaban atestados de transeúntes sorprendidos por el agua inclemente, dio una carrera cubriéndose como pudo bajo alerones y cornisas y llegó a casa de don Bartolomé Gutiérrez en la calle Algarve. No veía al alfayate desde la delicada conversación que mantuvieron meses atrás, en mayo para más señas, y sabía que sería bien acogido en la alfayatería.

Cuando llegó, fue recibido por la mujer del sastre, Amparo era su gracia, taciturna como siempre, aunque no por ello arisca. Era insípida pero amable. Le dijo que don Bartolomé estaba acabando de tomar medidas a un cliente, asegurándole que era la segunda probatura y que no tardaría mucho. El abogado aguardó en un pequeño vestíbulo que servía de sala de espera para los clientes de la sastrería, atestado de libros como media casa. Al poco rato se entreabrió la puerta de la sastrería. Sin advertir la presencia del abogado, el sastre y su cliente continuaron la conversación que mantenían antes de abrir la puerta.

—No se intranquilice usted, don Francisco —aseguraba el sastre Gutiérrez—, que tendrá de inmediato sus dos sotanas. Y que las podrá usted lucir en las fiestas de San Dionisio, sin duda alguna. La negra la podría recoger mañana mismo si le viene bien, aunque si aguarda a pasado mañana también podría llevarse la ribeteada, junto con el alba nueva y el amito. Lo que usted diga.

—Pues que sea así, no me importa esperar a pasado mañana —aseguró el cliente, un hombre alto y esbelto, de nariz afilada y buen color, que vestía ropajes eclesiásticos—. Mando a Jacinto a recoger el encargo a eso de media tarde, si a usted le viene bien, don Bartolomé. Y si hoy o mañana por la mañana me hace llegar la factura, viene el sacristanillo con el dinero, que es de confianza.

El sastre acabó de abrir la puerta para permitir la salida de su cliente y fue entonces cuando advirtió la presencia del letrado, que no había sabido cómo llamar la atención de sastre y cliente y había permanecido callado oyendo su conversación.

—¡Pedro! —exclamó el alfayate—. ¿Tú por aquí? ¡Hacía un mundo que no te veía!

—Refugiándome de la lluvia, don Bartolomé. Que están cayendo chuzos de punta y me ha cogido el chaparrón por aquí cerca. Y no hallé mejor lugar donde buscar cobijo.

—Por supuesto que sí. Ya sabes que ésta es tu casa. Aunque lamento que no hayas encontrado motivo mejor que la lluvia para venir a verme. ¿Conoces a mi muy ilustre cliente, el reverendo don Francisco de Mesa?

—No tengo el honor —repuso el abogado—. Sí de vista y de nombre, pero creo que jamás fuimos presentados.

—El muy ilustre canónigo del cabildo de nuestra iglesia colegial y antiguo visitador del arzobispado de Sevilla, el reverendo padre don Francisco de Mesa y Xinete —presentó el sastre—. Y aquí don Pedro de Alemán y Camacho, abogado del concejo, un joven y prometedor letrado a quien considero como de mi propia familia.

El canónigo tendió la mano al letrado, que hizo una breve inclinación y la besó muy ligeramente, como era costumbre.

—Yo también he oído hablar de ti, joven —aseguró el sacerdote.

—Espero que bien, reverendo padre.

—Con que me llames don Francisco vas cumplido, Pedro. Si me permites llamarte así. Y sí, efectivamente. He oído hablar bien de ti. Algo me contaron acerca de un juicio no ha mucho y algún comentario también ha llegado a mis oídos acerca de unos litigios con terratenientes de la ciudad que ni siquiera han precisado llegar al conocimiento del alcalde mayor.

Se refería el canónigo a que, tras el incidente con don Diego López de Morla, otros aparceros de tierras cercanas habían acudido a su bufete para solicitar sus servicios en las negociaciones de los nuevos contratos con un par de latifundistas de la ciudad, negociaciones que llegaron a buen puerto sin necesidad de instar pleito ni querella. Entre otras razones, porque los ánimos de campesinos y labriegos andaban por esos días algo exaltados por las malas condiciones de su vida y por las carencias que padecían, y no era cuestión de exaltarlos aún más con contratos abusivos, por lo que los terratenientes se habían avenido a arreglos.

—No sabía que habían sido casos de conocimiento general —adujo el abogado—. No habiendo existido proceso, pensé que no habría habido trascendencia.

—Pues ya ves, han llegado a mis oídos, y si ha sido así es porque se ha tratado de asuntos importantes. Que me interesan, pues, por si no lo sabes, te diré que también soy jurista, aparte de cura. No me tomes por presuntuoso si te digo que estudié jurisprudencia en el colegio imperial del Señor San Miguel, en la ciudad de Granada, en cuya universidad obtuve el título de bachiller. No habías nacido tú entonces, eso seguro. Y que soy doctor en ambos derechos por la Sapienza de Roma, madre de todas las universidades de la cristiandad.

—Pues habiendo oído lo que he oído de usted, es una suerte que haya elegido la tonsura y no los pleitos, don Francisco —aseguró Pedro de Alemán—. Habría sido usted un formidable competidor.

—Te agradezco el halago. Pero volviendo a lo que te decía sobre esos pleitos, sí que he oído hablar de ellos. No es que yo ponga oídos a las habladurías y los chismes, que bastante tengo con las obligaciones corales y con buscar dineros con que atender a los gastos de mis huérfanas y de la amiga general —dijo el canónigo, refiriéndose al hospicio de niñas huérfanas que algunos años antes había erigido a sus propias expensas en dos casas situadas en la calle Armas, y a la escuela gratuita también allí fundada—, es que realmente han dado que hablar. Porque cualquiera que sea buen observador ha de darse cuenta de que el estado de las cosas es como un barril de pólvora al lado de una hoguera. Y estoy hablando de los campos y de los labriegos. No olvides que en esta ciudad hay grandes mayorazgos y muchas tierras que están en pocas manos, mientras la mayor parte de los pegujaleros y jornaleros no puede sostener a sus familias. Y sé de lo que me hablo, pues muchos de ellos han de criar a sus hijos en la mendicidad en las calles y los campos, casi en cueros, pidiendo por Dios sin realmente conocerle, pues nunca tuvieron quien se lo enseñase. Así están las cosas en este Jerez nuestro, sin que nadie haga nada.

—Ésas no son unas palabras que suelan oírse en quienes visten como usted, don Francisco —adujo el abogado, en cuya cara no se podía disimular la sorpresa por el discurso del canónigo.

—No es la primera vez que lo digo, Pedro, ni será la última. Ya sabes, y si no lo sabes te lo digo yo, que no predico desde hace años, pero mi continuo arrimo a huérfanas y pobres me lo hace decir cada vez que tengo ocasión.

Don Bartolomé Gutiérrez, incómodo no por el curso de la conversación, pues solía pasar largas horas conversando con don Francisco de Mesa y Xinete y sabía de sus inquietudes y cómo pensaba, sino porque se hallaban los tres de pie, en un recibidor estrecho y sin espacio, y su cojera no le daba para estar estante durante más de unos minutos, interrumpió la charla.

—Don Francisco, Pedro, es casi la hora de comer. No sé qué tendrá preparado Amparo hoy, aunque malo no parece ese olorcillo que nos llega desde la cocina, ¿verdad...? Y donde comen cinco, comen siete.

—Le agradezco la invitación —repuso el canónigo—, pero le prometí a doña Ana que no faltaría hoy al almuerzo. Un besugo fresco fue la causa de la promesa. Mi mayor pecado: un buen pescado asado. Ya veis, hablo de pobrezas y mantengo huérfanas, pero cuando me hablan de un besugo bien condimentado, se me hace la boca agua e incluso olvido mis principios. Y Diego también me espera para unos asuntos urgentes del hospicio. Otra vez será. Sin despreciar la charla de nuestro buen amigo Bartolomé, siempre amena y culta, me encantará seguir hablando contigo, Pedro.

Abogado y sastre acompañaron al canónigo hasta la puerta, donde se despidieron. Ya había dejado de llover y un sol tímido, pero más propio de la época que el chaparrón que acababa de caer, luchaba por hacerse un hueco en un cielo hilvanado de nubes. Se disponía a enfilar la calle Algarve cuando don Francisco de Mesa y Xinete deshizo el escaso par de pasos que había dado, se acercó al abogado y le dijo:

—Supongo que te gustará saber que Trinidad Amaya está con nosotros en nuestra casa de huérfanas y en la amiga...

—¿Trinidad Amaya...? —preguntó el abogado, que en esos momentos no ponía cara a ese nombre.

—Trinidad Amaya Expósito. La pequeña mendiga de la puerta de Sevilla. Tu testigo en el juicio de aquel Saturnino García...

—¡Por Dios, claro que sí! —exclamó el letrado—. Por supuesto que sé quién es. ¿Y dice usted que está en el hospicio?

—Así es. Orden de don Nuño de Quesada, el juez, que incluso sufraga de su propio bolsillo sus gastos. Ordenó que la sacaran de San Bartolomé y la llevaran a nuestra casa. Y te alegrarás si te digo que no sólo le damos tres comidas al día, sino que la chiquilla avanza en sus primeras letras. Y que exhibe maña para la costura. Es una buena niña. Aún debemos tener esperanzas con ella.

—Pues no sabe usted cuánto me alegro, don Francisco. Ya sufrió bastante a pesar de sus pocos años y es justo que tenga una oportunidad.

—Y la va a tener. Te lo aseguro.

Pedro de Alemán y Bartolomé Gutiérrez aguardaron en la puerta de la casa hasta que la figura del canónigo se perdió por la calle Algarve.

—Curioso personaje —afirmó el abogado.

—Más que curioso, Pedro. Uno de los grandes de Jerez. Es de Carmona, pero ama esta ciudad como el que más. Al poco de llegar a Jerez pudo regresar a Carmona, a la casa de sus padres, con un beneficio simple y mayores rentas, y dijo que no. Que Jerez se le había metido en el alma. Y es un prodigio de cabeza y de corazón. Algún día te contaré su historia.

—¿Doña Ana...? ¿Diego...? ¿A quiénes se refería?

—Doña Ana Ledot de la Mota es una viuda que vive con el canónigo como su ama de llaves. El tal Diego es Diego González, su paje y asistente. ¿Te quedarás a comer con nosotros?

—Ya no llueve, don Bartolomé. Prefiero ir a casa. Todavía tengo verduras y frutas que se me pudrirán si no las consumo ya. Regalo de los campesinos a quienes he asesorado en las últimas semanas. Y no aguantan hasta esta noche, fíjese usted. Y tengo trabajo luego en el bufete. Un par de contratos que terminar. Así que quede usted con Dios.

—Y que a ti te guarde. Y a ver si no tardas tanto en volver por aquí, que ya sabes que ésta es tu casa. ¿Vendrás pronto?

—Téngalo usted por seguro. O mejor dicho, don Bartolomé, ¿a qué guiso olía en su cocina, que no se me va de la nariz?

—Pues, si no me equivoco, por el aroma es un adobo de carne de cerdo con su manteca aparte.

—¿Quedará aunque sea un resto para esta noche?

—Se procurará, por supuesto. Ahora mismo se lo digo a Amparo.

—Pues en la cena me cuenta usted esa historia del canónigo que quería referirme. Y lo que a usted se le antoje.

—Como, por ejemplo, el nuevo corregidor. ¿Lo conoces ya?

—Esta noche lo hablamos, don Bartolomé. He de aprovechar que no llueve. Estoy aquí a eso de las ocho y media. ¿Le viene bien?

—Le digo a Amparo que nos ponga de cenar en la sastrería, para que los hijos no se aburran con nuestras charlas.

—Pues no debieran, buen amigo. Hasta esta noche, pues.

Caminando de vuelta por la plaza de los Plateros vio que en los árboles colgaban pasquines anunciando el tercer pregón para el alguacil Juan Maestra. Estaban mojados por la lluvia, pero aún eran legibles. Se requería al antiguo alguacil para que compareciera en nueve días ante el juez de lo criminal del corregimiento para ser juzgado por los delitos de perjurio, robo, prevaricación y violación de una niña menor. Juan Maestra se había dado a la fuga tan pronto conoció el resultado del juicio del mozo de cuerda Saturnino García, sabiendo que sería aprehendido en cuanto don Nuño de Quesada diese la orden de arresto. Se decía que andaba por Cartagena, donde tenía familia. Si no comparecía ante el juez a los nueve días del tercer pregón, que había sido leído por el pregonero a voz en grito delante de la casa del fugado y publicado en los principales sitios de la ciudad, sería declarado rebelde y juzgado en ausencia. Y sería condenado a penas mayores que las que habría recibido de estar presente.

Mirando el edicto, Pedro de Alemán cerró los ojos, pensó en la pequeña mendiga, en el mozo de cuerda y en su mujer Catalina Cortés, y se dijo que él había contribuido a que las cosas pasaran como habían pasado. A que se hiciese justicia. A pesar de todo lo que antes había ocurrido, a pesar de todos sus actos innobles.

Y se dijo también que, si no era hallado, Juan Maestra también recibiría un duro castigo al verse obligado a vagar errante y prófugo por las tierras de España, lejos de su casa y de los suyos, y sin poder ejercer el cargo por el que buenos reales habría pagado y del que tanto había abusado. Siguió andando, ajeno al bullicio de la plaza de los Escribanos. Respiró hondo y sintió en los pulmones el aire tibio del otoño, que se los limpiaba. La lluvia había baldeado las calles, se había llevado los desperdicios que solían alfombrarlas y había arrinconado los malos olores. Y él también se sintió limpio y en paz consigo mismo por primera vez en mucho tiempo.

* * *

Pedro almorzó solo en su casa de la calle Cruces y dio cuenta del queso, de las berenjenas y de las últimas frutas que le quedaban de las que le había regalado Juan Ramírez. Luego, salió a la plaza, buscó a un aguador e hizo que le llenara las dos tinajas de agua que había en la cocina de la casa para su consumo y su aseo. Por primera vez en muchos meses había vino en su casa, la carbonera estaba llena, no le faltaban el aceite y las velas de sebo y estaba al día en la renta que cada mes debía pagar a su casero por el arriendo de su vivienda.

Después de una siesta breve terminó los dos contratos de aparcería que tenía pendientes y que al día siguiente habrían de ser firmados en la escribanía de don Beltrán Angulo por dos clientes y por don Marcos Gil de León y don Juan de Torres Gaytán, latifundistas de la ciudad que se habían avenido sin pleitos a concordia con sus aparceros. Cuando acabó, calculó que faltaría poco para las siete de la tarde y que ya no tendría tiempo para más trabajos. Se asomó al ventanal, vio que la tarde era plácida y se dijo que sería buen momento para pasear un rato por la ciudad hasta la hora convenida con el sastre para la cena.

La lluvia había levantado los ánimos de la gente y las calles principales de la collación —la plaza de los Escribanos, la de los Plateros, la calle de la Caridad, la de los Torneros...— estaban atestadas de hombres y mujeres que gastaban maravedíes y reales en puestos y comercios. Era buena época para Jerez, después de la reciente vendimia y de la cosecha del trigo durante el final de la primavera y el verano, y la gente aún guardaba sueldos y los gastaba sin previsión. Llegó a la puerta Real, la cruzó y vio que en la plaza del Arenal se estaban llevando a cabo los preparativos para la festividad de San Dionisio; varios obreros del concejo esparcían el arrayán y los vecinos colgaban paños de los balcones que después alquilarían a nobles y caballeros para que desde allí presenciaran juegos y corridas.

Llegó a casa de don Bartolomé Gutiérrez más o menos a la hora convenida. El sastre había logrado limpiar la superficie de la mesa que le servía de escritorio de libros, legajos y papeles, y allí cenaron los restos del sabroso adobo de cerdo con su manteca, que degustaron con cucharas de pan, todo ello regado por un buen vino del año sin aguar. Durante la cena, el sastre estuvo relatando al abogado los hechos más notables del canónigo don Francisco de Mesa y Xinete, a quien definió como «un hombre para la historia».

—Llegó a Jerez allá por 1727, para tomar posesión de la canonjía que se había quedado vacante en el cabildo de la insigne iglesia colegial después de la muerte del canónigo don Juan Pabón y Fuentes, de los Pabones de San Miguel. Y sólo un año después el clero de la ciudad lo eligió como su prior. Fíjate, Pedro, un eclesiástico tan joven, de apenas veintiséis años, y recién llegado a Jerez, ¡elegido prior del clero jerezano, con tantos curas como había y hay en estos lares! Un honor raramente visto. Al que, todo sea dicho, no fue ajeno el hecho de que tampoco había muchos doctores o licenciados en ese clero que ni entonces ni ahora se caracteriza por su intelectualidad. ¡Y negaré esto que he dicho si se te ocurre repetirlo en público, pues buena parte de los clientes de esta sastrería son curas, por todos los santos!

—Pierda usted cuidado, don Bartolomé, que ya sé que no es buena idea disputar con clérigos, claro que no.

—Y ese mismo año don Francisco asumió el cargo de canónigo presidente del cabildo. Y después ha sido su secretario, y no sé cuántos cargos más, entre los que se cuenta el de visitador del arzobispado. Desde hace años es el canónigo responsable de las obras del nuevo templo, y gracias a sus desvelos y a sus postulaciones parece que no es muy lejano el día que se vea terminada la nueva iglesia. Mis ojos no la verán, lo sé, pero tal vez los tuyos sí, si todo va como debiera.

La conversación acerca del canónigo giró después sobre el hospicio para niñas huérfanas y la amiga general instituidos por Mesa y Xinete, e iba ya agotándose la charla cuando la esposa del sastre entró en la habitación con un platito de dulces de canela de los que Gutiérrez y Alemán dieron buena cuenta junto con sendos vasos de aguardiente.

—Lo que te preguntaba esta mañana, Pedro —retomó la conversación el sastre, cambiando el tema—, ¿ya has conocido al nuevo corregidor?

—De lejos solamente. Entrando y saliendo de la Casa del Arco, pero todavía no he tenido ocasión de cruzar palabra con él. Tampoco soy una figura muy importante en esa casa, como se podrá suponer.

Don Juan Basilio de Anguiano y Moral, que había estado al frente del corregimiento desde 1748, había abandonado Jerez en el mes de julio de 1752, elegido por su majestad corregidor de Cáceres. Fue designado para sustituirle don Nicolás Carrillo de

Mendoza, recientemente nombrado marqués de Alcocébar, y que había sido anteriormente corregidor de Alcalá, Loja y Alhama.

—Pues hablan muy bien de él. Y se dice que a su nombramiento no sólo ha contribuido su ascendencia, sino también su buen trabajo en las misiones anteriores y su matrimonio con doña Francisca Manrique, camarista de la reina e hija de don Diego Manrique, mariscal de campo.

—También yo lo he oído. Pero lo cierto es que hasta hoy pasa más tiempo conociendo los diferentes sitios del corregimiento que en Jerez. Afirma que quiere conocer lo que ha de gobernar, y no son pocos los territorios.

Se refería el letrado a que en esa época el corregimiento de Jerez incluía no sólo la ciudad propiamente dicha y los grandes sembradíos que la circundaban, sino también las tierras de San José del Valle, Bornos, Espera, Villamartín, la dehesa de Algar y la ciudad de Arcos, esta última bajo la jurisdicción señorial del duque de Arcos; así como los despoblados de Tempul, Pozuela y Los Arquillos. En total, más de trescientas mil aranzadas que convertían al de Jerez en uno de los más grandes corregimientos de España.

—Pues conocer esos territorios —arguyó don Bartolomé Gutiérrez— no ha de ser la principal de sus preocupaciones. ¿Estás al tanto de los movimientos que hay para que Jerez sea un corregimiento letrado, y no de capa y espada?

—Algo se comenta entre los curiales. Se habla del alto coste de las asesorías necesarias para impartir justicia, cuando los jueces son iletrados. Se dice que ya no tiene sentido un corregimiento militar, cuando Jerez ya no es ciudad fronteriza. Se dicen muchas cosas, don Bartolomé, pero mucho me temo que nada va a cambiar. Sigue existiendo delincuencia, siguen existiendo malhechores, raro es el día en que no se monta una ginebra en la ciudad, y en esas circunstancias se confía más en los que portan armas que en los que portan libros. Así pues, creo no equivocarme si le digo que ni siquiera se va a plantear en serio la mudanza y que, si se plantease, ni la Chancillería de Granada ni el Consejo de Castilla van a prestar oídos a esas peticiones. Tendremos ocasión de verlo.

—Un buen cliente me trajo ayer desde Cádiz un par de cigarros puros. Me asegura que son de la Real Fábrica de La Habana. ¿Te hace uno, Pedro?

—Nunca he fumado un cigarro puro, don Bartolomé. El sueldo de abogado de pobres no da para tanto. Si acaso una papelina de vez en cuando. Pero si usted convida...

Bartolomé Gutiérrez se levantó de su asiento sin poder evitar un gesto de dolor al apoyar el peso de su cuerpo en la pierna mala. Se acercó a un cofre que había tras unos rollos de tela y sacó dos cigarros puros de un brillante color de cáscara de nuez y sus buenas veinte pulgadas cada uno. El sastre encendió su veguero con la llama de una lámpara y tendió el cigarro y la candela al abogado para que encendiera el suyo. Al poco, la habitación se llenó de un humo azulado y fragante que, junto con el vino de la cena y el aguardiente de la sobremesa, regaló a la estancia una atmósfera propicia a las confidencias.

—Aún estoy algo preocupado por lo que hablamos la última vez que nos vimos, Pedro —confesó el sastre, después de una larga bocanada que iluminó su rostro de piel cetrina que revelaba una salud débil que, sin embargo, no le impedía ser abierto y dicharachero—. Y si no hubiera sido por esta maldita pierna mía, que apenas me permite dar tres pasos seguidos, habría ido a verte yo, dado que no te dignabas a aparecer por aquí. Pero sólo con pensar en subir la cuesta de la Cárcel me pongo a temblar. Anda, Pedro, no me tengas en ascuas. Dime cómo te encuentras y si sigues pensando como entonces. Y si te puedo ayudar en algo.

—Pues parece que la cuerda ya no está tan tensa como antes, don Bartolomé —aseveró el letrado, después de unos instantes que consumió mirando fijamente la brasa de su puro.

—Supongo que me hablas en metáfora, abogado.

—Perdone usted que haya sido críptico. Quería hacerle ver que me siento... no sé... más liberado. Como más de acuerdo conmigo mismo, aún sin estarlo del todo. En aquellos días era como si tuviese una cuerda amarrada al pecho que se fuera tensando a cada día que pasaba, hasta impedirme respirar. A eso me refería.

—Supongo que te había entendido. Y no sabes cuánto me alegro. Por lo que he oído, parece que mejoras en lo profesional. ¿Y en lo personal, Pedro? ¿Algo que contarme?

—Si a haber engordado algunas onzas le parece usted novedad, pues sí. Ahora como mejor y tengo menos carencias. Y también duermo más seguido. No me falta ni el aceite ni el carbón y estoy al día en la renta, si a eso se refiere usted.

—Sabes bien que no, pardiez.

—Y tampoco he vuelto a... a... ¿cómo se lo digo...? A ser deshonesto con un cliente, sea del bufete o de la oficina del abogado de pobres. Tampoco he tenido mucho tiempo para caer en tentaciones, la verdad sea dicha. Y a lo mejor tampoco ocasión, con lo cual no debe usted, ni yo, lanzar campanas al vuelo.

—En los más de los casos, las ocasiones no vienen, sino que se buscan. Así que no te quites méritos.

—Ojalá fuera verdad, pero no estoy nada seguro de eso —dijo el abogado, con una sonrisa triste—. Ni de mí, si me lo pregunta.

—¿Por qué será que muchas veces los demás están más seguros de nosotros que nosotros mismos?

—Sí que es usted complicado, amigo mío. No sé si pretende convencerme o enredarme.

—¿Y qué diferencia suele haber?

El abogado de pobres soltó una carcajada y golpeó con el pulgar el puro sobre el plato que había contenido los dulces de canela. Una pulgada de blanca ceniza cayó sobre la escudilla, mezclándose con los restos de la especia. Se levantó a continuación.

—Hora de irse, don Bartolomé.

—Siempre te vas cuando mejor se pone la conversación —arguyó el sastre, dejando el puro en el plato y levantándose con esfuerzo.

—Ya sabe usted. La campana, la queda...

—Creo que estás compinchado con nuestro santo patrón para dejarme con dos palmos de narices cuando más a gusto estoy, tunante.

Pedro de Alemán abandonó la casa de Bartolomé Gutiérrez con un saludo risueño y no sin antes prometer que no volvería a dejar pasar tanto tiempo sin visitarle. Las calles estaban desiertas y había refrescado, pese a lo cual anduvo despacio disfrutando de las últimas fumadas del cigarro puro. La campana de la queda de San Dionisio sonó cuando bajaba la cuesta de la Cárcel Vieja. En ese preciso momento, una luna blanca y redonda ganó la pugna a dos nubes negras e inmensas y asomó por detrás de la torre de la colegial, iluminando el Arroyo de los Curtidores.

* * *

—Y llévate el fardo bien apretado, Jacinto, que no quiero que las sotanas lleguen arrugadas. ¿Tienes las manos limpias, diablo?

—No tenga usted cuidado, maestro, que ando todo el día con agua bendita —respondió Jacinto Jiménez Bazán, sacristanillo de la insigne iglesia colegial de Nuestro Señor San Salvador de Jerez de la Frontera.

De todas formas, y por si acaso, mientras hablaba se limpió las manos en su raída sotana. Después, asió el fardo que le tendía don Bartolomé Gutiérrez.

—Ahí llevas, y ten cuidado, no dejes caer el paquete al suelo, que están las calles mojadas de la lluvia del mediodía. ¡Tres días seguidos lloviendo en el veranillo de San Miguel, diantres! ¡Quién lo iba a decir hace pocos días, Jacinto!

—Y usted que lo diga, don Bartolomé. Aunque, claro, con tantas rogativas...

—Y dile a don Francisco que la pasamanería que le he puesto a la sotana ribeteada va de mi cuenta, que no se la cobro. Y hablando de cobros, ¿traes mis dineros?

—Por supuesto que sí, maestro —aseguró Jacinto, buscando un lugar donde dejar el fardo con los ropajes confeccionados por el sastre para el canónigo; y como no lo encontrara, pues todas las mesas y superficies disponibles estaban repletas de rollos de telas, de libros y papeles, devolvió el envoltorio al alfayate—. Si es usted tan amable de aguantar esto un momentito...

—Trae para acá, y venga esa bolsa.

El sotasacristán rebuscó entre sus ropas hasta sacar una bolsa de fieltro verde que ofreció al sastre. Éste la cogió, al mismo tiempo que devolvía al otro el fardo. Contó las monedas, quedó satisfecho, y dijo:

—Ea, pues ya está todo. Dile a su reverencia que si precisa un ajuste o un pespunte, que me lo diga y lo arreglamos de inmediato. Le mando a mi Dimas, que es hábil con la aguja.

—Así lo haré, don Bartolomé, y quede usted con Dios —se despidió el sacristanillo, dándose la vuelta y dispuesto a marcharse, cuidando de no tropezar con ninguno de los bártulos que atestaban la estancia.

—¡Eh, tú, Jacinto! —llamó el sastre, sacando unos chavos del bolsillo de su delantal—. ¿Hoy no insinúas propina, malandrín?

El sacristanillo se lo pensó. Mas al cabo sonrió de oreja a oreja, negó con la cabeza y dijo:

—Emplee usted hoy los cuartos en mejor obra, maestro, que hay quien lo necesita más que yo en estos días.

—¡Sí que se te ve contento, hombre!

—Mis motivos tendré, maestro.

—¿Tanto te pagan los curas, voto a bríos?

—Unos negocios que tengo entre manos, don Bartolomé. Un asunto de unos cuadros y... y...

Pareció el sacristanillo arrepentirse al momento de lo que había dicho, pues bajó los ojos, bisbiseó un saludo apresurado y abandonó la estancia trastabillando.

—¿Qué negocios podrá hacer este tunante con temas de pinturas, pardiez? —se dijo el sastre para sí, reflexivo, una vez que el otro se hubo ido. Pero abandonó enseguida el pensamiento y lo olvidó. Tenía otras cosas más importantes en que pensar. Ya no esperaba ningún otro cliente esa tarde y le aguardaba el penúltimo capítulo de su *Historia de las antigüedades y memorias de Xerez de la Frontera.*

X

LA DAMITA DE LOS OJOS VERDES

El mes de octubre se fue de Jerez como había venido, gris y somnoliento, dejando buenas aguas en los campos, en los pozos y en las calles. Pasaron las fiestas de San Dionisio, las justas y carreras revistieron una brillantez como no se recordaba. Y el año caminaba hacia su fin, pero lo hacía sin la alegría de los meses de la siega y la cosecha, cuando había trabajo en los campos y los jornaleros gastaban a manos llenas, olvidando que de su salario habrían de ahorrar al menos un tercio para subsistir en los meses malos. Ahora, sin dinero y sin trabajo, se los veía vagando por las calles, reunidos en cuadrillas y pidiendo limosnas por la ciudad y por los campos, no sólo de día sino de noche, obligando por el temor que causaban a que les dieran muchos que o bien no podían o bien ya los habían socorrido. Tanta era la peligrosidad de esas cuadrillas que el concejo de Jerez se estaba pensando solicitar el auxilio de fuerzas militares.

Por el contrario, Pedro de Alemán y Camacho vivía días prósperos. De alma y de bolsillo, pues ni pasaba necesidades ni se hallaba turbado con malos pensamientos. Aunque no por ello se escapaba de sus horas malas.

Esa tarde del séptimo día de noviembre de 1752 se encontraba en su bufete, enfrascado en un pleito muy complicado pero irrelevante en cuanto a honorarios, la reclamación de un alarife contra una viuda a quien representaba el letrado don José Bernal. También había sido un mal día en la oficina del abogado de pobres. No había parado un momento durante toda la mañana embebido en procesos menores por delitos cometidos durante las pasadas fiestas de San Dionisio que, aunque leves y destinados a terminar en amonestaciones, multas o, en el peor de los casos, arrestos domiciliarios, no le habían permitido ni un minuto de descanso. Se sentía, pues, y a pesar de su época de prosperidad, inquieto. Incómodo en su sillón frailero. Impaciente y excitable, como marino antes de la tormenta. «Un mal día», se decía, mientras se afanaba en la contestación del escrito del abogado Bernal. Para colmo de males, se había servido un vaso de vino quinado que le había regalado el alarife y que le estaba empeorando el humor. Era un vino para enfermos al que el bodeguero, llamado Ambrosio, había etiquetado con su propio nombre. Lejos de sosegarle, el licor acentuaba su mal humor y le impedía concentrarse.

En ésas estaba cuando oyó que llamaban a la puerta. Levantó la cabeza de los papeles y quedó aguardando a que entraran. Sin embargo, la puerta no se abrió y el visitante volvió a llamar.

—Adelante —instó el abogado, con voz de fastidio.

Vio que la puerta se abría, que aparecía en primer lugar la cabecita de un niño de pelo rizado y rubio que hacía pucheros y, después, lo que se le antojó una aparición celestial: una jovencita de no más de diecisiete o dieciocho años que daba la mano al rapaz. Era alta para ser mujer, sus ropas no eran bastas y el color de su piel y su calidad apuntaban buena alimentación y no pasar demasiado tiempo al aire libre. Su tez no era pálida ni morena: era levemente dorada, o, más que dorada, del color de la corteza del pan blanco. Su rostro, perfecto y ovalado, estaba enmarcado en dos trenzas gruesas que le rodeaban la frente. Su pelo era rubio tostado como el del niño. Y sus ojos eran los que habría tenido el arcángel San Gabriel de haberse en verdad encarnado alguna vez: verdes como el tallo de una biznaga, como el perejil claro, como la hierba en invierno. Y grandes como los milagros del santo más santo del santoral. Y su boca. Su boca...

—Con el permiso de usted.

Su voz era delicada y sonora, aunque denotaba turbación. O, más que turbación, algo de vergüenza.

El abogado se levantó de su silla lentamente, como si estuviese siendo izado poco a poco por cordeles invisibles. Si alguien le hubiera mirado a los ojos en ese instante, habría jurado por todos sus antepasados que el letrado se hallaba ante una aparición, ante un espectro. Pero ante un espectro llegado no del averno, sino de la mismísima alcoba del paraíso. Tan pasmado estaba que ni siquiera acertó a responder la venia de la niña.

—Ejem... Con el permiso de usted —repitió la chiquilla, azorada.

Saliendo a duras penas del embeleso, Pedro de Alemán acabó de levantarse, cayendo en la cuenta de que estaba incomodando a su visita. Fue a responder y a decirle a la joven que entrara, que tomara asiento y que se hiciera dueña de su bufete si así le placía, pero el niño profirió un hipido, contrajo el rostro y finalmente estalló en un llanto desenfrenado que dio al traste con el hechizo del momento. La joven se acuclilló, habló al oído del rapaz —lo llamó «Juan» y «Juanito» en varias ocasiones, o al menos eso quiso entender el letrado—, le hizo carantoñas, le secó el llanto con un pañuelo con encajes que extrajo de su bocamanga y consiguió que el chaval parase de llorar. Se irguió después y dijo:

—Disculpe usted, señor. Mi hermano está un poco alterado. ¿Tendría usted un poco de agua para él?

El abogado se quedó de nuevo sin responder. Al acuclillarse para consolar al niño, la tez de la joven había adquirido un rubor que hizo que el color de su cara contrastase aún más con el rubio cobrizo de su pelo. Y había permitido que el letrado adivinase unas formas bajo el vestido de tela fina que le habían dejado sin habla.

—Eh... Por supuesto, por supuesto... —consiguió decir al fin; buscó una jarra de agua en el bufete y, como no la había ni tampoco vaso, excepto el manchado del vino quinado, se excusó con un gesto de la mano, salió de la estancia y volvió al instante con una jarra de agua fresca y dos vasos. Llenó uno, se lo tendió a la niña y dijo—: Aquí tiene usted. Su agua.

Y se quedó enfrente de sus visitas con la jarra en una mano y el otro vaso en la otra, como un pasmarote.

—Gracias —agradeció la joven, dando de beber a su hermanillo—. Y disculpe las molestias.

—No es molestia ninguna —aseguró el abogado, ronca la voz—. Y siéntate, por favor —añadió, cambiando al tuteo sin darse cuenta—. ¿Te apetece agua a ti también?

La niña negó con la cabeza y el abogado dejó jarra y vaso en la mesa. Retiró del escritorio la única silla que había en el despacho aparte de la que él usaba, para permitir que ella se sentase. La joven se acomodó en el asiento y el niño quedó a su lado, de pie, mirando todo con cara de susto. Ella no le soltó la mano en ningún momento. Alemán rodeó el escritorio y tomó a su vez asiento, sin dejar de mirar a la jovencita.

Luego, cuando el silencio, apenas interrumpido por los pucheros del chiquillo, se hizo embarazoso, habló el letrado:

—Pues tú dirás. ¿Sabes dónde te hallas, verdad? ¿Sabes que esto es un bufete y que yo soy el abogado, no?

—Sí, sí, claro que sí. Es que necesito un abogado... Necesitamos un abogado... Mi madre y yo.

Fue nombrar a la madre y toda la entereza de la joven se esfumó como si una mano invisible se la arrebatase. Se le demudó la cara, se le humedecieron los ojos y calló para que la voz no desembocara en llanto. A punto estuvo el abogado de levantarse para rodear con sus brazos a la joven y consolarla, pero se contuvo con esfuerzo. Dejó que la chiquilla respirase intenso un par de veces, que cerrara los ojos con fuerza para volverlos a abrir después, que se tranquilizara y recuperase el dominio de sí. El niño, con la mano libre, jugueteaba rascando con la uña una lasca de la mesa, ajeno a todo. Luego, tras unos minutos de silencio, cuando vio que la joven ya se había sosegado, el abogado se aclaró la voz y dijo:

—Tal vez sería mejor que empezáramos por el principio. A ver, ¿cómo te llamas?

—Adela... Adela Navas y Rubio. Y éste es mi hermano, mi hermano Juan. ¿Y usted es don Pedro...?

—Pedro de Alemán y Camacho, abogado. ¿Y qué es lo que te trae por aquí? ¿Quién es tu madre y qué le ocurre?

La niña fue a hablar, pero la voz no le salió. Como si su voz fuera un pez y su garganta una impenetrable red de pesca. Alemán asió el vaso limpio, lo llenó de agua y se lo ofreció a la joven. Ésta se mojó los labios, carraspeó como si quisiera liberarse de la malla de su garganta y consiguió hablar:

—Adela también, como yo. O yo como ella, mejor dicho. Mi madre se llama Adela Rubio. Está desde esta mañana en la cárcel real.

—¡Madre del amor hermoso! —exclamó el letrado—. ¿En la cárcel, dices? ¿Tu madre? No pareces venir de familia que se prodigue en delitos ni que acostumbre a pisar cuartelillos. ¿De qué se le acusa, niña?

—Es mi padre quien la acusa. De adulterio. ¡Pero es mentira, señor! ¡Es mentira! ¡Se lo juro por lo más sagrado! ¡Mi madre sería incapaz de mirar a otro hombre de forma impropia ni de faltarle al respeto a mi padre! ¡Mi madre...!

Y rompió a llorar. Un llanto urgente pero breve. Enseguida se recompuso, se limpió las lágrimas con el pañuelo y miró fijamente al letrado. Sus ojos relumbraban como dos piedras de jade y tan decididos y duros como ellas. Con la dureza inhóspita de quien sabe identificar la adversidad y está dispuesto a arrostrarla a pesar de haber gozado de una vida cómoda.

—Es mentira, sépalo usted. Y pongo mi vida en ello. Por eso estoy aquí.

—¿Quién es tu padre?

—Juan Navas del Rivero.

—¿*Ese* Juan Navas del Rivero? —preguntó el abogado, sorprendido—. ¿El bodeguero?

—Ése es mi padre, señor. Y voy a tardar mucho en no notarme la boca amarga al pronunciar su nombre, después de lo que le ha hecho a mi madre.

Don Juan Navas del Rivero era un comerciante en vinos con bodega y lagar en la plaza del Cubo, junto a la calle Muro, dueño además de una viña en el pago de Cantarranas. Vivía en una mansión de nueva planta en la calle Corredera, a extramuros de la ciudad, en la collación de San Miguel. Se decía de él que se había hecho a sí mismo y que era severo como un diluvio y duro como el pedernal.

En esos años, la elaboración del vino de Jerez, famoso desde la Antigüedad, estaba sometida a las normas del gremio de la vinatería, y en ese gremio destacaba el nombre de don Juan Navas del Rivero junto a los de Díez, Menchaca y López Martínez, y a los extranjeros Patricio Murphy, Juan Haurie Nebout, los genoveses Zarzanas y otros.

—Oye, Adela, ¿y tu padre sabe que estás aquí?

—¡Válgame Dios, señor! —exclamó la joven—. ¡No lo sabe ni puede saberlo! He dicho en casa que daba un paseo con Juanito y con mis pocos ahorros hemos alquilado un coche para llegar hasta aquí. ¡Nos castigaría si lo supiese!

—Tarde o temprano lo va a saber.

—No —argumentó Adela Navas—, no si usted va a ver a mi madre a la cárcel y ella le contrata. Nadie tiene por qué saber que estuvimos aquí.

—Sabes la gravedad de los cargos, ¿verdad? Y lo que está en juego...

—Y mi padre también debe de saberlo. Y no me puedo explicar que haya actuado de la forma en que lo ha hecho. Le vuelvo a jurar por lo más sagrado que no hay tacha en el comportamiento de mi madre, señor.

—¿Conoces los pormenores del delito que se imputa a tu madre?

—Nadie nos ha dicho nada. Nadie nos ha querido decir nada. Ni mi padre ni nadie de casa. Está prohibido hablar de ello. Pero supongo que a ella sí la habrán informado. ¿No deberían haberlo hecho? ¿No lo ordena así la ley?

—¿Y quién te dio mi nombre?

Ahora la niña dudó un momento, pero enseguida habló, mirando fijamente al letrado:

—Catalina. Trabaja en casa como criada.

—¿Catalina?

—Sí. Catalina, la mujer de Saturnino García, el mozo de cuerda. Fue a hacer la vendimia este año, pero no se le permitió, y el capataz dio recomendación a mi madre para que la contratara como criada. Está con nosotros desde el verano, más o menos. Por las mañanas, ayudando a las doncellas. Ella... ella me habló de usted. Y me dijo que usted podría ayudarnos.

Pedro recordó de inmediato. En realidad, y aunque había formulado aquella pregunta —«¿Catalina...?»—, enseguida había sabido de quién le hablaba aquella niña. Catalina Cortés, la mujer del mozo de cuerda, de aquel hombre decente que se había enfrentado al alguacil Juan Maestra, por lo que había pagado cárcel y enjuiciamiento. Catalina Cortés. Sus ojos, sus carnes blancas, la cara redonda llena de rubores, sus dos pechos grandes. Y aquella escena en la oficina del abogado de pobres que le había quitado el sueño durante tantas noches. Y su mirada después de acabado el juicio de su marido, cuando se cruzaron en la plaza de los Escribanos. Y el sabor agrio de la saliva. Agrio como el mal vino picado. Agrio como el agua que dieron de beber a Jesús. Pero ahora la imagen de Catalina se difuminaba. Ahora, la imagen que veía era la de aquella niña, apenas mujer, que tenía delante: sus ojos verdes, sus carnes novicias, su mirada firme. Y las formas apenas insinuadas bajo su vestido de buena tela. De satén azul que contrastaba con su pelo tostado y sus ojos verdes. Supo en lo más profundo de sí que no debía hacer esa pregunta. Supo que, si la hacía, se le abriría un nuevo abismo a sus pies del que le sería tremendamente difícil salir. Supo que se abocaría a otras noches sin dormir, a tragos de hieles, a ojos húmedos, a vergüenzas que le obligarían a enterrar su mirada allí donde nadie pudiera toparse con ella, porque enseguida verían en ella al monstruo que habitaba dentro de él.

Y, sin embargo, la hizo:

—¿Y tienes dinero para pagar un abogado?

La niña se limitó a negar con la cabeza. Después, ambos quedaron en silencio.

—Mi padre, sí, claro —dijo al fin Adela Navas, con la mirada hundida en el suelo—, pero no va a consentir en pagar a nadie para defender a mi madre.

—¿Y entonces?

—¿Hay letrina? Creo que aquí mi hermano tiene una necesidad.

—En el patio.

—Anda, Juanito, sal al patio, que enseguida voy yo.

El niño se resistió al principio. Había estado distraído ora jugando con lo que encontraba sobre el escritorio del abogado —un abrecartas de hueso, una pluma de ave...—, ora hurgándose la nariz. Había estado ajeno a la conversación que su hermana y Alemán mantenían y a la atmósfera cada vez más tensa que allí se respiraba. Al fin cedió, siguió a Adela hasta el patio de vecinos y se quedó allí mientras su hermana regresaba al bufete.

—Será sólo un momento, Juanito. No te muevas de aquí —dijo la joven, cerrando la puerta tras ella. Y permaneció en pie, en silencio, mirando al abogado, con el semblante muy compuesto. Y con una chispa de decisión en la mirada. Que seguía siendo dura, aunque por detrás de ella titilase un fulgor de duda.

Pedro se levantó de su sillón frailero. Aunque era noviembre y habían quedado atrás Difuntos y Tosantos, sintió calor. Un calor que venía más de sus adentros que de esa tarde que ya declinaba y que era gris y nada calurosa. Se llevó la mano al cuello, bajo la camisa, y sintió la piel ardiente. Se acercó a la joven, que lo aguardaba sin decir nada y sin bajar la mirada. Cuando estuvo a un palmo de su cuerpo, le acarició la cara, la asió por los hombros y después llevó sus labios a los de ella. Los apretó contra esos labios juveniles y limpios, que ella mantuvo cerrados. Luego, acarició su espalda y sintió la suavidad de la tela. Siguió bajando la mano y advirtió la rotundidad de sus carnes. Separó sus labios de los de ella y se quedó mirándola.

Y entonces, tal vez viendo esos ojos que hablaban con más claridad que mil palabras, tal vez observando su humedad y las lágrimas que contenían, tal vez viendo el temblor de esos labios que no se habían abierto para él, tal vez notando el estremecimiento de esas carnes que no era de placer sino de vergüenza, o tal vez porque en su conciencia destellase de pronto un ramalazo de decencia, volvió a sentirse como cuando vio alejarse a Catalina de la Casa del Corregidor la primera vez que lo visitó. O cuando le habló a Sebastián de Casas de cohechos y perjurios. O cuando se sinceró con don Bartolomé Gutiérrez. O tantas otras veces que habían hecho que sus noches fueran amargas e interminables.

—¡Vete! ¡Vete de aquí! ¡Ahora mismo! ¡Vete, válgame el cielo!

La exclamación del letrado sonó como un escopetazo en el pequeño despacho. La voz de Juanito que llamaba a su hermana, asustado por los gritos, sonaba detrás de la puerta cerrada. Adela Navas y Rubio, empero, no bajó la mirada.

—¿Me ayudará? —fue lo único que la joven dijo recomponiéndose las ropas.

—¡Vete, por Dios bendito!

—¿Nos ayudará? A mi madre y a mí —repitió la joven, subrayando el «mí», mientras se dirigía a la puerta y la abría.

El abogado se giró, dando la espalda a la niña. Como si esa mirada que antes fue dura y que ahora era incierta le quemara.

—No lo sé —repuso—. Si encuentro tiempo, si puedo... ya sabrás de mí. Y ahora, idos, por todos los santos.

—Por favor —fue lo único que la joven acertó a decir antes de irse.

Cuando Adela y su hermano se hubieron marchado, el silencio cayó sobre el bufete como un manto tupido y salobre. Como una enorme medusa que dejase sin aire el cuarto. Pedro de Alemán sintió la ira que nacía dentro de él, ira que era contra sí mismo y contra quienes le hacían ser como era. Ira que era contra todos. Ira que era contra Dios y contra el mundo. Ira que era, sobre todo, contra Pedro de Alemán.

Se sentó ante la mesa, apoyó ambas manos en el tapete y refugió allí la cabeza.

—Que Dios se apiade de mí —musitó antes de salir corriendo del despacho.

* * *

Ni siquiera pensó en tomar un coche de mulas o de caballos de los que había en la plaza para ser alquilados. Y ni siquiera tomó su camino habitual para recrearse por las calles más céntricas. Casi corriendo, como si las prisas se le comieran el tiempo, dejó atrás la calle Cruces y la de Visitación y salió de la muralla. Desde la plaza del Arenal atajó por la calle de los Barja y llegó a Encaramada. No le costó nada encontrar la casa que buscaba. Era una casa de vecinos en la que varias habitaciones se abrían a un patio central. A través de una escalera estrecha se accedía a la segunda planta, en la que una galería repartía otras tantas habitaciones. Un par de docenas de mocosos jugaban en el patio de la planta baja. Entre ellos reconoció a uno de los hijos de Saturnino García. Lo había visto durante el juicio y recordaba su cara: era igual que la de su padre, pero a tamaño reducido. Le hizo señas, le enseñó un chavo, el niño se acercó y el abogado le preguntó sin rodeos:

—¿Dónde está tu madre?

El niño no respondió, sino que se limitó a señalar una de las puertas, verde y abierta. El letrado dio el chavo al crío, que se alejó dando saltos. Luego, se acercó a la portezuela, descorrió la cortinilla y entró sin más venias. Era una habitación minúscula que servía de cocina a la familia y que se comunicaba con dos habitaciones más, que también daban al patio y que constituían la morada de Saturnino, de su mujer y de sus cuatro hijos. Catalina se hallaba de espaldas, delante de los fogones. Pelaba verduras que iba echando a una olla llena de agua que hervía en uno de los fuegos. El hervor del agua había impedido que la

133

mujer se apercibiese de la entrada de Alemán. La habitación no tenía ventilación salvo la puerta y estaba iluminada por un solo mechero. Olía a nabos y a pan antiguo. El letrado contempló a la mujer, aplicada en limpiar unas coles, y tuvo que tragar fuerte para que la ira que lo había conducido hasta allí no se difuminase por arte de birlibirloque. Aquella escena —la mujer cocinando, los niños jugando en el patio, la extrema humildad de la morada...— destilaba ternura. Destilaba lo que hacía años el abogado no había tenido.

—Ejem... oiga...

Catalina se volvió rauda al oír la voz a sus espaldas. Su rostro estaba teñido por un rubor de sobresalto que se desvaneció al identificar a su visitante. Se quedó mirándolo, dejó las coles junto a uno de los fogones, apartó la olla una pizca del fuego y se limpió las manos en un trapo.

—Ah, es usted.

—Sí, soy yo. Te acuerdas de mí, supongo...

—Por supuesto. Don Pedro, el abogado. ¿Cómo piensa usted que íbamos a olvidarnos después de lo que hizo por nosotros? ¿Quiere sentarse? No tengo vino para ofrecerle, pero tal vez quede un restillo de aguardiente casero, si le apetece a usted. Y que no se enteren los aduaneros, usted que es abogado... Pero siéntese, siéntese, por Dios.

—No tengo tiempo ni ganas. ¿Sabes por qué estoy aquí?

—Para lo que usted quiera, señor. Ya le dijo mi Saturnino que quedábamos en deuda con usted y que cualquier cosa que pudiera él o nosotros hacer por usted, la diera por hecha. ¿Qué se le ofrece?

—Hoy ha estado a verme la hija de don Juan Navas del Rivero.

La mujer comprendió entonces. Respiró con fuerza y continuó frotándose las manos con el trapo a pesar de que ya estaban secas.

—Ah, es por eso...

—Tú la mandaste.

—La niña no conocía a ningún abogado y en la casa no se permite hablar de ello. No creí hacer ningún mal hablándole de usted.

—Sabías que no tiene dinero. Sabías que no podría pagarme.

—Sí.

134

—¿Y qué le dijiste?

—Nada. Sólo que usted la ayudaría.

—¿Nada más?

—Con palabras, nada más. Pero esa niña es lista.

El abogado sintió la ira bullir en su interior, como si fuese un lagarto que hasta entonces sólo había estado agazapado dispuesto a atacar y que ahora lo hiciera echando fuego por sus fauces. Estuvo a punto de gritar. Estuvo a punto de abalanzarse sobre aquella mujer, y lo habría hecho de haber sido un hombre. Estuvo a punto de romper cuantos cacharros estaban a su alcance. Estuvo a punto de derribar mesa y sillas, de arrancar cortinas y de hacer trizas la ajada estampa de la Virgen de Consolación que adornaba la pared, por lo demás desnuda. Sin embargo, al fin, sólo pudo bisbisar, casi sin fuerzas:

—No soy como tú piensas, ¿me oyes?... No soy como tú piensas... No lo soy... Válgame el cielo que no.

Y se marchó sin decir más. Intentó dar un portazo que evidenciase su cólera, esa cólera que no se había reflejado en su voz, que había nacido frágil y deslucida, como si fuese la de un condenado al garrote expresando su voluntad última, pero la puerta cerraba mal y se quedó atascada. Atravesó el patio sin mirar atrás y no pudo oír la voz, clara pero afligida, y no por ella sino por él, de Catalina, que decía:

—Es usted un buen hombre. Sabe Dios que sí. —Y que repetía—: Lo sé... Es usted un buen hombre...

XI

EL NUEVO CORREGIDOR

La ira se le fue atenuando a medida que caminaba a grandes zancadas por aquellas calles de la collación de San Miguel. En el mesón del Arenal, fonda y casa de huéspedes situada en la calle de los Fate en la que servían buen vino, se bebió de un par de tragos y a palo seco una jarrilla de vino del año que le atenuó los ánimos. Salió ya más calmado de apariencia, aunque revuelto y bullendo de zozobra por dentro, y cruzó la muralla por la puerta Real. No quería pensar.

Cuando llegaba a la plaza de los Escribanos se dijo que aún no serían las siete y tomó una decisión acerca de la cual ni siquiera había meditado. Cruzó la plaza y se acercó a la Casa de la Justicia, sorprendido porque custodiaban la puerta cuatro dragones del regimiento estacionado en Jerez. Sus bicornios negros y sus casacas amarillas llamaban la atención de los viandantes, pues no era usual ver a los dragones haciendo guardia a la puerta del tribunal. Cruzó los umbrales sin que nadie lo detuviese y bajó a la cárcel real.

—Ya es tarde, abogado —saludó el guardián que salió a su paso—. ¿Qué le trae por aquí?

—Doña Adela Rubio. No sé su segundo apellido ni si lo tiene. Es la esposa de don Juan Navas del Rivero. Yo soy su abogado y quiero verla.

—Pues hoy no va a poder ser, lo siento.

—¿Por qué? ¿Qué diantres ocurre? ¿No está aquí?

—Abajo, en efecto, con un par de putas que la ronda detuvo esta madrugada. Pero hoy no se admiten visitas. Ni de abogados ni de nadie. Así que tendrá usted que volver mañana, si le viene bien.

—¿Qué demonios pasa para que se impida a un letrado visitar a su cliente en la cárcel del rey?

—Visita del nuevo corregidor. Y tenemos órdenes de que no se deje pasar a nadie mientras su excelencia esté aquí. Así que va a tener usted que irse.

Una de las obligaciones de los corregidores era la visita periódica a las cárceles que hubiese en los territorios de su corregimiento. Habían de cuidar de que las condiciones de los presidios no fueran inhumanas y de que se atendiese a los presos bajo unas mínimas circunstancias de salubridad, aunque lo cierto es que esas visitas o no se producían o no surtían efecto. Sin embargo, don Nicolás Carrillo de Mendoza, el nuevo corregidor de Jerez, había decidido cumplir con esa obligación que le imponían las pragmáticas y además había decidido hacerlo justamente ese día.

Pensó que no merecía la pena insistir y resolvió marcharse. E iba a hacerlo cuando vio que desde las escaleras que conducían a las mazmorras aparecía un séquito encabezado por el nuevo corregidor, al que seguían el teniente de corregidor letrado, el alcalde mayor don Fernando de Paredes y García Pelayo, el síndico procurador y al menos seis regidores concejiles. Además del alcaide de la cárcel, un par de alguaciles, el capitán y un teniente del Regimiento de Dragones y varios corchetes.

—... he encontrado cárceles peores —venía diciendo el corregidor—, más propias de tiempos pasados que de este siglo. Y no me pidan detalles, que son ustedes almas nobles y se pueden horrorizar. ¡Si yo les hablara de la cárcel de Loja, la que está en un torreón abandonado...! Lo que más me ha sorprendido de aquí es el escaso número de presos. Es la primera vez que veo celdas libres en un presidio, y no he visitado pocos. ¿Tan plácida es esta ciudad?

—No se confíe usted, don Nicolás —argumentó don Agustín de Spínola y Adorno, síndico procurador mayor de la ciudad, encargado de velar por los intereses de sus habitantes ante las superiores instancias—, que si en estos tiempos no hay mayor delincuencia es porque el concejo ha sabido intervenir a tiempo. Ya le hemos comentado lo de las cuadrillas de jornaleros que han venido molestando a aparceros y labradores, acuciados por la necesidad. Pues sepa usted que se ha solucionado el problema disponiendo mejorar caminos y cañadas y contratando a esos jornaleros, que al menos durante unas semanas van a estar distraídos y sin ganas de insultos y ginebras. Y esperemos que les duren a esos malandrines los cuatro reales diarios que se les están pagando, voto a bríos.

—De cualquier forma, Jerez tampoco es una ciudad que se caracterice por una gran delincuencia, excelencia —arguyó don Juan Dávila Carrizosa, regidor del concejo y caballero veinticuatro de Jerez—. El número de asuntos criminales no supera los dos centenares en lo que va de año y muy pocos son de sangre, don Nicolás.

—Poco para casi cincuenta mil almas, en efecto —reconoció el corregidor.

—Cuando hay trigo —aseveró don Francisco Ponce de León Cueva, regidor perpetuo y presidente de la Junta del Pósito de la ciudad—, las querellas son menores. Ya sabemos que cuando el pobre come, no piensa en males.

—Hay delincuentes que no son precisamente pobres, ¿no es así? —preguntó don Nicolás.

—Se refiere usted a la dama a quien ha visto usted en la celda de mujeres, con las dos putas —advirtió el alcalde mayor don Fernando de Paredes—. Un asunto delicado. Y triste. Es doña Adela Rubio, esposa de don Juan Navas del Rivero, uno de los principales del gremio de la vinatería. Viene acusada de adulterio. Está aquí desde esta misma mañana, aunque esperamos que esta desgracia se resuelva pronto.

—¿Y es el marido quien la acusa? —preguntó el corregidor.

—¿Quién si no, don Nicolás? —intervino don Diego Ignacio de Villavicencio, teniente de corregidor letrado, haciendo ostentación de sus conocimientos jurídicos—. Es el tipo de delito por el que no se importuna si no hay denuncia del agraviado. Cosas de los nuevos tiempos, ya sabe usted.

—Y este señor de aquí es su abogado —se le ocurrió decir, impertinente, al guardián que había recibido a Pedro de Alemán. Y continuó en su impertinencia, ajeno al malestar que su interrupción había provocado en los dignatarios—: Pero le he dicho que no podría verla hoy.

Un silencio enojoso se instaló en la comitiva, que había alcanzado el rellano que comunicaba la cárcel real con la planta baja de la Casa de la Justicia. Que un simple guardián se atreviese a dirigir la palabra a ese grupo de poderosos sólo era prueba de su estupidez. El alcaide, queriendo romper esa incomodidad, dijo:

—Es Pedro de Alemán, excelencia. Es el abogado de pobres del corregimiento.

Don Nicolás Carrillo de Mendoza miró detenidamente al abogado. Era un hombre alto, que apenas si habría sobrepasado la cuarentena, de ojos claros y francos y una boca fina en la que aleteaba la ironía. Vestía de negro riguroso, portaba espada al cinto y sobre la capa lucía la cruz de la Orden de Calatrava. Llevaba la cara limpia y peluca sin demasiados realces. Tendió la mano a Alemán, que se la estrechó con una reverencia.

—Pedro de Alemán y Camacho —se presentó el letrado—. Abogado de pobres del corregimiento. Para servir a su excelencia. Es un honor.

—Raro es que una dama de buen linaje sea defendida por el abogado de pobres —advirtió don Nicolás.

—También tengo bufete particular, señor. Como sabe, así lo permiten las normativas.

—Pues tenga usted cuidado, abogado, que en el poco tiempo que llevo aquí ya sé con quién me trato. Y por lo que sé, ese bodeguero, ese tal Navas del Rivero, no va a ser contrincante fácil. Y usted es ciertamente joven...

—El contrincante es fácil o difícil según la razón de que esté asistido, señor —repuso Alemán—. Y la juventud, que en mi caso no es tanta, no debe ser sinónimo de impericia.

—¿Y piensa que los cargos contra su cliente no vienen con suficientes razones, letrado?

—Cuando hable con ella podré decírselo, señor. Hoy no se me permite.

—Ni yo debo mudar las normas. Y ahora, si me disculpan... Me espera el marqués de Vallehermoso para cenar en el alcázar. Y me han asegurado que las cocineras de don Lorenzo preparan un asado de cabra exquisito. Así que queden ustedes con Dios, señores.

Don Nicolás Carrillo de Mendoza, escoltado por los oficiales de los dragones, subió los pocos escalones que le separaban de la puerta de la Casa de la Justicia y salió a la plaza de los Escribanos. Poco a poco, los restantes caballeros fueron siguiendo sus pasos, murmurando sobre la visita del corregidor y sobre algunas de sus disposiciones. El alcaide de la cárcel volvió a su despacho a recoger sus cosas y Pedro se quedó solo con el guardián.

—Lo siento —dijo éste—, aunque se hayan marchado esos caballeros ya no le puedo dejar pasar. Hay que preparar la pitanza.

—Está bien, mañana volveré —se conformó Alemán, con poco ánimo ahora para enfrentarse a la madre de la joven y oír sus cuitas y contarle que probablemente no podría hacer mucho por ella—. Buenas noches.

—Y no tarde usted —advirtió el carcelero, con una risotada—. En venir y en sacarla de aquí, me refiero. Que esa de ahí abajo no aguanta dos noches seguidas entre putas...

Pedro, cabizbajo, salió de la Casa de la Justicia y tomó la cuesta de la Cárcel Vieja para llegar a la calle Cruces. La ira se le había disuelto en la saliva y ahora sólo le quedaba angustia. Acabó con todo el vino que había en su casa, apuró incluso la botella del vino quinado Ambrosio y, a pesar de todo ello, apenas si pudo dormir esa noche.

XII

El sotasacristán y el paje
del canónigo

Jacinto atrancó la puerta de la alcoba que compartía con su mujer, Luisa. Era un cuarto oscuro y sin ventilación que no mediría ni cuatro varas cuadradas. Levantó el colchón de pajas, gastado en su forro y lleno de bultos, y sacó la bolsa de cuero que el bravo le había dado cuatro meses atrás. A la luz de la única lámpara que había en la alcoba contó las monedas que le restaban: un escudo, once monedas de a real y un puñado de maravedíes, aparte de la calderilla que ni se molestó en recontar. Un sudor frío le empapó el cuerpo, a pesar de que en el cuarto ni hacía calor ni había brasero. ¡Se había gastado más de ocho escudos de oro en cuatro meses! ¡No era posible! Hizo cuentas y, como era previsible, no le salían. Sabía que durante esos cuatro meses había tenido llena la despensa y que no le habían faltado las judías, los garbanzos, las lentejas e incluso la carne para los domingos y fiestas de guardar. Buena verdura y alguna fruta para las niñas, que eran jóvenes y tenían que endurecerse los dientes. Y pescado fresco para los viernes de vigilia. Se había gastado sus buenos reales en vino de primera y en unos cuartillones de aguardiente. Hasta había señalado un cerdo para la próxima matanza. Y había comprado calzones y camisas para los varones, trajes, delantales y enaguas para las niñas y zapatos de cuero para todos. Para su mujer... bueno, para su mujer, el delantal que le compró al día siguiente de recibir la bolsa. Y ya iba bien servida. Y cacharros para la cocina, una olla nueva, un par de lámparas, aceite, carbón y velas. Y, bueno, sí, también algunas escapadas al mesón del Toro, en los Llanos de San Sebastián, donde trajinaba una putita extremeña que se llamaba Guadalupe y que lo había vuelto loco... Pero... ¿casi ocho escudos? ¡No podía ser, Santísima Virgen del Carmen!

—¡Luisa, trae vino, maldita sea!

¿Qué demonios había hecho con el dinero, por el amor de Dios? ¡Y por una vez en su vida no podía echarle la culpa a nadie!... Ni a su mujer, ni a Jacintillo, el lerdo de su hijo mayor, ni a ninguno de los otros dos varones, y mucho menos a las dos niñas, Luisilla y María, de sólo cuatro años la primera y de poco más de dos la segunda. Ni a los curas, que no tenían ni idea de la existencia de esas monedas. Y menos mal que no la tenían.

Había sido él y sólo él el responsable del dispendio.

Oyó llamar a la puerta. El repiqueteo blando de los nudillos de su mujer. Inconfundible.

—¡Entra, maldita sea!

—¡Pues desatranca la puerta, idiota!

Se guardó la bolsa en el fondillo de la sotana y destrabó la puerta, que había asegurado con un taburete. Apareció Luisa, su mujer, gorda como el tambor de los tercios, vestida con su eterno traje negro como si viviera en un luto permanente a pesar de que su última difunta, su jodida madre, criaba malvas desde hacía al menos diez años. Y al padre jamás lo había conocido. Ni para elegir mujer tuvo vista. Se quedó mirando su piel ajada, las arrugas que hacían de su cara un mapamundi, sus ojos que bizqueaban y su rodete del que escapaban mechones de pelos grises. Y no tenía ni cuarenta años. Aunque los nueve partos —en tres de ellos los críos vinieron muertos, y una niña enfermiza que había sobrevivido un par de años murió de varicela— se reflejaban en cada una de sus arrugas.

—¿Qué quieres?

—¿No me has pedido vino? —repuso la mujer, exhibiendo la jarrilla que llevaba en la mano.

—Ah, sí, dámela. Y déjame en paz.

—Pues si quieres vino tendrás que ir a por él —gorgoteó la mujer, poniendo bocabajo la jarrilla sin que saliese de ella ni un hilillo de líquido—. Ya no queda vino. Y el carbón también escasea. Y no tengo dinero, a ver si te enteras.

—¿Cómo que no tienes dinero, mujer? ¡Te di unos reales no ha mucho!

144

—Y se han gastado en pan, en aceite y en verduras para la olla. ¿O te crees que hago milagros?

—¡Lo que creo es que gastas demasiado, bruja!

—¡Y yo lo que creo es que si fueras un hombre de verdad, te buscarías un trabajo como Dios manda y te dejarías de curas y canónigos! No sé cómo conseguiste un puñado de monedas hace un tiempo, y ni preguntártelo quiero porque prefiero no saber qué diantres hiciste. ¡Nada bueno, seguro! Pero lo que hay es que volvemos a estar sin un chavo, Jacinto. Eso es lo que hay, para que te enteres.

—Hago lo que puedo, mujer. No vengas otra vez con tu murga. Cuando había, no te quejaste, así que no me des la lata ahora. Y vete ya. Vete de una puñetera vez, que me cambias el humor.

—Ni tienes humor ni nunca lo has tenido, Jacinto. Y ni un buen trabajo tienes, maldito. ¡Trabajando en el campo ganarías diez veces más, que no vales para nada! Por lo menos, habla con los curas, que le busquen un trabajo a Jacintillo y a Manuel, que ya tienen edad. Ya que tú no te preocupas en buscárselo.

—No te permito que me hables así, ¿me oyes, Luisa? No te lo consiento. Tengo un oficio y lo hago bien. Los canónigos confían en mí y...

—Hace mucho que no haces nada bien, Jacinto —interrumpió la mujer—. Y no creas que me refiero a...

Pero no le dio tiempo a terminar la frase. El sacristanillo se había abalanzado sobre ella con una agilidad de la que nadie le habría creído capaz y le había estampado una guantada en la mejilla. La jarra salió volando por los aires y se estrelló en el suelo, haciéndose trizas. La mujer trastabilló, pero consiguió mantener el equilibrio. Se llevó la mano a la cara, la examinó luego y comprobó que no había sangre. Contempló a su marido con una mirada en la que se mezclaban el odio y la decepción. Y el desprecio. Y sin decir palabra se dio la vuelta para marcharse.

—¡Recoge este estropicio, zorra! —exclamó el sotasacristán.

La mujer se detuvo en el umbral. Como si pensase qué hacer, estuvo unos instantes sin moverse. Luego, muy despacio, se dio la vuelta y, sin mirar a su marido, se agachó y comenzó a recoger los trozos de loza. Sin mirar en ningún momento al sacristanillo. Tal vez porque no le merecía la pena. O tal vez porque no quería ver lo que iba a contemplar si miraba. Jacinto Jiménez aprovechó para marcharse de la estancia, dando un portazo que resonó en toda la casa.

Ya en la calle, respiró hondo hasta recuperar el resuello. Reparó en que llevaba consigo la bolsa con el dinero y pensó en acercarse a la taberna de la plazuela del Hospital y emborracharse. Agarrar una turca que le espantara las penas. Mas vio que se hallaba enfrente de la puerta de la Visitación de la colegial, que era ya de noche, que no rondaba ni un alma por allí y que llevaba en la faltriquera la llave de la puerta. Y se dijo que, en vez de gastar unos maravedíes en el vino de la taberna, más le convenía acercarse al cuarto donde los canónigos guardaban el vino de misa y reponer existencias. Hacía tiempo que no lo hacía, no sabía si el barril estaría lleno o medio lleno o medio vacío y si los curas se darían cuenta del hurto. Pero decidió correr los riesgos. No llevaba cacharro donde acarrear el vino, pero, se dijo, ya Dios proveería. Cualquier cosa antes que entrar en la casa a buscar una cantarilla y darse de nuevo de bruces con la bruja de su mujer. Que ahora, después del guantazo, lo miraría con ojos de carnero degollado, como si ella no tuviese culpa de nada. Y eso era algo que lo sacaba de sus casillas. Y que no podía aguantar.

* * *

Había sido una cena larga y espléndida, una de esas cenas de las que Diego González disfrutaba de verdad. Por la conversación, por supuesto, porque su amo era todo un prodigio de amenidad, pero sobre todo por las viandas. Aunque a don Francisco le iba más el pescado y se le ponían los ojos como pavesas ante un buen besugo, o ante un sábalo guisado con chícharos, o ante un barbo fresco adobado con orégano, ajos, vinagre y pimentón de los que tanto abundaban en el Guadalete, al joven paje del canónigo se le hacía la boca agua ante un guiso de carnero o ante una paletilla de cordero asado o ante unas chuletas bien tostadas.

Esa noche, doña Ana Ledot había hecho servir para la cena unas sopas de vino con verduras y, como plato principal, una pierna de cabrito cocinada con hierbas, capaz de devolver la salud a un desahuciado. Todo ello regado con una jarra de cerveza bien fermentada. Y de postre, compota de membrillo, que era la época. Nadie podía explicarse cómo doña Ana era capaz de administrar tan bien la casa y la cocina del canónigo con los pocos dineros de que disponía. Pues no corrían buenos tiempos para los canónigos del cabildo de la real e insigne iglesia colegial, que no nadaban precisamente en la abundancia puesto que su feligresía disminuía a cada año que pasaba. Y eso que don Francisco de Mesa y Xinete había dedicado y dedicaba buena parte de sus beneficios a sufragar los gastos de su hospicio de niñas huérfanas y de la amiga general. En ese año de 1752, el hospicio llevaba ya amparadas a más de doscientas huérfanas y la escuela pública daba instrucción gratuita a más de trescientas niñas. Si se tenía en cuenta que don Francisco había gastado sus buenos escudos en adquirir las dos casas de la calle Armas donde instituyó el hospicio, que cada huérfana costaba diariamente más de tres reales, y que la póstula que cada día se llevaba a cabo entre comerciantes, mercaderes, gentes de buen corazón y cofradías apenas si aportaba seis reales, dados los tiempos de penuria que corrían y las muchas obras de caridad que había que hacer, era fácil entender que la economía del canónigo no estuviese para muchas abundancias. De ahí el mérito del ama de llaves, que gobernaba la economía doméstica del canónigo con una destreza que Diego González no se cansaba de ensalzar.

—Bueno, don Francisco —anunció el paje, levantándose de la mesa y desperezándose con disimulo—, yo me retiro ya, con el permiso de usted. Y de doña Ana, que un día de éstos nos va a hacer reventar con sus guisos.

—Estás todavía en edad de crecer, niño —repuso el ama de llaves, una mujer aún de buen ver, aunque andaría en la cincuentena, viuda y sin hijos, que atendía al canónigo desde que éste llegara a Jerez hacía cinco lustros ya—, y es la comida lo que robustece los huesos.

—Pues como Diego siga creciendo, doña Ana —observó don Francisco de Mesa—, vamos a tener que levantar los techos de la casa. Y yo también me voy a recoger ya, que mañana tengo un día ajetreado. Por cierto, Diego, ¿crees que mañana podrás tenerme preparado el avance que te pedí de las cuentas del hospicio?

—Delo usted por hecho, don Francisco —aseguró el paje—. Llevo todo el día con ellas y sólo me resta cuadrar algunas partidas. Creo que esta misma noche podré terminarlas, que no es bueno acostarse con la barriga llena. Así que subo a mi alcoba y me pongo a ello. Y mañana tiene usted el detalle para cuando se levante.

Canónigo, paje y ama de llaves se desearon las buenas noches. Sonaban en ese momento las campanas de la torre de la colegial, dando las diez, con la puntualidad de la que Abelardo, el campanero, presumía. Don Francisco de Mesa y Diego González subieron ambos a sus respectivas alcobas, mientras doña Ana Ledot ayudaba a la criada a recoger la mesa y hacía los preparativos para el desayuno del día siguiente.

Cuando Diego llegó a su cuarto, se quitó la casaca, se remangó las mangas de la camisa y se lavó manos y cara en una jofaina de agua templada. Juana, la criada de la casa, aunque vieja y sorda, se preocupaba de que ni a canónigo ni a paje les faltara cada noche agua caliente para sus aseos. Se acercó a renglón seguido a la mesa de noche y buscó el cuaderno donde llevaba las cuentas del orfanato. Pero allí no estaba. Buscó en la cómoda, miró entre las ropas, rebuscó bajo la colcha y bajo la cama, pero el librillo no aparecía. Hizo memoria. Había llegado a media tarde desde la calle Armas, donde había pasado un par de horas enfrascado en la contabilidad del hospicio y despachando con las beatas, y se había reunido con el canónigo en la capilla de la torre de la colegial. Y llevaba consigo el cuaderno, seguro, pues había estado a punto de caérsele en los Llanos del Alcázar cuando tuvo que esquivar a toda prisa un coche de caballos que circulaba a mayor velocidad de la que la prudencia y la integridad de los viandantes aconsejaban. Desde la capilla, canónigo y paje habían ido al templo, a reunirse con el maestro mayor de obras don Juan de Pina. Se habían manifestado problemas en unos enripiados y había que darle solución urgente y contabilizar el gasto imprevisto. También llevaba el cuaderno consigo entonces, pues había aprovechado una hoja inservible para unas anotaciones que el canónigo le ordenó. Y, finalizada la reunión, fueron al almacén de la nave del Evangelio, donde el cabildo guardaba atavíos, útiles y ornamentos que no cabían en la capilla de la torre. Se dijo que tuvo que ser allí donde olvidara el librillo, pues recordaba que lo había dejado un instante en un anaquel para ayudar a don Francisco a mover un baúl, y ya no le sonaba haberlo vuelto a ver.

—¡Demonios —exclamó Diego González, santiguándose a continuación por la destemplanza—, que no tengo edad para estos olvidos!

Resolvió acercarse a la colegial en obras a recuperar el libro de cuentas. Tenía las llaves del portón y del cuartillo, y no le llevaría más de unos minutos y podría tener el avance listo para la mañana siguiente si esa noche dedicaba una hora o dos a la contabilidad antes de acostarse. De allí al templo no mediarían ni diez estadales. Así que volvió a vestirse, salió de su alcoba, explicó el motivo de su salida a doña Ana Ledot, que leía un libro en la planta baja, y abandonó la casa del canónigo.

La noche, invernal pero clara, con la luna creciente, era tranquila. Ni llovía ni hacía frío en exceso, y Diego González era un mocetón fuerte y de buena salud. Estaba próximo a cumplir los veinte años, medía sus buenos seis pies, vara y media entre un hombro y otro, y tenía el pelo negro y crespo, mandíbula de yunque y un semblante bonachón que disimulaba su inteligencia, que era aguda y rápida. Entró en la colegial por el portillo habilitado en la fachada y que daba a la nave del Evangelio. Ya dentro de la iglesia aguardó un momento para que sus ojos se acostumbraran a la oscuridad, pues a esa parte del templo, en la que las naves estaban ya cubiertas, no llegaba la luz de la luna y no quería lastimarse un tobillo con una artesa o un balde o una batea para el mortero olvidada por allí por un albañil descuidado. En ese momento oyó unos ruidos que lo sobresaltaron. Parecían provenir del cuartillo que los canónigos habían habilitado como almacén, cerca de la capilla de las Ánimas, adonde él se dirigía. Y se atisbaba una luz diminuta y titilante. No era normal. No era normal que a esas horas de la noche quedasen obreros en la iglesia, ni que canónigos o predicadores aún estuviesen en el templo. «Imposible», se dijo. Aguardó para escuchar mejor y comprobó que, en efecto, los ruidos proseguían. Un ladrón, pensó. O un «juanero» descaminado, pues en el templo en obras no había todavía cepillos. O uno de esos jornaleros del campo que, sin trabajos ni dineros, rapiñaban donde podían y no sentían temor de Dios para ejecutar sus raterías en lugares sagrados. En ese momento, el ruido se tornó escándalo, pues repiqueteó como si todo un altar se hubiese venido al suelo. Diego González se dijo que era hora de espantar a los rateros. Respiró hondo, tan hondo que su pecho, ya de por sí voluminoso, pareció hinchársele como un pellejo repleto de granos. Y, procurando no hacer ruidos, se dirigió al almacén de los canónigos.

* * *

Jacinto Jiménez Bazán había comprobado que el barril de vino de misa se hallaba casi lleno. Normal, siendo primeros de mes. Así que se había hecho con uno de los cálices que allí guardaba el cabildo, el de mayor tamaño que había encontrado, había desenroscado la botana de la bota, había encendido con su mechero de yesca un cabo de vela que apenas si iluminaba el sitio, había llenado el cáliz y se había tragado de un solo buche todo el vino de misa que había cabido en el copón. Que no era poco, vive Dios. Y así una y otra vez hasta que una espléndida jumera se apoderó de la sangre del sacristanillo. Reclinado en un lujoso sillón de terciopelo precisado de una urgente reparación, se llevaba el cáliz a la boca cada dos por tres, lenta pero decididamente, con la misma solemnidad que un obispo. Y, mientras tanto, entre buche y buche iba murmurando contra su mala suerte, contra la pécora de su mujer Luisa y contra la dificultad con que los dineros se ganaban y la rapidez con que se consumían. Y contra aquella putita llamada Guadalupe que se había quedado con buena parte de sus reales. Puesto a echarle la culpa de su ruina a alguien, no encontró mejor destinatario de sus dardos que la hermosa ramera, a pesar de los gustos que le había dado. Fue a levantarse por enésima vez para volver a llenar la copa, pero tropezó con un baúl que alguien había debido de mover recientemente y no había devuelto a su sitio, y sotasacristán y copón fueron al suelo con una algarabía que resonó como un coro de arcabuces. Al caer, Jacinto había arrastrado consigo no sólo el cáliz que portaba, sino también un anaquel con otros útiles sagrados. La escandalera fue de las que hacían época, y al sacristanillo no le habría extrañado que el mismísimo Cristo de la Viga hubiese descendido de su cruz para salir por piernas ante tamaño fandango. Mas quien apareció por el almacén no fue el Santo Cristo gótico, sino un hombretón que había agarrado un pico que había hallado en la nave de la Epís-

150

tola y que asomó amenazante como si fuese el mismísimo Azazel, abanderado de los ejércitos del infierno. Pelo oscuro y encrespado, ojos como carbones ardientes, brazos como columnas jónicas, grande como el Faro de Alejandría y ancho como el ropero donde los curas guardaban albas y sotanas. Algo temible. Algo espantoso y furibundo que al sacristanillo causó hondo pavor.

—¡Aaaahhhh...! —fue la única palabra que logró escapar de la boca de Jacinto, que al retroceder despavorido había pateado los turíbulos, renovando la marimorena, y caído sobre uno de ellos, abriéndose la nariz, que comenzó a sangrar como el gaznate de un cochino sajado por el matarife.

—¡¿Qué demonios haces aquí, truhán?! —exclamó Diego González, blandiendo el pico—. ¡¿Qué buscas, granuja?! ¡¿Cómo te atreves a robar en una iglesia?!

—¡No me pegue usted! ¡No me pegue usted, por Dios! —rogó el sotasacristán, con la mano en la nariz empapada de sangre y sentado de culo en el suelo.

—Pero... Jacinto, ¿eres tú? —preguntó el paje Diego González cuando la escasa luz que arrojaba el cabo de vela le permitió identificar a quien allí estaba, al causante del estropicio que contemplaba—. Pero, Jacinto, ¿qué cojones haces aquí?

—¿Y quién es usted? —preguntó a su vez el sacristanillo, que no podía vislumbrar la aparición, aún entre las sombras—. ¿Cómo sabe mi nombre? ¿Qué me va a hacer? ¡Por Dios, no me mate!

—Pero, Jacinto, ¿qué dices? ¿Cómo voy a matarte? ¡Soy Diego, Diego González, el asistente del canónigo don Francisco de Mesa! ¿Qué diantres haces aquí a esta hora, por Dios, que me has dado un susto de muerte? ¿Y qué te pasa en la nariz? ¡Levántate, hombre, por todos los santos!

—¿Diego? ¿El paje?

La voz del sacristanillo le brotaba amortiguada, por la nariz rota y por la mano que la custodiaba.

—¿No eres Azazel?

—Pero, ¿qué Azazel ni qué niño muerto, granuja? ¡Y levanta de una puñetera vez! Y deja que te vea esa nariz...

—Diego...Diego... —fue lo único que acertó a decir Jacinto, levantándose trabajosamente. Aliviado por que el visitante fuese el paje del canónigo Mesa y Xinete, a quien ya la claridad del cabo de vela había alcanzado, y no el abanderado de las mesnadas luciferinas.

—A ver, hombre, toma este pañuelo y límpiate —ordenó el paje, tendiendo al sacristanillo un pañuelo celeste con las iniciales bordadas y el escudo de la casa del canónigo en una de sus esquinas—. Y ahora, dime qué demonios hacías aquí y a qué viene este estrago.

—Yo... yo —tartamudeó el hombrecillo, cogiendo el pañuelo que el otro le ofrecía y limpiándose la nariz que, a pesar de todo, no dejaba de sangrar—, el vino... el vino de consagrar... no tenía y...

—¿Quieres darme a entender que has venido a robar el vino de misa, Jacinto, por Dios?

—¡No se lo digas a nadie, Diego! ¡No se lo digas a don Francisco, por lo que más quieras!

—Pero, Jacinto, hombre, ¿cómo quieres que oculte esto? ¿Y cómo quieres que calle este desastre? ¿Quieres que sea tu cómplice?

—Me echarán, Diego, y entonces, ¿qué va a ser de mí? ¿Qué va a ser de mis hijos? ¡Ten compasión!

—Deberías haberlo pensado antes de ponerte a coger lo que no es tuyo, Jacinto. No me pidas que calle, que no está en mi naturaleza.

—Y tú, ¿qué haces aquí a estas horas?

—Busco el libro de cuentas del hospicio. ¿Lo has visto por aquí? ¡Ah!, aquí está.

El librillo de cuentas, encuadernado en piel de becerro negra, que había estado sobre el anaquel derrumbado, apareció sobre una de las vinagreras que, con el resto de objetos sagrados derribados, poblaban el suelo del almacén. Diego González se agachó, cogió el cuaderno, observó que sólo estaba manchado de un poco de vino en la cubierta posterior y que por lo demás estaba intacto. Lo guardó entre sus ropas, se quedó mirando al sacristanillo y finalmente dijo:

—Lo siento, Jacinto. Mañana habré de hablar con don Francisco y contarle esto. Ya no es sólo por el vino. Mira a tu alrededor: hay dos vinagreras rotas, un píxide abollado...

—¡El píxide ese ya estaba abollado antes! ¡No he sido yo! —interrumpió el sotasacristán.

—... un portaviático destrozado —siguió enumerando el paje, ajeno a la interrupción—, un copón aplastado, y no sé qué más. ¿Cómo quieres que oculte esto, Jacinto?

—Yo lo repondré todo, Diego, ¡te lo juro! —afirmó Jacinto, estrujando el pañuelo ensangrentado, rota la voz y aún sangrando por la nariz.

—¿Y cómo lo vas a hacer, alma de Dios? No sé cuánto te paga el cabildo, pero esto que has roto vale unos buenos sueldos.

—¡Tengo dinero! —aseguró el sacristanillo, sacando la bolsa del fondillo de su sotana—. ¡Mira! ¡Hay casi dos escudos! ¡Y puedo conseguir más!

—Jacinto, ¡¿de dónde has sacado ese dinero?! ¿También se lo has robado al cabildo, maldita sea?

—¡No, Diego, este dinero no lo he robado! ¡Lo he ganado! ¡Lo he ganado yo!

—Lo siento, pero no. Aunque pudieras pagar lo que has roto, que en cualquier caso creo vale mucho más que esas monedas cuyo origen ni siquiera deseo saber, no puedo callar esto. Lo siento. Mañana hablaré con don Francisco y que él decida. Y no desesperes: ya sabes que es un hombre compasivo. Y ahora, arreglemos este desastre, venga.

Paje y sacristanillo estuvieron un rato ordenando como pudieron lo que el segundo había desordenado. Aun así, y por más que se esforzaron, los rastros del estropicio se veían por doquier: el suelo manchado de vino y sangre, objetos rotos, abollados algunos, irreparables otros. Y, a todo esto, el sotasacristán no paraba de lloriquear y de murmurar por lo bajo.

Cuando terminaron, el sacristanillo llamó a compasión una vez más al paje.

—No insistas, Jacinto, y no me pidas que haga lo que sabes que no puedo hacer. Tú preocúpate ahora de curar esa nariz. Llévate el pañuelo; ya me lo devolverás. Y ahora, adiós, y buenas noches, que mañana será otro día. Y confía en Dios y en la caridad de mi amo.

Diego González contempló a Jacinto, renqueante y deprimido, abandonar la iglesia colegial por la puerta de la Visitación. Pensó si callar lo que había visto, pues ese pobre hombre le movía ciertamente a la lástima. Sacudió la cabeza y se dijo que ya decidiría a la mañana siguiente. Ahora tenía que terminar esas cuentas para don Francisco. Abandonó la iglesia por donde había venido, no sin antes echar una nueva mirada al templo en obras, que, ahora sí, estaba en silencio y a oscuras, como un inmenso dragón dormido.

* * *

El segundo de los hijos de Jacinto Jiménez Bazán se llamaba José. Y Cabanillas por su madre. Y era, de los cinco hijos del sotasacristán, el único con dos dedos de frente. El mayor, Jacintillo, era lerdo de solemnidad; el tercer varón, Manuel, era tan chico como corto; y las niñas eran sólo eso, niñas. José, en cambio, manifestaba tener luces, y a sus quince años arrostraba con valentía y con ganas de mudanza la vida monótona y pobre a que su estatus lo condenaba. Había hallado trabajo un año antes por sí mismo, sin ayuda de su padre ni de los curas: trabajaba como palafrenero para don Juan Pablo Riquelme de Villavicencio, veinticuatro perpetuo de Jerez de la Frontera y gentilhombre de cámara de su majestad el rey don Fernando Sexto. Lo hacía en su casa-palacio de la plaza del Mercado, la plaza señorial de intramuros de la ciudad. En realidad, era un mozo para todo, pues igual se encargaba de echar una mano a los jardineros que de ayudar a servir la mesa cuando don Juan Pablo tenía invitados, o de reponer carbón o comprar velones cuando su amo no lo necesitaba con los caballos. Comenzaba su jornada al salir el sol y la terminaba cuando éste se ponía, si es que no había convite en la casa de los Riquelme.

Esa noche había acabado su trabajo poco después de las nueve, y desde entonces había estado retozando con una moza del servicio de doña Clara de Valdivia, esposa de Riquelme, en las caballerizas de la mansión. No había conseguido que la moza, que respondía por la gracia de Elenita, que era vivaracha como una ardilla, que era bonita como un San Luis y que vivía en la casa, le abriese las piernas, que él se imaginaba blancas y dulcísimas, mas sí había conseguido besarla y acariciarle los pechos por encima de la bayeta de su traje. Corrió a su casa cuando oyó los cuartos en las campanas de San Mateo y llegó a la calle Visitación antes de que sonasen las once en las campanas de la queda. Ni la larga carrera había conseguido apaciguar los ardores de su cuerpo y la hinchazón de la entrepierna. Entró corriendo en su casa, deseando llegar a la letrina del patio para aliviarse, cuando se dio de bruces con su padre.

—¿Dónde carajo te crees que vas, diablillo? —le espetó Jacinto, apartándose de la trayectoria del chaval para no topar con él.

—¡Ay, padre, disculpe, es que tengo una urgencia!

—¿Y de dónde vienes ahora, rapaz?

—De casa de don Juan Pablo, ¿de dónde voy a venir, padre? —respondió José, y añadió, mintiendo—: Es que hoy había invitados. Pero... ¿qué le pasa a usted en la nariz, por los clavos de Cristo?

—Nada que a ti te importe, chaval. Y quítate de en medio, que tengo sueño y es hora de acostarse ya.

—¡Le han pegado a usted! ¿Quién ha sido, padre? ¡Que tendrá que vérselas conmigo!

Jacinto miró a su hijo. Si hubiese podido sentir orgullo por algo o por alguien, habría sido por ese mocoso. Era el único de la casa que mostraba iniciativas, que tenía curiosidad por la vida y ganas de vivirla, que no se conformaba con el triste destino que a los demás le aguardaba. Se resistió a contarle la verdad. No, no podía hacer que su hijo, el único que le inducía al orgullo, el único que le hacía mirar a su descendencia con algo de optimismo, el único que no era como él, le viese como realmente era, por más que lo intuyese: un desgraciado, un pobre hombre, alguien digno de lástima.

—He sorprendido a alguien robando en el almacén de la colegial —mintió, sin mirar a la cara a su hijo—. Y ha habido una refriega. Eso es todo.

—¿A quién, padre? ¿A quién ha sorprendido usted?

Sin pensárselo dos veces, el sacristanillo respondió:

—A Diego González, el paje de don Francisco, el canónigo. Robando. Y él ha salido peor parado que yo de la escaramuza.

—¿Diego? ¿*Ese* Diego...? ¡Padre, no me lo puedo creer...! Siempre tuvimos a Diego por un buen hombre.

—¿Acaso dudas de mi palabra?

José quedó contemplando a su padre, que le rehuía la mirada. Olía a moscatel a una legua. Al fin, triste, respondió:

—Por supuesto que no, padre. Por supuesto que no.

—Pues a dormir entonces.

Y se metió en la casa sin más apostillas. José Jiménez Cabanillas se quedó solo, en el zaguán. Ya no le quedaban ardores ni hinchazones. Sólo una tristeza profunda.

—Diego González... ¿Quién se lo va a creer, Virgen Santísima? —murmuró para sí.

Y siguió a su padre hasta el interior de la casa, hacia la alcoba que compartía con su hermano Jacintillo, que ya dormía profundamente. Se esforzó por apartar de sí la imagen de su padre, calvo, pequeño y mentiroso, y pugnó por concentrarse en la imagen de Elenita, la moza de la casa de los Riquelme, y en sus carnes tibias. Pero no consiguió que los ardores le regresaran.

Ni por un instante pudo imaginarse la tragedia que todos esos acontecimientos iban a traer a su vida.

XIII

EL ADULTERIO DE DOÑA ADELA RUBIO

Se levantó poco después del alba a pesar de que no había logrado conciliar el sueño hasta bien entrada la madrugada, cuando el cielo de noviembre se teñía de un morado extraño que auguraba la amanecida. Se notó la boca áspera, como si tuviese un estropajo metido en las encías. Le sabía a vinagre y a bilis. Mordisqueó un trozo de pan del día anterior y un resto de salchicha, que logró tragar con un vaso de agua. Más por quitarse el sabor del vino de la noche anterior que por hambre. Pero agua, pan y salchicha poco duraron en su estómago, pues en cuanto se levantó de la silla le asaltaron unas violentas arcadas que desaguaron en una larga vomitera. Después, recuperada la compostura, se aseó y se dirigió a la oficina del abogado de pobres en la Casa del Corregidor.

Ese día tenía cuatro juicios de clientes pobres y en los días previos no había dedicado ni un solo minuto a leer los sumarios. Eran delitos menores: dos reyertas tabernarias entre aprendices sin un maravedí, un jornalero sin empleo acusado de injuriar a un regidor y un juicio por alcahuetismo a un proxeneta de mala muerte que ni un abogado de pago había podido conseguir. Todo un reto para su intelecto. «¡Dios!», exclamó, queriendo maldecir, y arrepintiéndose al instante de la blasfemia. Y aunque sabía que no iba a abrir la boca en esos juicios, no quería comparecer ante el juez de lo criminal sin al menos haber hojeado los sumarios.

Comenzó a examinarlos, pero cesó la lectura cerrando de un golpe el legajo que tenía entre manos cuando se dio cuenta de que llevaba leídos varios folios y no se había enterado ni de una coma de su contenido. No se le iba de la mente aquella niña, Adela Navas, su rostro perfecto y ovalado, las trenzas que lo enmarcaban, su pelo rubio como el maíz tostado. Y esos ojos verdes como la yerbabuena. Y el triste episodio con ella, ese beso desvalijado, ese acariciar sus carnes que no le respondieron, esos labios que no accedieron a las demandas de su lengua. Y tuvo que obligarse a confinar esos recuerdos a los desvanes de su memoria para no arrojar de la mesa el tintero de un manotazo y arramplar con cuantos papeles y objetos había sobre el escritorio. No se le ocurrió nada mejor y comenzó a reflexionar sobre el delito de que se acusaba a su madre, tan infrecuente en esos tiempos.

Recordaba muy vagamente los pormenores del delito de adulterio de sus estudios en la Facultad de Cánones y Leyes de la Universidad de Sevilla, delito del que jamás había tenido que defender a nadie en su corta carrera. Rebuscó en los libros jurídicos que había en la oficina del abogado de pobres e intentó poner al día sus conocimientos.

El adulterio venía definido en los códigos como la relación carnal entre una persona casada y otra no casada o entre dos casados en distintos matrimonios no disueltos. Se diferenciaba de la simple fornicación en que presuponía el matrimonio previo de al menos una de las dos partes que ilegítimamente yacían, y eso aun cuando ese matrimonio no hubiese sido consumado.

Ciertamente, cuando se hablaba de adulterio se aludía en todos los casos al que cometía la mujer respecto del marido. En efecto, cuando la infidelidad era cosa del hombre, se hablaba de amancebamiento, con penas menos duras y estrictas que para la adúltera. Y es que la infidelidad de la mujer era considerada como un atentado contra el honor del marido, el de la propia familia y el de su linaje, mientras que el adúltero, decían, no comprometía la honra de la mujer cornuda. Además, y pese a esa concepción social y jurídica de la infidelidad, los adulterios de la nobleza y la realeza eran considerados como algo normal, e incluso en numerosas ocasiones eran conocidos y admitidos por el otro cónyuge, y los nobles amancebados nunca fueron llamados adúlteros. Se decía que «habían tomado manceba», y a ésta no se la tachaba de adúltera, sino que se la llamaba «enamorada», «amiga» o «madre de sus hijos», y no se participaba denuncia ni proceso penal por ello.

A no ser que intercediese el perdón del marido y éste consintiera en que la mujer volviera a hacer «vida maridable» con él, el adulterio siempre había sido considerado como un delito grave y tenía señaladas las más severas penas.

Cerró libros y códigos y se quedó meditando: había varias preguntas que lo asaeteaban y que no se le iban de la cabeza. Y que lo intranquilizaban.

¿Por qué don Juan Navas del Rivero había denunciado a su mujer y provocado su arresto, cuando tenía en sus manos soluciones menos drásticas? ¿Por qué someterse al escarnio público del marido cornudo?

¿Por qué no acudir en demanda de divorcio ante el juez provisor y vicario general del Tribunal de la Audiencia del arzobispado de Sevilla y finalmente conseguir el ingreso de la esposa en el convento de monjas de Jerez o de El Puerto o de Cádiz?

¿Y por qué el juez había decretado prisión preventiva para doña Adela, cuando el adulterio en el ámbito de los poderosos era delito que se atenuaba?

Salió de sus cavilaciones cuando oyó el repique de una campana cercana. Se levantó de su silla, se cercioró de que las náuseas ya habían pasado, recogió los sumarios de los juicios de esa mañana y se dirigió a la Casa de la Justicia. Don Nuño no era hombre que consintiese en esperar. Al menos, no sin guardarse justa venganza.

* * *

—... y para principios de año hay que pagar los intereses del censo instituido a favor de don Esteban Bermúdez por la compra de una de las casas del hospicio, y no andamos sobrados de dinero, don Francisco, como puede usted ver en las cuentas. Además, hay que comprar bayeta para el vestido de nueve niñas recién acogidas, con los correspondientes delantales, jubones y escapularios. El marqués de Grañina, don Miguel Jerónimo Dávila Ursúa, prometió dádiva a esos fines que aún no ha tenido a bien hacer llegar...

—¡Para, para, Diego, por el amor de Dios, que me va a caer mal el desayuno, hijo mío! Tranquilízate, por lo que más quieras. ¿Se ha hablado con don Miguel Jerónimo? ¿Y qué pasó con el donativo prometido por don Lorenzo? —preguntó el canónigo, refiriéndose a don Lorenzo Fernández de Villavicencio, marqués de Vallehermoso y alcaide del alcázar—. ¿Nos pagó los diez pesos prometidos?

—Hace ya más de dos semanas, reverendo. Y ya están gastados de sobra, para pagar lo que se debía y para sufragar lo que había que comprar. Ahí tiene usted también el presupuesto del orfanato y verá que no nos llegan los dineros. Necesitamos casi mil reales al mes y no los tenemos, padre.

Diego González, cuyo semblante reflejaba el haber pasado una mala noche, se refería así a don Francisco de Mesa y Xinete no sólo por su calidad eclesiástica, sino porque en realidad lo consideraba como un padre. Lo había recogido en su casa siendo apenas un niño, le había dado comida y educación y lo trataba como a un hijo más que como a un paje.

El canónigo levantó la vista de las páginas que había estado hojeando, cerró el libro de cuentas donde Diego González llevaba los cálculos, recuentos y balances del hospicio de niñas huérfanas y de la amiga general y quedó contemplando a su asistente.

—Dios proveerá, Diego. No desesperemos. El próximo febrero habrán transcurrido cuatro años desde que comenzamos con esta obra del Señor, y hasta ahora no ha faltado un plato de cocido o unas salchichas guisadas o un plato de garbanzos en la mesa de las niñas. Ni ropa con que cubrir sus desnudeces ni carbón para calentarlas. Y hemos pasado por momentos peores. Mandaré algunas cartas y hablaré con algunos amigos de nuestro hospicio. Y saldremos de ésta. Pero, dime, ¿qué te preocupa, hijo?

—Pues, por lo pronto, padre, el pago del censo. Don Esteban, que vive en Antequera y no sabe ni de orfanatos ni de amigas gratuitas, es hombre impaciente, ya lo sabe usted.

—Ahora no me refería a tus cuentas. Hay algo más que te preocupa.

No era una pregunta, sino una afirmación. Don Francisco de Mesa y Xinete, además de docto, caritativo y tenaz, era hombre perspicaz, capaz de ver en las expresiones de los otros, por livianas o fugaces que fueran, su estado de ánimo. Y más si se trataba de Diego González, a quien había visto crecer hasta convertirse en el muchachote noble, decente e inteligente que ahora era.

—No sé si molestarle con nimiedades, pero, sí, creo que debe usted saberlo, don Francisco. Ayer noche, cerca de la queda, fui al almacén de la colegial donde guardamos lo que no nos cabe en la capilla de la torre y donde el cabildo guarda el vino de consagrar. No encontraba el cuaderno de las cuentas y recordé haberlo dejado en aquel lugar, cuando fuimos al almacén ayer tarde. Y sorprendí allí a Jacinto, el sacristanillo, afanado en acabar con el vino de misa y con una turca de órdago. Como que no podía tenerse en pie. Al verme, trastabilló, se fue al suelo y con él un anaquel repleto de enseres, algunos de los cuales se dañaron. Además de su nariz, que se rompió del trompazo.

—¡Ay, Jacinto, Jacinto! —se lamentó el canónigo—. Miserable rufián. ¡No se da cuenta de que tiene mujer y cinco hijos y de que depende de su trabajo para sustentarlos! Y de que no encontrará cobijo en otra parte, pues es un botarate de armas tomar. Pero, bueno, hablaré con él. Creo que debemos darle una oportunidad, ¿no crees, Diego? Aunque sea la última. Aún recuerdo la faena que nos hizo cuando se olvidó de encargar las hostias a las monjitas, ¿te acuerdas?

—Sabía que usted lo haría. Y sí, creo que debe ser usted compasivo. No me parece un mal hombre.

—Pues que quede la cosa entre nosotros, por ahora. Que si se entera el abad, no hay vuelta atrás, con la tirria que le tiene al sacristanillo. ¿Fue muy grande el estropicio?

—Un par de patenas dobladas, un portaviático hecho polvo, un turíbulo bastante fastidiado y alguna que otra cosa más. Lo que me sorprendió es que Jacinto se ofreció a pagar los desperfectos. Y que incluso me enseñó una bolsa con dineros.

—¿Una bolsa, ese gañán?

—Y casi dos escudos dice que contenía.

—¿En qué líos se habrá metido ese malnacido, Virgen del Amor Hermoso? ¡Eres testigo, Diego, de que es la última vez que le ayudo! Y ahora, sigamos con lo nuestro. ¿Por dónde íbamos, hijo?

* * *

—¡Joder, cómo duele!

Jacinto se había despertado a medianoche y, creyendo que tenía la nariz congestionada, había intentado sonarse los mocos con la punta de la sábana. Sintió la nariz en carne viva y vio que la sábana, en vez del verde de los mocos, se manchaba del rojo de la sangre. Recordó entonces el suceso con el paje, le entró un sudor frío, le asaltaron tiritonas y maldijo en voz alta sin importarle que su mujer durmiese junto a él. Ya estaba frita cuando él llegó la noche anterior, mentiroso y herido, y no sabía nada ni de la sangre ni de las napias quebradas.

—¡Mierda, mierda y mierda!

Luisa Cabanillas, arrebujada en su parte de la cama y procurando ni rozar al sacristanillo, se despertó con el exabrupto. Se giró, miró a su marido, vio la sangre e, impertérrita, como si fuera algo normal que la cama estuviese manchada de sangre y que la nariz de su hombre presentase un aspecto horroroso, inflamada y con rastros de sangre seca, dijo:

—A saber con qué fulano te peleaste anoche. Y por culpa de qué fulana. Algún día no vuelves, idiota.

Y se dio la vuelta de nuevo, tiró de sábana y mantas para cubrirse sin preocuparle que su marido quedase descubierto y se dispuso a seguir durmiendo.

El sotasacristán tiró a su vez de sábana y cobertores y así estuvieron unos segundos marido y mujer tironeando hasta encontrar un punto de acuerdo. Estuvo un tiempo intentando conciliar el sueño de nuevo, pero no hubo forma. Convencido al rato de que le resultaría imposible dormir, se levantó de la cama. Era noche cerrada aún, supuso, porque la alcoba no tenía ventanas. En cuanto puso pie en el suelo se sintió mareado. Tuvo que permanecer un rato sentado hasta que se sintió capaz de ponerse vertical sin riesgos de irse al suelo. Vio entonces que el pañuelo que Diego González le había prestado la noche anterior para que se limpiase la nariz estaba tirado sobre las losetas al lado de la cama, empapado de sangre seca que ya había perdido su color rojo para tornarse marrón, como caca de perro. Asió el pañuelo, no supo qué hacer con él y decidió quitarlo de la vista para que su mujer no preguntara. Levantó el colchón de pajas y lo metió allí. Después vio la sábana manchada de sangre fresca y se dijo que de todas formas la bruja se iba a enterar de lo que había pasado y lo iba a freír a preguntas. Pese a lo cual dejó el pañuelo de Diego González en su escondite. Y se fue a la cocina en busca de agua.

Aún de noche, salió de su casa y se dirigió a la capilla junto a la torre, donde los canónigos oficiaban. Dispuso todo para la misa matutina hasta que, al alba, la capilla comenzó a tomar vida. Apareció por allí don Antonio de Morla, el abad, que lo miró como acostumbraba —de mala manera— y lo saludó con un gruñido. Al poco llegó don Alonso Moreno Tamajón, anciano y decrépito, canónigo magistral del cabildo desde el primer año del siglo, y después lo hizo don Francisco Gutiérrez de la Vega, canónigo racionero y encargado de los oficios de ese día. Cada vez que un cura aparecía por la capilla, Jacinto Jiménez Bazán temblaba. Suponía que se había descubierto su latrocinio de la noche anterior y los daños causados y que lo iban a poner de patitas en la calle tras una reprimenda de padre y muy señor mío, y eso si el cabildo no decidía llamar a la ronda y a los alguaciles. Sin embargo, nadie le dijo nada, ni siquiera le preguntaron por su nariz magullada —en realidad, nadie se fijaba en él—, y a medida que transcurrían esas primeras horas de la mañana el sacristanillo se iba convenciendo de que Diego González había decidido callar.

Poco antes de las diez apareció por la capilla don Francisco de Mesa y Xinete, que venía de atender a un moribundo, según le oyó explicar al racionero. Nada más entrar en el recinto buscó la mirada del sotasacristán, y en cuanto éste vio los ojos del canónigo supo que se cernía el desastre. Mesa y Xinete aún tardó unos minutos en acercársele, pues tuvo que departir con el abad y con el magistral sobre algunos asuntos. Cuando quedó libre, se acercó a Jacinto, lo llevó a un rincón aparte, se cercioró de que ninguno de los otros curas podía oírles y dijo:

—Te parecerá bonito, ¿eh, granuja?

—No, don Francisco. ¡Claro que no! Y lo siento como su reverencia no se puede ni imaginar.

—¿Qué mosca te picó para que se te ocurriera robarnos el vino, hombre de Dios? Sabiendo además como sabes que el cabildo está asfixiado en temas de dineros con las obras del nuevo templo y que ni para buen vino tenemos. ¿No te remuerde la conciencia, tunante?

—Por supuesto que sí, don Francisco —reconoció Jacinto, compungido—. Me remuerde, y mucho. Y estoy dispuesto a hacer lo que sea para reparar el daño. Y a pagar la penitencia que su reverencia ordene. Pero, por favor, se lo suplico por Dios —rogó el sacristanillo, a punto de arrodillarse—, que esto no me cueste el trabajo, pues condenarán sus reverencias a mis niños al hambre y a la miseria.

—Eso debiste pensarlo antes de darte a las tropelías, berzotas. Me contó Diego que ayer llevabas una bolsa con buenos dineros. ¿Se puede saber de dónde vienen esas monedas, Jacinto?

—Ahorros, don Francisco.

—No unas al pecado del robo el de la mentira, bellaco —advirtió el canónigo, señalando con el dedo al sotasacristán.

—Se lo juro por mis muertos, su reverencia —aseveró Jacinto, santiguándose—. Ya sabe usted que mi hijo José trabaja desde hace unos meses en la casa del señor Riquelme y eso me permite un poco de desahogo.

—Ni con el sueldo de José podrías tú ahorrar ni diez reales, que te conozco y conozco tus aficiones, Jacinto.

—Pues es la verdad la que le estoy contando, don Francisco, créame.

—Está bien, no quiero saber más. Así que no me cuentes nada y vamos a lo que vamos. ¿De cuánto dispones?

—De un escudo de oro y algunos reales, señor.

Don Francisco de Mesa y Xinete quedó pensativo, mirando al sacristanillo. Luego, resolvió:

—Por esta vez, pase. Pero será la última, ¿me oyes? ¿Me oyes, Jacinto? —Y cuando el otro hubo asentido, continuó—: Una más y se acabará mi piedad, ¿estamos de acuerdo?

—¡Que Dios se lo pague! —exclamó el hombrecillo, agarrando las manos del canónigo y llevándoselas a los labios—. ¡Que Dios se lo pague, su reverencia!

—Nada de Dios, truhán. El que va a pagar eres tú. Hablaré con Diego para que se encargue de reparar los desperfectos y ya te hará llegar el costo. Y si no te llega para pagarlo con esos ahorros tuyos, te lo descontaré del sueldo. Y reza para que don Antonio no se entere, porque entonces ni el arcángel San Miguel te salva. Robaperas, que eso es lo que eres, Jacinto. Un desgraciado robaperas.

* * *

164

—¿Quién es usted?

Pedro de Alemán había acabado los cuatro juicios antes del mediodía. Habían sido procesos rápidos en los que, como preveía, apenas si había tomado la palabra y que finalizaron con penas leves. Dado que aún no era demasiado tarde, decidió visitar a doña Adela Rubio. Y Cabeza de Vaca, según supo por el registro de la cárcel real. Y ahora se encontraba ante ella, que lo había recibido con esa pregunta —«¿Quién es usted?»—, en la que al mismo tiempo palpitaban la desconfianza de quien se siente acosado y la esperanza de quien se sabe desvalido. A pesar de que llevaba más de un día en la cárcel del corregimiento confinada en una celda infesta sin ni siquiera una palangana donde asearse, conservaba el aire de señora, la apariencia de dama de linaje importante. Y el halo de elegancia y gentileza de toda mujer de alcurnia. Su vestido de cachemira era gris oscuro y desprendía reflejos azulados. Pese a haber dormido en el suelo, apenas si estaba arrugado y sólo algunas pajas prendidas en la tela revelaban la mala noche. El pelo de la mujer, que frisaba la cuarentena, aún estaba bien recogido y mantenía el elaborado peinado que lucía en el momento de la detención. Era rubio como el de su hija, con el color tostado del grano de la cebada después de ser segada, aunque entreverado de algunas canas. Y los ojos eran verdes también, como los de la joven, pero un tono más oscuros. Y eran esos ojos los que desenmascaraban el drama que estaba viviendo en su interior. Aunque mantenían un brillo de altivez, también reflejaban desaliento. Sus ropas y su piel aún exhalaban un lejano aroma a perfume, una leve fragancia a pachulí, o a cítricos tal vez. O a ambas cosas. Su voz, ronca de haber estado muchas horas sin hablar, era firme. Gallarda.

—Mi nombre es Pedro de Alemán y Camacho, señora, y soy abogado.

La cautiva se quedó contemplando al letrado. Miró sus ropajes con brillos de tan usados, sus ojos inquietos, como si el joven no estuviese muy seguro de sí mismo, pero al mismo tiempo francos; el gesto decidido de su mandíbula, su pelo ondulado y su juventud. Sobre todo, su juventud.

—¿Es usted pasante de Roseti?

—No soy pasante de nadie. Ya no tengo edad. Tengo mi propio bufete —respondió el letrado, algo molesto.

165

—¿Quién le envía? ¿Mi marido, acaso?

—No, doña Adela, su esposo ni siquiera sabe que estoy aquí. Fue su hija quien vino ayer a visitarme.

Fue nombrarle a su hija y desaparecer al momento toda su fuerza y toda su altanería. Tuvo que agarrarse a los barrotes para no desfallecer y durante unos segundos sus ojos, húmedos, se hundieron en la tierra del calabozo. Siendo mujer presa, la comunicación, incluso la de su abogado, se llevaba a cabo a través de los barrotes de la celda. El carcelero había ordenado a las dos prostitutas que compartían cárcel con doña Adela Rubio y Cabeza de Vaca que se fueran a un rincón y que no se acercasen hasta que la visita finalizara. Y habían obedecido, porque sabían de las consecuencias de no hacerlo, y permanecían en una esquina fingiendo ocuparse en sus propios menesteres, secreteando.

—Mi Adela —murmuró la mujer, conteniendo a duras penas el llanto—, ¿qué va a ser de ella? ¡Y mi niño, mi Juan, por Dios! —Pero enseguida, como arrepintiéndose de su momentánea debilidad, tragó con fuerza, alzó la mirada y continuó—: Disculpe mi flaqueza, señor. Soy una mujer animosa, pero no he podido dormir en toda la noche y estoy extenuada. Adela y Juan, ¿están bien?

—Están bien, señora. Su hija es fuerte y creo que el niño aún no se ha dado cuenta de nada. O eso espero. Debo hacerle algunas preguntas, si se encuentra en condiciones y si me lo permite.

—¿Me podrá sacar usted de aquí? He de decirle, sin embargo, que no tengo con qué pagarle. Al menos, no hasta que salga de esta cárcel.

—Mis honorarios no son importantes ahora, doña Adela, lo importante en este momento es preparar su defensa y, si Dios así lo quiere y argumentamos buenos motivos, conseguir su libertad lo antes posible.

—¿Podrá usted hacerlo?

—Lo voy a intentar con todas mis fuerzas, no tenga usted ninguna duda. Y ahora, si me da su venia, me gustaría preguntarle un par de cuestiones. Voy a bajar la voz, porque no me fío ni de las paredes de esta mazmorra; y si no me oye bien, me lo dice. La primera pregunta que debo hacerle, señora, es la siguiente: ¿quiere usted que la defienda? ¿Quiere usted que sea su abogado?

Ella dudó durante un instante.

—No tengo otro, señor—dijo al fin—. Don Juan Polanco Roseti es el abogado de mi marido, mas no querrá saber nada de mí. Y todas mis posesiones están en poder de mi esposo.

—Pues esta misma tarde vendrá el escribano de parte mía para que otorgue usted poder. Don Beltrán Angulo se llama el escribano y don Jerónimo de Hiniesta, el procurador que la representará.

—Firmaré esos poderes, no tenga usted ninguna duda. Pero tampoco podré pagar ni a personero ni a escribano.

—Yo adelantaré esos gastos, descuide. ¿Tiene usted familia, aparte de su esposo y sus hijos?

—Mis padres murieron y mis dos hermanos están en Indias. No sé nada de ellos desde hace más de un año. Su última carta fue de abril del año pasado. ¿Por qué lo pregunta?

—La familia supone ayuda, señora. Y cuanta más ayuda logremos recabar, mejor para su causa.

—Un anciano tío, hermano de mi madre, aún vive. En El Puerto de Santa María. De los Rubio de El Puerto. Si teme usted por sus honorarios, espero que él pueda responder por mí. Mi madre era de Jerez, de los Cabeza de Vaca, pero toda la familia que permanece en esta ciudad es de lazos lejanos y apenas si mantenemos contacto.

—Ya no quedan Cabezas de Vaca entre las veinticuatrías de Jerez —observó el letrado.

—¿Y es eso un problema para usted?

—Ya le he dicho, doña Adela, que el problema no son mis honorarios. El problema son los cargos de que se le acusa a usted.

—Creo en la justicia, señor. Así me lo enseñaron de pequeña las monjas dominicas. Si no hay justicia, el mundo entero es un fracaso, una gran mentira. Así pues, no tengo nada que temer, porque nada tengo de qué arrepentirme.

—Me alegra oírla hablar así, aunque sepa usted que la justicia es cosa de hombres y no siempre los hombres son justos. Fíjese usted qué contradicción.

—Posiblemente, don Pedro, pero no tengo tiempo para filosofías. Ya me ha hecho dos preguntas. ¿Cuál es la tercera?

—La tercera pregunta que debo hacerle, doña Adela, y no se me incomode usted ni se me enoje, es dolorosa pero necesaria: ¿son ciertos los cargos de que se le acusa?

—¡Santísima Virgen de Consolación, no! ¡No y no! —exclamó la dama, renovadas ahora la gallardía y la fuerza en su voz y en sus ojos, que miraron al abogado sin pestañear; se había agarrado a los barrotes y sus nudillos, blancos, evidenciaban la tensión que a duras penas contenía—. Por supuesto que no. Jamás le fui infiel a mi esposo, ni de obra ni de pensamiento. ¡Nunca!

—Aparte de la palabra de su esposo, ¿hay alguna prueba contra usted?

—¿Qué prueba puede haber, si jamás fui adúltera?

—Es raro que se haya ordenado su prisión preventiva, si no existiera alguna otra prueba aparte de la palabra de don Juan.

—No entiendo de leyes, señor de Alemán, pero jamás ponga usted en duda mi palabra. No sé por qué se me ha encarcelado, pero le insisto: no puede haber ninguna prueba de que he sido infiel porque no lo he sido. Y si alguna prueba hubiese sido presentada, no dude usted de que sería falsa.

—¿Le informaron los alguaciles de las pruebas que existen contra usted?

—No. Sólo del delito que se me imputa.

—¿Han venido a tomarle declaración?

—Nadie ha aparecido por aquí desde ayer. Salvo los carceleros, a traer un cazo de agua al día y una pitanza inmunda, que ni los cerdos la comerían.

—¿Por qué querría don Juan Navas acusarla de adulterio, siendo mentira?

—¿Es usted mi defensor, don Pedro? ¿O quien me acusa?

—Son preguntas que le van a hacer y que, por tanto, yo debo hacerle también. Para conocer su respuesta y para poder saber cuáles son mis argumentos.

—No conozco las razones de mi esposo. Alguien ha debido de meterle ideas perversas en la cabeza, aunque no es hombre que se deje influenciar. Sí es soberbio y severo, pero no influenciable.

—Acusar a la propia esposa de adulterio es exponerse a descrédito. Lo cual no va, creo, con el carácter de su marido.

—Si mi esposo cree que debe hacer una cosa, la hace sin importarle lo que los demás puedan pensar. Y sin pararse a meditar en el daño que pueda hacer. Sí es cierto que lleva raro un tiempo, pero no sé a qué causa atribuir ese estado de ánimo. ¡Pero yo no le he dado razones, vive Dios!

—¿No habría sido más apropiado para su marido presentar una discreta demanda de divorcio ante el juez eclesiástico?

—Ya le he dicho que no cometí delito. Y para acusarme de lo que se me acusa, han de basarse en mentiras. Y siempre me enseñaron y tuve entendido que ante los tribunales de Dios no valen las mentiras.

Pedro de Alemán no quiso rebatir el aserto de doña Adela Rubio y Cabeza de Vaca. Pero podría haberlo hecho, pardiez, y con más de un ejemplo. Aunque los tribunales de la Inquisición ya no eran lo que habían sido, sus procesos aún permanecían vivos en la mente de muchos juristas.

—Es casi mediodía ya y se acaba el tiempo de la visita. Doña Adela, ¿hay algo más que yo deba saber?

La dama se quedó pensativa unos instantes, miró luego fijamente al abogado y dijo:

—Estoy dispuesta a confiar en usted, señor. Y le pido que confíe usted en mí. Ni le he mentido hoy, ni mentiré cuando el juez me pregunte, ni tengo de qué arrepentirme. Jamás falté al respeto a mi marido. He sido una buena esposa y una buena madre, aun cuando sé que todos somos débiles y humanos, que viene a ser lo mismo. Pero entre los mandamientos de la ley de Dios contra los que he podido pecar, no se encuentra el sexto. Ni el noveno, si me apura. Aunque no sea una santa, sépalo usted, pues me reconozco mis defectos.

—Mañana mismo, en cuanto tenga el poder del escribano, me personaré en el sumario en su nombre y presentaré solicitud de libertad bajo caución juratoria. Pero si vienen antes a tomarle declaración, diga al promotor fiscal que yo soy su abogado. Y que se me dé aviso, pues tengo derecho a estar presente.

—Así lo haré, don Pedro.

—Una última cuestión, ¿cree adecuado que vaya a ver a su esposo? ¿Querrá recibirme y hablar conmigo?

Ahora la presa dudó. Quedó meditando unos segundos y al cabo respondió:

—Inténtelo, no tiene nada que perder. Pero le advierto, si él cree que está obrando correctamente porque alguien le haya convencido de lo que no es verdad, no dará marcha atrás y será una entrevista desagradable e inútil. Si es que le recibe.

—Ahora he de irme, señora, si es que no precisa nada más de mí en este instante.

—Dicen que aquí torturan a los presos...

La voz de Adela Rubio se quebró y no pudo evitar que las lágrimas se desbordaran por sus mejillas.

—¡No, por Dios...! Bueno, sí... Pero la tortura se reserva para otro tipo de delitos —la consoló el letrado—. Y para otro tipo de personas. No tiene usted nada que temer por ese lado, señora.

—Se lo agradezco —dijo la dama, haciendo esfuerzos por recobrar la compostura—. Una última pregunta, ¿podrán mis hijos venir a verme?

—No sé si es conveniente que la vean aquí y de esta guisa. Al menos, el pequeño. Si todo va como debiera, pronto podrá usted verlos fuera de aquí.

—¿Tengo su palabra?

—Tiene mi palabra de que haré todo cuanto esté en mi mano y en mi ciencia. No puedo prometerle más. El abogado procura justicia, pero no la dispensa. Ya se acerca el carcelero, señora, debo irme. Pero volveré pronto. Quede usted con Dios, doña Adela.

—Y que Él le guarde a usted, don Pedro.

El letrado vio cómo la presa se desasía de los barrotes y quedaba contemplando el interior de la celda. Fijó su mirada en las dos coimas que cuchicheaban desde el fondo del calabozo y que ahora sonreían y la miraban con descaro. Y percibió el gesto de desánimo que oscureció el semblante de su nueva cliente. En ese instante, se dijo, doña Adela Rubio y Cabeza de Vaca, esposa del bodeguero don Juan Navas del Rivero, dama de la alta burguesía jerezana, no era más que una pobre mujer desamparada que proclamaba su inocencia. Inocencia, o culpabilidad, que en buena parte dependían de la habilidad y del buen hacer de él, Pedro de Alemán, abogado. Y se sintió abrumado como hacía mucho no se sentía. Y solo, más solo que nunca, pues ése era el mayor patrimonio y el mayor castigo del abogado: la soledad. Esa soledad en la que todo, su vida y sus casos, se desenvolvía.

XIV

EL PROCURADOR
DON JERÓNIMO DE HINIESTA

—Pero, bueno, Pedro, al menos algunos reales podré cobrar, ¿no?

Pedro de Alemán y Jerónimo de Hiniesta, el procurador, se hallaban compartiendo una jarra de vino y sendos platos de aceitunas y de almendras en la taberna del Tuerto, sita en la calle de los Remedios, cerca del consistorio y de la Casa de la Justicia. Hiniesta había sido convocado por Alemán para ponerlo al día del nuevo litigio en que habrían de representar a doña Adela Rubio y Cabeza de Vaca y para hacerle entrega de la carta de personería que esa misma tarde había formalizado el escribano don Beltrán Angulo con la presa.

—Más adelante, Jerónimo. Tal vez —respondió el letrado—. Pero por ahora habremos de tener un poco de paciencia.

—¿Tal vez? ¿Ni siquiera una decena de reales ahora? ¿Y ni siquiera me ofreces un mínimo de seguridad en el cobro? Eso de que «más adelante, tal vez...» no suena nada bien ni a mis oídos ni a mi bolsa, y menos en boca de un abogado.

—Tengo que hablar con la familia de la mujer, Jerónimo. Ya te he dicho que con el marido no podemos contar.

—¿Y quién es la familia de la señora? Porque Cabezas de Vaca quedan pocos con posibles en estos tiempos. Y los Rubio, si no me equivoco, son de El Puerto de Santa María.

—En efecto. Y hay un tío carnal en El Puerto que creo podrá responder de nuestros honorarios. Y si no, podemos estudiar solicitar litisexpensas —afirmó el letrado, refiriéndose, aunque sin mucha seguridad al no tratarse de un proceso estrictamente matrimonial sino penal, a la obligación que se podía imponer a uno de los cónyuges cuando el otro carecía de bienes propios suficientes para atender los gastos necesarios en litigios que sostuviese contra el otro cónyuge sin mediar temeridad o mala fe—. De una forma u otra, cobrarás tu arancel, te lo aseguro, hombre. Pero no me puedes fallar en esto.

—Es que, si no, tendrás que responder tú, ahora que te van mejor las cosas, Pedrito. Y no me hables de esas litisesquelas o como demonios se llamen, que ya sabes que yo no soy letrado.

—No me fastidies, Jeromo, hombre, que ya te arrimé unos cuantos reales por tu intervención en el juicio del mozo de cuerda, a pesar de que era juicio de pobre.

—Y bien que me los gané, reteniendo a la mocosa aquella que temía al tribunal más que a la vara de un cura, carajo.

Los Hiniesta eran procuradores en Jerez desde que el abuelo de Jerónimo, de nombre don Guillén de Hiniesta, comprase el cargo al rey Carlos Segundo el Hechizado a finales del siglo anterior por una considerable bolsa de ducados. Y lo había transmitido *mortis causa* a su hijo, quien a su vez, en su testamento, lo transfirió al suyo, como las pragmáticas autorizaban. Al igual que el de los escribanos, el de procurador era uno de los oficios que se denominaban «enajenados», esto es, vendidos por la Corona a cambio de importantes sumas de dinero, y que posteriormente podían ser revendidos por sus titulares o transmitidos por éstos a sus descendientes.

Pedro de Alemán y Jerónimo de Hiniesta se conocían desde la niñez, pues los padres de ambos habían trabajado juntos en multitud de litigios y la relación profesional se había tornado amistad que había alcanzado a sus respectivos vástagos. Y desde que Pedro empezó a ejercer como abogado en Jerez de la Frontera, encomendaba la representación de sus clientes a Jerónimo cuando era obligatorio o cuando, como en el caso de doña Adela, las circunstancias lo aconsejaban. Además, Jerónimo de Hiniesta remitía a Alemán cuantos pleitos podía —que no eran muchos— y, además de las funciones propias de la procura, realizaba para el letrado cuantas tareas éste le solicitaba para ayuda de sus asuntos. Ése había sido el caso, por ejemplo, de la mendiga en el juicio de Saturnino García. U otras actuaciones similares —cuidar de un testigo propenso a las jumeras, buscar peritos y deponentes, realizar mediciones...— que el procurador había llevado a cabo para Pedro como ayudante de éste en asuntos no estrictamente procesales. Y es que el procurador Hiniesta, aparte de su afición por los dineros, adoraba la aventura. Y, para él, en aquellos tiempos del siglo, la aventura, en Jerez, o significaba mujeres o significaba adentrarse en los vericuetos de un litigio buscando emociones o satisfacciones que la simple función de trasladar papeles jamás le iba a proporcionar. Era, por lo demás, un hombre grande, calvo bajo su peluca blonda, con la cara cruzada por un gran mostacho que atentaba contra los cánones de la moda de aquellos años, y de un humor a prueba de arcabuzazos. Y mal hablado como un galeote. Capaz de reírse de su propia desgracia y de conmoverse hasta el llanto ante la ajena. De los que decían que la ironía era cosa de dioses y el sarcasmo, de demonios. Y de los que pensaban que la vida era para bebérsela a grandes buches y no sorbo a sorbo.

—Así que adulterio, ¿eh? ¿Y no es mayor ya esa hembra para esos desbarros, joder?

—Dos cosas, Jerónimo, antes de que continúes por esos derroteros: en primer lugar, «esa hembra», como tú la llamas, es tu cliente desde este momento, así que cuidado con cómo te refieres a ella. Cliente que, además, es una señora de los pies a la cabeza aunque ahora esté presa, y ya tendrás ocasión de comprobarlo. Así que cuanto menos te equivoques, menos tendrás de qué arrepentirte y menos perdones pedir. Y, en segundo lugar, lo que pesa sobre ella es sólo una acusación y no una sentencia. Y supongo que serás capaz de distinguir entre una cosa y otra, aunque no seas letrado.

—Vale, vale, no te me soliviantes, amigo mío. Y déjame ese poder, que le dé un vistazo.

El procurador tomó de manos del abogado la carta de personería otorgada por su cliente ante el escribano don Beltrán Angulo y la leyó para sí, en voz baja.

—De acuerdo —dijo al fin—. ¿Y qué quieres que haga con esto, Pedro?

—Mañana mismo te personarás en el sumario. Yo pago el papel timbrado, no te preocupes.

Se refería el letrado a que desde 1636, y por disposición del cuarto rey Felipe, todos los documentos públicos debían ir formalizados en papel timbrado. Para los pobres había reservado un papel timbrado especial, en el que figuraba la leyenda «para pobres de solemnidad». Sólo tenían que pagar cuatro maravedíes por pliego y dos maravedíes por medio pliego.

—Y has de bastantear el poder, ¿eh?

—Por supuesto —ratificó el letrado—. También mañana sin falta te hago llegar escrito solicitando la libertad de doña Adela bajo caución juratoria. A primera hora. Y no te demores en presentarlo, por lo que más quieras.

—¿Crees que el marido va a consentir en acogerla de nuevo en su casa si es puesta en libertad?

—Ése es un problema al que nos enfrentaremos a su debido tiempo, Jerónimo. Ya se nos ocurrirá algo. Ese tío carnal que vive en El Puerto tal vez la pueda amparar, no sé.

—Una curiosidad, Pedro, ya has hablado con ella, y supongo que habrá proclamado su inocencia y asegurado su fidelidad. Y seguro que tú la has creído. Conociéndote como te conozco, no me caben dudas. Pero me pregunto, ¿por qué su esposo la acusa? ¿Qué gana con ello? ¿Por qué exponerse a cuchufletas? ¿No habría sido mejor una buena paliza y meterla por la fuerza en un convento? Que es lo que se suele hacer, puñetas, en vez de meterse en querellas.

—Alguna razón tiene que haber, en efecto. Y voy a descubrirla. Mañana mismo, en cuanto presentemos la petición de libertad, pretendo ir a ver a ese marido engañado. Y ya te contaré entonces.

—Pues por si acaso mañana no estás en condiciones —advirtió el procurador—, mejor que pagues ahora la cena.

—¿Y por qué no iba a estar mañana en condiciones? ¡Si la jarra de vino te la has bebido tú solito, malnacido!

—Pues porque dicen que ese don Juan Navas del Rivero es de armas tomar. Un cabrón de tomo y lomo, vamos. ¡Y eso va sin segundas, Pedro! —añadió, con una carcajada—. Lo de cabrón, me refiero. Je, je. Capaz de estrellarte un cántaro en la cabeza si piensa que lo miras mal. O que no le tratas con el debido respeto. Todo un elemento. Así que sí, que pagas hoy. ¡Pascualito! —gritó, llamando al mozo y gesticulando para recabar su atención—, ¿te quedan un par de esas perdices estofadas que ayer ofrecías, jodido?

XV

LA RUINA DEL SACRISTANILLO

—Pues sí que nos corre prisa, Lorenzo —aseguró Diego González, el paje del canónigo De Mesa y Xinete—. Le va el empleo al sacristanillo, como ya le he contado. Don Francisco quiere brindarle una última oportunidad, ya conoce usted a mi amo. Y si don Antonio de Morla se entera del desaguisado, lo pone de patitas en la calle antes que decir ay. Así que tenemos que echarle una mano. Por favor.

Lorenzo Moreno Valderrama era un orfebre con taller abierto en la calle Nueva, una de las establecidas como demarcación para las platerías jerezanas, y era uno de los más reputados de Jerez. Trabajaba habitualmente con el cabildo de la iglesia colegial y participaba en las obras del nuevo templo.

—Pues no es fácil presupuestar todos estos arreglos así, sobre la marcha, Diego —adujo el platero—. Mira ese turíbulo. No bastará con reparar las abolladuras; habrá que desmontarlo, enderezarlo y poner algunas piezas nuevas. Hará falta dar un nuevo baño de plata a algunas de las vinajeras. Y en mano de obra se irán unos cuantos jornales. ¿De verdad que necesitas el presupuesto ahora mismo?

—Aunque sea aproximado. Y que los trabajos empiecen de inmediato. Así que tendrá que llevarse usted ahora las piezas dañadas y confiar en que nadie las eche de menos. Don Francisco sabe que le tocará pagar aquello a lo que el sacristanillo no alcance.

Lorenzo Moreno Valderrama sacó cuaderno y lápiz del bolsillo de su casaca de seda —los maestros plateros estaban autorizados a vestir de sedas—, se ajustó unos quevedos y durante más de media hora estuvo trasteando en el almacén, examinan-

175

do patenas, reconociendo turíbulos, mirando crismeras, sopesando portaviáticos y tomando notas cada vez. Al fin, se enderezó, se llevó la mano siniestra a los riñones, que le dolían por la edad y por las posturas, y dijo:

—No sé si me cojo los dedos, Diego, pero cuenta con que por menos de cinco mil maravedíes no se arregla este desastre.

—Eso son cuatro escudos de oro mal contados.

—Más o menos.

—Pues, o mucho me equivoco, o al sacristanillo le van a faltar más de dos escudos para pagar la factura, así que se va a llevar media vida con un cuarto del sueldo. Eso si a don Francisco no le da una de sus locuras y sufraga de su bolsillo todo lo que falte al granuja ese y aquí paz y después gloria. Pero, bueno, qué le vamos a hacer. ¿Trae usted el carro?

—Carro y dos mozos para que carguen.

—Pues los avisamos y empezamos ya a acarrear tiestos.

Cuando hubieron terminado y el carro del platero enfiló la callejuela de los Franceses para buscar la muralla y salir de intramuros, Diego González regresó a la capilla de la torre en busca del sacristanillo. Y allí lo halló, aunque a punto de salir ya, pues habían acabado misas y oficios por ese día.

—Jacinto, ¿te marchas?

—Ya no queda nadie aquí, Diego —respondió el sotasacristán, aún avergonzado ante el paje—. ¿Querías algo conmigo?

—Pues sí. Ya tenemos el presupuesto del arreglo de lo que escacharraste.

—Ah.

—Y me temo que tenemos un problema.

—Ah —se limitó a musitar de nuevo Jacinto.

—En números redondos, unos cuatro escudos. Ése es el problema. Y si tenías dos, te faltan otros dos. Así que tú dirás.

—¿Puedo hablarlo con don Francisco?

—Prefiero que don Francisco quede al margen de esto, Jacinto. Que ya lo conocemos y no quiero que se comprometa más de lo que ya está.

—Pues esos dos escudos que faltan no los tengo, Diego.

—Vale. Tú dirás qué hacemos.

—Te puedo dar ahora mismo la bolsa que ayer te mostré, si me acompañas a mi casa. Pero en lo que falte, habrás de ser paciente, por favor.

—Pues vamos a por esos dineros. Y, qué remedio, hablaré con mi señor a ver qué dispone para el resto.

* * *

Una vez que Diego González hubo salido de la casa de la cuesta del Aire con los últimos dineros del sacristanillo —un escudo de oro y un puñado de reales y maravedíes que hacían más o menos otro medio escudo—, Jacinto quedó en su alcoba al borde del llanto y maldiciendo a cuantos santos y vírgenes le vinieron a las mientes. Y al santo patrón de los pajes de los canónigos, que no sabía cuál era, pero a quien imprecó de todos modos, y con mayor furia si cabía.

Se hallaba en la ruina. En la más abyecta de las abyectas ruinas. En la más tremenda de las miserias. No quería ni figurarse los ladridos de su mujer cuando se enterase de que ni pan para el desayuno podrían comprar mañana y que el sueldo le sería recortado en los próximos meses, por no decir años, hasta convertirse en aún más pelado. Y, sobre todo, no quería ni imaginarse la mirada triste de su José cuando le dijera que ni con su estipendio de palafrenero de don Juan Pablo Riquelme de Villavicencio podrían llegar a fin de mes.

Se echó a llorar. Y llorando estuvo hasta que oyó trajinar a su mujer tras la puerta. Conjeturó que iba ya a acostarse y no quería que la bruja lo viese en ese estado. Se secó las lágrimas, se recompuso como pudo la faz, hizo un último puchero y se arrebujó en su lado de la cama. Se hizo el dormido cuando Luisa Cabanillas entró en el cuarto. La mujer fue a acostarse pero olisqueó el aire como un hurón hasta dar con el origen del hedor que había en la alcoba: el orinal del sacristanillo rebosaba de orines espesos y amarillos, sulfurosos. Maldijo por lo bajo, se acercó al lado de la cama donde estaba el orinal de Jacinto, lo cogió con asco, como si asiera el rabo del diablo, volvió a renegar y salió para vaciarlo en la letrina del patio. Después, se acostó y quedó dormida en un suspiro.

Era bien entrada la madrugada y Jacinto seguía sin aferrar el sueño. Como si fuera un búho apostado en lo alto de un alerce. Y eso que la noche anterior tampoco había dormido casi nada. Le dolía la nariz, pero, sobre todo, le dolía el alma. Se sentía inútil, inservible, un trasto, un monigote. Un hombre que no podía alimentar a su familia no era más que eso: un mentecato, un menguado. Un idiota, como su mujer tantas veces le repetía.

Sintió las lágrimas, salobres y cálidas, correr de nuevo por sus mejillas. Y entonces volvió a recordar aquella conversación en la colegial en obras, aquellos pábulos sobre cuadros y dineros, aquellos designios que habrían de reportar a quienes los tramaban cientos, miles de escudos.

Y se dijo que no todo, tal vez, estaba perdido.

XVI

LIBERTAD BAJO CAUCIÓN JURATORIA

El hombre es como un globo de aire caliente como aquel que se decía había inventado un cura del lejano Brasil y que había echado a volar en la Casa de Indias de Lisboa a principios del siglo: capaz de estar en el suelo derramado como un charco y, al instante, ¡oh milagro!, capaz de estar en las nubes, inflamado como un deseo.

Así pensaba Pedro de Alemán y Camacho cuando se sentó a su escritorio en el bufete tras una cena temprana y suculenta con Jerónimo de Hiniesta en la taberna del Tuerto. Se habían zampado una perdiz estofada cada uno, y el procurador, muy capaz de engullir a su propia madre en pepitoria si se terciaba, había dado cuenta además de un cuarto de queso, de dos salchichas guisadas y de una fuente de compota de peras. Y de dos cuartillos de vino y uno de aguardiente. Por todo lo cual Pedro había desembolsado al tuerto que daba nombre al mesón la nada desdeñable suma de trece reales y dieciocho maravedíes, que no era moco de pavo. Él, por su parte, sólo había tomado la perdiz y un par de vasos de vino aguado, pues quería trabajar después de la cena.

Y allí estaba, en su bufete, pensando que el hombre tan pronto se hallaba sumido en el más profundo de los abismos como elevado a la más excelsa de las euforias. Y todo por un motivo tan fútil, tan nimio, cuando no tan insensato, como, verbigracia, una mujer presa, una acusación de adulterio y un reto profesional de consecuencias imprevisibles frente a uno de los más afamados bodegueros y cosecheros de Jerez. Y, para qué negarlo, una niña de trenzas rubias y ojos verdes como la albahaca.

O, al menos, así era él. Y eso pensaba. Tan pronto hundido en el barro de la depresión como alzado al cielo del optimismo. En un instante, postrado, todo negro alrededor, incluso la vida; y al siguiente, alborozado, todo *verderanza* —no sabía si esa palabra existía, pero le sonó bien—, capaz de comerse el mundo de un solo mordisco. No sabía decir si esa súbita mudanza de ánimo era buena o no lo era, si era virtud o trastorno, y se negó a dilucidarlo para que la respuesta no diera al traste con su bienestar.

Rebuscó un papel timbrado y se dispuso a redactar la instancia de libertad bajo caución juratoria de doña Adela Rubio y Cabeza de Vaca. Comenzó a escribir y no levantó la pluma del papel excepto para recargarla de tinta en el tintero. Tan inspirado estaba que, a pesar de los ruidos que le llegaban del exterior, él sólo oía el rasgar de su pluma sobre el papel. Y el chisporroteo de la vela que lo alumbraba.

Comenzó su escrito reflexionando sobre la prisión preventiva. Sostenía que en el antiguo derecho español, por mor de su herencia romana, la prisión preventiva era instrumento escasamente utilizado y reservado para delitos graves entre los que no se hallaba el adulterio. Siguió razonando que en las *Partidas*, y en concreto en el título veintinueve de la Séptima, la prisión cautelar se circunscribía a aquellos acusados de delitos que tenían señaladas penas corporales, lo que tampoco era el caso, puesto que en esos tiempos la pena para la mujer infiel no solía ser más grave que la de destierro. Siguió hablando de la inocencia de doña Adela Rubio y Cabeza de Vaca, de su moral intachable, de sus hijos —y ahí tuvo que contenerse para no hablar de los ojos verdes de Adela Navas—, del desamparo en que se hallarían sin los cuidos de su madre y del poco riesgo que la sociedad asumiría de ser puesta su señora cliente en libertad bajo palabra.

Recordó el afortunado aserto del Fénix de los Ingenios: «No hay buena prisión, aunque fuese en grillos de oro»; solicitó que no se demorase la puesta en libertad de la cautiva, puesto que, aseveró, la justicia tardía es injusticia; también, aunque cuidándose mucho de insinuar nada que pudiese recordar el caso de Juan Maestra, citó a Horacio para asegurar que su cliente no se ocultaría a la justicia, no sólo porque ella nada temía de la justicia, sino porque la justicia siempre halla a quien delinque —«La justicia, aunque anda cojeando, rara vez deja de alcanzar al criminal en su carrera»—; y, en fin, ensalzó la libertad asegurando que un pueblo solamente es libre cuando el derecho de sus ciudadanos a serlo está asentado en sus costumbres como uno de sus más sólidos pilares.

Cuando acabó de escribir, se sirvió un vaso de agua, dejó que la tinta se secara y después releyó lo escrito y quedó satisfecho. Muy satisfecho y casi conmovido al leer algunas frases que había plasmado sobre el papel. Secó la tinta y guardó cuidadosamente el escrito en una carpetilla, apuró el vaso de agua, encapuchó la vela y se dirigió a la alcoba. Sin embargo, después de más de una hora dando vueltas en la cama sin poder dormir, regresó al bufete, volvió a encender la vela y cogió los autos de un pleito que tenía pendiente. Luego, durmió como un bendito, pensando en una niña que poco tiempo atrás lo había avergonzado. Pensando en una niña con trenzas de oro y los ojos como las esmeraldas de las Indias remotas.

XVII

LA VISITA DE MISTER FRANCIS JAMESON
AL MARQUÉS DE GIBALBÍN

Esa misma noche, poco antes del ocaso, que en ese mes de noviembre era temprano, había llegado a Jerez mister Francis Jameson. Había sido recogido en el puerto de Cádiz por Andrés Caputo en un coche de caballos conducido por Jesús, el cochero de la casa, y enganchado a la cuarta potencia. Había hecho el recorrido entre Cádiz y Jerez en menos de tres horas, y porque los caballos apenas si tuvieron tiempo para recuperarse del viaje de ida. Mister Jameson había arribado ese mismo día al puerto gaditano en una goleta áurica procedente de Dover, en la fecha señalada y casi clavando la hora que había fijado en su última carta: el mediodía. Puntualidad inglesa. Llevaba escaso equipaje y un maletín del que el inglés no consintió en separarse. Y venía acompañado de un hombrecillo en el cual todo era gris: desde la tela de su casaca hasta el color de su peluca, pasando por sus ojos, sus uñas y su piel, gris como el cielo de un día inglés. Hasta sus labios tenían un extraño tono gris, como si viviera afectado de perennes calenturas. Lucía monóculo montado en oro, si es que algo en él en verdad lucía; tosía a cada dos por tres y respondía al nombre de mister Stephen St. Cross. Pasaba por ser uno de los más reputados expertos en arte de las neblinosas tierras de su graciosa majestad. Mister Francis Jameson, por el contrario, era un hombre alto, un poco pasado de peso, con perilla que no iba con los cánones de la moda de la época y vestido de sedas azules y púrpuras, peluca de color castaño y rizado, cejas espesas con el color rojo natural que evidenciaba la procedencia gaélica del caballero, sonrisa abierta y un enorme puro en sus labios alegres. Cada vez que daba una calada al veguero, el habitáculo del coche de caballos se llenaba de un humo azul y oloroso que si el bravonel Caputo aspiraba con deleite, deseando que el inglés le ofreciese un cigarro pero sin atreverse a pedírselo, a mister St. Cross le provocaba que la tos arreciase y que el gris de todo él se intensificase también, si es que ello era posible. No obstante, no protestó en ningún momento. Se limitaba a espantar el humo de vez en cuando con su manilla escuálida. Hicieron el viaje casi en silencio.

Llegaron a la casa de su anfitrión justo para la cena. La casa adonde fueron conducidos, que más que casa era una mansión de grandes lujos, con mármoles, maderas nobles, estatuas en el atrio y una fuente en su patio interior, estaba ubicada en la calle de San Blas, cerca de donde había radicado el hospital del mismo nombre. Antes de ser conducidos al salón principal de la casona, mister Francis Jameson y mister Stephen St. Cross fueron acomodados en sendas cámaras y atendidos por mayordomos que les sirvieron refrescos y agua caliente en jofainas de plata y jabón y perfumes para su aseo. Después, fueron acompañados al comedor (mister Jameson con su inseparable maletín), donde les esperaban su anfitrión y los invitados de éste.

Era su anfitrión don Raimundo José Astorga Azcargorta, caballero veinticuatro de Jerez, marqués de Gibalbín, regidor perpetuo de la ciudad y depositario general de su cabildo.

El depositario general del concejo era el regidor a cuyo cuidado estaban los dineros o bienes muebles que se depositaban en las arcas públicas por diversos conceptos: los caudales de menores de edad sin amparo ni tutor, los provenientes de redenciones de censos, los bienes de difuntos sin testar o sin partir, los capitales de las fundaciones testamentarias llamadas «memorias», el producto de embargos, los depósitos para obras públicas, etcétera. El de depositario general era un cargo siempre apetecido por los regidores municipales, pues aunque debían responder de todas las depositarías que se hiciesen y debían afianzar el oficio con bienes muebles o inmuebles de su propiedad para responder de daños o perjuicios, cuando no de desfalcos, tenía el beneficio del dos por ciento de los caudales que entrasen en la depositaría. Y en Jerez, donde tantas fundaciones testamentarias se hacían, ese porcentaje no representaba suma baladí.

Don Raimundo era un caballero de gran presencia, alto y delgado, de distinguido porte. Era moreno y de piel atezada, y hoy su mirada era plácida y amistosa, aunque afilada, y no negra, intensa y candente como cuando, meses atrás, fue abordado por el sacristanillo Jacinto Jiménez Bazán en los Llanos del Alcázar. Porque era el marqués el noble a quien el sotasacristán había chantajeado.

Junto a él se encontraba don Florián Alvarado y López de Orbaneja, también caballero veinticuatro y regidor de la ciudad. Tenía a su cargo el alguacilazgo mayor del cabildo, oficio que se nombraba de entre el cuerpo de regidores en la primera sesión municipal de cada año. El alguacil mayor de Jerez tenía a su mando a los diez alguaciles de la ciudad y tenía por misión cumplir y ejecutar las órdenes del corregidor y del alcalde mayor, mantener el orden público en las calles jerezanas, detener a través de sus alguaciles y corchetes a delincuentes y facinerosos, llevar a la práctica los mandamientos de ejecución de bienes y prendas, cuidar de la seguridad de las personas y cosas y supervisar la investigación de los delitos. Era don Florián un tipo menudo, de tez blanquecina y mirada huidiza. Sus ropajes, lujosos, de terciopelo verde, colgaban de sus huesos como los harapos de un espantapájaros. Por muy alguacil mayor que fuera, no sabía lo que era una ronda —y mucho menos nocturna—, no había visto jamás a un malhechor de cerca —y muy escasas veces de lejos— y se limitaba a recibir de muy buen grado y sin correr el más mínimo riesgo las prebendas y beneficios del cargo.

El tercer invitado a la cena era el reverendo padre don Alejo Suárez de Toledo, cura colector de la iglesia de San Miguel. Como tal cura colector, y bajo la dependencia del párroco don Ramón Álvarez de Palma (hombre incorruptible, con fama de santo), el padre Alejo era el encargado de llevar las cuentas relacionadas con las misas de la parroquia y de procurar su celebración, tanto las correspondientes a las memorias o capellanías como a las encargadas por particulares, debiendo asimismo recaudar y custodiar el estipendio, llevando a tal fin un libro de cuentas de misas y dineros. Era un hombre bajito, gordo y sanguíneo, con la espalda tan contrahecha que parecía jorobado. Vestía manteo y sotana negra, con cuellecillo blanco redoblado sobre la sotana. Estaba destocado y portaba en la mano bonete negro de cuatro picos. Al contrario que su párroco, tenía entre su feligresía fama de hombre aficionado a todo aquello que un buen cura no debería apetecer. Y más de un problema había sufrido por ello.

El cuarto y último invitado era un individuo de buena estatura, de carnes abundantes que hablaban de su gusto por la buena mesa, pelo completamente blanco a pesar de que no aparentaba mucha edad, ojos claros y la tez surcada de las venillas rojas de los entusiastas de los mostos. Vestía elegantemente, sin lujos ni peluca, todo de negro. Bajo sus uñas, aunque cuidadas, se advertían rastros de óleos que delataban su relación con las pinturas, los pinceles, los barnices y las trementinas. Respondía al nombre de Ignacio de Alarcón, natural de Sevilla, y disfrazaba su verdadera habilidad bajo los títulos de restaurador y perito en artes.

La cena fue lo que cualquier invitado habría esperado de tal mansión: larga y copiosa. Durante toda la comida, los comensales se cuidaron muy mucho de abordar el tema que en verdad los había reunido, pues era norma de la buena educación no comentar los negocios durante los ágapes. Y habían hablado de todo menos de pinturas. Mister Stephen St. Cross, por su parte, no había abierto la boca, pues no conocía ni una palabra de castellano; se había limitado a beber, a toser constantemente, a picar de los quesos, a probar un par de bocados de la carne, a desmigajar el pan y a mirar con asco los pajarillos guisados, como si fueran caracoles. Mister Francis Jameson, en cambio, había dado buena cuenta de cuantos platos le pusieron por delante y había intervenido animosamente en todas las conversaciones: hablaba un castellano correcto y fluido, aprendido en sus múltiples viajes de negocios por España, donde comerciaba no sólo con obras de arte sino con vinos, con telas y con cuanto le pudiese resultar lucrativo. Después de que los criados hubiesen servido los postres y un excepcional aguardiente de Jerez, don Raimundo ordenó a los criados que se retiraran y aseguraran las puertas del comedor.

—Creo que es ya el momento de que abordemos lo que en verdad nos trae, ¿les parece, caballeros? —preguntó el anfitrión.

—Estoy impaciente por ver lo que tiene usted para mí —repuso Jameson—. O, más que para mí, para mi cliente mister

John Blackwood, que seguro aguarda ansioso mi regreso. Y el de mister St. Cross, por supuesto.

—Pues bien, don Ignacio, cuando usted quiera.

Ignacio de Alarcón se quitó la servilleta que antes había tenido prendida al cuello, apuró su copa de licor, se levantó de la mesa haciendo una breve reverencia a los comensales y se dirigió a un rincón de la estancia. Allí, cubierto por un paño granate, se hallaba un caballete. Quitó el paño con un movimiento grácil, como el de un prestidigitador ante su público, y se apartó para que los demás pudiesen contemplar la pintura que descansaba sobre el caballete. Todos ellos se levantaron de sus sitiales y se acercaron al cuadro. Los cuatro españoles quedaron dos pasos atrás y los dos ingleses se aproximaron hasta casi estampar sus narices en la tela. Tras unos minutos de concentrada apreciación, mister Francis Jameson se retrasó hasta quedar a la altura de sus anfitriones y dejó que fuese mister St. Cross quien estudiase en profundidad la pintura. El hombrecillo se quitó el monóculo y sacó del bolsillo de su casaca una lupa de considerable tamaño con la que examinó diversas partes del cuadro, ora acercándose, ora alejándose, ora pegando la lupa al lienzo, ora distanciándola.

Era una tela pintada al óleo que medía aproximadamente una vara y cuarto de alto por una vara de ancho. En ella, con impecable maestría, se representaba la Santa Faz de Cristo, el paño de la Verónica.

En la pintura que mister Stephen St. Cross escrutaba, montada sobre un bastidor de madera clara y sin marco, el blanco paño de la legendaria Verónica destacaba sobre un fondo mate y oscuro. El santo paño aparecía sostenido tan sólo por dos alfileres y dos cordeles cuyos puntos de sujeción desaparecían fuera del campo de visión del cuadro. El tejido se desplegaba de una forma casi geométrica e invitaba a contemplar en su centro la imagen de Cristo. La doliente Santa Faz aparecía levemente impresionada sobre la tela, suavemente inclinada. Los rasgos del rostro de Cristo emocionaban, de tan preciosamente reflejados; toda la agonía del vía crucis se reflejaba en esos ojos tristes que miraban fijamente al espectador. Los colores eran precisos y bien definidos, destacando el blanquecino del lienzo, magníficamente obtenido. Los pliegues estaban pintados con excepcional pericia, los juegos de luces y sombras hablaban del pincel de un maestro de altísima escuela y todo en el cuadro evidenciaba que era obra de un pintor de primera línea.

Los cuatro españoles y el tratante inglés aguardaron en silencio el dictamen de St. Cross, que se demoró como si estuviese palpando las carnes de una púber. Tan pronto examinaba el lienzo por el envés como tan pronto por el revés. Tan pronto se agachaba como se alzaba. Tan pronto se ponía el monóculo como se lo volvía a quitar. En varias ocasiones levantó el cuadro del caballete, tocó la pintura, escrutó los bordes, estudió los clavillos que aseguraban el lienzo al bastidor y lo oliscó como si fuese un caniche. Sólo le faltó lamer la pintura. Incluso sacó un metro de sastre de su bolsillo y midió el cuadro. Al fin, dejó el lienzo en el caballete, se retiró un par de pasos del cuadro, provocando que los otros dieran a su vez un paso atrás para evitar el encontronazo, dio una nueva y larga mirada al óleo, guardó la lupa, se ajustó el monóculo, tosió una, dos, tres veces, regresó al cuadro, volvió a distanciarse, se dio la vuelta y, enfrentado a los otros, que aguardaban su veredicto como si el hombrecillo fuese la mismísima Sibila de Cumas, dijo, con una voz fina adecuada a su gris apariencia:

—*Undoubtedly, it is a work of the main painter don Francisco de Zurbarán.*

Pronunció el apellido «Zurbarán» como «Sarbaren», y su «don Francisco» era de dicción imposible. Todos quedaron en silencio, como si nadie se atreviese a romperlo. Sólo Jameson sonrió y volvió a fijar su mirada en el cuadro. Al fin, fue el cura colector de San Miguel don Alejo Suárez de Toledo quien habló:

—¿Y puede saberse qué ha dicho este buen hombre, si no es mucho preguntar?

—Pues ha dicho que esta pintura es indudablemente del maestro don Francisco de Zurbarán —tradujo mister Francis Jameson, feliz.

—*His outlines are unmistakable* —añadió mister Stephen St. Cross, dirigiéndose a su compatriota, el rubicundo Jameson—, *these colors, these folds, the same size, which is identical to that of other his works with the same subject matter...*

—*And are you sure, mister St. Cross?* —preguntó Jameson—. *Do you have any doubt?*

—*Completely sure* —respondió de inmediato St. Cross—. *I put my reputation in it. The picture is not signed, but it was normal in last century.*

—*You know that mister Blackwood does not admit mistakes.*

—*I assume all the risks.*

Mister Francis Jameson miró durante unos largos segundos a St. Cross y al cabo pareció quedar satisfecho. Asintió en dirección a su interlocutor, sacó otro cigarro puro, lo encendió, exhaló una gran fumada y dijo:

—Está todo en orden.

—¿Podemos saber qué ha dicho mister St. Cross? —preguntó Ignacio de Alarcón, interesado en el dictamen del experto.

—Pues ha venido a decir, señor —respondió el tratante—, que los trazos de la pintura son inconfundibles, como sus colores y los pliegues de la tela, y me hace ver que el tamaño del cuadro es idéntico al de otras obras de don Francisco de Zurbarán con la misma temática. Le he insistido y me ha reiterado su certeza, incluso cuando le he hecho ver que nuestro cliente mister John Blackwood no es hombre compasivo con los errores. Y me ha respondido que le va la reputación en su dictamen y que asume los riesgos. Así que, caballeros, por ahora todo está en orden. ¿Le parece, don Raimundo, que volvamos a la mesa, degustemos ese magnífico brandy de sus bodegas y cerremos nuestro acuerdo?

Regresaron a la mesa, el anfitrión llamó a una criada, a quien ordenó que trajera dulces y más licor, aguardaron a ser servidos y a que la criada se ausentara, y entonces Jameson dijo, dirigiéndose al marqués de Gibalbín:

—Pues bien, el cuadro es del maestro Zurbarán, en efecto, tal como se me había asegurado por usted. Si mister St. Cross lo afirma con tanta rotundidad, poco más tengo yo que añadir. Como no sea decir que comparto su criterio. Después de tantos años marchando, algo llega uno a saber sobre pinturas y atribuciones.

E hizo aquí una pausa para dar un trago de brandy y volver a encender el cigarro puro, que se le había apagado.

—Pero hay, don Raimundo —prosiguió—, otra cuestión que resolver, como ya le hice ver en mis cartas. Espero que no se ofenda, caballero, pero, aunque mister Stephen St. Cross nos haya asegurado la autenticidad del cuadro, mister John Blackwood me exige que se le asegure que el origen de la pintura es legítimo y que no va a sufrir futuras... ¿cómo se dice...? contrariedades, eso es, contrariedades... con los títulos de propiedad.

Don Raimundo no dijo nada. Asintió y, sin dejar de mirar fijamente al inglés, hizo un gesto al cura.

—Don Alejo... —se limitó a decir.

Éste sacó unos papeles de su sotana, algunos con signos de ser muy antiguos, y se los tendió a Jameson.

—Espero que pueda leerlos sin dificultad, mister —expresó el reverendo don Alejo Suárez de Toledo, con sonrisa ávida—. El primero de esos documentos que le entrego —refirió, señalando al que presentaba mayor antigüedad— es un duplicado del inventario de los bienes del convento de la Santísima Trinidad de Jerez de la Frontera, de donde proviene el cuadro. Está fechado en 1695. Como podrá usted comprobar si lee la decimoséptima línea de la tercera página, entre los bienes inventariados se describe este cuadro de la Santa Faz, afirmándose es obra de don Francisco de Zurbarán y propiedad del convento. El segundo documento es el acta de entrega del cuadro por parte del prior de los padres trinitarios fray Agustín de Anaya y Herrera al párroco de San Miguel don Hermenegildo Adorno y Dávila. Es de fecha 1701 y vino motivada por el mal estado del convento y por su precaria economía. La parroquia pagó al fray mil ochocientos reales por el cuadro, precio que fue sufragado por la familia Dávila. Y el tercer documento es el contrato de compraventa, que le firmaré como cura colector de la parroquia de San Miguel. Espero que todo sea suficiente y de su conveniencia.

Mister Francis Jameson inspeccionó detenidamente los documentos que el cura le había entregado. Pidió un par de aclaraciones que le fueron resueltas por el colector cuando se referían a términos eclesiásticos o jurídicos y por Ignacio de Alarcón cuando se referían a cuestiones de la pintura. Del mismo modo, solicitó le tradujeran algunos términos que no comprendía de los legajos. Al final, asintió, complacido.

—Todo en orden, pues.

Extrajo del maletín que portaba una pesada bolsa de cuero que depositó sobre la mesa, frente al marqués. Y luego sacó un sobre, que igualmente ofreció a don Raimundo.

—En la bolsa vienen los dos mil escudos convenidos como pago en metálico. Y el sobre contiene una letra de cambio expedida por los banqueros de mi cliente por importe de otros dos mil escudos de oro. La letra le será pagada a su acomodo por mister Peter Fletcher, corresponsal de los banqueros de mister Blackwood en Jerez. Ello hace los cuatro mil escudos convenidos por el primer pago de las pinturas. Los restantes seis mil le serán satisfechos en la forma pactada a la entrega del resto de las telas. ¿Está todo de su gusto, marqués?

Don Raimundo asió la bolsa, que pesaba un quintal, aflojó el cordoncillo y examinó las monedas. Después, se la tendió a don Florián Alvarado.

—Don Florián contará las monedas, si no es ofensa.

—Por supuesto que no. Adelante —admitió Jameson.

Mientras el Alvarado recontaba premiosamente las monedas, amontonándolas en lotes de cien sobre la mesa, el marqués de Gibalbín se distrajo en examinar la letra de cambio entregada por el inglés. El marqués conocía a Peter Fletcher, descendiente de don Juan Fletcher, mercader inglés avecindado en Jerez siglos atrás, que obtuvo carta de naturaleza; dedicado, como la mayoría de los de su nación, a los negocios de exportación de vinos a su patria de origen, consiguió una destacable fortuna y, cuando tuvo ocasión, se hizo, no sin críticas de la nobleza local, con una veinticuatría que sus descendientes después enajenaron. Era ese Peter Fletcher gente de confianza.

Cuando don Florián Alvarado finalizó el conteo, hizo un gesto de conformidad al marqués y al inglés. Hasta ese instante, incluso durante la cena, Alvarado apenas si había abierto la boca. La mesa quedó llena de monedas de oro como si fuese la del rey Midas. O la de un coronel del ejército borbónico en día de pago de la soldada. Y cura e inglés firmaron el contrato de compraventa.

—¿Cuándo podré disponer de las seis pinturas restantes? —preguntó entonces Jameson.

—Como ya le expliqué —manifestó don Raimundo—, hay algunos trámites testamentarios que cumplimentar y algunos permisos del arzobispado que culminar. Pero no habrá problemas. Para Semana Santa podrá usted disponer de sus cuadros, a lo más tardar. Recibirá carta mía precisándole la fecha, y estaré encantado de recibirle en mi casa de nuevo. A usted y a mister St. Cross, por supuesto. Que, por cierto, se nos ha dormido.

En efecto, el hombrecillo, que no había hecho ascos ni al vino de la cena ni al aguardiente de la sobremesa, había dejado caer su pequeña cabeza sobre el respaldo del sillón y se había quedado dormido. Roncaba suavemente y el monóculo amenazaba con resbalar por su descarnada mejilla. Un hilo de baba escapaba de sus labios, grises y abiertos.

—Con el cambio de calendario que hemos sufrido en Inglaterra me gustaría ser más preciso —explicó Jameson, aludiendo a que en ese mismo año el rey Jorge había adoptado en Albión el calendario gregoriano, suprimiendo el calendario juliano por el que antes el país se regía; y aunque el día 1 de enero ya era oficialmente el comienzo del año nuevo en Gran Bretaña al igual que en el resto de Europa, aún se siguió usando durante algún tiempo el día 25 de marzo como día primero del año, sobre todo a efectos fiscales—. Cuando me habla usted de Semana Santa, ¿se refiere a marzo? ¿A abril?

—Si no yerro, el Jueves Santo del año próximo de 1753 es el día 19 de abril. Antes del día 15 de abril próximo podrá usted recoger los seis cuadros comprometidos.

—Espero que así sea. El viaje ha sido cansado, señor. ¿Tendrá usted inconvenientes en firmar recibo por los dineros recibidos?

—Es de derecho, mister Jameson.

Y después de echar un vistazo somero al documento que el inglés le tendía, estampó su firma y rúbrica al pie del mismo, e imprimió su sello bajo la firma.

—Y ahora, si nos disculpan, creo llegado el momento de descansar del largo viaje —dijo Jameson.

Inglés y españoles se levantaron de la mesa. Mientras el marqués llamaba a los mayordomos para que acompañaran a sus huéspedes a sus cámaras, mister Jameson asió su maletín ya vacío y despertó a mister St. Cross, zarandeándole del hombro con delicadeza.

Cuando los españoles se quedaron solos, el marqués rellenó las copas de todos, alzó la suya y brindó:

—Por este magnífico negocio, señores.

Todos bebieron y respondieron al brindis con palabras de alborozo. Se sentaron de nuevo a la mesa, donde resplandecían las monedas, y volvieron a beber.

—Menos mal que el inglés no ha exigido la intervención de escribano público —advirtió el cura— para la firma del contrato.

—Tampoco habría habido problemas —aseguró el Astorga Azcargorta—. Tenía a uno avisado por si era necesaria su presencia. Y dispuesto a intervenir lo que hubiese sido menester.

—¿A quién se refiere usted? —preguntó el colector.

—Más vale que no lo sepa.

—Esos documentos, padre Alejo... —preguntó don Florián, abriendo la boca después de mucho tiempo—, nos garantiza usted que no tendremos problemas con ellos, ¿verdad?

—En cuanto al inventario de los trinitarios, seguro que no —repuso el cura, visiblemente achispado—. Es auténtico, así que no hay nada que temer. En cuanto al acta de entrega suscrita por el trinitario y el párroco Adorno Dávila en 1701, la saqué de los archivos parroquiales y no queda copia. Nadie la va a echar de menos, tenga usted la seguridad. Y si alguien, por mano del diablo, con perdón, notase su falta, al final concluirá que se perdió con la guerra de sucesión, como tantas otras cosas. Así que por ese lado tampoco hay por qué preocuparse. El tercer documento es el más embarazoso: es auténtico, porque la firma es mía. El problema, señores, es que, como cura colector, claro es que no tengo facultades para vender ni un mal incensario de la parroquia. Como bien les consta, por demás. Pero si aquí don Ignacio ha hecho bien su trabajo, nadie tendrá por qué enterarse jamás de que ese contrato existe.

—¿Don Ignacio? —preguntó el marqués, posando la negra mirada en el sevillano e instándole a hablar.

—No soy Zurbarán, por supuesto. Pero no soy mal pintor. Carezco de estilo propio, no me cuestan prendas reconocerlo, y doy tal apreciación por verdad de tantas veces como me la han hecho ver. Y por eso mis obras difícilmente serán valoradas. Pero soy copista de primera. Y creo haber ejecutado una réplica impecable de ese cuadro —afirmó, señalando al que reposaba en el caballete en un rincón del comedor—. He utilizado los pigmentos, aceites y sustancias que se usaban en el siglo pasado y he realizado la copia sobre una tela de la época. Del tamaño exacto. Y no creo que nadie aquí en Jerez sepa distinguir entre un original del maestro y una copia de un falsificador intuitivo.

De hecho, la copia falsa lleva ya dos semanas expuesta en San Miguel y nadie ha dicho ni pío.

—¿Para cuándo estará el resto de las copias?

—Me ha fijado usted corto el plazo, marqués. No sé si para Semana Santa tendré las seis terminadas. Y si así fuera, mis honorarios subirían. Pero haré todo lo posible. Tengo casi terminadas las pinturas de las santas, avanzada la del jubileo de la Porciúncula y nada más que esbozada la de la Virgen niña. Pero, descuiden ustedes, cumpliré.

—Y hágalo con tiempo, para que don Florián pueda organizar los cambios de las pinturas falsas por las auténticas con suficiente antelación. En la sustitución de este cuadro, tuvimos suerte de que don Ramón —explicó, refiriéndose al párroco de San Miguel don Ramón Álvarez de Palma— se hallaba de visita en el arzobispado de Sevilla. Y con la inestimable ayuda de don Alejo y de los alguaciles de don Florián, no hubo problemas en sustituir una pintura por otra, aduciendo la necesidad de cerrar el templo durante unos minutos por un conato de incendio. Pero para las restantes sustituciones habremos de disponer de algunos días para planearlas. Así que no se demore.

—Te recuerdo, Raimundo, que mi cargo de alguacil mayor vence a finales de año —participó Alvarado.

—Pues habrá que procurar que se renueve. Don Alejo, ¿cómo van sus andares con los curas de San Dionisio y con los capuchinos?

—Por muy buen camino, marqués —aseveró el cura.

—Pues entonces, hora es ya de que repartamos esos dineros. Florián, doscientos escudos son para el reverendo y trescientos para don Ignacio. Lo convenido. Aquí tienes dos bolsas. Haz las cuentas, por favor.

Y estando recontando de nuevo las monedas el Alvarado López de Orbaneja, se abrió la puerta del comedor. Apareció en su umbral mister Francis Jameson. Aunque aún vestía ropa de calle, se hallaba descabellado. Su pelo rojo natural era rizado y cortísimo y, de no haber sido colorado, habría parecido el pelo de un negro indiano.

—Señores, disculpen la interrupción, pero he pensado que, firmados que han sido todos los papeles y pagados que han sido todos los dineros, ese cuadro —dijo, señalando a la *Santa Faz* de

194

Zurbarán— debería dormir conmigo. No es desconfianza, caballeros: es prudencia.

Y sin más venias, se dirigió al rincón donde estaba el caballete, levantó el cuadro, le dio una nueva mirada y se lo colocó con cuidado bajo el brazo.

—Buenas noches tengan ustedes. Perdonen la interrupción y continúen los caballeros con sus asuntos.

Y, sin más, abandonó la estancia.

Recuperados del sobresalto los españoles, rieron y bromearon sobre la desconfianza del inglés y ridiculizaron su pelo, su exigua largura y color. En un momento de la conversación, comentó don Raimundo:

—De lo que aún me asaltan dudas es de si hemos pedido un precio adecuado por los cuadros o de si deberíamos haber pedido más. Ha sido demasiado fácil el trato y ese inglés apenas si ha discutido el precio.

—Difícil cuestión plantea usted, marqués —respondió el falsificador Ignacio de Alarcón, el único de los cuatro que sabía de pinturas y tasaciones—. Un cuadro vale lo que se paga por él, y si ese tal Blackwood ha tenido a bien pagar diez mil escudos de oro por siete cuadros del maestro Zurbarán, ni me atrevería a decir que ese inglés ha hecho mal negocio, ni tampoco que lo hayamos hecho nosotros. Tasar un cuadro, señor, en estos años de penurias económicas, no es tarea fácil.

—Pues olvídese usted de la época y de las penurias, don Ignacio —insistió don Raimundo—. Objetivamente, ¿cuánto diría usted que valen esos cuadros?

—Mire usted, señor, el precio de un cuadro de un mismo autor varía según múltiples circunstancias y consideraciones. No quiero parecerle pedante, pero no le puedo responder de otra manera. Varía según la temática, varía según el tamaño y varía según su estado de conservación y según otros muchos factores. Permítame un ejemplo: en el siglo pasado, el maestro pintor don Antonio de Pereda tuvo que tasar los doscientos sesenta y cinco cuadros de la colección privada de don Manuel de Fonseca y Zúñiga, conde de Monterrey, con motivo de la muerte de éste. En esa colección había magníficas obras de pintores italianos como Tiziano, Lucas Cambiaso, Luigi Carberini y muchos otros. Y, sin embargo, la pintura que alcanzó mayor valor en la tasación de don Antonio de Pereda fue una obrita de un pintor desconocido, apodado el Pardedone, que don Antonio valoró en ocho mil cien reales. Y le estoy hablando de 1653. Las obras del maestro don Bartholomé Esteban Murillo están alcanzando hoy en día precios exorbitantes en las almonedas de Francia, Inglaterra y los Países Bajos. Y Zurbarán no le va a la zaga en cuanto a calidad pictórica. Así que yo que usted me daba por satisfecho con esos diez mil escudos. Yo lo estoy con mi parte, don Raimundo.

—Pues si está satisfecho, don Ignacio, olvídese de mayores honorarios por acabar las seis réplicas que ha de terminar antes del próximo abril. Ya ve usted que también yo sé valorar las cosas.

—En su momento hablaremos, marqués.

—De lo que sea menester, pintor. —Rellenó las copas de todos, alzó la suya y dijo—: Y ahora, si les va bien, una última copa, y después Caputo les llevará a sus residencias. No hace falta que vengan mañana a despedir a los ingleses. Ya les daré yo las salutaciones suyas. Y luego, que zumben para Cádiz, que cuanto antes se vayan, más tranquilos dormiremos. Salud, pues.

XVIII

LAS CARTAS DE DOÑA ADELA

—¿Con Manuel León de Caravaca? ¡Pero eso es absurdo, señor!

—Vengo de examinar el sumario, señora, y hay dos cartas que su esposo presenta como pruebas y que asegura usted dirige a ese hombre. Y dos cartas que él le dirige, según afirma don Juan. En ellas basa en buena parte su acusación. Aporta además el testimonio de dos criados, del que después le hablaré. He leído esas cartas y su contenido es ciertamente comprometedor. Le ruego me diga, doña Adela, ¿quién es ese Manuel León de Caravaca?

Pedro de Alemán y Camacho se encontraba en la cárcel real en la mañana del 9 de noviembre, visitando de nuevo a doña Adela Rubio y Cabeza de Vaca. Antes, a primera hora de la mañana, se había cerciorado de que el procurador Hiniesta había presentado su escrito de libertad de la presa bajo caución juratoria y había logrado tener acceso al sumario incoado tras la denuncia de don Juan Navas del Rivero. Éste basaba su acusación en dos cartas halladas en poder de su esposa, que decía descubiertas casualmente entre sus cosas, dirigidas a un tal Manuel León de Caravaca, y de otras dos dirigidas por éste a la denunciada, y que evidenciaban a juicio de cualquier lector —decía la denuncia— que entrambos habían existido relaciones carnales. Completaba su imputación con el testimonio de una doncella de doña Adela, llamada Hortensia Laguna, que juraba que la letra de las cartas atribuidas a su señora eran del puño y letra de ésta; y del mayordomo de don Juan, nombrado Mariano Sanjuán, quien testificaba que había sorprendido en varias ocasiones a la señora y al tal Caravaca en actitudes delicadas en las que no faltaron besos y caricias.

Alemán no había podido conseguir copia de las cartas, pero sí había podido leerlas. Y recordaba algunas de las frases que contenían las cartas de Caravaca a doña Adela:

... Yo cuando te conocí y puse mi amor en ti, ya te conocí casada, pero en cuanto te vi me pudo el apetito de conseguir tu amor y hacerte mía. Y cuando tuve tus besos vi el cielo en vida, y cuando dormí contigo desde entonces jamás a la muerte le temiera...

Amantísima Adela:
Recibí tu carta en la que me hablabas de tus miedos y deseando estoy quitártelos a besos. Ya estoy de regreso de Cádiz y espero con ansia me digas cuándo podremos vernos. Vivir no puedo sin tus caricias, sin el roce de tus labios que a mi salud más mejoran que el más sanador de los tónicos; sin el sabor de tus pechos que la ambrosía más cara no mejoran...

Y de las cartas de doña Adela a su pretendido amante:

... morir será lo mejor. Mis penas se acabarán, se mitigará mi dolor, y de mí se apartarán celos, ausencias y miedos. Porque temo que mi esposo descubra nuestro amor y así es imposible vivir. Temiendo por tenerte y por no tenerte. Por tener tus anchos brazos rodeando los míos, y por no tenerlos...

... mas ha de merecer la pena tener tus besos, aunque ello suponga mi ruina. Mi esposo marchará en breve a Sevilla para negocios. Recibirás esquela mía y las instrucciones para que llegues a mi alcoba sin temor a ser visto. ¡Cuento las horas que faltan, amor mío!

—Ese Manuel León de Caravaca no es más que un maestro de obras que dirigió unas restauraciones en casa cuando los techos de algunas habitaciones del ala derecha presentaron grietas y humedades —contestó doña Adela, indignada—. La casa, como usted debe de saber ya, es de nueva construcción, y por eso mi marido no quiso que fuese el maestro de obras que la había edificado quien llevase a cabo las reparaciones, pues se propone demandarle, si no lo ha hecho ya, por los daños. Y por eso buscó a León de Caravaca. Es de Cádiz, lo cual iba a evitar el corporativismo de los alarifes jerezanos si tuviese que testificar en el pleito. Además, según mi esposo, es experto en ese tipo de obras.

—¿Tuvo usted que mantener tratos con él con motivo de esas obras? —preguntó el letrado.

—En absoluto. De todo lo relacionado con las reparaciones se encargó personalmente mi esposo y su administrador, don Alfonso Castro de Villa. Yo no tuve nada que tratar con él. Además, Caravaca sólo anduvo un par de meses por la casa y sólo crucé dos frases si acaso con él. Nunca tuve ocasión ni necesidad de estar a solas con ese hombre ni un segundo tan sólo. ¡Todo esto es absurdo, señor! ¡De verdad que no comprendo nada!

La entereza que el día anterior había mostrado doña Adela Rubio y Cabeza de Vaca en su primera entrevista con el letrado se estaba desmoronando como un árbol alcanzado por un rayo. Su segundo día en prisión había hecho estragos en su aspecto. Se la veía macilenta, con los ojos hinchados de sueño o de llanto, trémula e insegura. Su voz, que antes había evidenciado su alcurnia, era ahora débil, como la de una enferma. Sus ropas, que el día antes aún mostraban el decoro de sus buenas hechuras, hoy estaban arrugadas y manchadas. Sus labios, antes tan firmes, ahora temblaban. El elaborado peinado de doña Adela sólo era un recuerdo y sus cabellos rubios caían en mechones torpes sobre su blanco cuello.

—¿Cuándo se ejecutaron esas obras?

—Hará más de medio año que finalizaron, señor.

—Pues sí que es raro que la denuncia se formule ahora. ¿Le escribió usted alguna vez una carta a ese Caravaca? ¿O la recibió de él?

—¡Jamás! ¿Para qué habría de hacerlo? Era mi marido quien trató siempre con él, le vuelvo a decir.

—Intentaré conseguir copias de esas cartas para que usted pueda leerlas. A ver si así puede ofrecerme mayores aclaraciones. ¿Le han tomado declaración?

—Nadie ha venido a verme, salvo usted.

—Mejor así. Hábleme de Hortensia Laguna.

—¿Hortensia? Es una de mis doncellas, ¿por qué? ¿Qué tiene que ver ella en todo esto?

—Afirma que la letra de las cartas es suya.

—¡Por Dios! —exclamó doña Adela, agarrándose con fuerza a los barrotes. Sus ojos, muy abiertos, se habían llenado de lágrimas—. ¿Cómo ha podido, don Juan...? ¿Cómo ha podido...? —Respiró con fuerza, intentando recuperarse. Cuando hubo conseguido contener el llanto, continuó—: Hortensia no es una mala chica, pero es pusilánime. Está con nosotros desde que era una niña, después de que sus padres muriesen en San José del Valle de fiebres tercianas. Nos la recomendaron los monjes cartujos, que, como sabe usted, mantienen la ermita de por allí. Y la hemos tratado siempre, si no como una hija, sí como a una más de la familia. Y es un poco corta, aunque es buena. Le habrán obligado a decir eso, señor. Y no sé cómo mi marido ha tenido alma de obligarla. ¡Lo que estará sufriendo la pobrecita mía!

—¿Vio Hortensia alguna vez escritos suyos? ¿Sería capaz de distinguir su letra?

—Hortensia no sabe leer ni escribir —respondió la dama, con amargura—. Y no sabría distinguir un escrito de tinta de un escrito de imprenta. Además, don Pedro, dudo mucho que alguna vez tuviese ocasión de ver una carta mía. Y no porque yo lo haya intentado evitar, ni porque se lo haya prohibido, sino porque ni ella es curiosa ni yo acostumbro a escribir cartas. ¡Ni siquiera recuerdo cuál fue la última que escribí...! Tal vez a mis hermanos, a las Indias, hace más de un año, y aún no sé si les llegaron. No tengo más familia, con excepción de mi tío en El Puerto, y por tanto tampoco necesidad de escribir. Mi vida se centra en educar a mis hijos, atender a mi esposo y cuidar de mi casa. Y hacer las obras de caridad que la ley cristiana nos impone, a pesar de los pocos dineros que don Juan me da para ello.

—Hábleme de Mariano Sanjuán.

El gesto de la dama se endureció al oír el nombre del criado. Un centelleo de su anterior pundonor apareció en sus ojos tristes.

—¿Qué dice ese hombre de mí?

—Afirma haberles sorprendido, a usted y a ese Caravaca, en actitudes comprometidas. Habla de besos y caricias y...

—¡Canalla! —interrumpió la presa. Su exclamación sorprendió a las dos fulanas que compartían celda con doña Adela, a las que hoy se había unido una gitanilla acusada de rapiñar bolsas en la plaza del Mercado, que cesaron en sus cuchicheos y miraron con sorpresa a la dama—. ¡Es el individuo más vil y mezquino que vi jamás! ¿Cómo puede sostener eso, por Dios bendito? ¿Cómo, siendo mentira?

—¿Encuentra usted alguna razón que pueda darme?

—¡Por supuesto! —repuso enseguida la mujer—. Sería capaz de lo que fuese si su amo se lo ordena. ¡Si don Juan así se lo pide, sería capaz de arrojarse a las aguas del Guadalete con una rueda de molino atada al cuello! ¡No le sorprenda nada de él! ¡Diría que me ha visto yacer con un súcubo si don Juan se lo manda! ¡Y quedarse tan fresco después!

Ahora, la sorpresa de las coimas y la ratera se había convertido en franca estupefacción. Y se arrimaron aún más al fondo de la celda, como si la mujer que hablaba con aquel abogado —que también tendría que defenderlas a ellas, aunque ellas aún ni lo sabían— se hubiese vuelto loca.

—¿Hasta el punto de llegar a mentir en juicio?

—Ésa sería la más liviana de las acciones que estaría dispuesto a acometer por don Juan, sépalo usted. Cosas peores ha hecho.

—¿Podría referírmelas?

—¿Es de interés para este caso, señor?

—Permita usted que sea yo quien lo determine, señora.

Doña Adela Rubio y Cabeza de Vaca quedó pensativa unos momentos, los ojos fijos en el suelo sucio de la celda. Al final, pareció alcanzar una decisión, levantó los ojos y dijo:

—Sólo sé referencias, don Pedro. Cosas que he podido oír por descuido. Como obligar a competidores de mi marido a renunciar a pedidos de vinos a Inglaterra, a pesar de haber ofrecido mejores precios, o coaccionar a deudores para el pago de sus débitos. Y usando la más extrema de las violencias, cuando era preciso. Recientemente, ese bellaco de Mariano Sanjuán ha roto más de un par de huesos con ese fin. Mi marido está exigiendo en los últimos meses el pago inmediato de créditos que había diferido en el tiempo a sus clientes. No sé el motivo.

Ahora fue el abogado quien se quedó pensativo, mirando fijamente a su defendida hasta que la mirada se tornó incómoda. Después, anotó unas frases en el cuadernillo que siempre llevaba consigo.

—¿Tiene su esposo dificultades económicas? —preguntó después.

—No lo sé. Y de cualquier forma, ¿justificaría eso la obscena acusación que me mantiene aquí? Y, por cierto, ¿hasta cuándo habré de estar presa?

El abogado tardó unos segundos en responder. Aún reflexionaba sobre el anterior comentario de su cliente.

—Esta misma mañana he presentado solicitud de libertad bajo caución juratoria. Confío en que la justicia no tarde en proveerla y que la decisión sea favorable.

—¿Podré volver a mi casa, si se me libera?

—No creo, señora, que su esposo lo consienta. Aunque tengo intenciones de ir a hablar con él esta misma mañana, como ya le dije ayer.

—He estado reflexionando sobre ello. Y he de preguntarle, ¿qué le va a plantear a mi marido?

—El perdón del esposo extingue el delito, doña Adela.

—Si es para eso, le prohíbo que hable con don Juan. Ni quiero ni aceptaré perdones por un delito que no he cometido.

—Más de una vez es preciso en la vida, señora, aceptar lo que no queremos para obtener un fin mejor.

—Y yo le digo que la cárcel me asusta, pero que mi dignidad vale más que mis miedos.

El letrado asintió, conmovido por la integridad de esa mujer que, pese a estar presa, no estaba dispuesta a renunciar a su honra.

—Sea como usted dice, doña Adela. Pero de cualquier forma hablaré con su esposo, aunque no sea para pedir clemencia.

—Haga lo que desee, pero no espere nada de él. Y menos después de lo que ha sido capaz de hacer a su propia esposa.

—En caso de que don Nuño decida dejarla en libertad y su esposo no consienta en acogerla en su casa, ¿tendría donde quedarse?

—Ya le hablé de mi pariente en El Puerto.

—No le dije ayer que la libertad bajo caución juratoria posiblemente exija que resida usted en la ciudad donde va a ser enjuiciada, doña Adela.

La mujer pensó un instante. La profundidad de sus ojos, que miraban al letrado sin verlo, expresaba el tremendo desamparo de quien se sabe sola. De quien se sabe perdida cuando se la aparta de lo que había sido su medio y su entorno y no tiene adónde ir. Como el pájaro al que, habiendo vivido siempre en la cautividad de su jaula, se le deja de improviso en libertad.

—Tal vez Ángeles...

—¿Ángeles...?

—Sí, Ángeles Huertas; fue mi aya de siempre, hasta que ya se hizo demasiado vieja y sus enfermedades le impidieron atender sus obligaciones domésticas. Ha sido como una madre para mí y voy a visitarla de cuando en vez. Es muy mayor ya, viuda y con sus hijos casados y establecidos por su cuenta en El Puerto. Ella ha preferido seguir viviendo en Jerez, en un par de habitaciones en una casa de vecinos de la calle Abades. Tal vez ella...

—Iré a verla. Me coge cerca del bufete y hablaré con ella.

—¡Pero Ángeles es pobre! No puedo obligarla a que con sus escasos medios provea para las dos. ¡Y yo no dispongo ni de un real!

—Ya buscaremos una solución. Ahora mismo, ésa debe ser la menor de sus preocupaciones.

—Se lo agradezco, señor. Ya le he dicho que ahora no puedo pagar nada, ni mi pan ni sus honorarios, pero no dude que cumpliré con usted.

—Y no lo dudo. Un último asunto, ¿sabe dónde podría hallar a ese Manuel León de Caravaca?

—¿Y cómo iba yo a saberlo, don Pedro? Sólo sé que es de Cádiz y nada más.

—Es el testigo crucial de su proceso, doña Adela. Es... —y se interrumpió, turbado de pronto—. ¡Dios! Ahora que lo pienso, raro es que la denuncia no se haya dirigido también contra él. Si ha habido adulterio, ha habido dos delincuentes, señora, con perdón. El hecho de vivir en Cádiz no debería ser excusa para... —Se quedó pensativo e intrigado—. Es curioso... Sí, sí que es curioso... Pero, en fin, ya encontraremos a ese tal Caravaca y ya saldremos de dudas. Y ahora, doña Adela, debo irme. Espero que la próxima vez que la vea no sea a través de estos barrotes.

—Dios lo quiera, don Pedro.

—Y don Nuño, señora, que es quien tiene la última palabra.

—La última palabra siempre es de Dios, abogado.

XIX

El bodeguero don Juan Navas

Supuso que a esas horas de la mañana don Juan Navas del Rivero se hallaría en su bodega de la plaza del Cubo y decidió ir allí a hablar con él. A la vista de las instrucciones de doña Adela, no sabía qué iba a plantearle ni con qué objeto iba a mantener el encuentro, pero se decidió a ir de todas formas. Ya se le ocurriría algo por el camino, se dijo. Salió de la Casa de la Justicia y cárcel real. La mañana amenazaba lluvia: negros nubarrones se iban poco a poco adueñando del cielo de noviembre y corría un aire frío e inhóspito que auguraba agua. Se ajustó bien la capa, la casaca y el sombrero y salió a la calle. Fue a doblar a la izquierda para tomar la calle Chapinería cuando vio que por la plaza de los Escribanos venía don Nuño de Quesada acompañado de su asesor don Rafael Ponce de León, un ujier y un par de corchetes. Pedro de Alemán saludó desde lejos al juez con una inclinación de cabeza y se dispuso a seguir su camino.

—¡Abogado!

Alemán se volvió y vio que don Nuño de Quesada reclamaba su atención. Caían ya las primeras gotas del aguacero que se avecinaba. El letrado miró al cielo y se acercó al juez.

—Señoría —saludó.

—Me acabo de enterar de que defiende usted a doña Adela... ejem... ¿cuál es su apellido...? La esposa de don Juan Navas del Rivero, me refiero.

—Así es, señor. Doña Adela Rubio y Cabeza de Vaca. Y vengo de visitarla en la cárcel real, precisamente.

—Asunto desgraciado este, abogado.

Pedro no respondió. Ni sabía las intenciones del magistrado ni supo qué decir ante la afirmación del juez. Quedó aguardando a que el de Quesada se explicara.

—Es usted joven todavía y, aunque apunta buenas maneras, he de decirle, don Pedro, y no se moleste usted, que creí que esa señora buscaría abogado de mayor experiencia y... ¿cómo decirlo?... mayores contactos para defenderla.

—La persona del abogado no importa cuando el cliente lleva razón, señoría. Son sus razones las que han de pesar y no quién sea su letrado.

—Me gustan sus derechuras, letrado, aunque eso que dice no se lo cree ni usted. Ya conoce usted el dicho: «Abogado en el concejo hace de lo blanco negro».

—Sólo puedo decirle que espero responder a la confianza que esa señora ha puesto en mí.

—¿Y no le convendría un acuerdo con Navas?

—Con todos los respetos, señoría, dos cosas: una, mi cliente no quiere perdón por una culpa que afirma no es suya; y dos, no sé cuál sería el interés de la justicia en que la verdad sea ocultada por un mal acuerdo.

—No malinterprete mis palabras, jovencito. Lo que quería hacerle ver es que se enfrenta usted a un asunto peliagudo. Y de cualquier forma, no olvide que la verdad sin pruebas suele ser tenida por mentira.

—Lo sé, señor, y agradezco su advertencia.

—También me han comunicado que ha presentado usted solicitud de libertad bajo caución juratoria.

—Así es, señoría. Esta misma mañana. Ya veo que está su señoría al tanto de las cosas de su tribunal. No creo que una dama como doña Adela Rubio y Cabeza de Vaca deba estar en prisión. Y no sólo por su linaje y por sus apellidos, sino porque tiene dos hijos que cuidar y una honra que proteger. Y las pruebas contra ella, aún deben ser debatidas. Porque, señor, como ya le he dado a entender, mi cliente niega todos los cargos.

—Don Juan Navas no va a consentir que vuelva a su domicilio, aunque quedase en libertad. Ya sabe usted cómo es don Juan, y si no lo sabe se lo digo yo.

—Doña Adela —repuso el abogado— tiene donde vivir si fuese puesta en libertad, don Nuño.

—Me han dicho que no tiene parientes en Jerez...

—Así es, pero sí tiene quien la acoja.

—Es un asunto, señor De Alemán, de lo más delicado. Es una dama de alcurnia, es cierto...

—Ahora carecen de influencias y de veinticuatrías, don Nuño, pero en sus tiempos los Cabeza de Vaca sirvieron ejemplarmente a Jerez. Alvar Núñez y Cabeza de Vaca fue adelantado de su majestad don Carlos Primero y capitán general del Río de la Plata, como sin duda su señoría sabe. Y su abuelo, don Bartolomé Estupiñán y Cabeza de Vaca, fue uno de los conquistadores de las Canarias.

—Sí, me suena lo que me dice —reconoció, pensativo, el juez de lo criminal—. En fin... Le deseo suerte, de cualquier manera. Y mañana tendrá usted mi auto sobre esa petición de libertad. Quede usted con Dios.

Pedro fue dando vueltas a las palabras del juez durante todo el camino hasta la plaza del Cubo. Tan pronto apreciaba motivos para sentirse optimista como para intuir en aquellas palabras negros presagios. Perdido en esos pensamientos y empapado por la lluvia llegó a la bodega de don Juan Navas. Era una construcción que aparentaba medir al menos veinte estadales cuadrados de planta y que se alzaba más de diez varas. La puerta, de gran tamaño, estaba abierta. En el interior de la bodega, cientos de botas se almacenaban asentadas en tres o cuatro hileras superpuestas. Varios obreros bregaban entre las botas, otros se afanaban en el enorme alambique con que se fabricaba el aguardiente, situado en el lateral izquierdo de la nave, y se observaba gran trajín, pues era el tiempo del trasiego de los mostos. Al igual que en la mayor parte de las bodegas jerezanas de esa época, en la de don Juan Navas se elaboraban sobre todo mostos y vinos en claro, que era como se llamaba al vino sacado de lías como resulta de un primer trasiego.

Llamó la atención de uno de los obreros, que en ese momento acarreaba unas jarras, pero el hombre le indicó por señas que se dirigiese a quien Pedro identificó como el capataz de la bodega, por sus ropas, no tan desastradas como las de los restantes menestrales, y por su porte.

—Vengo a ver a don Juan Navas —le hizo saber, una vez se le hubo acercado el individuo.

—Don Juan no suele venir por aquí, señor.

—¿Dónde puedo encontrarlo?

—Pues supongo que en la Corredera, en su casa, que es donde despacha sus asuntos. O en la sede del gremio de la vinatería, tal vez.

Pedro, contrariado, dio los buenos días al capataz y salió de la bodega. Diluviaba en ese instante y decidió resguardarse en el soportal hasta que el chaparrón amainase un poco. Cuando lo hubo hecho y el aguacero se hubo convertido en llovizna, salió del soportal y se dirigió a la Corredera.

* * *

La torre de la iglesia colegial era una construcción de doble cuerpo que estaba adosada al templo. A sus pies estaba la capilla donde los canónigos se habían refugiado tras haber tenido que salir precipitadamente de San Dionisio. El primer cuerpo de la torre había sido erigido en los años cuatrocientos y era de estilo gótico, y su segundo cuerpo había sido edificado en el siglo siguiente y constaba de tres pisos para cuerpo de campanas.

En la torre había diez campanas: cuatro fijas, cuatro de volteo y dos pequeñas de señales. El encargado de los repiques era el campanero de la colegial Abelardo Peña, de quien se decía que era capaz de hacer hablar a las campanas de la torre y que se lucía especialmente en las vísperas del día del Corpus, cuando llevaba a cabo un repique general con la torre empavesada y que daba señal para que todos los campaniles de la ciudad voltearan sus carrillones dando lugar a un soberbio concierto de metales.

Ese día, Abelardo Peña salía de la torre después de haber terminado el repique de las ocho de la mañana. Era un hombre grande, de carácter afable, pecho de toro y fuertes brazos que le permitían manejar con soltura sogas y poleas. Vivía con su madre en la calle Ciegos, cerca de la colegial, e iba a su casa a desayunar cuando se encontró con Jacinto Jiménez Bazán, que se dirigía a su trabajo diario en la capilla de la torre. El sacristanillo caminaba distraído y cariacontecido, murmurando por lo bajo y pateando cuantos chinos y pelotes se encontraba en su camino.

—¡Jacinto, buenos días! —saludó el campanero, alegre como siempre.

—Buenos días, Abelardo —contestó el sotasacristán, con la voz turbia.

—No te veo tan contento como en las últimas semanas, Jacinto, que parecías un cascabel. ¿Se puede saber qué...? Pero... ¿qué te ha pasado en la nariz, hombre de Dios?

La nariz de Jacinto, más que nariz, parecía un nabo teñido de rojo. Tras el golpe y la sangría, se le había inflamado y le cubría media cara. En nariz similar debió de inspirarse don Francisco de Quevedo cuando escribió aquel soneto a las formidables napias de don Luis de Góngora.

—Nada —respondió Jiménez Bazán, sin ganas de hablar y deseoso de seguir su camino.

—Pues para no haberte pasado nada, la tienes hecha un asco, amigo.

—Una pelea, nada más.

—¿Una pelea, tú? Y yo que habría dicho que tú no eres hombre de trifulcas. ¿Y con quién fue, si puede saberse?

El sacristanillo dudó, pero después, recordando la explicación dada a su hijo José, manifestó:

—Con Diego González, el paje del canónigo.

—¿Con Diego? ¿Y a santo de qué?

—Lo sorprendí hurtando en el almacén de la colegial, vaya.

—¡Dios bendito! ¿A Diego? ¡Jamás lo habría dicho! ¿Y se lo has contado ya al canónigo?

—No, ni voy a hacerlo. Y no quiero que tampoco tú digas una palabra, Abelardo. Esto hay que arreglarlo entre hombres, así que déjalo.

—Ten cuidado con esos arreglos, Jacinto, que después ya sabes que la palabra de hombres como nosotros nada valen frente a las de quienes están amparados por los curas. Consejo de amigo.

—Y yo que te lo agradezco, pero esto es cosa mía. Me ha amenazado encima, y eso no lo voy a consentir. Y ahora, adiós, que tengo prisa.

Jacinto Jiménez siguió su camino hasta la capilla de la torre mientras Abelardo Peña subía la plaza de la Encarnación para llegar a su casa en la calle Ciegos. Ni siquiera sabía por qué había contado esa historia al campanero. Le había salido así, sin pensarlo y sin meditación alguna. Después, mientras entraba en la capilla y comenzaba a preparar la misa de las ocho y media, se dijo que esa historia no le iría mal en caso de que el canónigo y su paje no se contentaran con los dineros que le habían sacado y decidieran ir más allá en su denuncia.

* * *

Pedro llegó a la Corredera en un coche de caballos que había alquilado en la calle Ancha. La llovizna que caía cuando salió de la plaza del Cubo había vuelto a tornarse despiadado chaparrón y decidió tomar un coche que le sería más barato que la cura de la pulmonía que se exponía a coger de seguir caminando bajo el diluvio. El coche le dejó justo a la puerta de la casa de don Juan Navas del Rivero. Era una mansión de tres plantas, toda de piedra cuyo lustre hablaba de lo reciente de su edificación. Hizo sonar la campanilla que había en la verja y aguardó. Al poco llegó un criado, viejo y cojo, a quien, a través del cancel, dio su nombre y participó su deseo de ver al dueño de la casa. El criado se fue sin decir palabra; después de unos minutos apareció un individuo que abrió la cancela y se plantó delante del letrado.

—¿Qué desea usted?

Era un tipo de buena alzada —casi seis pies, calculó Alemán—, de facciones finas y ademán cortés. Su voz, empero, desdecía su apariencia: era pausada y grave y pulsaba en ella un dejo de amenaza. El letrado supuso que sería Mariano Sanjuán, el mayordomo de Navas.

—Mi nombre es Pedro de Alemán y Camacho y soy abogado. Deseo ver a don Juan Navas.

—¿Qué asunto le trae, señor?

—Particular y privado.

—Pues espere aquí, si no es molestia —dijo, abriendo del todo la verja y permitiendo que el abogado accediese al patio—. Don Juan está ocupado, pero anunciaré su visita.

Tras la cancela se abría un patio luminoso repleto de plantas y arriates. En su centro, una fuente de azulejos de la que en ese momento no fluía agua. A su alrededor, detrás de una galería con columnas, se abrían varias habitaciones. Una elegante escalera de mármol blanco conducía a los pisos superiores, a las plantas nobles. Vio que el mayordomo cruzaba el patio y entraba en una de las estancias. Advirtió que la puerta de la habitación donde había entrado el mayordomo se abría y que éste salía acompañado de quien debía de ser el dueño de aquella mansión, don Juan Navas del Rivero.

Don Juan era un hombre de mediana altura, vestido con elegancia pero sin ostentación. Iba descabellado y su pelo era rizado y de color castaño, como sus ojos. Su piel era muy blanca, casi enfermiza; sus labios, muy finos; sus pómulos, sobresalientes; su semblante, adusto, y su barbilla, huidiza. Alemán pensó entonces que la hija de ese hombre, Adela Navas, no había recibido de su padre ni un solo rasgo, que eran todos de su madre. Y ponderó también si el motivo de la visita a esa casa, más que entrevistarse con el caballero que estaba ante él, no habría sido en realidad ver de nuevo a esa joven de ojos verdes y trenzas rubias a quien no lograba apartar de su mente.

—¿Viene usted de parte de don Pedro Esteban? —preguntó el caballero. Su voz era profunda pero apresurada.

—¿Cómo dice usted?

—Don Pedro Esteban Ponce de León Padilla. ¿Es usted su abogado? Si es así, no tiene nada que hablar conmigo. Diríjase a mi abogado, que es don Juan Polanco Roseti. —Y sin dar tiempo a Alemán a responder, continuó—: Y de cualquier forma, diga a su cliente que aún no tengo sus dineros. Pero que antes de fin de año saldaré mi deuda sin duda alguna. Y ahora, buenos días, señor.

Don Pedro Esteban Ponce de León Padilla era caballero veinticuatro de Jerez y regidor de su concejo. Hombre adinerado, con más de cien mil reales de renta al año, se dedicaba a negocios diversos entre los que figuraba el de conceder préstamos a mercaderes y comerciantes.

—No sé de qué me habla, caballero —repuso el abogado.

Don Juan Navas, que ya se había girado para regresar a la estancia de la que había salido, se dio la vuelta y encaró de nuevo al abogado. Se quedó observándole unos instantes y Alemán advirtió la dureza de su mirada.

—Y entonces, ¿quién es usted? ¿Y qué desea?

—Soy el abogado de su esposa, doña Adela.

211

El rostro del bodeguero adquirió aún mayor palidez y un relámpago de furia refulgió en sus ojos. Se quedó en silencio, rígido, mirando al abogado como si éste fuese una lombriz y como si dudara entre aplastarla con el zapato o estrujarla con sus propias manos.

—No debería hablar con usted. Ni usted debería haber venido. Lo correcto es que hable usted con Roseti.

—No creo que nos haga ningún daño intercambiar dos palabras, señor. No hay norma que lo prohíba. Y con su abogado puedo hablar en cualquier momento.

Don Juan Navas quedó dudando, sin quitar la vista de su interlocutor, a quien parecía examinar con mayor interés.

—Acompáñeme —dijo al fin; y despidiendo al mayordomo—: Te avisaré si te necesito.

La estancia donde caballero y letrado entraron era el despacho donde el primero diligenciaba sus asuntos y trataba sus negocios. Navas se sentó en su sillón detrás del escritorio e hizo un gesto a Alemán para que ocupara una de las sillas.

—Usted dirá.

Pedro no había preparado esa reunión. Ni siquiera sabía qué iba a plantear a ese hombre que había denunciado a su mujer por adulterio. La decisión de venir a verlo había sido irreflexiva y, posiblemente, imprudente. Cuando no una excusa para otro propósito que nada tenía que ver con el hombre que se sentaba frente a él y que lo miraba ceñudo. Pero allí estaba.

—Soy el abogado de su esposa, y...

—Eso ya me lo ha dicho —interrumpió Navas, inclinándose sobre el escritorio—. ¿Qué pretende usted viniendo aquí?

—Su esposa niega los cargos que se le imputan, señor.

—Eso debe decírselo usted al juez, no a mí.

—He pedido su libertad.

—Y yo espero que no se la concedan.

—Para el caso de que se la dieran, ¿permitirá usted que su esposa regrese a esta casa?

—Mientras yo viva, doña Adela no volverá a pisar esta casa. Con libertad o sin ella. Ni aunque me pida mil perdones.

A Pedro de Alemán no se le pasó por alto que el caballero había usado el «doña Adela» para referirse a su esposa. Y ello le sorprendió más que si hubiese utilizado otras expresiones como «adúltera» o incluso «zorra» o cualquiera otra de similar tenor. Quiso pensar que a lo mejor tal detalle era revelador. Aunque no era capaz de decir de qué.

—He de hacerle saber que su esposa no desea ni perdón ni clemencia, pues no reconoce culpa alguna.

Don Juan Navas del Rivero bajó la mirada. Si no lo hubiera hecho, el abogado habría jurado que en sus ojos había relumbrado un fulgor como de pena, o de compasión tal vez. Pero de forma tan fugaz que no permitía ninguna apreciación segura.

—Si no tiene nada más que hablar conmigo —dijo el caballero, alzando otra vez la mirada, que ahora era de nuevo fría—, creo que debería marcharse ya.

—Tengo algo más que pedirle —repuso el letrado—. Constan en el sumario dos testigos de la acusación: una criada llamada Hortensia Laguna y su mayordomo, que creo es quien me ha recibido. Deseo hablar con ellos.

—Eso no será posible —objetó don Juan Navas, poniéndose de pie y dando por finalizada la entrevista.

—Tengo derecho a ello, señor —replicó el letrado, levantándose también.

—Pues que me lo diga el juez. Hasta tanto, ni se le ocurra volver por aquí. Y una pregunta, si me permite: ¿quién paga sus honorarios, abogado?

—Ésa es una cuestión que sólo nos concierne a mi cliente y a mí, don Juan.

—Sólo era curiosidad, no es algo que me preocupe. Olvídelo.

—Si su esposa queda en libertad, necesitará sus ropas y sus cosas personales. ¿También se las va a negar?

El caballero vaciló durante un segundo. Luego dijo:

—Dígame dónde he de llevárselas y haré que se las envíen.

—Prefiero mandar yo por ellas, si no le incomoda.

—Lo que usted quiera, abogado. Y ahora, buenos días.

Don Juan Navas del Rivero se adelantó, abrió la puerta y la mantuvo abierta hasta que el letrado salió del despacho. Después cerró de un portazo. Fuera estaba Mariano Sanjuán, el mayordomo, que indicó a Alemán la salida con un gesto y una sonrisa taimada. Había estado oyendo la conversación sin lugar a dudas. Al cruzar el patio, el abogado levantó la mirada. Y allí, con las manos apoyadas en la baranda del primer piso, estaba

Adela Navas y Rubio. Vestida de amarillo y el pelo suelto y dorado. Miraba fijamente al abogado con esos ojos verdes capaces de hacer que las aguas del mar Rojo volvieran a abrirse. Y Pedro habría jurado que esos ojos le sonrieron. Y que en esa sonrisa de sus ojos no había rencor por lo acontecido en su bufete. Que había agradecimiento. Y algo más.

Salió a la Corredera. Aunque aún lloviznaba, la lluvia fina no le molestó. Le brincaba el ánimo y el corazón le latía con fuerza. Se sintió mentecato, mas no le importó. Caminó por esa ancha calle que desembocaba en la plaza del Arenal y se detuvo en un puestecillo callejero donde vendían castañas asadas. El calor del fogarín calentó sus manos heladas del frío de la mañana. Compró media libra de castañas y, mientras las comía, caminó hasta la oficina del abogado de pobres en la Casa del Corregidor. Allí quedó contemplando legajos y sumarios, aunque lo que en realidad miraba eran aquel pelo rubio y aquellos ojos que parecían haberse quedado prendidos detrás de sus pestañas.

XX

LA LIBERTAD DE DOÑA ADELA

Tal como don Nuño de Quesada le había asegurado, en la mañana del siguiente día, 10 de noviembre de 1752, le fue notificado a Jerónimo de Hiniesta el auto del juez resolviendo sobre la solicitud de libertad bajo caución juratoria de doña Adela Rubio y Cabeza de Vaca. El procurador lo leyó someramente y se fue corriendo hasta la oficina del abogado de pobres, donde Pedro de Alemán se hallaba. Intentando recuperar el resuello, pues sus muchas onzas de más desaconsejaban caminatas como ésa, entregó el documento al letrado sin decir palabra y quedó aguardando su reacción. En cuanto Alemán vio el semblante de Hiniesta, adivinó el contenido del auto. Se saltó la parte expositiva, en la que se reseñaban denuncia, apresamiento, diligencias practicadas, la solicitud de libertad de la detenida y los razonamientos del juez, que vaticinaban el fallo, y se fue directamente a la dispositiva:

> En méritos de cuanto antecede, el antedicho justicia y juez mandó que desde luego quede en libertad bajo palabra la inculpada doña Adela Rubio y Cabeza de Vaca, sirviendo este auto de mandamiento para el señor alcaide de la cárcel real, que deberá dar libertad a la presa en cuanto éste llegue a sus manos y haga ante mí el correspondiente juramento de comparecer cuantas veces sea llamada y no hurtarse al tribunal; debiendo devolverle a la dicha presa sus bienes y objetos que le fueren sido incautados y no sean piezas de convicción para el enjuiciamiento, y que nada más se la moleste ni importune, salvo en lo que sea menester para el juicio.
>
> Y mandó asimismo que, de no recibirla el denunciante en su casa, quede la inculpada doña Adela Rubio y Cabeza de Vaca viviendo por

sus propios medios, debiendo fijar residencia en este término y no en
ninguno otro, so pena de ser de nuevo encarcelada.

Y por este su auto de oficio así lo proveyó, mandó y firmó, y firmé
yo el escribano, de lo que doy fe.

Pedro estalló en un grito de júbilo, lanzó el auto por los aires y abrazó a Jerónimo.

—Pero, carajo, Pedro, ¿qué te ocurre? —expuso el procurador, atónito, intentando desasirse del abrazo de su amigo—. ¡Ni que te hubieras enterado de una herencia de mil escudos! ¿Tanto te importa este caso?

Pero el letrado ni siquiera respondió. Recogió los papeles del suelo, se los guardó en el bolsillo de la casaca, cogió la capa, dio un nuevo abrazo al personero y unas efusivas gracias y salió pitando de la oficina.

—Invitarás a comer por lo menos, ¿no?

—¡A las dos, en la taberna del Tuerto, si me da tiempo! —respondió el letrado, mientras salía de la oficina.

—Allí estaré. ¡Y no me des plantón, voto a bríos, que te mato!

Alemán llegó a la cárcel real en menos de cinco minutos. Bajó a la prisión, preguntó por el alcaide y dio razón de su visita, pero fue informado de que el auto del juez aún no había sido bajado desde el tribunal y que, en cualquier caso, la presa tardaría un buen rato en ser liberada, pues había que esperar al escribano para el juramento y realizar los restantes trámites.

Regresó a la plaza de los Escribanos. Llovía. No muy fuertemente, pero el agua calaba, mas el abogado ni se apercibió. Supuso que su cliente tardaría al menos una hora en ser puesta en libertad. Pensó en qué gastar ese tiempo que tenía, y fue entonces cuando se acordó de que había prometido a doña Adela ir a ver a Ángeles Huertas, su antigua aya, para saber si podría acogerla hasta el juicio. La nodriza vivía en la calle Abades, recordó. No tardaría mucho en llegar allí.

La calle Abades era una callejuela estrecha de la collación del Salvador. Preguntó y le indicaron la casa donde la anciana vivía. Era una casucha de vecinos en muy mal estado, de sólo una planta. Ángeles Huertas ocupaba dos habitaciones corridas que daban a un patio que contrastaba con la casa por su pulcritud y sus cuidadas macetas. Pensó que esa limpieza y esas flores serían las únicas cosas agradables con que doña Adela se iba a encontrar cuando llegara, si su antigua aya la acogía.

Ángeles Huertas era una anciana arrugada y con cara de buena persona. Tenía el pelo blanco recogido en un rodete, los ojos azules y tosía con una tos seca que no aventuraba nada bueno, pero en esos ojos azules aún se adivinaban ganas de vivir. Lloró en cuanto el abogado le habló de doña Adela (a quien ella se refería como «mi niña») y de su detención, y lloró aún más cuando le preguntó si podría acogerla en su casa.

—Pero ¿piensa usted que doña Adela querrá vivir aquí? —razonó la anciana—. ¡Ella no está acostumbrada a estos sitios ni a estas penas, señor!

—No tiene otro sitio, Ángeles. Ni tampoco dinero. Yo ayudaré en lo que pueda.

—¿Y por qué hace usted todo esto? Me ha dicho vuesa merced que es abogado, ¿verdad?

—Así es, pero creo que es de justicia lo que hago.

La vieja miró a Alemán, hurgando en sus ojos como si así pudiera alcanzar a saber las verdaderas razones del abogado para hacer lo que hacía. Ella, como todos los pobres —y más de un rico—, pensaba que los abogados sólo querían papeles y dineros, que venían a ser lo mismo, pues de los unos llegaban los otros. Tal vez por eso la sabiduría popular había hecho que el patrón de los letrados fuese San Ivo, al que se representaba con un gato a sus pies, porque se decía que el que en pleitos se metía lo menos malo que podía pasarle era salir arañado.

Pero algo debió de ver Ángeles Huertas en los ojos de Pedro de Alemán porque asintió repetidas veces, tomó las manos del abogado y le dijo que acogería con gusto y con cariño a «su niña». Y le aseguró que, mientras que doña Adela tuviese que vivir con ella, ella dormiría en la habitación que servía de cocina y minúsculo comedor, y que la dama ocuparía la única alcoba de la casa.

* * *

Jacinto Jiménez Bazán limpiaba patenas y copones en la capilla de la torre de la colegial como un autómata, sin fijarse en lo que hacía. Pasaba el trapo sobre los ornatos sagrados como quien barría un suelo limpio como los chorros del oro. Su cabeza estaba en otra parte: en su penuria, en su ineptitud, en que su mujer ya casi había gastado el sueldo que su José se ganaba con los Riquelme y en que en dos o tres días no tendrían ni para comer. Y en que se había acostumbrado a la buena vida con los escudos que el noble le había dado y ahora era incapaz de acomodarse de nuevo a las privaciones. Echaba de menos las buenas carnes, los buenos pescados y los buenos vinos; echaba de menos ver rebosante la despensa de su casa y a sus hijas devorando dulces; y echaba de menos a aquella putita extremeña llamada Guadalupe, que sabía exprimirle la vena de sus gustos... Apenas si podía respirar, sentía como si un puño de hierro atenazara sus pulmones. Le faltaba el aire y notaba que el techo de la pequeña capilla lo aplastaba. Aprovechó que no había ningún canónigo por allí y que era media mañana y ya no habría misa hasta por la tarde, y salió de la capilla. No quiso ni acercarse a su casa: lo que menos le apetecía era darse de bruces con su mujer o con alguno de sus hijos. Así que tomó la plaza de la Encarnación, la calle de la Rosa y llegó a los Llanos del Alcázar. Sin realmente saber lo que hacía, sin importarle la lluvia, se acercó a la puerta de la fortaleza y allí quedó, esperando no sabía qué. Bueno, sí, en realidad lo que esperaba era tener otro golpe de suerte y que el caballero al que unos meses atrás vio salir de allí volviera a hacerlo, pudiera abordarlo de nuevo y conseguir esos dineros que tanta falta le hacían. Y allí estuvo, parado a unos pasos de la puerta de la alcazaba como un pasmarote durante muchos minutos, sin entrar ni salir, sin moverse, sin importarle chorrear del agua de la lluvia hasta que uno de los dragones que hacían guardia se fue hacia él y lo conminó a marcharse de allí.

Abatido, maldiciendo a la vida y a su suerte, Jacinto reemprendió el camino, sin saber a dónde ir. Regresó por donde había venido, bajó hasta el Arroyo de los Curtidores, tomó la cuesta del Espíritu Santo y la calle de San Ildefonso y llegó a la de San Blas. Allí vivía el marqués, el ilustre caballero veinticuatro don Raimundo José Astorga Azcargorta, marqués de Gibalbín y el único hombre que podría sacarle de su miseria.

¿Qué podía perder si pedía una nueva bolsa? ¿Cómo se iba a molestar por ello ese caballero? ¿Qué iba a suponer para él un puñado de escudos, si iba a ganar miles?

Estas reflexiones lo animaron a acercarse a la puerta de la mansión del noble. Estaba a unas decenas de pasos de sus umbrales cuando, de pronto, vio salir de las cocheras el carruaje del marqués. En el pescante, el cochero; y en el estribo, el bravo aquel que le había llevado la bolsa a su casa del callejón del Aire: ancho como la vulva de una furcia, los dientes de oro, la sonrisa taimada, la tez picada por las viruelas, el mostacho negro que escondía una cicatriz que le atravesaba todo el labio superior. Y esos ojos que, sin necesidad de hablar, hablaban del peligro de su dueño; un peligro capaz de hacer salir corriendo por piernas al mismísimo Luzbel.

Jacinto, con la respiración entrecortada, demudada la faz, se escondió tras las ruedas de un carro que estaba allí parado y cargado de botas. Casi ni necesitó agacharse, de alto que era el carro y de chico que era él. Musitando avemarías y padrenuestros, agazapado tras la carreta, rogó para que el carretero no regresase y le privase de su escondite, rogó no ser visto por el bravonel, rogó por hacerse invisible.

Entre los radios de las ruedas vio que el marqués salía de su mansión, que montaba en el coche y que éste se ponía en marcha en dirección a la plaza del Mercado. Hasta que no dejó de oír los cascos de los caballos no salió de su escondite. Luego, chorreando y casi a la carrera, volvió a bajar la cuesta del Espíritu Santo. Tendría que aguardar para sus propósitos a ocasión mejor. Pero ¿cuándo, por Dios? ¿Y dónde? ¿Y cómo? Experimentó de nuevo unas terribles ganas de llorar.

* * *

Llegó a la plaza de los Escribanos en un coche alquilado en el Arroyo de los Curtidores. La lluvia no había amainado y Pedro de Alemán decidió que cuando su cliente fuese puesta en libertad necesitaría un vehículo que la llevase a la calle Abades, que la protegiera del aguacero y que, sobre todo, la ocultara de la curiosidad pública. Una dama ilustre saliendo de las mazmorras de la cárcel real en plena mañana, cuando más gente había en la plaza a pesar de la lluvia, no era espectáculo que en Jerez se viese todos los días. Dio al cochero unas monedas a cuenta, le dijo que aguardase y se adentró en la Casa de la Justicia.

Aún tuvo que esperar un rato a que doña Adela Rubio y Cabeza de Vaca fuese liberada. Lo fue poco después de las once de la mañana, cuando el mandamiento de libertad estuvo en poder del alcaide y la presa hubo hecho ante el escribano del cabildo el juramento de no hurtarse a la acción de la justicia. Cuando vio al abogado, que la esperaba en la entrada de la prisión, doña Adela no dijo nada; se limitó a sonreírle tímidamente, y esa sonrisa escueta y cansada pero luminosa expresó más que mil palabras. No llevaba nada con ella, pues nada le habían dejado llevar consigo cuando fue detenida. Aceptó el brazo que Alemán le tendió para ayudarla a subir las escaleras de la cárcel.

Cuando llegaron al exterior, la claridad del día hirió a la dama, que tuvo que cerrar los ojos. Pedro se quitó su capa, se la ofreció a su clienta, que la aceptó y se la echó por los hombros.

—Ese coche nos espera, señora.

El abogado indicó al cochero la calle a la que querían ir. Cuando ambos estuvieron dentro del carruaje, ocultos de miradas indiscretas, doña Adela se reclinó en el asiento, volvió a cerrar los ojos y suspiró. Fue un suspiro largo e intenso, como el del reo de garrote que es rescatado instantes antes de la ejecución. Abrió luego los ojos, verdes como las hojas de los castaños que adornaban el arroyo, miró al abogado y dijo:

—Gracias. Gracias de verdad. Que Dios se lo pague.

El abogado no dijo nada. Inclinó la cabeza tan sólo y miró las calles por las que discurrían a través de la ventanilla del coche: la cuesta de la Cárcel Vieja, la plazuela del Hospital, la calle Barranco...

—¿Adónde vamos? —preguntó la dama.

—A casa de su antigua aya. Aceptó acogerla.

—La buena de Ángeles... Que la Virgen de la Merced la bendiga.

—Sólo dispone de dos habitaciones y no es un lugar muy cómodo. Cuando todo esto pase, le buscaremos algo mejor.

—No se preocupe por mí. Después de la cárcel, esas habitaciones me parecerán un palacio. ¿Saben mis hijos que he sido puesta en libertad?

—No, señora, hasta donde yo sé.

—¿Podrán venir a verme? ¿Podré ir yo a verlos?

—Ayer me entrevisté con su esposo, como le dije. Le prohíbe pisar su casa. En cuanto a si sus hijos podrán ir a verla, me encargaré de preguntárselo a su marido. Tendré que ir hoy a buscar sus cosas, en cuanto la deje con Ángeles. ¿Quiere saber cómo fue la entrevista con don Juan?

—Ahora estoy cansada. Además, puedo figurarme lo que dijo.

—Como usted quiera. Tendremos que hablar mucho en los próximos días.

—¿Cuándo será el juicio?

—Ahora que está usted en libertad, no hay premura en la justicia. Igual nos lo fijan para primeros del año próximo.

Doña Adela quedó en silencio, mirando fijamente al abogado. Luego, se inclinó hacia delante y preguntó a Alemán:

—Dígame, ¿por qué hace esto? Nadie le ha pagado y no sabe si podrá cobrar por su defensa. Y no sólo me defiende, sino que se pone a mi disposición de la forma en que lo hace. Dígame, ¿por qué?

Pedro de Alemán podría haberle dicho la verdad. Porque la sabía. Podría haberle hablado de esa niña que días atrás vino a verle; de esa joven, hermosa como una estatua griega, que le imploró intercediera por su madre, a la que creía víctima de una injusticia; de esa mujercita que, al ir a visitarle, se arriesgó a que sobre ella cayese la cólera de su padre; de esa joven que había estado dispuesta a entregarse a él para que él abogara por la cautiva; y de cómo él estuvo a punto de recaer en sus yerros de siempre; de cómo consiguió huir de la tentación. Sí. Le podría haber hablado de todo eso. De esa mujer que era su hija, de esa jovencita de trenzas rubias que se había incrustado en su mente como un clavo y que ni con unas tenazas de hierro podría arrancar. Y ni quería. Vive Dios.

Mas no dijo nada de eso. Se limitó a hacer un gesto con la mano, como quitando importancia a lo hecho.

—Los abogados, señora, tenemos que amparar a nuestros clientes —explicó.

Y se encogió de hombros luego. Sabiendo que, pese a no haberla dicho toda, también aquello era verdad. O debía serlo. Y continuó mirando por la ventanilla del coche. Doña Adela no dijo nada. Sólo sonrió, y esa sonrisa volvió a decir muchas cosas.

Cuando llegaron a la calle Abades, Ángeles Huertas ya estaba en la puerta de la casucha esperando a doña Adela. Cuando ésta bajó del carruaje, ambas se fundieron en un abrazo y ambas lloraron y se dijeron cosas que el abogado no pudo ni quiso oír. Pedro, emocionado por la escena que se desarrollaba ante sus ojos, prefirió no bajar del coche. Allí sobraba. Sobraba entre dos mujeres que se reencontraban en una situación que ninguna de las dos jamás habría previsto. En una situación que, pese a la actitud de devoción y respeto de la nodriza, a ambas igualaba. Porque eso es lo que tienen las desgracias: que hacen iguales a quienes las sufren.

Cuando las efusiones cesaron, Alemán se asomó por la puerta del coche y anunció:

—Las dejo, señoras. Voy a la Corredera a recoger sus cosas y estaré aquí antes del mediodía. Hasta entonces, pues.

Y ordenó al cochero que arreara los caballos y le dio la dirección de don Juan Navas del Rivero.

XXI

EL CURA COLECTOR DE SAN MIGUEL

El reverendo padre don Alejo Suárez de Toledo, cura colector de la parroquia de San Miguel, se hallaba en esos instantes en situación nada recomendable para un cura: montado sobre las nalgas de una jovenzuela de pelo negro como la endrina que, a cuatro patas, soportaba sus arremetidas con expresión de fingido placer y que lanzaba grititos que recordaban a los del ratón atrapado en la ratonera. Aunque en sus ojos, que el hombre no podía ver, no había ni placer ni fingimiento, sólo asco. El reverendo, a pesar de su espalda contrahecha, empujaba como un buey, aunque cada dos por tres tenía que rehacer la postura. su miembro, pequeño como el de un monaguillo impúber, se salía continuamente de la vulva de la manceba y no le era fácil volver a introducirlo entre las piernas de ésta.

Cuando acabó, cayó rodando sobre la cama, como un cochino apuntillado.

—Qué buena estás, Matildita —ronroneó el cura, una vez recuperado el resuello.

—Usted que es un toro, páter.

La mancebita se levantó de la cama, desnuda como Dios la trajo al mundo, bamboleantes los enhiestos pechos y firme el precioso culo. Corrió a una esquina del cuarto a lavarse en una palangana donde había mezclado agua hervida con malta, jabón y vinagre. Una vieja de la calle Ceperos, de la que se decía era ducha en brebajes y pócimas, le había asegurado que esa mixtura evitaba la preñez si una se lavaba bien los bajos con ella después del ayuntamiento. Y algo de cierto debía de haber en la conseja porque, después de tres años dejando que el cura la montara tres y cuatro veces en semana, no se había quedado encinta.

Matilde Berraquero, que así se llamaba la barragana, tenía dieciocho años y había nacido en Torremelgarejo, un diseminado de casas construidas alrededor de la Torre de Melgarejo, un torreón de origen medieval propiedad de la familia del mismo nombre. Se hallaba a menos de dos leguas de Jerez. Años atrás, varios canteros se habían establecido allí para trabajar la piedra y, cuando las faenas se acabaron, se quedaron para dedicarse al campo.

Matilde había sido desde muy pequeña una niña bonita y pizpireta. Grandes ojos negros y cuerpo sinuoso a pesar de ser sólo una chiquilla. Y lista, pues había aprendido a mal leer y escribir por sus propios medios, sin más ayuda que la del carmelita que de vez en cuando visitaba la Torre. El mismo día que cumplía diez años, su padre, aprovechando que sus tres hermanos mayores se hallaban faenando en la besana y que su madre estaba enferma aquejada de una indigestión de la que se trataba con emplastos de cebolla, la tomó de la mano, le hizo dos carantoñas y se la llevó al pajar. Allí, con la excusa de que eran juegos, le hizo cosas que le dolieron como nunca nada antes le había dolido. Y le dijo que no debía contarlo a nadie, porque entonces vendría a verla por las noches el mismísimo Belcebú. Esos «juegos» se repitieron muchos días y muchas semanas y muchos meses, hasta que a los doce años Matildita tuvo su primer sangrado. Su madre le explicó su significado y entonces ella ya supo lo que antes sólo intuía: que esos juegos con su padre no eran tales. Cuando después de su primera menstruación su papaíto intentó llevársela de nuevo al pajar, ella se negó. Las moraduras de los guantazos de su padre no se le fueron de la cara en tres días, y éste los justificó en haberla visto tonteando con un pastor de cabras. Poco antes de cumplir los quince años se dio cuenta de que hacía cuatro meses que no sangraba. Supo lo que pasaba y también supo lo que ocurriría una vez que sus padres se enterasen. En el mejor de los casos, la acusarían de sucia puta, de ramera y no sabía de cuántas cosas más. Y vendrían palizas a diario, si no cosas peores. Sabía que si se le ocurría contar lo que en realidad había ocurrido, la matarían. Si no su padre, su madre, que la acusaría de haber provocado a su marido. Así que decidió huir.

Con su belleza intacta aunque repleta de tristezas, una barriga incipiente, un hatillo con su poca ropa y ni un real, se lanzó a los caminos un alba de marzo. Tardó casi toda la mañana en llegar a Jerez andando. Buscó una iglesia, pensando que allí la ayudarían, y fue la de San Miguel la primera que vio abierta al llegar a Jerez por el camino de Arcos. Y allí se topó con ese cura, con don Alejo, que la miró con ojos que no ocultaban nada, le preguntó por sus cuitas y se ofreció a ayudarla. Y se fue con él a su casa.

El padre Alejo vivía en una casita de la calle de las Novias, propiedad de la parroquia. Estaba muy cerca de la iglesia. Matilde pensó que allí estaría segura. Matilde pensó que allí su padre jamás la encontraría. Matilde pensó que ese cura la tutelaría, que cuidaría de ella y de su hijo cuando naciera. Matilde pensó que el páter la protegería de quien quisiese molestarla, que no le haría daño ni esas cosas horrorosas que su padre le hacía. ¡Era un cura, Virgen del Amor Hermoso! ¡Era un hombre de Dios! ¿Cómo iba a hacerle eso? ¿Cómo iba a hacerle daño?

Sin embargo, la primera noche tuvo que desnudarse ante ese cura rijoso, que le sobó los pechos y el culo y la obligó a que se la chupara. A los dos días, le dijo que había encontrado unas habitaciones para ella en una casa de la calle Honsario, donde había estado el antiguo cementerio de los judíos. Y allí se quedó hasta que nació su hijo. Su preñez no era obstáculo para el cura, que la visitaba varias veces por semana y usaba de su cuerpo sin importarle su gravidez. Y de todas las formas posibles. Y ella aguantaba, se tragaba el asco, masticaba su repugnancia, se decía que había cosas peores. No le pegaba, tenía un techo, comía carne y bebía leche que fortalecerían los huesos de su bebé. Porque, a pesar de que era fruto del incesto, lo que crecía en su vientre era su hijo, sangre de su sangre, y había aprendido a quererlo. Y más que lo querría cuando llegara al mundo. Y sería un niño precioso, o la más linda y más bonita de las niñas.

Cuando dio a luz una madrugada de agosto sin más ayuda que una vieja comadrona medio sorda, el cura tomó en sus brazos al recién nacido y se lo llevó. Le aseguró que lo llevaba adonde bien lo cuidarían, y desde entonces no supo más de su hijo. Ella gritó, se arrastró, se mesó el cabello, suplicó, intentó impedir que se llevaran a su bebé. Pero todo fue inútil. Ni siquiera llegó a saber si fue niño o niña. Ni un nombre le dejaron darle. Pasó tres días llorando, hasta que, al cuarto, el padre Alejo la cacheteó y le dijo que o dejaba de llorar o él dejaba de alimentarla. Como no tenía alternativas, dejó de llorar. Pensó en irse, pero ¿adónde iba a ir? Pensó en hacer denuncia, pero ¿a quién? ¿Y quién iba a creerla? ¿Y qué haría después? Pensó en matarse, pero le gustaba demasiado la vida, a pesar de todo. Así que dejó de llorar, y en cuanto pasaron quince días desde el parto volvió a abrirse de piernas ante el cura. Y estaba desde entonces en esa casa de la calle Honsario, en la que el colector, que pagaba alquiler, ropa y comida y algunas chucherías de cuando en vez, la visitaba varias veces por semana. Y su asco crecía a la par que su odio. Pero ninguna otra cosa podía hacer. Sólo lo que hacía: abrirse de piernas y dejar que el cura pagara sus gastos.

En esa vida llena de grisuras había penetrado un rayito de luz mes y medio atrás. El aprendiz de la panadería de la plaza Quemada, donde ella cada día compraba el pan, se había atrevido por fin a hablarle. Hasta entonces se había limitado a sonreírle, a mirarla con ojos tiernos y a regalarle un bollo de canela de tarde en tarde, cuando maese Mateo, el dueño de la tahona, no lo observaba. En cuatro ocasiones había salido a pasear con él por la calle Larga y por los Llanos de San Sebastián, y en la última el muchacho, que se llamaba Antón, había osado besarla. Fue en la plaza de las Atarazanas del Rey, un día de mediados de octubre, a la sombra de un árbol. Un naranjo, tal vez, aunque ella no entendía de árboles. Y ese beso había sido inocente y dulce, como los bollos de canela que le regalaba. Tan diferentes a los de su padre y a los del cura, que eran amargos como las tueras.

Regresó de la palangana y miró al padre Alejo, que se enfundaba la sotana en ese momento. Era lo único que se quitaba para yacer con ella, pues siempre mantenía calzones y camisa. Se limitaba a sacarse el miembrecillo por entre los calzones después de sobarla y besarla y antes de penetrarla. El cura se volvió, deslizó la mirada sobre el cuerpo desnudo de su manceba como si fuera una lombriz y se metió la mano en el bolsillo de la sotana.

—Toma, Matildita, para que te compres lo que quieras.

Y le tendió una moneda que refulgió en su mano como un sol diminuto.

—¡Un escudo de oro! —exclamó la chiquilla—. Pero, páter...
¡un escudo de oro!

—Cómprate un vestido, niña, que te lo mereces. O un collar,
si más te place. O lo que se te antoje, chochito mío.

—Pero, don Alejo, ¡esto es mucho dinero!

—No para mí, muchacha, que ahora me sonríe la fortuna
—adujo el cura, ufano, abrochándose el ropón y ajustándose el
cuellecillo.

La sotana, de tela finísima, resplandecía como nueva que
era.

—Pues si a usted no le importa, pagaré los alquileres que
adeuda con esta moneda. Lucas, el casero, dice que se va a poner en manos de abogados para el desahucio. Que ya se le deben cuatro meses. Estuvo aquí la semana pasada y...

—A Lucas ya no se le debe un real, Matilde, todo está pagado. Así que no te preocupes y haz con ese escudo lo que más te
plazca. Y ahora, dame un beso, que he de irme. Que tengo que
organizar las misas de mañana, que no paro con los memoriales.

Matilde se quedó pensativa cuando el cura colector de San
Miguel se hubo ido. No le vendría mal ese escudo, pues llevaba
comprando de fiado desde hacía unos días. Ese jodido cura
siempre había sido cicatero como un judío. Y ahora, ¿un escudo...? ¿Así, por las buenas? ¿Y estaba al día con los alquileres, si
siempre se retrasaba varios meses? ¿Y esa sotana nueva? ¿Qué
diablos estaría ocurriendo?

XXII

La nota de la damisela

—Ya le advertí, señor, que no debería volver por aquí. ¿Qué desea ahora?

Pedro, plantado en el patio de la casa de la Corredera, sostuvo la mirada de don Juan Navas del Rivero. Al lado de éste, un paso atrás, el mayordomo Mariano Sanjuán esperaba acontecimientos. Tardó unos segundos en responder. Quiso saborear el momento. Y, cuando habló, lo hizo muy despacio y con una sonrisa en sus labios:

—Doña Adela ha sido puesta en libertad esta misma mañana.

Y se quedó esperando la reacción del mercader.

—¿Cómo no he sido informado de ello? —preguntó el bodeguero después de un instante de silencio, dirigiéndose a su mayordomo. Una venilla gris que latía con fuerza en su sien derecha era el único signo de la agitación que la noticia le había provocado. Todo lo demás, su voz, su ademán, el brillo de sus ojos, era calmo.

—El señor Polanco Roseti no ha mandado mensaje alguno, don Juan. Intentaré hablar luego con él y le transmitiré sus explicaciones, si las hay.

—Tendrá que haberlas —aseguró Navas; y dirigiéndose de nuevo al letrado—: Bien, mi esposa está en libertad, pero eso no cambia las cosas. Ni existe ella para mí ni está esta casa abierta para ella.

—Doña Adela ya ha encontrado morada. Vengo por sus ropas, tal como usted me consintió. Sus ropas y sus cosas de mujer.

—¡Vive Dios que no entiendo nada! —exclamó de pronto don Juan—. No sé quién le paga, y no hace falta que me lo diga, pero sí sé que mi esposa no tiene dineros ni parentela. Y, pese a ello, usted no sólo la defiende en un proceso que poco beneficio le ha de reportar, sino que incluso actúa como su mandadero. ¡Es de locos, por Dios!

El letrado fue a contestar, pero un revuelo de faldas y un repiqueteo de tacones que bajaban por la escalera de mármol le interrumpió. Y apareció en el patio, arrebolada, preciosa, Adela Navas y Rubio. Vestía de azul oscuro, en muselinas, con sobrefalda de un azul más claro y pasamanerías doradas y negras en el vestido. Bajo éste, un jubón de color celeste con escote cuadrado que dejaba al descubierto su cuello grácil y el nacimiento de sus pechos. Su peinado era sencillo, con el cabello rubio recogido en bucles cortos y algunos mechones cayendo sobre la nuca. Una diosa. Una diosa que debía de haber estado escuchando la conversación que Alemán había mantenido con su padre, puesto que llegó exclamando:

—¡Madre ha quedado en libertad! ¡La Virgen ha oído mis ruegos! ¿Cuándo vendrá? Porque vendrá, ¿verdad, padre?

—¡Adela, compórtate como la dama que debieras ser! ¡Ya no eres una mocosa! ¡Sube a tu habitación y ya hablaremos!

—Pero, padre...

—¡Te he dicho que subas! ¡Aquí no tienes nada que hacer! Y no te lo volveré a repetir.

Adela Navas miró a Alemán, los ojos llenos de lágrimas, como buscando ayuda. Fue a girarse para obedecer a su padre cuando el letrado dijo:

—Alguien tendrá que preparar las ropas y las cosas de doña Adela. Tal vez su hija...

—¿Quiere decir eso que madre no regresará a esta casa? —preguntó Adela, volviéndose, con desconsuelo.

—Me temo que así es, señorita —respondió el abogado—. Aquí su padre no...

—¡Señor De Alemán! —interrumpió el dueño de la casa, airado—. ¡No le consiento que le dirija la palabra a mi hija! No tiene usted ni derecho ni mi permiso.

—Pero ella sí a saber de su madre.

—Ya le daré yo, y no usted, las explicaciones que sean menester. ¿Qué va a pasar con esas dichosas ropas, Sanjuán?

—Hortensia puede prepararlas y traerlas —propuso el mayordomo.

—Hortensia no debe ni ver a este caballero ni hablar con él bajo ningún concepto —objetó Navas, recordando a su mayordomo que la criada, al igual que él, era testigo de la acusación—. Que se encargue Catalina —dijo, refiriéndose a Catalina Cortés, la esposa del mozo de cuerda.

—Catalina fue despedida anteayer, don Juan, como usted ordenó. No estando su esposa, era absurdo mantener dos doncellas en casa.

—¡Demonios! ¿Podrías tú encargarte, Mariano?

—Por supuesto, señor. Yo me encargo de traer los enseres de... ejem... la señora.

El mayordomo pasó junto a Adela Navas, que aún permanecía allí, atenta a la conversación de los hombres. Y cuando Sanjuán ya estaba en el primer peldaño de la escalera, la exclamación de la joven lo hizo detenerse.

—¡No, padre, no puede consentir usted eso! ¡No puede permitir que un hombre... que este hombre... rebusque en las ropas de madre, en... en sus vestidos, en... en... en su ropa interior! ¡No puede permitirlo! ¿No la ha humillado usted ya bastante?

Y se llevó las manos al rostro y se oyó tras de sus manos un llanto suave pero vivo, que a Pedro de Alemán le resultó mortificante. Durante unos instantes, nadie habló. En el patio sólo se oía el llanto de la niña.

—Está bien —accedió al fin don Juan Navas—. Adela, prepara tú una bolsa con las cosas de tu madre. Lo imprescindible. Mariano subirá contigo y te ayudará a bajarla.

—Gracias, padre.

Y abandonó el patio con otro revuelo de telas, seguida por Mariano Sanjuán. Don Juan Navas del Rivero y Pedro de Alemán se quedaron solos en el atrio. El abogado miraba distraídamente los adornos y el bodeguero paseaba turbado por el patio. Iba a su despacho de vez en cuando, pero enseguida regresaba, como si no se fiara de dejar solo al abogado. Ni uno ni otro hablaron, pues ni tenían nada que decirse en esos momentos ni era ocasión de comentar cosas intrascendentes. Y el silencio fue incómodo como el viento de levante para los altos peinados, pues hija y mayordomo tardaron al menos media hora en regresar. Cuando lo hicieron, Mariano Sanjuán cargaba una enorme bolsa de tela repleta de trajes, enaguas, justillos, camisas, medias y todas aquellas cosas que las mujeres necesitaban. Adela Navas, por su parte, portaba un cofrecillo.

—¿Podrá usted con todo esto? —le preguntó el mayordomo al letrado.

—Podré —respondió éste, asiendo la bolsa que el mayordomo le entregó, que pesaba lo suyo—. Un carruaje me aguarda.

—¿Y eso qué es, Adelita? —preguntó don Juan Navas, señalando el cofrecillo.

—Los afeites y perfumes de madre. Y algunas joyas.

—A ver —ordenó el bodeguero, acercándose a su hija y abriendo el cofre. Escudriñó en él, metió la mano y sacó varias sortijas, pendientes y collares—. Esto no lo va a necesitar —dijo, guardándose las joyas en el bolsillo de su casaca.

—¡Pero, padre, esas joyas son de madre! ¡No son de usted!

—Después hablaremos tú y yo. Tienes que aprender a no discutir mis órdenes. Entrega ese cofre a este señor y acabemos de una vez por todas con esto.

Adela Navas se acercó al letrado y le hizo entrega de la arquilla. Y rozó su mano derecha al hacerlo. Y Alemán sintió que depositaba algo en ella. Miró a la joven, pero ella ya se había dado la vuelta y se acercaba a las escaleras.

Pedro de Alemán se despidió secamente de don Juan Navas. Cargado con saca y cofre, salió de la casa y se introdujo en el coche de caballos. Una vez allí, ordenó al cochero que se dirigiese de nuevo a la calle Abades. Luego, abrió el puño de su mano derecha. Y vio que la joven le había entregado una esquela pulcramente doblada.

La desplegó, la alisó con mano temblorosa. La caligrafía era descuidada, como de haber sido escrita con extrema rapidez, y la tinta se había corrido en algunos lugares. No obstante, el mensaje era perfectamente legible.

Estaré el próximo domingo en la alameda de las Angustias, en la parte de su altillo, justo después de la hora del ángelus. Si usted pudiese venir a hablar conmigo y darme razones de mi madre, le estaré eternamente agradecida.

A.N.R.

Pedro leyó tres veces el billete. Luego, lo olió. Olía a tinta fresca, pero también al perfume que recordaba de la joven cuando tanto se acercó a ella: un aroma a lilas, a alhucema. Después, volvió a plegarlo y lo guardó. Se reclinó en el asiento y cerró los ojos. Y ni siquiera quiso pensar en los sentimientos que brincaban por su cerebro como atolondrados saltimbanquis.

* * *

En el Jerez de aquellos años, al igual que en el resto de España, el matrimonio era un contrato con el que se buscaba fundamentalmente dinero y prestigio. Al menos entre las clases altas. Un contrato que se estipulaba entre los padres de los futuros cónyuges y en el que la voluntad de éstos no pintaba nada, una cuestión de pura conveniencia entre familias.

Pedro permanecía célibe a pesar de que ya había cumplido los veintisiete años, edad en que la mayoría de los hombres de la época estaban casados. Sí había mantenido relaciones más o menos serias con hembras de diferente alcurnia, entre ellas con algunas damitas de medio pelo y con un par de hijas de artesanos pudientes que no veían con malos ojos emparentarse con un jurista, profesión a la que, pese a las malas lenguas, se la tenía por digna y esencial en la vida pública y que conllevaba ciertos privilegios. Incluso había mantenido una relación tempestuosa con una viuda joven que le enseñó de las mujeres tanto como Alemán quiso saber. Pero, por una causa u otra, esas relaciones habían terminado, y casi siempre de mala manera. La última había sido con una damisela llamada Blanca de Sierra y Arévalo, hija del procurador don Juan de Sierra Conejo y remota descendiente de veinticuatros; pero el noviazgo había fenecido a principios de ese año de puro aburrimiento. Lo que Pedro buscaba no eran conveniencias en el casamiento. Era otra cosa. Algo que envidiaba en algunos matrimonios pobres que por su profesión había conocido: esas miradas cómplices, esos silencios llenos de palabras, esas sonrisas compartidas, el pálpito turbador ante el simple roce. ¿Pasión? ¿Amor? Eran palabras en desuso en aquella época, pero el abogado sentía que el estómago se le contraía al pensar en ellas. Y en ellas pensaba mientras aguardaba con anhelo la cita de aquel domingo de noviembre.

Mientras tanto, trabajaba en sus pleitos, en los privados, que seguían sin ser muchos, y en los de la oficina del abogado de pobres, que sí lo eran. Pero no se le iba de la cabeza el de doña Adela, y no sólo por su hija, sino por motivos rigurosamente jurídicos.

Jerez no era Madrid, evidentemente, donde la moda del cortejo alcanzaba cada día más adeptos y las damas nobles se veían a solas con sus petimetres sin que el esposo objetara. En Jerez, clásica y provinciana, la moral era más rígida, y las nuevas modas no habían desterrado a las antiguas concepciones. La moral y la decencia debían ser atributos de toda mujer casada, y con mayor grado cuanta mayor fuese su alcurnia. Pero, pese a ello, las denuncias por adulterios entre clases altas eran en Jerez y en provincias cosa realmente insólita.

En la cabeza del abogado hervían preguntas para las que no tenía respuestas: ¿por qué don Juan Navas del Rivero iniciaba proceso penal contra su esposa por serle infiel, cuando tenía a su alcance remedios menos comprometedores? ¿Por qué no optaba por el divorcio, simplemente? ¿Por qué no obligarla al enclaustramiento? ¿Por qué no darle una tunda, como tanto se hacía entre clases altas y bajas, y luego seguir llevando «vida maridable» para evitar el escándalo?

El letrado se quedó pensativo. Sacó su cuaderno de notas y registró esas preguntas. Y también anotó otras cuestiones que no debía olvidar ni pasar por alto. Y, así, escribió:

> *El marido, cuando se ha referido a ella, nunca ha vilipendiado a su esposa. La llamó «doña Adela» en mi presencia. ¿No es raro que así se refiera el marido con respecto a su mujer adúltera?*
>
> *Don Juan no ha denunciado a Manuel León de Caravaca, ¿por qué?*
>
> *Don Juan creyó, la primera vez que fui a verle, que yo era el abogado de don Pedro Esteban Ponce de León y Padilla. (Ojalá). Y dio a entender que mantiene deudas con él.*
>
> *El mayordomo Sanjuán está reclamando, incluso mediante métodos violentos, deudas no vencidas. ¿Por qué razón?*

Pedro de Alemán estuvo durante un buen rato leyendo esas anotaciones. Una idea bailaba en sus mientes. Mas no conseguía atraparla.

XXIII

EL FALSIFICADOR IGNACIO DE ALARCÓN

Ignacio de Alarcón había mentido a los caballeros. Les había asegurado que tenía casi terminadas las cuatro pinturas de las santas, que llevaba avanzada la del jubileo de la Porciúncula y que ya tenía esbozada la de la Virgen niña. Y no era verdad. La réplica del cuadro de la *Santa Faz* le había llevado más tiempo y esfuerzos de los previstos —¡qué difícil le había resultado copiar ese maldito lienzo donde estaba impresionada la faz de Cristo, pardiez, con sus pliegues y dobleces!—, y todo se le había atrasado. Los cuatro cuadros de las santas no estaban casi terminados, como había aseverado al marqués, sino apenas empezados; el del jubileo de la Porciúncula, sólo bosquejado; y el de la Virgen niña, sin empezar siquiera. Tendría que darse prisa si quería cumplir con el plazo apalabrado.

Ignacio de Alarcón tenía dos de las virtudes imprescindibles en el buen falsificador de cuadros: habilidad con los aceites y una memoria prodigiosa. De las dos, era la segunda la que más le valía para este encargo. Lógicamente, no le era dado poder llevar la pintura original a su estudio, para allí copiarla con tiempo y detenidamente. Y tampoco podía estar todo el día pintando en las iglesias donde los originales se hallaban, no sólo por la incomodidad, sino porque los curas no se lo habrían permitido —entorpecería misas, ceremonias y oficios y pondría perdidos de óleos y aguarrases los suelos de los templos— y porque tantos días copiando cuadros de un mismo autor podría dar lugar a habladurías.

Así que tenía que limitarse a estar unas horas en cada iglesia ante cada cuadro a copiar y durante ese breve tiempo realizar un bosquejo somero y guardar en su memoria portentosa todos los detalles del cuadro: colores, texturas, luces, sombras, trazos y pinceladas. Y aunque (con la inestimable ayuda de don Alejo, que le sorteaba obstáculos con curas y frailes) podía volver de vez en cuando a las iglesias a completar bosquejos, a solventar dudas o confirmar apreciaciones, comprobaba una vez y otra que su memoria era fiable. Así había ejecutado la réplica de la *Santa Faz* y el resultado no había sido nada insatisfactorio, voto a bríos.

Por indicación de don Raimundo José Astorga Azcargorta, marqués de Gibalbín, había arrendado una casa situada en la calle Évora, de una sola planta y sin otros vecinos. Allí, en la mayor de las habitaciones, había instalado Alarcón su taller. Y allí se hallaba, rodeado de latas de óleos, trementina, pinceles, caballetes, libros, cuadernos, brochas, paletas, espátulas, manoplas, talochas y cien cosas más. De todo, menos de luz, de luz natural, la mejor amiga de un pintor. Y ésa era su queja. La calle Évora, que comunicaba las calles Corredera y Medina, era una calleja estrecha, y por el único ventanal del taller apenas si entraba luz del día. Además, se le obligaba a medio cegar ese ventanal con una cortina tupida, para evitar miradas indiscretas. Había expuesto el inconveniente al marqués, pero éste había sido inflexible: esa casa era idónea, el arrendador era conocido, no había vecinos e incluso la casa aneja estaba deshabitada; allí tendría la intimidad necesaria para lo que estaba haciendo, que no debería llegar a ojos u oídos de nadie. Y no había más que hablar. Y si quería luz, que pusiera velones.

Y eso es lo que hizo: llenar el taller de velas y lámparas que daban al obrador traza de velatorio, o de un recinto dispuesto para un ceremonial satánico.

Se puso el delantal, asió la paleta y se plantó ante el caballete donde descansaba el cuadro que tenía más avanzado: el de *Santa María Egipciaca*. El original de ese cuadro, al igual que los otros tres de santas *zurbaranescas* (*Santa Olalla*, *Santa Eufemia* y *Santa Dorotea*) y el del jubileo de la Porciúncula, se hallaba en el convento de los padres capuchinos, situado en el valle de San Benito, en el camino a Sevilla. El otro que le quedaba por replicar se guardaba en la iglesia de San Dionisio. Todos los cuadros de las santas tenían idénticas medidas: casi dos varas de alto por vara y media de ancho. En todos los casos, había conseguido de un tratante de Sevilla telas y tablas ya usadas del mismo tamaño que las que tenía que copiar y fechadas en el siglo anterior. Eran cuadros de escasísimo valor, por no decir de ninguno, con óleos de muy exigua consistencia, y no había tenido ningún reparo ni dificultad en borrar la infame pintura original usando con habilidad la espátula y la trementina y dando después al lienzo o a la tabla un par de manos de pintura blanca.

Cerró los ojos para representarse en la mente el cuadro original de *Santa María Egipciaca*. Zurbarán había pintado a la santa estante, con los ojos elevados al cielo y las manos unidas. A pesar de que esa santa había sido una asceta egipcia del siglo quinto de la era cristiana que se había retirado a hacer penitencia al desierto después de toda una vida de prostitución, el maestro Zurbarán la presentaba con ropajes renacentistas, majestuosos, de ricas sedas, y con una vitalidad y colorido que para nada casaban con una ermitaña. Vio en la galería de su mente cada color, cada matiz, cada rasgo, cada trazo y cada doblez de las telas en el cuadro original y, frenético, presa de una súbita inspiración, asió paleta y pincel, mezcló óleos con las delicadas cerdas y comenzó a aplicar color sobre la tela en la que sólo había un dibujo trazado con mano firme.

XXIV

EL MARQUÉS Y EL ALGUACIL
MAYOR DEL CONCEJO

—¿Se fueron los ingleses sin contratiempos?

—Sin ningún contratiempo. Caputo los llevó a Cádiz poco antes de las diez de la mañana. Pretendían que los acercara antes a San Dionisio, para ver el cuadro que más les interesa, ese de la Virgen, pero pude convencerles de que no les convenía. Me inventé un entierro de la madre de un noble, una multitud afligida a las puertas de la iglesia, curas y canónigos con incensarios y copones y, como buenos protestantes o lo que diantres sean, no insistieron.

Don Raimundo José Astorga Azcargorta, marqués de Gibalbín, y don Florián Alvarado, alguacil mayor del concejo, estaban sentados en el salón de la casa del primero, ese segundo sábado de noviembre. Compartían un almuerzo frugal para las costumbres del marqués.

—¿Problemas con la letra de cambio?

—Ninguno, por supuesto. Envié a mi administrador a casa de Peter Fletcher y tendremos el dinero la semana próxima.

—Mil escudos para cada uno —insinuó don Florián.

—Según lo convenido —asintió don Raimundo.

Ambos alzaron sus copas de vino. Hicieron un brindis en el que sobraban las palabras y las apuraron de un solo trago. Como si con ese buche de vino hubiesen desaparecido muchos de sus problemas, se les vio después más livianos, más radiantes, bienaventurados como el enfermo que escucha el dictamen del médico descartando la enfermedad mortal. Y es que esos escudos de mister John Blackwood —y los que estaban por llegar— iban a ser el remedio de todos sus males. Que los tenían, ambos y graves.

Don Raimundo José Astorga Azcargorta, marqués de Gibalbín, llevaba más de dos años falseando las cuentas de la depositaría general del concejo. Simulaba gastos, alteraba partidas y solapaba ingresos de los que iba a tener que dar cuentas en el momento en que cualquier regidor o cualquier tutor de menor desamparado o cualquier heredero de herencia sin partir o cualquier patrono de memorial se las exigiera. Hasta el momento había podido ir ocultando sus tejemanejes con fullerías arriesgadas. Pero la situación amenazaba con volverse insostenible y apenas podía dormir por las noches. Y es que su nivel de vida mal se acompasaba con lo menguado de sus ingresos. Según el catastro de Ensenada, sus seis inmuebles, sus doscientas veintiuna aranzadas de tierra y sus dieciséis censos le proporcionaban unas rentas anuales de diecinueve mil ochocientos setenta y nueve reales. Los cuales le habrían dado para vivir, en el mejor de los casos, como un carpintero ebanista acomodado. Y, en cambio, vivía como lo que era: como un marqués. Con querida y dos bastardos que comían como soldados de infantería. Y su esposa, doña Petronila Argomedo Velasco, vivía no como una marquesa, sino como diez. Y eso que apenas si le había aportado cinco mil quinientos reales de dote, la muy pájara, con esa nariz que tenía como el pico de un águila perdicera.

Don Florián Alvarado y López de Orbaneja, por su parte, atravesaba penuria similar. Había comprado su veinticuatría hacía seis años, y para ello había tenido que vender tierras y casas y además embarcarse en préstamos que ya al año comenzaron a asfixiarle. Y para poder respirar pidió más préstamos. Y constituyó hipotecas para poder pagar los intereses de esos préstamos. Y al final sólo tenía préstamos y ganas de llevarse un pistolón a la boca y acabar con todo. Porque, según el catastro, las utilidades anuales de sus dos inmuebles, las trece aranzadas de tierra que pudo conservar y sus menguados siete censos sumaban la ridícula cantidad de tres mil setecientos cinco reales. Con los que no tenía ni para pagar los dichosos intereses de sus empréstitos. Y aunque con su alguacilazgo mayor conseguía unos miles de reales más a fuerza de dejarse cohechar por tenderos que falseaban sus pesos y mercaderes que amañaban sus libros para pagar menores aranceles, ni así conseguía levantar cabeza.

Así que, para ambos, lo del inglés Blackwood había sido una bendición. Más que una bendición, un milagro. En la Semana Santa del año anterior y por un comentario casual del exportador de vinos jerezanos mister Henry Picken, se habían enterado de que ese tal Blackwood, a través de su agente mister Jameson, había ofertado a los padres cartujos de la cartuja de Santa María de la Defensión de Jerez la compra de los «zurbaranes» que adornaban el retablo y otros espacios del cenobio por una montaña de libras esterlinas. Los padres cartujos se habían negado: gracias a sus tierras y sus caballos nadaban en la abundancia y no les hacían falta esas libras. Tenían rentas que superaban los doscientos mil reales anuales. Y fue entonces cuando a don Raimundo José y a don Florián se les ocurrió la idea y pergeñaron el fraude. Sin pensárselo, se pusieron en contacto con mister Francis Jameson a través de un exportador de vinos con despacho en Jerez llamado mister Giovanni Conti —que no se había enterado de la misa la mitad y era ajeno a la bribonada—, le hablaron de los «zurbaranes» del convento de los padres capuchinos, del de San Miguel y del de San Dionisio, se deshicieron en elogios acerca de sus virtudes y calidades y se ofrecieron a procurarlos para mister Blackwood. Y así surgió el negocio. O la estafa. A través de un marchante de cuadros dieron con Ignacio de Alarcón, del que el marchante les aseguró que era tan buen copista como carente de escrúpulos. Finalmente, compincharon al reverendo don Alejo, cuyos gustos y gastos eran bien conocidos; sin necesidad de porfías, el cura colector de San Miguel se avino por un puñado de escudos a firmar lo que fuere preciso y a facilitarles los amaños que fueran menester con frailes y curas.

Y ahora, pensó el marqués de Gibalbín, todo estaba a punto de consumarse. Ya tenían más de mil escudos cada uno en sus bolsas y pronto tendrían el resto. Don Florián podría pagar sus préstamos y él podría tapar sus desfalcos. Y acabáronse los problemas. Fue entonces cuando recordó a aquel majadero, al sacristanillo aquel que se había atrevido a chantajearle. Se lamentó de la ocurrencia de reunirse en la colegial en obras para que Ignacio de Alarcón viese con sus propios ojos el lugar donde el cuadro de la Virgen de Zurbarán iba a ser llevado, para que se cerciorara de que la sustitución no sería apercibida, dada la altura y lo umbrío del sitio. Y de haber hablado allí de sus propósitos, dando ocasión al sacristanillo de enterarse de todo. De cualquier forma, confiaba en que los diez escudos pagados fuesen suficientes. Y si no, ahí estaba Andrés Caputo, versado en resolver este tipo de inconvenientes.

XXV

La cita en la plaza de las Angustias

Se levantó ese domingo de noviembre antes del alba. En verdad, estaba despierto desde al menos dos horas antes, inquieto y agitado. Desayunó mesuradamente, hizo sus necesidades en la letrina del patio y luego calentó dos ollas de agua en los fogones, con las que medio llenó la tina de madera que guardaba bajo ellos.

Pedro de Alemán acostumbraba a bañarse cada domingo por la mañana, antes de acudir a la misa de San Dionisio o a la que oficiaban los canónigos en la capilla de la torre de la colegial, según le fuera mejor. Pero el baño de ese segundo domingo de noviembre fue especial: se lavó el pelo —lo que sólo hacía una vez al mes más o menos—, se enjabonó de arriba abajo, se frotó con paños finos, cortó las uñas de manos y pies y luego se secó hasta que la piel le quedó brillante. Se peinó el pelo castaño hasta que sus ondas relucieron, se perfumó con agua de azahar e hizo gárgaras de limón para lavarse la boca. Y se vistió con sus mejores ropas: camisa de lino blanco, casaca y calzones azul marino, medias color de crema y zapatos negros con hebilla de plata. Aunque usada y con algunos visajes, esa indumentaria le procuraba un porte más elegante que sus habituales ropajes negros.

Cuando estuvo listo, apenas si eran las nueve de la mañana. Salió a la calle, nervioso y desasosegado como un curita misacantano. Y no supo qué hacer. Deambuló por las calles hasta que entró en la misa de diez y media en San Dionisio, se sentó al fondo del templo y no escuchó ni una palabra ni de las lecturas ni de la homilía ni de nada de nada hasta que oyó el *Ite, missa est.* Desde San Dionisio tomó la calle de la Caridad, salió del recinto murado por la puerta Real, cruzó la plaza del Arenal, anduvo a paso rápido por la Corredera, cuidándose de caminar por la acera opuesta a la de la casa de don Juan Navas del Rivero, y llegó a la plaza de las Angustias cuando eran las once y media de la mañana.

El día, aunque frío, era claro. No llovía y el vientecillo que corría no era suficiente ni para despeinar a las damas ni para volar pelucas. Pese a ello, Pedro de Alemán y Camacho sudaba como si se hallase en agosto. Y no era por la caminata, sino por la ansiedad. Se secó el sudor de la frente con el pañuelo de la bocamanga y paseó arriba y abajo de la plaza sin dejar de mirar el reloj de sol que había en la fachada de una de las mansiones que hacía esquina con la calle Granados. Y se dijo que los minutos pasaban lentos como una tarde de verano. La plaza comenzó a llenarse de la gente que salía de la misa de once del Humilladero de la Virgen de las Angustias. Sonaron las campanas de las doce.

Pocos minutos después la vio venir. Vestida de domingo y hermosa como las madonas de los pintores italianos. Y se sintió nervioso como un galancillo ante su cita primera. Ella lo distinguió enseguida, pues estaba a pie de acera, apartado de los puestos y del bullicio. Apresuró el paso hasta llegar ante él y le sonrió.

—Hola —dijo Alemán. Y se sintió estúpido.

—Buenos días, don Pedro —saludó la damita, sonriente.

—Buenos días.

Más estúpido aún.

—¿Desea que paseemos por aquí? —preguntó Adela Navas.

—Vive usted aquí al lado, y no creo que a su padre le agradase verla conmigo.

—Mi padre no está. Luego se lo explicaré. ¿Qué le parece que vayamos al altillo de la plaza? Parece que allí hay menos gente.

—Como a usted le plazca.

Adela Navas tomó el brazo del abogado sin que él se lo ofreciera, y anduvieron, sorteando parejas y niños, hasta el altillo de la plaza de las Angustias, como se denominaba a la parte izquierda de la plaza por hallarse más elevada que el resto. Caminaron hasta allí, en silencio, pero vieron que no había ningún banco libre ni lugar donde mantener una conversación reservada.

—¿Le apetece un refresco?

—No, muchas gracias. Sigamos andando —propuso ella.

Salieron de la plaza y caminaron por la acera del convento de los trinitarios de la redención de cautivos, donde se veneraba a la Virgen del Buen Suceso, una de las muchas vírgenes copatronas de Jerez. Fue al pasar por la puerta del convento, donde ya había menos bullicio, cuando Adela Navas preguntó:

—¿Dónde está mi madre?

Volvió la cabeza para hacer la pregunta y clavó sus ojos en los del abogado. Pedro sintió que se mareaba al contemplar esas profundidades verdes.

—Está con Ángeles Huertas, su antigua aya.

—Me lo suponía. ¿Podré verla?

—Nada se lo prohíbe, salvo su padre, supongo.

—¿Por qué hoy me llama de usted y el otro día me tuteaba?

Alemán se sintió enrojecer al recordar la escena de aquel nefando día en su bufete. Sólo fue capaz de balbucear:

—Yo... yo... lamento mucho lo que pasó aquel día. Yo no pretendía...

—No fue culpa suya, sino mía. O de los dos, vaya. Así que olvidemos aquello, por favor. ¿Por qué me llama de usted, entonces?

—Es usted una señorita, una dama. Así es como debo dirigirme a usted.

Adela Navas sonrió, calló un momento y luego dijo:

—Pues me parece bien, si usted lo considera conveniente.

Continuaron caminando en silencio. El brazo de la joven asido al suyo quemaba al abogado, como si anduvieran piel contra piel. Y cuando, al estrecharse la acera, la redondez del pecho de la joven rozó su antebrazo, la quemazón se convirtió en incendio. Siguieron la acera del convento en dirección a las murallas, y llegaron al callejón de San Francisco, cerca del cual había una plazuelita con arriates y bancos. Tomaron asiento en uno de ellos.

—¿Cómo está mi madre? ¿Está muy triste? ¿Nos echa de menos?

—Claro que les echa de menos, a usted y a su hermano. Juan se llama, ¿verdad? Pero su madre es una mujer fuerte y está dispuesta a luchar.

—Lo sé. —Adela Navas mantenía la voz firme, serena, a pesar de que hablaba de una madre separada de sus hijos y acusada por su marido. De su propia madre. Pedro no pudo dejar de sorprenderse del carácter de la joven, que preguntó—: ¿Habrá juicio?

—Casi con toda seguridad, señorita. Como ya sabe, me he entrevistado con su padre, que persiste en su acusación. Y ni siquiera se ha planteado la posibilidad del perdón, porque su señora madre no lo quiere. Jura que es inocente.

—¡Y claro que lo es! ¡No lo dude usted ni por un momento! Ya se lo dije la primera vez que nos vimos. Mi madre sería incapaz de algo así. ¿Qué pruebas hay contra ella?

Pedro le refirió el testimonio de Hortensia Laguna y el del mayordomo Mariano Sanjuán, así como la existencia de las cartas que se decía se habían cruzado doña Adela y Manuel León de Caravaca.

—¿Y eso es todo lo que hay contra ella?

—Que yo sepa, sí, eso es todo. Y no espero sorpresas.

—Pues si eso es todo, señor letrado, su trabajo no es difícil.

—¿Ah, no? —preguntó, sonriente, Alemán. Le encantaba el desparpajo de aquella damisela, su fuerza vital, la forma en que su fortaleza interior, que era tremenda, se reflejaba en su voz, en sus gestos y, claro, en sus ojos verdes.

—Hortensia no sabe leer ni escribir, es una pazguata. ¡Así lleva varios días que no para de llorar! En el fondo hasta me da pena. No dude usted de que todo lo que dice es obligada por mi padre. En cuanto al perro de Sanjuán, ya lo ha visto usted. Es capaz de todo si mi padre se lo ordena.

—¿Conoció usted a ese Caravaca?

—Poco pelo, con gafas y con pinta de tener mala salud, vaya. ¿Y ése es el amante de mi madre? ¡Ja! Fue el alarife que llevó a cabo unas reparaciones en casa, hará cinco o seis meses, cuando algunos techos se llovieron. Creo que es de Cádiz. Y apenas si tuve trato con él. ¡Al igual que mi madre! ¡Es absurdo pensar que pudiera haber algo entre ellos!

—¿Por qué?

—¡Porque mi madre es una dama y ese hombre es... ese hombre es... un albañil, por Dios! ¿Quién podría pensar que...? ¡Es de locos!

246

—Están esas cartas, Adela...

—¿Yo podría verlas?

El abogado se quedó pensativo.

—Están en el sumario y no tengo copia —respondió al fin—. Pero en su momento me harán entrega del expediente, para poder presentar la defensa y las pruebas, y tal vez entonces... Pero tendría usted que venir a mi bufete.

Adela Navas clavó los ojos en los de Alemán.

—No me importa. Avíseme cuándo y haré por ir. Y si hay algo más que yo pueda hacer por mi madre, dígamelo y lo haré sin dudar.

—Con que ella sepa que usted la cree y la apoya, creo que será suficiente. Y así se lo diré.

—¿No me va a llamar a testificar?

—¿Estaría usted dispuesta? —preguntó Alemán, con asombro.

—Por supuesto que sí. Y diría la verdad: que mi madre jamás faltó a mi padre, que siempre lo respetó y lo trató como una esposa debe tratar a su marido. Aunque mi padre no lo merezca.

—¿Sabe usted a lo que se expone si testifica? —preguntó el letrado—. Me refiero a que su padre no se lo permitirá y necesitará su consentimiento para subir al estrado. Y si sube sin él, la castigará.

—¿Y cree usted que no es bastante castigo el estar sin mi madre? ¿No considera usted que el verdadero castigo, pase lo que pase, está por venir?

—No la entiendo, señorita.

—Pues es muy sencillo. Ocurra lo que ocurra en el juicio, mi vida estará deshecha. Si mi madre es condenada, ¿qué futuro me espera? ¡Con mi madre en la cárcel, Dios bendito...!

—La pena no sería la cárcel, sino el destierro, posiblemente.

—Peor me lo pinta usted. Y si sale absuelta, ¿qué será de nuestra familia? ¿Qué será de mi hermano y de mí? ¿Cómo podremos vivir en el futuro? La absolución significaría, si no me equivoco, que mi padre ha mentido. ¿Y qué pasaría después?

—Dependerá de su madre, Adela. Podría ser acusado de falsa denuncia y...

—¿Lo ve usted? ¡Pase lo que pase, será la ruina de todos! Pero, si tengo que elegir, elijo la inocencia de mi madre. Así que dígame si me llamará a testificar.

—No lo sé. No lo había pensado. De todas formas, le pido que reflexione, es una decisión arriesgada. Y ahora no lo digo pensando en el bien de su madre, sino en el bien de usted.

—No es en mi bien en el que debe usted pensar, sino en el de mi madre, señor abogado.

Pedro fue a contradecir a Adela, pero calló, porque sabía que la damisela llevaba razón, mal que a él le pesara.

—Sólo le pido que sopese su decisión —se limitó a decir—. Declarar oponiéndose a su padre...

—Tengo diecisiete años, señor. Y si tengo edad para estar comprometida, también la tengo para declarar como testigo sin permiso de nadie.

El abogado fue a decir que así era: que si él la llamaba como testigo, ni don Juan Navas ni nadie podría impedirle testificar, si ella quería hacerlo. Mas, cuando fue a abrir la boca, cayó en la cuenta de lo que la joven había dicho.

—¿Está... eh... está usted comprometida? —acertó a balbucear.

—Hace cuatro meses mi padre concertó mis esponsales con el hijo primogénito de don Juan Pedro Lacosta.

Don Juan Pedro Lacosta y González era uno de los más importantes cosecheros y productores de vino de Jerez. Desde el año anterior ocupaba una de las diputaciones del gremio de la vinatería. De llevarse a cabo ese matrimonio, los negocios de don Juan Navas podrían verse muy reforzados, dadas las magníficas relaciones del cosechero con exportadores ingleses.

—Ah —acertó a decir Alemán—. Pues... yo... Enhorabuena, Adela.

La damisela se lo quedó mirando, sonrió luego, una sonrisa que al abogado le pareció que no venía a cuento, y finalmente, conteniendo una risa enigmática, dijo:

—Es manco.

—¿Cómo?

—Que el hijo de ese hombre es manco.

Y estalló en carcajadas que llamaron la atención de más de un paseante. Perplejo, Pedro la miró y, después, al ver que las risas no cesaban, se contagió de ellas y acabó riéndose también. Una escena de lo más absurda, se diría después el abogado, al pensar en ella.

—Tuvo un accidente de pequeño y perdió la mano derecha —explicó la joven, una vez que pudo contener el ataque de risa—. ¿Cómo puede casarme mi padre con un jovenzuelo manco...? En fin... Tal vez lo único bueno de todo este lío sea eso: que todo se deteriore y que no tenga que casarme con él.

—¿Para cuándo es la boda, señorita, si no es mucho preguntar?

—Don Juan Pedro está en Londres por asuntos de negocios y no volverá hasta la Cuaresma. La información de soltura y las amonestaciones están previstas para mayo del próximo año. Y después se fijará la boda.

Y ahora, al pronunciar esa palabra, toda la risa anterior se desvaneció y fue sustituida por una profunda melancolía.

—Y yo no quiero casarme con ese hombre, al que apenas conozco.

Y miró al abogado. Y entonces se reveló tal cual era: una joven, poco más que una niña, atribulada, superada por los acontecimientos que se le habían venido encima como una tormenta; una jovencita compungida que vivía unas circunstancias insólitas y a la que la vida, su vida, que debió de haber sido tremendamente dichosa hasta poco tiempo atrás, ahora se le tambaleaba.

—Lo siento de verdad, Adela —afirmó Alemán. Y tentado estuvo de coger la mano de la niña, pero se contuvo. Se hizo un silencio incómodo que el abogado rompió cuando vio que se acercaba un vendedor ambulante—: ¿Desea usted un buñuelo?

Y volvió a sentirse estúpido. Suerte que Adela Navas ni siquiera respondió a su pregunta.

—Oh, ¿qué hora es ya? —preguntó ella, levantándose—. Debe de ser más de la una. Hemos de regresar.

Deshicieron el camino andado, en silencio. Llegaron a la plaza de las Angustias. La joven se paró y dijo:

—Debemos despedirnos aquí, don Pedro.

—Claro.

—Ha sido usted muy amable.

—Gracias.

—Buenas tardes tenga usted, pues.

—Un momento, Adela —repuso el abogado, antes de que la joven se marchase—. Me dijo usted que me explicaría el porqué no temía que su padre nos viese juntos...

Adela Navas dudó. Pero sólo fue un instante.

—No está ni en casa ni en los alrededores. Sería un milagro que pudiese vernos, pues seguro que a las doce estaba encamado. Mi padre se ve todos los domingos con su... entretenida.

—¿Se refiere usted a una... una querida? —preguntó Alemán, estupefacto. Y no por el hecho de que don Juan Navas del Rivero mantuviese una «enamorada», algo habitual entre los de su clase, sino porque su hija lo supiese y se lo hubiese referido de esa manera.

—Desde hace dos años más o menos, creo —afirmó Adela Navas—. Con una moza de pocos años más que yo. La hija de una viuda de la calle San Marcos, de la plaza de Jaramago en concreto, que consiente las visitas de mi padre a su hija y recibe sus regalos.

—Interesante —dijo como para sí el letrado, y añadió a continuación—: Permítame una pregunta, ¿cómo lo sabe usted? Y su madre, ¿conoce esa relación de su padre?

—Ésas son dos preguntas, don Pedro. Y ahora he de irme, mi padre está a punto de llegar. Se las responderé la próxima vez que nos veamos.

—¿Quiere eso decir que volveremos a vernos?

—El domingo próximo, aquí y a la misma hora, si a usted le place.

* * *

Era la hora del almuerzo y a Pedro no le apetecía en absoluto comer solo. Bueno, en realidad no le apetecía comer ni solo ni acompañado, pues no tenía hambre. Después de haber estado más de una hora en compañía de Adela, lo que tenía era ganas de aclarar sus ideas, pues era preso de una sensación equívoca, confusa. Por un lado, sentía un pellizco en el alma al pensar que la niña estaba comprometida; por otro lado, esas palabras: «El domingo próximo, aquí y a la misma hora, si a usted le place...». Y esos ojos de Adela mientras se lo decía... ¿Qué pensar, Dios bendito?

Fue dando vueltas por las calles de Jerez pensando en la niña y en el pleito de su madre. Reflexionó sobre ese nuevo dato que debería anotar en su cuaderno: la relación del bodeguero con la hija de la viuda, la entretenida de don Juan. Finalmente sintió sed más que hambre. Paró en el primer mesón que vio y a medida que fue bebiendo le fue entrando hambre. Se zampó un plato de cocido y unas naranjas de temporada con aguardiente y canela que le supieron a gloria.

Siguió paseando, embebido en sus propios pensamientos, ajeno a todo y a todos. Ni siquiera se dio cuenta de que por la misma acera por la que caminaba se acercaba el abogado don Juan Polanco Roseti. Éste, a pesar de su prestigio, era aún un hombre joven. Era hijo de don Juan Polanco y Ceballos, médico y caballero veinticuatro de Jerez. Paseaba con su esposa, una dama de la alta sociedad jerezana, hija de un jurado del cabildo.

—Buenas tardes, colega —saludó Roseti al llegar a la altura de Alemán—. Le veo preocupado.

—Ah, don Juan, buenas tardes tenga usted —saludó a su vez Alemán, saliendo de su arrobo—. No, preocupado no. Sólo pensando en mis cosas. ¿Cómo usted por aquí?

Sabía que Polanco vivía en la collación de San Mateo, en un caserón de la calle Cordobeses.

—Venimos de almorzar de casa del marqués de Villamarta, aquí al lado. Con un par de colegas más. ¿Conoce usted a mi esposa?

—No tengo el gusto —repuso Alemán, tomando la mano de la dama y llevándosela a los labios con una suave reverencia.

—He sido informado de que ha asumido usted, don Pedro, la defensa de doña Adela Rubio, la esposa de don Juan Navas.

—Cliente de usted, si no me equivoco. Por lo que supongo que nos veremos en el juicio.

—Pues no lo sé. Tuve una desagradable discusión con don Juan cuando supo de la libertad de su esposa. Y aún no ha satisfecho los honorarios a cuenta que le pedí. Así que a lo mejor no tengo el placer de enfrentarme a usted.

Se despidieron tras un par de frases protocolarias más y Pedro siguió su paseo, pensando en las últimas palabras de Roseti. Continuó andando embebido en sus pensamientos.

La tarde caía y el frío se acentuaba, pero Pedro ni advirtió una cosa ni sintió la otra. Sólo salió de su ensimismamiento cuando oyó un coro de voces que entonaban el rosario y cantaban letanías y salves. Fue en la plaza del Arenal. Eran varias decenas de niñas, todas vestidas con hábitos de la Pura Concepción de María Santísima: túnicas blancas con escapularios azules, tocas y mantillas. Eran las huérfanas del hospicio fundado por el canónigo don Francisco de Mesa y Xinete, que, como todos los domingos y festividades de Nuestra Señora, salían a la calle a entonar sus cánticos portando cruz, faroles y el simpecado de Nuestra Señora de Consolación. Distinguió entre ellas a Trinidad Amaya Expósito, la mendiga que había testificado para él. Iba limpia, había crecido medio palmo, estaba en carnes y se la veía luminosa. Se cruzaron sus miradas y la niña primero se sorprendió y luego le sonrió. Una sonrisa resplandeciente, espléndida. Incluso le hizo un breve gesto de saludo con la mano cuando ninguna beata la miraba. El abogado le devolvió el saludo cariñosamente. Siguió con la vista al cortejo de huérfanas hasta que las niñas se perdieron por la calle Armas, pues debían regresar antes de ponerse el sol y en noviembre el sol se ponía pronto.

Estuvo parado en la plaza hasta que los cánticos y las salves dejaron de oírse.

Había cosas buenas en la vida, se dijo.

XXVI
SUCESOS DE NAVIDAD

La Navidad llegó a Jerez después de un final de noviembre lluvioso y de un principio de diciembre en el que la lluvia se intercaló con un sol de invierno frío pero luminoso. Volvió a la ciudad el ambiente festivo. Se colocaron luminarias en las calles principales para celebrar el nacimiento del niño Jesús, se empavesaron fachadas de iglesias, se convocaron juegos de cañas y alcancías y los patios de vecinos se adornaron con ramas de abeto, papeles de colores y colgaduras para que en ellos, en la víspera de la Nochebuena, se cantaran villancicos al niño Dios y a su Madre Virgen.

Y ocurrieron en esos días algunas cosas que iban a condicionar la vida de varios jerezanos en el año entrante.

* * *

Mientras don Juan Navas del Rivero, cada mañana de domingo, puntual como un gallo, se encamaba con la jovenzuela llamada Esperanza Rendón, hija de la viuda Dolores Valenzuela, Pedro de Alemán y Camacho y Adelita Navas y Rubio pascaban por calles y plazas, ora de la collación de San Miguel, ora de la de San Dionisio, buscando siempre lugares donde no hubiese demasiadas miradas indiscretas y donde pudiesen conversar sin ser molestados. Hablaban del próximo juicio, sí, y de la defensa, y de los testigos, y sobre si la damisela testificaría o no, y de la intransigencia de don Juan; pero también hablaban de ellos mismos, de sus anhelos, de las cosas que habían hecho y de las que tenían por hacer, de sueños y esperanzas. De lo que nunca hablaban, posiblemente por tácito acuerdo, era de la cercana boda de la jovencita con el hijo de don Juan Pedro Lacosta y González. Seguramente porque no estaba en sus manos evitarla y pensaban que cuando algo no estaba en manos de uno, era mejor dejar que el destino siguiese su curso, como un río que fluye hasta encontrar el mar. O a lo mejor porque, como una vez leyó el abogado, hay veces en que el destino se encuentra por los caminos que se toman para evitarlo.

Un jueves de principios de diciembre le fue entregado al abogado el sumario de doña Adela Rubio para la formulación de la defensa y la proposición de pruebas. Se lo comunicó a la hija al domingo siguiente y Adela Navas le aseguró que estaría en su bufete en la tarde del inmediato lunes, día de San Anastasio. Y allí estuvo, poco antes de las seis de la tarde. Sola y acalorada, como si la tarde, en vez de ser decembrina, fría y nublada, amenazante de lluvia, fuese una tarde estival.

—¡Adela! —la saludó el letrado, ofreciéndole un vaso de agua—. ¿Se encuentra bien? Se la ve agitada. Tome, tome...

—Vengo corriendo —contestó la damita, una vez que apuró el agua y tomó asiento en la silla que Alemán le ofreció. Se quedó mirando el sobrio despacho, como si buscase en él, sin encontrarlos, recuerdos que la violentaran. Sonrió al cabo y añadió—: Y sólo tengo unos minutos. Le he dicho a mi padre que iba a la costurera, a una probanza. Y tengo a la tonta de Hortensia ahí fuera, sin parar de llorar. No era conveniente que saliese sola de casa y he tenido que traérmela. Enséñeme esas cartas, don Pedro, por favor.

Pedro de Alemán buscó en los legajos las cartas que se decían enviadas por doña Adela Rubio al alarife Manuel León de Caravaca. Las halló y se las mostró a la hija. Ésta apenas si las miró unos segundos; después, apartó de sí el legajo, como si le asqueara, y dijo:

—¡Estas cartas no las ha escrito mi madre, por Dios! ¡Ni pensarlo! Ni es su letra ni es su estilo. ¡Qué cartas más ridículas! ¿Cómo alguien puede pensar que mi madre es así de pedante? Tome usted, don Pedro.

Y sacó del pequeño bolsito que llevaba una carta arrugada y de color desvaído. El papel, que en su día debía de haber sido de un suave tono lila, aparecía ahora blancuzco y con manchas sepias en las esquinas. Pedro tomó la carta y leyó:

254

Mi muy respetado don Juan:

Agradezco como se merece el obsequio que me hace llegar a través de su señora hermana. Guardaré su camafeo con cariño y lo luciré sin duda con mi traje de novia. Daré cuenta, por supuesto, a mi padre de su obsequio, para que lo sepa y apruebe y, si procede, lo relacione entre sus arras. Le daré las gracias personalmente en la primera ocasión que tenga de verle.

Suya afectísima,

Adela Rubio y Cabeza de Vaca

—¿De dónde ha sacado usted esto? —preguntó el abogado.

—De entre las cosas de mi padre. Supuse que alguna vez mi madre hubo de escribirle. Y que él guardaba la carta, pues alguna vez tuvo que haber algo entre ellos, digo yo. Y ahí está. Dígame usted qué opina, por favor.

—La letra es completamente distinta, por supuesto.

—Claro, mi padre ni siquiera se ha preocupado de que el falsificador tuviese un original en el que fijarse. ¡Tan seguro está! Y el estilo, la redacción, todo es completamente diferente a esa... a esa... cursilada que me ha enseñado. Y ahora que lo dice...

Adela Navas volvió a tomar en sus manos las cartas del sumario. Las estudió atentamente.

—¿Qué ocurre? —preguntó Alemán—. ¿Ha visto algo de interés? ¿Algo que yo deba saber?

—Yo... No sé... no estoy segura —adujo la damita, sin levantar la vista de las cartas—. Déjeme que me cerciore, por favor. El domingo le podré decir algo. Porque le veré el domingo, ¿verdad?

Y al domingo siguiente, Adela le entregó a Pedro un inventario de uno de los envíos de vinos salido de la bodega de su padre. El abogado, en cuanto lo vio, supo de la importancia de ese documento. Y añadió un nombre a la lista de testigos. No obstante, algo se le seguía escapando. Pero se distrajo cuando Adela, antes de irse, le preguntó:

—El lunes pasado me enseñó usted las cartas que están en el sumario, las que afirman que mi madre mandó a ese hombre, a ese tal Caravaca...

—Así es —confirmó el abogado, sin saber adónde la damita quería llegar.

—¿Y no se ha cuestionado usted, abogado, por qué unas cartas que debían estar en poder del alarife Caravaca estaban, según se dice, entre las cosas de mi madre? ¿Es que no las envió? ¿O es que volvieron a ella por arte de birlibirloque? Las cartas suelen estar en poder de su destinatario, y no de su remitente, ¿no?

Esa niña, se dijo Alemán, no sólo era bonita. Era lista. Lista como un ajo, como habría dicho el aparcero Juan Ramírez. La siguió con la mirada mientras se perdía por la plaza de las Angustias.

—¿Me estaré enamorando, pardiez?

Fue la primera vez en su vida que dijo, o pensó, cosa tal.

* * *

Ese día de diciembre, el sacristanillo Jacinto Jiménez Bazán había acabado tarde sus faenas en la capilla de la torre de la insigne iglesia colegial. Hasta bien entrada la noche no había terminado de sacar brillo a patenas y cálices como el abad don Antonio de Morla le había ordenado, después de haberle reprochado a gritos que tenía los ornatos sagrados como si estuvieran en una porqueriza. Por eso cenaba solo en su casa, cabizbajo y huraño. Metió la cuchara en el plato de potaje de garbanzos que su mujer, Luisa Cabanillas, más que puesto, le había arrojado sobre la mesa. Sacó la cuchara y apenas si nadaban un par de garbanzos en el caldo rojizo y aguado. Dos o tres garbanzos tristes y macilentos.

—¿Pero qué mierda de guiso es éste? —protestó, tirando la cuchara violentamente sobre el plato y provocando que una lluvia de caldo cayese sobre la mesa—. ¿Dónde están los garbanzos, coño?

—Los pocos que había —adujo la mujer, sin volverse de la pila donde lavaba cacharros— se los han comido tus hijos. Que se lo merecen más que tú. Y mañana no sé qué vamos a comer. No tengo ni un maravedí y ya no me fían en ninguna parte.

Jacinto Jiménez mordió el mendrugo que había sobre la mesa y casi se le van dos dientes con el bocado, de duro que estaba el pan. Lo desmigó como pudo e hizo sopas en el caldo, que se fue comiendo en silencio. No tenía ganas de discutir con su mujer. En el vaso que había ante él sólo había agua. Hacía semanas que no probaba un buen vaso de vino.

Era el viernes día 15 de diciembre, tercero de Adviento, y el salmo responsorial de ese día mandaba: «Que mi boca esté llena de tu alabanza y cante tu gloria». El sotasacristán, empero, no tenía ganas ni fuerzas ni para loas ni para glorias. Lo que le apetecía era coger una turca de órdago y no despertar hasta que no pasasen esas fiestas de Adviento que le daban grima y lo llenaban de una melancolía que le dificultaba la respiración. Sabía además lo que le esperaba: los llantos de las niñas pidiendo natillas y buñuelos, la mirada atontada de su Jacintillo, la aturullada de su Manuel y la de incomprensión de su José. Y las broncas y murgas de su mujer. Y es que llegaba la Nochebuena y no tendrían en su casa ni un real para comprar un mal trozo de carne. Y don Antonio de Morla no era hombre dado a aguinaldos. El muy avaro.

Tenía que hacer algo. No tenía más remedio. Llevaba días intentando dar con don Raimundo José Astorga Azcargorta o con don Florián Alvarado y López de Orbaneja, pero no había podido acercarse a ellos a menos de diez pasos. Más o menos como le ocurrió antes del verano. Tendría que cambiar de estrategia, buscar un ardid, colarse en sus casas. Algo. Y si había que morir en el intento a manos del bravonel del mostacho, se moría. Que, total, para el asco de vida que llevaba tampoco era mucha pérdida.

Pero así, se dijo, no podía seguir.

* * *

Pedro de Alemán estaba preparando la defensa de doña Adela Rubio y algo le rondaba por la mente, pero no lograba atraparlo. Leía y releía los legajos, repasaba las conversaciones con la dama, a quien al menos una vez por semana visitaba en la casa de Ángeles Huertas, en la calle Abades; rememoraba detalles y pormenores; revisaba las anotaciones escritas en su cuaderno, analizaba las pruebas, estudiaba partidas y precedentes, pero era incapaz de asir ese dato que se le insinuaba aunque no se le revelaba. Y de las preguntas que había anotado en su cuaderno, había sobre todo una que no era capaz de responder: «¿Por qué don Juan Navas del Rivero iniciaba proceso penal contra su esposa por serle infiel, cuando tenía a su alcance remedios menos comprometedores?».

Había llegado a hacerle también esa pregunta a Adela Navas, pero tampoco la joven le había podido aclarar la cuestión.

Y, mientras tanto, ese runrún del recuerdo inasible le perforaba la cabeza como un alfiler.

Y no es que temiera por no poder lograr la absolución de doña Adela. En absoluto. Estaba convencido de que tenía elementos y pruebas más que suficientes para pergeñar una sólida estrategia de defensa y para desvirtuar las pruebas de la acusación. Ésta sería sostenida sólo por el promotor fiscal don Laureano de Ercilla, pues finalmente don Juan Polanco Roseti no había llegado a personarse en el proceso en nombre del bodeguero. Sus enfados debían de haber ido a mayores. A quien no había podido localizar era al alarife Manuel León de Caravaca. Había pedido a Jerónimo de Hiniesta que intentara dar con él a través de colegas procuras gaditanos, pero la gestión había sido infructuosa. Fue informado de que, al parecer, Caravaca había marchado a un pueblo cercano a Badajoz para ejecutar una obra de azulejería y que no se le esperaba en los próximos meses.

La respuesta a la pregunta que le atormentaba le llegó de la forma más insospechada.

Era miércoles de diciembre, día de los Santos Antíoco y Aristón, cuando una visita llegó a su bufete de la calle Cruces poco después de las cinco de la tarde. Era una señora bien vestida, o más que bien vestida emperifollada, entrada en años y en carnes, que venía acompañada por su doncella. Ésta, una vez que la dama fue recibida por el abogado, aguardó en el patio. Pedro de Alemán, al ver las precauciones de su cliente, temió que hubiera trascendido su fama (su mala fama) con algunas mujeres que venían a su oficina de la Casa del Corregidor o a su despacho privado, pero enseguida, cuando observó la mirada tranquila de la señora y su aspecto de matrona, se tranquilizó. Se juró para sus adentros que *aquello* no volvería a pasar.

—Soy doña Anunciación de Quevedo y Ceballos, esposa de don Carlos García de Quirós. Me ha recomendado a usted don Diego López de Morla, de cuya esposa, doña María Joaquina Virués de Segovia y López de Spínola, me precio de ser buena amiga. Además de ser cliente de nuestra joyería.

El abogado se quedó atónito. Don Carlos García de Quirós era un conocido joyero de Jerez, con joyería abierta en la plaza de San Lucas, cerca de la casa-palacio de los Padilla. Y que aquella señora fuese a buscar abogado y no fuese a ver al de su marido, que con toda seguridad lo tendría, era harto significativo. En aquella época, era cierto, las mujeres no solían tener abogados propios: las casadas, porque los tenían sus maridos; las solteras, porque sus abogados eran sus padres; y las viudas, porque, salvo excepciones, no podían ejercer negocios, y ¿para qué se puede querer un abogado si no media negocio...? Sólo en caso de que tuviesen que enfrentarse a sus esposos —como era el caso de doña Adela—, las mujeres casadas se veían obligadas a buscar abogado para sí mismas, a fin de que defendiera sus intereses opuestos a los de su marido. Y eso era, al parecer, lo que había hecho doña Anunciación. Pero lo que de verdad había dejado sin respiración a Pedro de Alemán era que quien le había recomendado hubiese sido nada más y nada menos que don Diego López de Morla, señor de los Arquillos y caballero veinticuatro de Jerez y uno de sus más reputados prohombres. Con quien, además y recientemente, había mantenido pleito. ¿Estaría su estrella cambiando?

—Es un honor para mí que venga usted de parte de don Diego, como es un placer poder atenderla. ¿Podría usted, doña Anunciación, contarme el motivo de su visita?

La dama se proponía entablar litigio con su marido don Carlos García de Quirós, de extendida fama de roña, por cuestión relacionada con la dote.

La dote era, en aquellos tiempos, una institución matrimonial de primer orden, pues hasta la más humilde de las hembras debía llevar su dote al contraer nupcias. La dote era el conjunto de bienes que entregaba la mujer al esposo por razón de matrimonio. Podía tratarse de una entrega efectiva o de una obligación contraída mediante negocio jurídico de promesa de entregarla. Además de dinero, podía consistir en la entrega de propiedades, en la cesión de créditos, de derechos reales, de tierras y bienes diversos, excepto oficios públicos, según prohibición de Felipe Cuarto en 1623. El administrador de la dote era el marido y, aunque no le estaba permitido venderla ni hipotecarla, sí le correspondía como propiedad el usufructo de los bienes dotales. En caso de disolución del matrimonio o separación, los bienes dotales revertían a la mujer. Y en caso de muerte de la esposa, la dote pasaba a sus herederos: a sus hijos, y si no los había, a su familia de origen, tal como ordenaba la Partida Cuarta del Rey Sabio.

Una de las obligaciones del marido al recibir la dote era entregar a la esposa lo que se denominaba carta de dote. Era como una carta de pago, por la que el marido reconocía haber recibido de su esposa los bienes que componían la dote. Y era un documento que debía otorgar el marido ante escribano público antes de los dos años de contraído el matrimonio y que las esposas de clase alta se preocupaban en tener para asegurar sus derechos. Y ahí radicaba el pleito de doña Anunciación: su esposo don Carlos García de Quirós no le había otorgado carta de dote a pesar de que llevaban más de veintidós años casados. Y, como no tenían descendencia, la esposa quería asegurarse de que los bienes dotales pasasen a su familia en caso de que muriese antes que su esposo. Y éste, pese a que ella le pedía día sí y otro también que otorgase la escritura, se hacía el remolón cada vez.

Doña Anunciación informó al letrado de que su dote había consistido en ocho mil cien reales en metálico y en una interminable lista de enseres y objetos que llevaba anotada en un grueso fajo de papeles con letra minuciosa y pequeña como hormigas. Y que tras examinar y comprobar que estaban detallados con exagerada minuciosidad, el abogado no pudo discernir quién era más roña, si la mujer o el marido.

Pedro de Alemán informó a doña Anunciación de sus honorarios y del procedimiento a seguir, que era sumario y sencillo. Ella debía declarar ante escribano público que antes de contraer matrimonio había entregado a su marido la correspondiente dote, relacionando los bienes que la integraban; que su esposo le había prometido que, conforme la ley le obligaba, le extendería carta de pago una vez contraído el matrimonio. Y que no lo había hecho y se negaba a ello. Y debería exhortar a los justicias de la ciudad a que apremiasen a su esposo, incluso por medio de alguaciles, para que llevase a cabo la ejecución de la escritura de carta de dote tras haber pasado ya el plazo de dos años desde el matrimonio.

Una vez otorgada la escritura, y si todo iba como debiera, el corregidor don Nicolás Carrillo de Mendoza dictaría auto apremiando al marido a que en el plazo de tres días otorgase a su esposa la correspondiente carta de pago y recibo de dote por el importe de lo que recibió. Y si don Carlos García de Quirós era tan listo como cicatero, decidiría evitarse un pleito que no podía ganar y comunicaría al corregidor su voluntad de redimir su vejación y, apreciando ser justa la petición de doña Anunciación, se aprestaría a otorgar la carta. Que ésta contuviese el recibo de toda la dote era otro cantar.

Y fue entonces cuando a Pedro le llegó la iluminación que durante tantos días se le había negado. Pudo responder ya sin dudas a aquella pregunta que le atormentaba —¿por qué don Juan Navas del Rivero iniciaba proceso penal contra su esposa por serle infiel, cuando tenía a su alcance remedios menos comprometedores?— y cerró el círculo de la defensa de doña Adela Rubio y Cabeza de Vaca.

Para cerciorarse, disimulando ante su nueva cliente a la que aseguró que estudiaba fueros relacionados con su problema, consultó las antiguas leyes, que desde la remota ley 78 de Toro tenían sentido inmutable. Y se reforzó en su convencimiento.

—Pues sí que es cabrón ese don Juan —dijo en voz alta, sin apercibirse de que doña Anunciación de Quevedo y Ceballos aún estaba frente a él.

—Don Carlos —precisó la mujer—. Mi esposo se llama don Carlos. Y un poquito agarrado sí que es, don Pedro, pero tanto como cabrón... ¡Huy, con perdón!

—Disculpe usted, doña Anunciación, es que en este momento no pensaba en su esposo.

Una vez que despidió a la dama y hubo convenido con ella la preparación de las correspondientes escrituras, corrió al archivo de los protocolos notariales que se conservaban en el Casa del Cabildo de la ciudad, en la plaza de los Escribanos, como obligaban las pragmáticas reales. Se pasó hasta la hora del cierre del cabildo consultando escrituras y actas, y tomó nota de las que le convinieron. Después, a la mañana siguiente, consultó el catastro y se confirmaron sus sospechas. Se entrevistó con don Tomás de Geraldino, diputado del gremio de la vinatería, y aquéllas se reafirmaron. Fue a ver a doña Adela Rubio y Cabeza de Vaca, que le ratificó todo cuanto intuía y le dio la información detallada que le solicitó. Volvió a los archivos del protocolo y obtuvo cuanto precisaba. Pidió a Jerónimo de Hiniesta que hiciera algunas indagaciones entre mercaderes y artesanos, y las sospechas se convirtieron en certeza que, por un lado, le alegraron y, por otro —por el lado de su propia cliente y de su hija Adela— le entristecieron.

Terminó la defensa y el listado de pruebas el último día del plazo y se dispuso a esperar el juicio de doña Adela Rubio y Cabeza de Vaca. Éste, ya a principios de año, fue señalado por el juez de lo criminal para el día 20 de febrero de 1753, justamente una semana antes del martes de Carnaval.

* * *

Matilde Berraquero, la manceba del reverendo padre don Alejo Suárez de Toledo, cura colector de San Miguel, tenía a sus dieciocho años las carnes firmes, el culo más firme todavía y las tetas tan firmes que apuntaban al cielo incluso cuando estaba desnuda e inclinada. Y eso a pesar del parto del hijo a quien ni nombre pudo darle y a pesar de que el cura usaba de su cuerpo con frecuencia y con ganas. Como antes lo había hecho su propio padre.

Sin embargo, a pesar de ese cuerpo glorioso y goloso, don Alejo, en los últimos tiempos, parecía buscar nuevas experiencias, como si las solas carnes de su mancebita comenzaran a aburrirle. Y si no a aburrirle, a enardecerlo menos. Vamos, que cada vez le costaba más que se le levantara. Y ya no se conformaba con montarla a la manera de las personas normales. Sobre todo desde que le diera aquel dichoso escudo de oro que a la niña apenas si le había llegado para pagar cuentas pendientes y para llenar la despensa, comprarse unas enaguas nuevas y un delantal de encaje. El cura cada vez buscaba cosas nuevas, nuevos modos y cosas que a Matildita, con sólo pensarlas, le ponían la carne de gallina y la vulva tan cerrada que ni con aceite de oliva conseguía lubricarla.

La última picardía del páter había sido aparecer con un hábito blanco de monja dominica y pretender que Matilde se lo enfundara antes de fornicar con él y que, mientras la penetraba por detrás, la niña le entonase tedeums y letanías. Fue el día después de la Navidad. Ella abrió mucho los ojos y empalideció nada más oír la petición del cura. No es que Matilde Berra-

262

quero fuese especialmente religiosa: ni siquiera sabía el catecismo, recitaba con mucha dificultad el paternóster y en Torremelgarejo no iba a misa porque la iglesia más cercana estaba a muchos estadales de distancia. Lo poco que sabía se lo había enseñado el carmelita que iba por allí de vez en cuando y que la había ayudado con sus primeras letras. Pero, como toda mujer honrada, y ella lo era a pesar de todo, tenía temor de Dios. O del demonio y de la condenación eterna, que para ella eran lo mismo. Así que se negó. No atendió a los ruegos del páter ni se dejó convencer de que aquello era un pecado venial por el que no se condenaba nadie.

—¡Que no, páter, que no! —exclamaba una vez y otra la niña—. Que yo no dejo que usted me la meta vestida de monja. Que eso es pecado mortal.

—¡Anda ya, niña, no seas tontita! —argumentaba el cura, persiguiéndola por la estancia e intentando enfundarle hábito y toca blancos—. Esto no es más que un juego.

—¡Sí, sí! ¡Un juego por el que podemos arder los dos, páter, usted y yo, en las llamas de Belcebú! ¡Que no, por Dios, que no!

Y como no había forma de que dejara de decir que no, don Alejo, cura colector de San Miguel, tiró al suelo el hábito de monja dominica, se remangó las mangas, cogió a la niña del brazo, se sentó en el catre, puso a Matildita por la fuerza sobre sus rodillas, le subió faldas y enaguas y, sin hacer caso de sus protestas y lloros, le cacheteó el culo hasta que éste se puso morado como el ropón de un cardenal. Después, ya sí, enardecido como un torito, la puso bocabajo en la cama, sin hábito de monja y sin nada, y le dio dos arremetidas hasta correrse como un verraco.

Cuando el cura se fue, Matilde se levantó de la cama, se lavó en la palangana y, contorsionándose, consiguió verse el culo. En efecto, ya estaba morado, casi negro. Como una ciruela negra. E intensificó el llanto.

Aquello tenía que acabar, se dijo. Desde hacía unos días permitía a Antón Revuelta, el aprendiz de la tahona de maese Mateo en la plaza Quemada, que le metiese la mano debajo de las faldas y le besase los pechos. Y sabía que pronto lo dejaría entrar en su cuarto. Porque le gustaba y porque quería olvidar los sobos de ese páter rijoso. ¿Y qué diría Antón si le veía el culo así?

Sí, se repitió Matildita Berraquero secándose las lágrimas, tenía que acabar con aquello. De la forma que fuera. Como Matilde que se llamaba.

* * *

Ignacio de Alarcón entró en San Dionisio a media mañana, cuando no había misas ni oficios en ese día de diciembre. El día antes había estado en el convento de los padres capuchinos, acabando el boceto y estudiando el cuadro del jubileo de la Porciúncula. Se representaba en la pintura, colgada en el coro de la iglesia, la escena en que San Francisco de Asís, hallándose en el monte cercano a la Porciúncula, un lugar próximo a Asís, ardía en ansias de la salvación de las almas. Un ángel le ordenó bajar del monte a la basílica de Santa María de los Ángeles, que había sido erigida con el papa Liberio por los eremitas del valle de Josafat. Allí, Francisco vio a Jesucristo, a su Madre y a multitud de espíritus. Oyó la voz de Jesús, que le decía: «Pues tantos son tus afanes por la salvación de las almas, pide, Francisco, pide». Francisco pidió una indulgencia plenaria que se ganase con sólo entrar confesado y contrito en esa capilla de los Ángeles. Y le contestó el Salvador: «Mucho pides, Francisco, pero accedo contento».

Zurbarán había representado la escena llena de figuras, contraluces y colores. Jesús y su Madre ocupaban la parte central del cuadro, rodeados de ángeles y querubines. Ante ellos, San Francisco de Asís, postrado y con la mirada elevada. Jesús vestía manto rojo con complejos plisados, plegado sobre el brazo izquierdo, y túnica oscura. La Virgen estaba pintada con túnica de color rosa y manto azul, también con muchos frunces. San Francisco, con hábito oscuro. Pese a lo abigarrado de la composición, a las muchas figuras que poblaban el cuadro, a la gran profusión de luces, sombras y colores y pese a los pliegues y dobleces de mantos y vestiduras, a Ignacio de Alarcón, que ya había copiado antes el jubileo de la Porciúncula de Murillo, no le fue dificultoso bosquejar el cuadro con todos los detalles.

En cambio, ahora, en San Dionisio, ante el cuadro de la *Virgen niña dormida*, supo que su trabajo con este lienzo no iba a ser tan cómodo ni tan sencillo. A pesar de que era de composición más simple y colores más tenues. Pero era de una perfección tal, de tan gran calidad, que cualquier falsificador de obras de arte debería cuidarse muy mucho de no quedar al descubierto en su superchería. De ahí que Ignacio de Alarcón hubiese insistido ante los caballeros en ir a comprobar con sus propios ojos el lugar en donde el cuadro iba a ir ubicado en cuanto las obras de la colegial lo permitieran, para cerciorarse de que la altura y lo umbrío del sitio iban a facilitarle salir indemne de la añagaza. Y es que ese cuadro, que ahora estaba en San Dionisio, había sido propiedad de la ilustre dama doña Catalina de Zurita y Riquelme, fallecida en 1722. En su testamento, doña Catalina había dispuesto que el cuadro de Zurbarán estuviera en el mismo lugar en que ella fuese enterrada, la colegial, pues tenía gran amor a esa pintura y gran devoción a la Virgencita que en ella se encarnaba. Pero al estar la colegial en obras, doña Catalina de Zurita y Riquelme hubo de ser enterrada en San Dionisio, y allí, junto a su mausoleo, estaba el cuadro. Pero con el avance de las obras de la nueva iglesia colegial los canónigos ya hablaban de trasladar la sepultura de doña Catalina a la nave del Evangelio, ya prácticamente finalizada, y con ella, el cuadro de Zurbarán.

El cuadro de la *Virgen niña dormida* medía dos varas y cuarto de alto por algo más de una vara de ancho. La Virgencita aparecía sentada en un invisible taburete, junto a una silla de enea, dormida; su brazo derecho, apoyado en la silla, sostenía su cabeza; en su otra mano portaba un libro. Parecía que había estado leyendo cuando el sueño la había sorprendido y que ahora soñaba con ángeles, con visiones divinas, con su futuro esplendoroso como Madre de Dios. Vestía un alegre vestido rosa violáceo y un manto de intenso tono azul, casi caído, pues parecía resbalar por su pierna hasta quedar apoyado en el suelo. Detrás de ella, sobre una mesita, había un jarrito con flores. A los pies de la mesa se veía un cojín rojo de aterciopelada textura.

Ignacio de Alarcón contempló la pintura, extasiado. No sentía especial predilección por don Francisco de Zurbarán: gustaba más del estilo de Bartholomé Esteban Murillo, o de los Herrera, padre e hijo; o incluso de Juan Carreño de Miranda, cuyos retratos austeros, solemnes y de gran refinamiento cromático lo admiraban. Pero tuvo que reconocer que esa pintura de Zurbarán era algo excepcional. Por un momento se lamentó de que esa obra de arte fuera a parar a Inglaterra y que en Jerez sólo quedase una réplica. Una réplica de un gran pintor como él era, pero sólo una réplica al fin y al cabo. Mas enseguida ese pensamiento se esfumó de su conciencia, tan escasa como ésta era.

La iglesia de San Dionisio estaba desierta a esa hora del día. Y don Alejo Suárez de Toledo había avisado al párroco de que Ignacio de Alarcón, «afamado experto sevillano en obras de arte», iba a estar en la iglesia buena parte de la mañana para hacer un bosquejo del cuadro de la Virgen niña e incluirlo en un libro de inminente publicación sobre las grandes obras de arte de los templos andaluces. Y dejaría un generoso donativo en el «juanero». Así que, seguro de que su presencia y actitud no iban a levantar sospechas, se sentó en el taburete que portaba, desplegó el caballete, aseguró en él un gran pliego de papel verjurado, sacó el carboncillo y, despacio, muy despacio, con profunda concentración, comenzó a reproducir en el pliego aquel magnífico cuadro de la *Virgen niña dormida*.

XXVII

El mensaje del sacristanillo

La Nochebuena había sido, para Pedro de Alemán, triste y premiosa, como todos los años. Bueno, este año lo había sido aún más, puesto que tenía más para añorar. Había rechazado con toda la amabilidad que pudo la invitación que don Bartolomé Gutiérrez le había hecho para que pasara la fiesta con su familia. Había visitado al sastre una tarde y le había encargado una nueva casaca, un par de camisas y nuevas calzas y medias. El alfayate, prudente como era, se había limitado a mirarlo muy fijamente y a sonreír con disimulo.

—¿Algo nuevo que contarme? —se limitó a preguntar después, mientras le tomaba medidas.

—Nada especial. Mis pleitos y mis cosas. ¿Por qué lo pregunta?

—No sé... ¿Tal vez por el brillo de tus ojos? ¿Tal vez porque te encargas ropas nuevas a medida por primera vez desde que empezaste a ejercer, en vez de comprarlas de segunda mano como hasta ahora habías hecho? ¿O tal vez porque me han contado que cada domingo por la mañana paseas con una hermosa damita del brazo por extramuros?

—Es la hija de doña Adela Rubio y Cabeza de Vaca —repuso Alemán, azorado—. Ya le hablé de ella...

—¿Y paseas con todas las hijas de tus clientes, Pedro?

—No sea usted mal pensado, don Bartolomé, no es más que una niña... —Y, para cambiar de tema, preguntó—: ¿Cómo va su libro? Ese que está escribiendo sobre la historia de Jerez...

—¡Ah, sí, mi *Historia de las antigüedades y memorias de Xerez de la Frontera*! —contestó entusiasmado. Tenía un par de alfileres en la boca que le obligaban a hablar cuidadosamente para no pincharse ni que se le cayeran—. Acabé el primer tomo el mes pasado, Pedro, pero estoy como con mi *Poema histórico de Xerez*, que no encuentro quien me financie la imprenta.

—Si lo diera a leer a algún veinticuatro y si resultase que alguno de sus antepasados aparece en el libro, a lo mejor tiene usted suerte —insinuó el abogado, de pie ante el sastre y procurando no moverse para que éste no errase con las medidas.

—Lo he dedicado al cabildo y lo he enviado a ver si se animan, pero no confío mucho, Pedro. Ya veremos, ya veremos... Bueno, esto ya está —anunció, dejando el metro y el acerico sobre la mesa—. Creo que para año nuevo te termino todo, Pedro.

—Me viene bien, don Bartolomé.

—¿Y seguro que no te apetece pasar la Nochebuena con nosotros?

—Seguro, ya sabe usted que estas fiestas me entristecen más que otra cosa.

Así que Pedro pasó solo la Nochebuena, en su casa. Únicamente salió un momento al patio para cumplimentar la invitación de una vecina, que lo había convidado a aguardientes y pestiños, el tiempo justo para no parecer descortés. En cuanto pudo se escabulló. Sin sueño y sin posibilidad de conciliarlo por la algarabía del patio, se refugió en su bufete. Intentó concentrarse en trabajos, pero le fue imposible: el pensamiento se le iba cada dos por tres hacia Adela Navas y Rubio. ¿Cómo sería la Nochebuena ese año en su casa de la calle Corredera?, pensaba. ¿Cómo podrían festejar allí el nacimiento del Niño Jesús si la madre estaba expulsada de la casa y pendiente de juicio? ¿Cantarían villancicos, sabiendo que el futuro que aguardaba a la familia era negro como el mal?

La Nochebuena había caído ese año de 1752 en domingo. Como también lo sería el día de fin de año. Así que no podría reanudar sus paseos con Adela hasta al menos el primer domingo del año, justo al día siguiente del día de la Epifanía de los Reyes Magos. Se preguntó si sería adecuado llevarle un presente: un pañuelo, un pequeño colgante, un alfiler. Pensando en ello se durmió.

* * *

La Navidad en la casa de Jacinto Jiménez Bazán, sotasacristán de la santa e insigne iglesia colegial, fue en ese año del Señor de 1752 la más triste que recordaba. La más triste y la más destemplada, pues, en vez de los villancicos y los dulces de mazapán con piñones, lo que se prodigó en aquella humilde morada de la cuesta del Aire fueron las broncas, las discusiones y las peleas. Hasta un par de sopapos se cruzaron Jacinto y Luisa Cabanillas en una de las pocas ocasiones en que se hallaron solos en la casa.

Y es que, para sobrevivir hasta principios de enero en que el sacristanillo y su hijo José cobrarían sus estipendios del cabildo y de don Juan Pablo Riquelme de Villavicencio, Luisa Cabanillas había tenido que pedir algunos reales prestados a su hermana Cristinita, que era diez años menor que ella, pero que había sabido casarse bien. Lo había hecho con un esterero que, aunque medio lila —tampoco Cristinita alumbraba mucho—, ganaba bien sus dineros con el negocio que había heredado de su padre.

Jacinto ya no podía más. Dejó la cena a medio comer y se fue a la capilla de la torre mucho antes de que los canónigos y predicadores llegaran para la misa del gallo. Buscó un trozo de papel limpio, una pluma y tintero. Se sentó en una banqueta, frunció la lengua entre los dientes y, con tremendo esfuerzo porque era medio analfabeto, comenzó a escribir. A punto estuvo de hacerse sangre en la lengua de tanto como la mordió. Tardó casi un cuarto de hora en garabatear un puñado de palabras. Cuando acabó, sopló sobre el papel para secar la tinta, agitó la esquela en el aire varias veces y, finalmente, la dejó sobre la mesa y leyó, también con inmenso esfuerzo:

> *Ecelensia:*
> *Soi Jasinto, el sacristanillo de la colejial. E de ver a su eselencia urjentemente. Es custión de vida o muerte. Digame por favor cuando puedo ir ha verle.*
> *Grasias de su seguro cerbidor,*
>
> *Jasinto Jiménez*

Leyó y releyó, tembloroso, hasta que se dijo que era inútil seguir releyendo puesto que no lo iba a hacer mejor ni aunque se llevara mil años escribiendo. Dobló el papel cuidadosamente, lo selló con el lacre del cabildo que estaba en un cajón y se lo metió en el bolsillo de la sotana. Nervioso, se dedicó a preparar la misa de Nochebuena. Hizo los preparativos para la celebración con mucho esmero. Tanto que cuando llegó el abad don Antonio de Morla no pudo por menos que lanzar una mirada entre sorprendida y apreciativa al sacristanillo. Los canónigos fueron apareciendo uno a uno. Poco antes de las doce, Abelardo Peña, el campanero de la colegial, llegó para imitar el tradicional canto del gallo y los feligreses de la collación comenzaron a llenar la pequeña iglesia.

Jacinto ayudó a la misa de forma maquinal, sin enterarse de nada y sin participar en nada, aunque sin cometer errores. La ceremonia transcurrió solemne y dichosa, con hombres y mujeres estrenando alguna prenda nueva. Los que podían, claro, que no eran muchos en aquellos años. Durante la adoración, mujeres y niñas depositaron ante el altar dulces caseros y recibieron a cambio el pan de Navidad: el pan bendecido que guardarían en sus casas todo el año como talismán, como reliquia, y al que sólo recurrirían en caso de enfermedad grave de algún familiar.

Regresó a su casa poco después de la una y media de la mañana. Su familia dormía, excepto Jacintillo, el mayor de los hijos y el más lerdo, que miraba las musarañas mientras se embobaba en el sonido de los villancicos que los vecinos cantaban en los patios. Acostado pero insomne, pensó en cómo hacer llegar la esquela a don Raimundo José Astorga Azcargorta. Lo de llevarla él mismo quedaba descartado, pues no le permitirían ni acercarse a la casa. Ni por un momento se le ocurrió encomendar a su primogénito la tarea de llevar la carta al caserón de la calle San Blas: o se perdía él o perdía la esquela. O ambas cosas, probablemente. Así que decidió esperar a la mañana y hablar con su hijo José. Era Navidad; era, pues, día festivo y no tendría que ir a trabajar a casa de los Riquelme. Le pediría que llevara la nota a la mansión del marqués de Gibalbín, que se la entregara a un criado o a un mayordomo y que advirtiera que debía hacerla llegar al dueño de la casa con la mayor celeridad, pues era cuestión de vida o muerte; y que insistiera en que el remitente aguardaba respuesta a la mayor prontitud posible.

Y así lo hizo. José, despabilado como era, llevó la carta al palacete de la calle San Blas. No sin extrañeza, pues no sabía qué tratos podía mantener su padre con un marqués. Así que supuso que sería un encargo del cabildo, pues el lacre que figuraba en el papel doblado era, según creyó distinguir, el de los canónigos. Entregó la nota a un criado, a quien hizo la advertencia que se le había encomendado. El sirviente, aunque extrañado por la perentoriedad de la entrega, aseguró que la haría llegar al de Gibalbín.

Cuando José Jiménez Cabanillas llegó a su casa y comunicó a su padre que el encargo estaba cumplido, Jacinto dio a su hijo un abrazo, lo que acrecentó el estupor del chaval por todo aquello.

Y el sotasacristán se quedó esperando a que se produjeran noticias.

XXVIII

LA CONFESIÓN DE MATILDE BERRAQUERO

Matilde Berraquero entró en la iglesia de San Miguel el lunes día 1 de enero de 1753, como hacía todos los lunes del año. Y lo hizo a la una en punto de la tarde, hora en que la iglesia solía estar muy poco concurrida, después de la misa de año nuevo y de las celebraciones de la Nochevieja. Y como cada lunes, se dirigió al confesonario donde la esperaba don Alejo Suárez de Toledo, cura colector de la parroquia.

Desde hacía casi dos años, el reverendo le pedía que fuera cada lunes a la iglesia a confesarse con él. Y que, en vez de pecados, le relatase cuantas guarrerías a la niña se le ocurrieran: sueños lúbricos, posturas sexuales inverosímiles, fantasías inconfesables, actos pecaminosos cometidos en la soledad de su cuarto (pensando en el páter, naturalmente), episodios contra natura y perversiones de toda especie. Y aunque más de dos veces al mes le repetía al confesor las mismas cochinadas, puesto que tampoco era Matildita muy ducha en inventar tales tipos de historias, el páter ni se apercibía. A mitad de la confesión, que solía prolongarse su buena media hora, se metía la mano entre la sotana y realizaba cosas que la manceba no quería ni ver. Y se había acostumbrado por ello a confesarse con los ojos cerrados, para que ninguna imagen le llegase a sus ojos a través de los orificios de la rejuela. Y lo hacía muerta de asco y de vergüenza, pues sabía que esas cosas no estaban bien y que estaba buscándose la condenación eterna. Y más si esas cosas se hacían en la casa de Dios.

Entró en la iglesia con paso firme y decidido. Había tomado una determinación el día anterior y ni el mismo papa de Roma

273

iba a hacerle cambiar de idea. Esa noche, por fin, había dejado entrar al aprendiz de panadero Antón Revuelta en su cuarto. Había sido su particular celebración de Nochevieja. Segura de que el páter no aparecería ese día por la casa de la calle Honsario porque estaría con sus misas y ceremonias. Y lo había hecho porque le había apetecido. Porque se estaba acostumbrando a las miradas y a las caricias de ese zagal que le decía cosas bonitas que nunca nadie le había dicho, que la trataba como si fuera una dama, que le regalaba bollos de canela y que la miraba con ojos de galán, con ojos de enamorado. Y con una dulzura que la enternecía. Solos en la oscuridad de su cuarto, alumbrados únicamente por la llama sutil de una velita, después de unos besos que le supieron a gloria y de unas caricias que hicieron que sus pezones alcanzaran un tamaño que se le antojó imposible, se desnudó para él. Y lo desnudó para ella. Y se admiró de sus brazos fuertes y de su pecho de herrero, con esos músculos largos de tanto manejar la pala en la tahona y de tanto amasar pan. Pero, cuando se dio la vuelta para ir a la cama con él de la mano pero un paso por delante, se dio cuenta de su torpeza en cuanto oyó la exclamación del mozo.

—¡Pero, Dios mío, Matilde! ¿Quién te ha hecho eso?

La mirada del joven, como habría hecho cualquier hombre en situación similar, se había ido directamente a su culo, firme y altivo como cuello de cisne. Y la luz de la velita, aunque tenue y temblorosa, le había permitido apercibirse de que ese culo precioso estaba lleno de moratones, entre los que aún se dejaban ver las huellas de algunos dedos. Tenía las carnes como la paleta de un pintor, ahíta de colores: amarillo, morado y negro, igual que un girasol. A pesar de que entre la tunda y la Nochevieja ya habían transcurrido unos cuantos días.

—Me caí —respondió Matilde, dándose enseguida la vuelta y encarando a Antón para que éste no siguiera mirándole el culo.

—¡Y una leche, Matilde! ¡Eso no es de una caída! ¡Eso es de una zurra! ¡Dime quién te ha pegado, que lo mato!

Y sabía que era capaz de ello. Sabía que Antón Revuelta, aprendiz de tahonero pero noble como un barón, era capaz de matar al cura colector de San Miguel si ella contaba la verdad. Así que siguió insistiendo en lo de la caída. Y lo calló a besos cuando él quiso volver a preguntar. E hizo que olvidara todo, al menos por unas horas, entregándose a él de una forma que no sabía existía: completa, total y sin paliativos. Y extrajo de su cuerpo placeres que ni sospechaba se podían experimentar. Y cuando todo acabó y el aprendiz preguntó de nuevo por los moratones, le hizo jurar que nunca más le preguntaría por ello. Y el chaval, que habría estado dispuesto a subir por ella a la mismísima Giralda, lo juró de inmediato. Y volvieron a lanzarse uno sobre otro hasta que quedaron exhaustos.

Así que había tomado una decisión: lo del páter se iba a acabar. Y con esa determinación se arrodilló ante el confesonario.

—Ave María Purísima.

—*Sine labe concepta* —respondió el cura. Ya en su voz comenzaba a notarse el inconfundible latido de la excitación.

—Me arrepiento, padre, porque he pecado.

—¿Cuándo fue tu última confesión, hija mía?

—No me acuerdo, páter.

—¿Cómo? —preguntó el cura, extrañado. Esa respuesta no estaba en el guión. Hacía justo una semana que Matildita había estado arrodillada ahí mismo, a su lado, separados ambos tan sólo por una endeble celosía de madera.

—Que no me acuerdo, páter. Que lo que yo he venido haciendo aquí con su reverencia no es penitencia ni es nada. Que sólo es una guarrada y es pecado a los ojos de Dios.

—Pero ¿qué estás diciendo, Matilde?

Pero la niña no respondió. Sacó de su delantal un papel que ya llevaba escrito. Lo enrolló cuidadosamente y lo introdujo a través de uno de los huecos de la celosía. El cura quedó allí, en silencio, mirando el papel enrollado, como un zángano en un panal. Y Matilde Berraquero se levantó, miró por última vez el confesonario, y se dio la vuelta y se marchó.

Don Alejo, atónito, descorrió la cortinilla de terciopelo rojo del confesonario y se asomó. Vio el culo ondulante de su manceba y a punto estuvo de llamarla en voz alta. Mas se contuvo, porque una beata se acercaba por el pasillo central del templo. Cerró la cortinilla, cogió el tubito de papel, lo desenrolló y leyó:

Le estoy agradecida por lo que ha hecho por mí, pero a partir de ahora me buscaré la vida yo solita. Le ruego no vuelva más por mi casa. Y que Dios sepa perdonarnos todo lo que hemos hecho. Adiós.

El cura colector de San Miguel se reclinó en el asiento del confesonario. Se quedó pensativo y, cuanto más pensaba, más le asaltaba la rabia, una ira sorda que relumbraba en sus ojos como un relámpago. «¿Qué se habrá creído esta niñata? —se dijo—. ¿Cómo se puede ser tan desagradecida? ¿Quién se ha creído que es?».

Y se disponía a levantarse y a abandonar el confesonario cuando oyó una voz suave y dulce como un barquillo de canela.

—Ave María Purísima.

Era la beata, una anciana feligresa de confesión diaria.

—Lo siento, hija, pero hoy tengo cosas más importantes que hacer. Que la confiese a usted don Ramón —dijo, refiriéndose al cura párroco don Ramón Álvarez de Palma; y, mientras salía del confesonario, añadió—: O se espera usted a mañana, que por un día que no me cuente sus pecadillos de nada, no va a merecer las llamas eternas, señora.

* * *

Pedro de Alemán aguardó con ansia a aquel primer domingo del año, 7 de enero de 1753. Se vistió con los nuevos ropajes que le había confeccionado don Bartolomé Gutiérrez y se plantó en la alameda de las Angustias después de asistir a misa de once en el propio Humilladero de la plaza.

Recibió a Adela Navas con una sonrisa de oreja a oreja y, en cuanto pudieron tomar asiento en un banco del callejón de San Francisco, le tendió un paquetito delicadamente envuelto en papel de color.

—Esto es para usted, si me lo permite. Es sólo un detalle. Por estas fiestas —explicó, acharado.

Adela Navas, con una risita, asió el envoltorio y lo abrió con cuidado pero con presteza, ilusionada. En su interior había un pequeño pañuelo de seda rosa con bordados de aves y flores. Pedro lo había comprado en una pañería que había en la plaza del Arenal, cerca del edificio de las Carnecerías, y le había costado sus buenos maravedíes. Adela desplegó el pañuelo, lo contempló con admiración y luego volvió a plegarlo y lo introdujo en su escote. Y a renglón seguido, se acercó al abogado y le estampó un beso en la mejilla.

—¡Oh, me encanta! ¡Me encanta de verdad! ¡Y es precioso! Muchísimas gracias. Es usted un caballero. Y yo, tonta de mí, no le he traído nada...

Pedro de Alemán se había quedado sin habla. Sentía los labios de la jovencita aún en su mejilla. Ardientes, fragantes, embriagadores.

—No era necesario —consiguió decir al fin—. Y es sólo un detalle. Por lo mucho que usted... que usted... me ha ayudado.

—¿De verdad piensa que le he ayudado? Porque se refiere al juicio de mamá, ¿no?

—Ah... claro. Claro que sí. Al juicio... Por supuesto... La apreciación acerca de las cartas al alarife en poder de su madre fue de una finísima inteligencia, claro que sí. Y a todo esto —anunció el letrado, ya más recompuesto—, tengo novedades para usted.

—¿Novedades? Espero que no sean malas noticias, don Pedro.

—La fecha del juicio. Ya me ha sido notificada.

—¡Oh! ¿Y cuándo será?

—El día 20 del próximo mes de febrero, justamente una semana antes del martes de Carnaval.

—Muy apropiado —dijo la niña—. Paseemos, por favor.

Adela se asió del brazo de Pedro y anduvieron por calle Évora abajo, por calle Medina y subieron luego por calle de la Higuera para llegar de nuevo a la alameda de las Angustias.

—Ganará usted el juicio, ¿verdad, Pedro? —preguntó en un momento dado la joven dama.

Al abogado no se le pasó por alto que le había llamado simplemente por su nombre de pila, sin el «don». Lo cual le agradó muchísimo.

—Creo que fue la primera vez que la vi, le dije a su madre que el abogado procura la justicia, pero no la dispensa. Y la certeza suele ser un completo absurdo en todos los órdenes de la vida. Pero en este caso creo que sí, que puedo decirle sin temor a equivocarme que su madre va a salir con bien del juicio. De todas formas, hay algo que quiero pedirle, Adela.

—Dígame usted.

—Hable con su padre, se lo ruego. Este juicio no va a ser ni bueno ni conveniente para nadie. Aun en el caso de que yo gane, las consecuencias pueden ser devastadoras para su familia. Sólo su padre puede frenar esta locura.

—Eso ya se lo dije yo, Pedro. Lo que no sé es por qué lo ve todo usted tan negro ahora.

—Porque llevaba usted razón en lo que me dijo. Y porque un juicio es como desnudarse en público. Es poner tu vida y tu hacienda en manos de otro. Y la justicia, cuando actúa, no mide sus consecuencias ni siquiera para aquél a quien favorece.

—¿Qué quiere usted decirme con todo esto?

—Que temo por usted, Adela. Porque tengo en mis manos ganar el juicio, pero no atemperar las consecuencias de esa victoria. Ése es el gran dilema del abogado.

—No le entiendo, por Dios.

—No sé cómo ser más claro sin preocuparla más de lo que ya está. Lo que quiero decir es que para defender a su madre, habré de hacer daño a su padre. Y tal vez ese daño les salpique a todos.

—¿Y no hay otra forma de hacer las cosas?

—Me temo que no, Adela.

La joven se detuvo. Se giró hacia el abogado y le tomó de las manos.

—Pues haga usted lo que tenga que hacer. Pero que la verdad resplandezca. Y que mi madre salga absuelta. Todo lo demás, habremos de soportarlo como podamos. No voy a hablar con mi padre. No sólo porque sería inútil, sino porque tal vez hablar con él sólo consiga detener por unos días lo que de cualquier forma se me antoja inevitable. Tengo ojos para ver y oídos para oír. Y he oído y he visto. Y sé de lo que me habla, Pedro. Así que defienda usted a mi madre y olvídese de todo lo demás. ¿No es ésa la obligación de todo abogado?

—La obligación del abogado es buscar la verdad, Adela.

—No diga usted tonterías, Pedro. La obligación del abogado, según lo veo yo, no es buscar la verdad, sino la verdad de su cliente, y sólo ésa. Pero en este caso va a tener usted suerte.

—¿Ah, sí? ¿Suerte?

—Así es, porque, en todo este desventurado asunto, la verdad y la verdad de mi madre son la misma cosa.

* * *

En su casita de la calle Honsario, Matilde Berraquero se despojó de las ropas que se había puesto para ir a la iglesia, se quedó en camisa y se sentó en la cama. Había supuesto que, después de romper con el páter, se sentiría aliviada, radiante. Que se sentiría como el borriquito al que se desyuga de la noria. En cambio, nada más sentarse en la cama comenzó a llorar como una magdalena y no hubo forma de que parara. Lloraba con una angustia que era cercana a la histeria, con una desesperación que debía de ser fruto de tantos años de desamparos, de tantos años de vejaciones, de tantos años de ser sólo harina amasada en manos de otros.

Se sintió desvalida como nunca se había sentido. Sola como jamás lo había estado. Huérfana y perdida como un tronco sacudido por la corriente del río. «¿Qué iba a hacer ahora?», se preguntó. No le quedaba ni un real de aquel escudo que el cura le había dado semanas atrás. Sólo un puñado de chavos. No tendría con qué pagar el alquiler ni con qué comer.

¿Qué iba a hacer ahora? Antón Revuelta sólo ganaba un jornal de aprendiz en la tahona de maese Mateo, que le daba habitación, comida, vestido, útiles del oficio y unos pocos maravedíes con los que no podía comprarse ni un sombrero nuevo. ¿Cómo iba a poder él, pobrecito, mantener a los dos? ¿Qué iba a ser de ellos?

Sintió regresar la impotencia y la desesperación de cuando se vio preñada y sola en la Torre de los Melgarejo. Entonces pudo huir a Jerez. Tenía algo por lo que luchar: el hijo que llevaba en su vientre. Y el miedo a ser machacada o muerta por sus propios padres. Pero ahora, ¿merecía la pena pelear? ¿Merecía la pena seguir luchando en una batalla que sabía perdida? ¿Seguiría Antón a su lado cuando se enterara de lo del páter? Sintió deseos de morir.

En ésas estaba cuando se dio cuenta de que la puerta de la habitación se abría. Y vio aparecer por los umbrales a don Alejo. La expresión de su rostro era taimada y en sus labios lúbricos bailaba una sonrisa ladina. Matilde lo vio llegar como quien ve llegar al demonio. Se sintió desnuda y expuesta. Se sintió indefensa. Se arrebujó como pudo en su fina camisa, cerró las piernas, cruzó las manos sobre los pechos y comenzó a temblar. Supuso que el páter venía a apalearla, a matarla tal vez. Lo creía capaz, después de todo lo que le había hecho.

—¿Qué va a hacer usted, páter, por el amor de Dios? —acertó a decir, con la voz llorosa, llena de hipos.

El cura no dijo nada. Cerró la puerta a sus espaldas y se acercó a ella sin dejar de sonreír. Se sentó a su lado en la cama, le puso una mano, que estaba caliente y sudorosa a pesar del frío de fuera, en la pierna, se la acarició acercándose a las ingles, y la niña redobló sus temblores.

—Pero ¿qué te pasa, chochito mío? —preguntó el cura—. ¿Por qué llorabas? No tienes nada que temer de mí.

Matilde Berraquero no dijo nada. Se limitó a seguir llorando e hipando, mirando al páter con miedo.

—¿Por qué quieres que ya no nos veamos más? —la interrogó el colector—. ¿Es que ya no te gusto? ¿Es que ya no me quieres?

Matildita abrió los ojos con pasmo y por un instante dejó de hipar. ¿Es que ese hombre nunca se había dado cuenta del asco que le provocaba? ¿Es que el muy tonto había pensado que gozaba con él y con sus sobos? ¿Es que ese hombre creía de verdad que alguna vez lo había querido? Pero no dijo nada. Sólo se encogió de hombros y continuó en sus lloros.

—Anda, Matildita, respóndeme. ¿Por qué quieres que dejemos de vernos?

—No lo sé —balbució la niña.

—Sí lo sabes —aseguró el páter.

—No —insistió ella.

—Sí —presionó a su vez el cura—. Sé lo de ese aprendicillo de la plaza Quemada. Sé que te ves con él y que paseáis... y sabrá Dios qué más.

La barragana se quedó rígida, aterrorizada.

—¡Oh, lo siento, páter, de verdad! —dijo Matilde Berraquero, sin saber por qué decía aquello. Porque no lo sentía en absoluto. Pero el miedo podía más que la verdad.

—Pero no me importa, Matildita. Nada de nada.

—¿No? —preguntó la manceba, pasmada, secándose las lágrimas con las manos—. ¿De verdad que no le importa?

—Ya te he dicho que no. Y tal vez hasta sea bueno que te veas con alguien, así lo nuestro pasará más desapercibido, ¿verdad? Además, yo comprendo que una joven de tu edad quiera estar con alguien de su edad. Que tengas un novio y... todo eso.

—¿Y entonces?

—Pues entonces, lo que pienso es que si a mí no me importa que tú andes con el panaderillo, tampoco a ti debe importarte que yo siga viniendo a verte. ¿No crees, Matildita?

—¡Pero es que lo que hacemos no está bien, páter!

—El cura soy yo, chochito mío. Y yo sé lo que está bien y lo que no lo está. Y además, ¿piensas que ese... Antón...? Así se llama, ¿verdad? ¿Piensas que ese Antón podrá mantenerte? ¿Que podrá vestirte y alimentarte? ¿Que podrá pagar el alquiler de esta casa y comprarte las cositas que yo te compro? ¿Eh, niña, lo crees?

—No lo sé, páter.

El cura se levantó de la cama y la manceba, pensando que iba a pegarle, dio un salto hacia atrás. Pero el cura lo que hizo fue llevarse la mano al bolsillo de la sotana; sacó de él una bolsa de terciopelo, aflojó los cordoncillos, la abrió y volcó su contenido sobre la cama. Y cayó sobre la colcha una cascada de monedas, maravedíes, reales, reales de a ocho, pesos de plata, hasta un escudo de oro.

—¡Madre del Amor Hermoso! —exclamó Matilde, incorporándose—. ¿De dónde ha sacado usted esto, páter?

—¿Es que piensas que los curas no tenemos negocios?

—Pero ¿los negocios con Dios dejan estos dineros?

—No te estoy hablando de negocios con Dios, tontita. Son negocios de hombres. Voy a vender unos cuadros de la iglesia y voy a ganar muchos escudos de oro. Más de los que ya te enseñé. Y algunos serán para ti, para que te enteres.

Matilde no sabía si mirar al cura o mirar a las monedas, que, desparramadas sobre la cama, relucían como el rocío sobre la hierba. Cogió un peso de plata y preguntó:

—Pero, páter, ¿eso que usted me cuenta está bien?¿Eso se puede hacer?

—Mis socios son don Raimundo José Astorga Azcargorta, marqués de Gibalbín, y don Florián Alvarado y López de Orbaneja, alguacil mayor del concejo. Y ambos, caballeros veinticuatros. ¿Piensas que con esos socios me puede pasar algo, Matilde? ¡Anda ya! Y además, ¿quién se va a dar cuenta de las falsificaciones? Tú has visto el cuadro de la *Santa Faz* que hay en San Miguel, ¿verdad? ¡Pues ya no es el auténtico! ¿Y a que nadie se ha dado cuenta?

—Pero ¿es que hasta falsificaciones van a hacer ustedes?

—Ya las hemos hecho, niña. Y todo ha ido bien. Y además, ¿qué daño hacemos? ¿Qué importa que un cuadro sea de Zurbarán o de Ignacio de Alarcón, si para lo que han de servir es para mover a la fe y no para ser contemplados como obras de arte? Pero dejemos ya de hablar de esto, Matilde, y anda, coge esos dineros, que son tuyos.

Matilde Berraquero, que antes se había sentido tan desamparada, tan desvalida, reflexionó pronta y sagazmente. Y se quedó con todo cuanto el cura le había contado. Dios le había dado un cuerpo y una cara por los que muchos hombres estarían dispuestos a condenarse eternamente. Y también le había dado otra cosa: una inteligencia natural que nada tenía que ver ni con la instrucción ni con las letras. Así que se incorporó en la cama, cogió las monedas a puñados, las metió en la bolsa y guardó ésta debajo del colchón. Y dejó que, mientras lo hacía, se le abriese la camisa y se le escapase por entre la tela un pecho blanco como una camelia. Y preguntó:

—¿Trae usted hoy, páter, aquellos hábitos de monja dominica que quería me pusiera?

El reverendo padre don Alejo Suárez de Toledo no llevaba consigo aquellos hábitos. Y ni falta que le hicieron. Se tiró sobre la niña como un lobo sobre la gacela, le rompió la frágil camisa, le mordió un pecho, le mordió el otro, la besó churreteándola, le pellizcó el culo a manos llenas y, cuando iba a penetrarla, sintió que su miembrecillo ya chorreaba antes de alcanzar la hermosa vulva de su manceba.

XXIX

La visita al marqués de Gibalbín

Era lunes día 19 de febrero de 1753. El cielo era gris oscuro como si una bandada inmensa de gorriones se hubiera adueñado de él e impidiera el paso de la luz. No llovía, empero, aunque corría un aire molesto y frío. Faltaban apenas tres días para que comenzaran las fiestas de las Carnestolendas, que se iniciaban el jueves de esa semana y finalizaban el martes de Carnaval, en vísperas de la Cuaresma. Habían pasado varias semanas desde que el hijo de Jacinto había llevado la nota escrita por su padre a don Raimundo José Astorga Azcargorta, marqués de Gibalbín y caballero veinticuatro de la ciudad. Y no había pasado nada. Absolutamente nada.

El sacristanillo desesperaba. Una sensación horrible de impotencia le corroía las entrañas. Había perdido las esperanzas de recibir noticias del marqués y se sentía como un perro. O como la cagada de un perro, que era peor. Algo de lo que la gente se apartaba, sin mirar siquiera. Algo que ni para estiércol servía. Algo que estaba ahí sólo a la espera de que viniese la lluvia y se lo llevase. Así se sentía de desesperado.

Tanto lo estaba que a mediodía, después de almorzar un trozo de pescado seco y un poco de pan con chorizo que su mujer habría comprado con los últimos maravedíes de los sueldos del sacristanillo y de su hijo, salió de su casa y tomó el camino de la calle San Blas. Sin reflexión ninguna y sin plan previo llegó ante las puertas de la mansión del marqués. Sin pensárselo siquiera, a pesar de que era la hora de la siesta, llamó a la puerta. Mientras le abrían, intentó como pudo componerse la sotana, cuajada de lamparones, y alisarse el pelo. Cuando le abrieron el portalón, apareció un criado vestido de librea. Jacinto suspiró aliviado al ver que no era el bravonel.

—¿Qué quieres a estas horas? —ladró el lacayo, después de fijarse en el aspecto desastrado del hombrecillo plantado en el zaguán—. ¡No es hora de pedir limosnas!

—Vengo a ver a su excelencia.

—¿Tú, a ver al marqués? ¿Y con qué motivo?

—Un motivo que sólo concierne al marqués y a servidor. No a ti.

—¿Y quién demonios eres tú?

—Jacinto Jiménez Bazán, sotasacristán del ilustre cabildo de la santa iglesia colegial —anunció Jacinto, pomposo.

El criado dudó un momento. Luego, dijo:

—El marqués duerme la siesta a estas horas, pero...

Y en ese instante pareció darse cuenta de quién era ese visitante, y Jacinto, desconsolado, advirtió que el lacayo ya estaba prevenido de su posible visita.

—¿Tú eres el sacristanillo ese que molesta a mi señor? ¿El que mandó la nota?

—Yo soy el sotasacristán, mas no molesto ni importuno a nadie. Y sí, fui yo quien mandó esa esquela.

—¡Pues ya te estás yendo de aquí o te suelto los perros, bergante! No eres bien recibido en esta casa.

Y con un portazo que a punto estuvo de tirar por los suelos los faroles que adornaban el umbral, cerró las puertas en las mismas narices del sacristanillo. Éste, en un principio, se quedó como atontado, pero luego, reponiéndose, gritó ante el portal cerrado:

—¡Pues dile al marqués que no pienso irme de aquí hasta que me reciba! ¡¿Me oyes?!

Y ni corto ni perezoso se recogió la sotana y se sentó en el borde exterior de uno de los escalones de acceso del palacete. No le importó que comenzara a descargar un aguacero de órdago, no le importó que el frío le calara los huesos y no le importó que de cuando en vez llegaran carros que descargaban mercancías y cajas en la casa y recaderos que portaban lo que parecían ser vinos, viandas y frutas. Poco después llegaron incluso unos individuos a los que el sotasacristán identificó como músicos, pues portaban violines y otros instrumentos. Recaderos y carreros lo miraban con extrañeza, pero no lo fastidiaron más de la cuenta. Y cada vez que se abría la puerta, el criado de librea asomaba su cabezón por los umbrales para comprobar si el sacristanillo seguía por allí, y no podía ocultar un gesto de fastidio al ver que allí estaba, chorreando, patético, pero con un gesto de determinación que mostraba a las claras su voluntad de perseverar allí hasta conseguir su propósito o morir en el intento.

Cuando ya el sol declinaba, el mayordomo subió al salón, pidió la venia al marqués, entró y le dijo, serio como un verdugo:

—El sacristanillo sigue abajo, excelencia. Y los invitados de su excelencia pueden comenzar a llegar en cualquier momento.

El marqués miró a su criado y permaneció pensativo. Esa noche celebraba una fiesta en su casa a la que estaban invitados los principales de la ciudad, incluido, por supuesto, el corregidor. El motivo: afianzar lazos políticos e influencias, y principalmente asegurar la reelección de don Florián Alvarado y López de Orbaneja, también invitado al ágape, para el alguacilazgo mayor del concejo; la excusa: los próximos carnavales.

—¿Le digo a Andrés que lo eche? —preguntó el lacayo.

El noble negó con la cabeza. De nada iba a servir pegar una paliza a ese malandrín. Si las amenazas con que en su momento le advirtió no habían surtido efecto, tampoco lo iba a surtir ahora un par de huesos rotos. Además, no podía arriesgarse a que cualquiera de sus invitados llegase en ese momento y contemplase el espectáculo. Tendría que dar explicaciones y, se dijo, en esta vida lo peor son las explicaciones.

—Haz que suba —ordenó—. Pero por la puerta de atrás.

—¿Está su excelencia seguro? —preguntó, extrañado, el mayordomo.

—¿Desde cuándo discutes mis órdenes, imbécil? Haz lo que te digo. ¡Y rápido!

Cuando el sacristanillo llegó a presencia del marqués, parecía un alma en pena. Un eccehomo. Un espectro. Chorreando, con los cuatro pelos pegados a la calva, con la sotana pingando y los zapatos manando agua, daba lástima verlo. Aunque si alguien lo hubiese mirado con atención, habría distinguido el brillo del coraje que lucían sus ojos.

—¿Qué diantres quieres ahora? —bramó el marqués, sin ni siquiera un saludo cuando quedó a solas con Jacinto.

Éste, ante lo abrupto de la pregunta, no supo qué decir. Titubeó unos segundos que se le hicieron eternos, pero enseguida pensó que la duda podía dar al traste con sus planes y se apresuró a balbucear:

—Dinero. Dinero, excelencia.

—Ya te di lo que me pediste, bribón.

—No me queda ni un maravedí, excelencia.

Y comenzó a narrar atropelladamente lo que le había ocurrido con Diego González en el cuartucho de la colegial en obras, la pelea que tuvieron —se refirió a eso, a una pelea, y no a un accidente como en realidad había sido—, los ornamentos sagrados que había dañado, el coste de su reparación, los últimos dineros que había tenido que entregar al canónigo don Francisco de Mesa y Xinete, las lúgubres Navidades que sus hijos habían pasado y hasta los préstamos que tenía que hacerles Cristinita, la hermana pequeña de su mujer Luisa Cabanillas, que estaba casada con... Y no habría parado en su verborrea si el marqués de Gibalbín, levantándose de su asiento, no le hubiese gritado:

—¡Para! ¡Para ya, demonios! ¡Que me estás volviendo loco!

—Lo que usted diga, excelencia.

—¿Cuánto quieres?

—Lo que usted tenga a bien, excelencia.

El marqués se acercó a un bargueño, contó unas monedas, las metió en una bolsa y se la tendió al sacristanillo.

—Ahí van otros diez escudos. Y no quiero volver a verte, ¿me entiendes?

—¡Gracias! ¡Gracias, excelencia! ¡Gracias, señor marqués! ¡Jamás volverá a saber de mí! ¡Jamás! ¡Que Dios se lo pague!

—Y ahora, largo de aquí.

Llamó al mayordomo para que hiciese salir al sacristanillo por la puerta de atrás, con su bolsa de escudos, feliz como una perdiz y desprevenido como otra. Cuando lo hubo hecho, regresó al salón.

—Ya se ha ido ese individuo. ¿Manda su excelencia algo más?

—¿A qué hora es la cena? ¿Y qué hora es?

—Hace nada eran las siete, señor. Y hasta las ocho no está previsto que comiencen a llegar sus invitados. Los músicos solicitan permiso para comenzar a instalar sus...

—Dile a Andrés que venga.

—Enseguida, excelencia.

Andrés Caputo debía de haber estado picoteando por las cocinas, pues se limpiaba los dientes con un palillo de madera con el que extraía restos de carne que después mordisqueaba.

—Dígame, marqués.

Caputo se dirigía a su amo con respeto pero sin reverencia. Y lo miraba a los ojos, algo que pocos criados hacían. Por no decir ninguno.

—¿Sabes quién ha estado aquí?

—Estaba comiendo. Pero algo he oído.

—El sacristanillo de la colegial. Y ha vuelto a pedirme dinero.

—¿Y se lo ha dado usted?

—Diez escudos. Y ya van veinte.

—Pues muy mal hecho, señor —aseveró el bravo, escupiendo al suelo un trocito de comida.

—¡No escupas en el salón, maldito! ¿Cuántas veces he de decírtelo? —exclamó el de Gibalbín—. ¿Y qué querías que hiciera con ese...con ese malnacido?

—Volverá a por más —sentenció Caputo—. Cuando a una hiena se le ofrece carroña, nunca se sacia. Siempre vuelve.

—¿Lo dices por experiencia, Andrés?

—Fui soldado, don Raimundo, no hiena. No lo olvide usted.

—¿Qué puedo hacer? Tú tienes más experiencia que yo con este tipo de asuntos.

—Fácil: quitarlo de en medio —falló Caputo—. O darle una paliza de muerte que se le quiten las ganas de volver a incordiarle. Como le digo, fácil.

—Me dijo que no era sólo él quien estaba al tanto de mis... negocios. Que había alguien más que lo sabe y que si a él le pasase algo...

—Lo dudo, marqués. Aunque las hienas van en manada, este tipo de individuos actúan solos. Entre otras cosas, porque hasta dudo que tenga amigos. Y además, ¿quién podría estar con él esa noche en la colegial? Y si no había nadie, ¿a qué contárselo a otro? ¿Para tener que compartir las ganancias? No me lo trago.

—Pero siempre tendré esa duda. Y el riesgo es alto.

—Mayor riesgo es que ese tipo hable. Está demasiado cerca de curas y canónigos y, de irse de la lengua, descubrir la superchería no sería nada complicado, marqués. Yo podría enterarme de si hay alguien más.

—¿Cómo?

—Tengo mis métodos.

—Pues hazlo. Y pronto, demonios.

—¿Y después?

—A tu criterio lo dejo, Caputo. Pero no me falles.

—Jamás lo hice, marqués. Por eso me tiene usted a su lado. Y me soporta.

—Pues manos a la obra. Y ahora, déjame solo, que tengo que vestirme para la cena.

Andrés Caputo abandonó el salón con su paso lento, engañoso, como cansado. Aunque tendría más de cincuenta años, se hallaba en buena forma, fibroso como una calabaza. El marqués de Gibalbín miró a su bravonel mientras se iba. Según le aseguró cuando le ofreció sus servicios, había sido cabo mayor en el Regimiento de Infantería Córdoba Número Seis, también conocido como «el Sacrificado». Ahora, desde 1741, había cambiado su número y era el Regimiento Número Diez. En sus orígenes, se le conocía como el Tercio Viejo de la Armada Real Mar Océano. Según contaba, había participado con su regimiento en la guerra de Italia y había combatido en Mesina, había perdido dos dedos del pie izquierdo en la batalla de Madonna del Olmo y había sido distinguido en las de Castelnuovo y Menton. Y era peligroso como un áspid. Pero, cierto era, jamás le había fallado. De cualquier forma, se dijo el marqués, tendría que tener cuidado en el futuro con ese malandrín.

XXX

EL JUICIO POR ADULTERIO

El juicio de doña Adela Rubio y Cabeza de Vaca por delito de adulterio había sido convocado para las ocho de la mañana del día 20 de febrero de 1753. Se había fijado esa hora porque eran muchos los testigos emplazados por las partes y don Nuño querría acabar el proceso antes de la hora del almuerzo. Era el martes anterior al martes de Carnaval y, a pesar de lo intempestivo de la hora, había mucha gente en la sala de audiencias de la Casa de la Justicia de Jerez de la Frontera, en la plaza de los Escribanos. En realidad, la sala estaba atestada, lo que era buena muestra de la expectación que el juicio había despertado en la sociedad jerezana. No todos los días una dama de copete era acusada de adúltera. Y, además, el espectáculo era gratis.

Cuando, poco antes de la hora fijada, Pedro de Alemán, precedido de su cliente y acompañado por el personero Jerónimo de Hiniesta, entró en la sala, advirtió que allí estaban varios abogados de renombre. Vio también a un par de regidores. Había asimismo señoras finamente vestidas, caballeros de buenos ropajes, criaditas y fámulos, estudiantes y comerciantes, curiosos y desocupados. Y, sentada al fondo, Catalina Cortés. A su lado, Ángeles Huertas, con un pañuelo estrujado y húmedo en las manos. Adela Navas, que finalmente no iba a ser llamada como testigo, ocupaba el primer banco de la sala, cerca de la mesa de la defensa. Vestía de negro riguroso, pero, con su pelo rubio y los ojos verdes, ni esa oscura indumentaria impedía que refulgiera en la estancia como un diamante entre el carbón.

Quien no estaba en la sala era don Juan Navas del Rivero, citado a declarar y, por tanto, aguardando fuera de la sala en el lugar reservado para los testigos.

Presidía el juicio don Nuño de Quesada y Manrique de Lara, juez de lo criminal, que ese año continuaba con su residencia. Estaba asesorado por don Rafael Ponce de León, como era habitual en juicios de calado. Como promotor fiscal, don Laureano de Ercilla. Y en la mesa de la defensa, junto al procurador y a la acusada, digna y de mirada firme, Pedro de Alemán y Camacho, con golilla blanca rizada, capa negra con capilla también negra y redonda hasta la cintura y gorra con la que se cubría. Por primera vez en su vida intervenía en un juicio *de pago* que había convocado el interés público.

El juicio comenzó con la lectura de cargos por parte del actuario. El fiscal había sido clemente, o consciente de la debilidad de la acusación, y sólo pedía para la acusada pena de destierro por cinco años a lugar distante no menos de cincuenta leguas de Jerez y multa de mil maravedíes. El proceso continuó con la declaración de doña Adela Rubio y Cabeza de Vaca, que respondió con claridad y firmeza a las preguntas del promotor fiscal, sin titubear en ningún momento, enfrentando siempre la mirada del acusador, negando haber sido infiel a su esposo, negando haber mantenido trato carnal con Manuel León de Caravaca y negando, en fin, la autoría de las cartas en las que buena parte de la acusación se basaba.

Cuando le llegó el turno a Alemán, pidió venia desde su asiento y, tras aclararse la voz, rogando porque no se trasluciera el nerviosismo que le hacía palpitar el corazón a velocidad inaudita, preguntó:

—Doña Adela, ¿cuándo contrajo usted nupcias con don Juan Navas del Rivero?

—El día 15 de mayo de 1733. En la iglesia de San Miguel, tras los correspondientes esponsales.

—A eso voy, señora. ¿Podría usted decirnos cuál fue la dote que usted y su familia entregaron a su esposo?

—¿Tiene eso relevancia, señor letrado? —preguntó el juez, ajustándose garnacha y monóculo.

—Toda, señoría.

—Pues que conteste la señora.

—Le hice a usted entrega, señor abogado, de la escritura de capital y...

—La escritura de capital es la que usted hizo al momento de constituir la dote. Yo me refiero a la carta de dote que le otorgó su marido, reconociendo los bienes recibidos.

—También se la di a usted. Y en ella se especifica la dote.

—¿Podría usted, doña Adela, de todos modos, detallárnosla? Después le pediré que reconozca la carta de dote si ello fuese preciso, pues figura en el sumario.

—Si mal no recuerdo, fueron quince mil quinientos reales, bienes muebles y enseres que sería prolijo relacionar ahora y mis derechos de legítima en la herencia de mis padres.

—Sus padres fallecieron, ¿verdad?

—Así es, señor.

—¿Y en qué consistió su legítima, doña Adela?

—Como sabe, mi padre tenía negocios de bodegas en El Puerto, que heredaron mis hermanos, aunque después los vendieron para marchar a América. A mí me tocó el casco de bodega de la plaza del Cubo, aquí en Jerez, que mi padre había adquirido con la intención de invertir en negocios de bodega en esta ciudad, aunque después la muerte lo sorprendió y nunca los pudo poner en marcha.

—Pues ninguna pregunta más, señoría. Sólo hacer constar que copia auténtica de la carta de dote figura unida al folio 145 de las actuaciones.

La prueba testifical comenzó con la declaración de Mariano Sanjuán de la Iglesia, mayordomo de don Juan Navas del Rivero. Subió al estrado de los testigos, juró sobre la santa Biblia decir verdad, escuchó impertérrito las admoniciones del escribano público sobre las consecuencias de no decirla y respondió a las preguntas del promotor fiscal. Las preliminares versaron sobre las obligaciones y cometidos del testigo en la casa de don Juan Navas del Rivero, el tiempo que llevaba a su servicio y otros asuntos menores. Después, el fiscal abordó los relevantes.

—¿Es cierto que sorprendió usted a la acusada y a Manuel León de Caravaca en actitud comprometida en la propia casa donde usted trabaja?

—Es cierto —contestó con rotundidad el mayordomo.

—¿Podría detallarnos qué hacían?

—Se hallaban tras una de las columnas de la primera galería, pensando que estaban solos. Cuchicheaban entre sí, se hacían arrumacos y, en un momento dado, la señora besó al alarife en los labios. Y éste le tocó... ejem... las posaderas... ya me entiende usted.

Un runrún de risas sofocadas y exclamaciones ahogadas recorrió la sala, obligando al juez a llamar al orden con su martillo.

—¿Fue sólo en una ocasión cuando los sorprendió en esos menesteres?

—En dos o tres ocasiones, creo recordar.

—Pues no hay más preguntas, señoría.

—El turno de la defensa —indicó el juez.

—Con su venia —dijo Alemán, mirando los papeles que atestaban su mesa—. Señor Sanjuán, ¿es cierto que en los últimos meses se ha dedicado usted por cuenta de su señor a exigir a clientes el pago de deudas no vencidas?

—¿Y eso qué tiene que ver con lo que nos trae aquí? —protestó el mayordomo de mala manera.

—Tampoco veo yo la pertinencia —argumentó el promotor fiscal don Laureano de Ercilla.

—Conteste por favor a mi pregunta —insistió Alemán.

—Un momento, letrado —advirtió don Nuño—. El testigo lleva razón. Y don Laureano. No me parece que la pregunta sea de gran pertinencia para este caso.

—Le ruego a su señoría que me deje continuar unos momentos y usted mismo apreciará la pertinencia de la pregunta.

—Está bien —dijo el juez, tras deliberar con don Rafael Ponce de León y dudar unos instantes—. Pero no abuse.

—Conteste, por favor —exigió el abogado al testigo.

—Es cierto —reconoció a disgusto Sanjuán—. Don Juan no confiaba en que esos clientes fuesen a cumplir y me pidió que fuera a verlos para que adelantaran el pago.

—Anteriormente, esos clientes, de cuyos nombres dispongo, ¿habían dejado de cumplir alguna vez?

—Ejem... no, la verdad es que no.

—¿Ha acompañado usted a su señor a visitar prestamistas?

—¡Señor juez! —protestó el testigo—. ¿A qué viene todo esto?

Mas don Nuño no dijo nada, se limitó a hacer un gesto imperativo al mayordomo para que contestase.

—Mi señor ha acudido de vez en cuando a solicitar préstamos a banqueros —se vio obligado a admitir Sanjuán—. Como todos los comerciantes de Jerez, supongo.

—¿Y es cierto que durante el año pasado acudió a préstamos en once ocasiones?

—No lo recuerdo.

—Y no es preciso que lo recuerde —concedió el abogado—. Figuran los documentos en el pleito. Otra cuestión, señor Sanjuán, ¿recuerda las fechas en que sorprendió a mi cliente... digamos que enamorándose con ese tal Caravaca?

—¿Y cómo quiere que las recuerde, abogado? Sólo sé que fue el año pasado, por febrero o marzo, durante las obras.

—A eso iba. ¿Puede decirnos en qué consistieron las obras?

—Había que reparar parte de la techumbre que el maestro alarife que edificó la casa planeó mal. Los techos de la planta superior se llovían y el agua llegaba hasta el patio y las habitaciones que lo circundan a través de la primera galería. Un desastre. Mi señor ha iniciado pleito por ello.

—Y ha dicho usted que las escenas de amor que vio fueron durante esas obras, ¿verdad?

—Claro, cuando el alarife estaba allí. ¿Cuándo si no?

—Según tengo entendido, las reparaciones necesitaron mucha mano de obra, ¿es cierto?

—Porque los daños fueron cuantiosos. Y costaron un riñón.

—Supongo que eso es un sí. Tengo a mi disposición el detalle de las obras y de los jornales pagados. He conseguido el contrato de ejecución de obras en los archivos de protocolo. Aquí está —dijo Alemán, escogiendo un par de folios de entre los papeles de su mesa—. Según veo aquí, la obra se contrató a destajo y el alarife Manuel León de Caravaca tuvo que contratar a dos canteros, seis albañiles y dieciocho peones, aparte materiales y herramientas.

—Así sería, supongo —repuso el mayordomo con desgana.

—De esos obreros, un cantero, dos albañiles y seis peones trabajaron todo el tiempo en la primera galería, según figura en el contrato de obras.

—También los techos de esa galería estaban muy dañados, sí. Por las filtraciones de la cubierta.

—¿Y quiere usted, señor Sanjuán, hacernos creer que una señora como doña Adela Rubio y Cabeza de Vaca se dedicó a besarse, a acariciarse y a dejarse sobar por el alarife de las obras de su casa no sólo en presencia de usted, sino del cantero, de los dos albañiles y de los seis peones?

Mariano Sanjuán abrió mucho los ojos. Buscó entre el público a don Juan Navas, pero no lo halló. Luego, hecho un mar de dudas, miró al juez.

—Conteste a la pregunta, testigo —exigió el juez.

—Bueno, es que a mí no me podía ver —adujo, con voz insegura—. Yo estaba escondido detrás de una columna.

—¿Y también estaban escondidos con usted detrás de esa columna el cantero, los dos albañiles y los seis peones, señor Sanjuán?

La sala estalló en carcajadas que el juez tardó en acallar. Y sin poder evitar que también se le escapara una sonrisa y que el ojo agrandado por el monóculo relumbrara de ironía. Mientras, Sanjuán buscaba respuesta sin hallarla.

—Una última cuestión —dijo Alemán—. ¿Es cierto que acompaña usted a su señor todos los domingos por la mañana a la plaza de Jaramago?

La cara del mayordomo adquirió mayor palidez, si cabía.

—No sé qué quiere usted decir.

—Pues creo que la pregunta es clara, señor. Y le ruego conteste.

—Pues sí, pero yo me quedo en el coche de caballos.

—¿Y puede indicarnos qué hace don Juan mientras usted se queda en el coche de caballos?

—Va a una casa.

—¿A qué casa?

—Una casa blanca que está en medio de la plazuela.

Risas.

—¿Es cierto que allí vive la jovencita Esperanza Rendón, hija de la viuda Dolores Valenzuela, ambas sin caudales pero de apellidos ilustres de Jerez?

—Creo... creo que sí.

—¿Y es igualmente cierto que esa jovencita es la manceba de don Juan? ¿Es cierto que su amo mantiene desde hace al menos dos años relaciones carnales con Esperanza Rendón, con el consentimiento de doña Dolores?

—¡¿Y cómo quiere usted que yo sepa lo que hace don Juan cuando entra en la casa, por Dios?!

Las risas arreciaron e incluso a los magistrados se les escapó de nuevo una sonrisa. Entretanto, Mariano Sanjuán miraba a un lado y a otro, descompuesto.

—Ninguna pregunta más, señoría.

El ujier llamó entonces a Hortensia Laguna, doncella de doña Adela Rubio y Cabeza de Vaca. Entró en la sala como el reo hacia la horca. Pálida, llorosa, trémula. Hasta tuvo que ser cariñosamente empujada por el ujier para que subiera al estrado. Era una chica joven, de diecisiete o dieciocho años, de pelo estropajoso pero de facciones bonitas si se arreglase. Juró como pudo, entre hipidos, decir verdad y después quedó esperando las preguntas del fiscal como quien espera la caída de un rayo. Don Laureano de Ercilla, a quien se le veía incómodo, fue extremadamente breve con la testigo. Se limitó a preguntarle si había reconocido la letra de su ama en las cartas que obraban en el sumario, que se decían remitidas por doña Adela a Caravaca. La testigo asintió con la cabeza, y no fue hasta la segunda admonición del juez que dijo un «sí» lánguido que apenas se escuchó en la sala. Después fue el turno de la defensa.

—Con la venia, señoría. Ya que el fiscal no ha considerado oportuno exhibir las cartas a la testigo para un más eficaz reconocimiento de la letra, solicito permiso para levantarme y mostrarle un documento a la testigo.

—Lo tiene, letrado. Venga, venga... Dese prisa, por favor.

Pedro de Alemán se levantó, tomó de la mesa del escribano público los autos, los hojeó y por fin pareció dar con el documento que buscaba. Se acercó al estrado de los testigos, exhibió el documento a Hortensia Laguna y le preguntó:

—¿Es ésta una de las cartas que, según usted, doña Adela remitió al alarife?

—Sí —dijo Hortensia, lloriqueante, sin mirar siquiera el documento que se le exhibía.

—Ruego a la testigo mire y examine el documento. No se puede reconocer lo que no se ve.

Hortensia Laguna alzó la mirada a duras penas, la fijó en el documento, la sostuvo allí durante unos segundos y después dijo:

—Sí... hip... ésa es la carta de la señora.

Pedro retiró el sumario de la vista de Hortensia, lo mantuvo abierto por el documento exhibido y lo depositó en la mesa del juez.

—No hay más preguntas. Y hago ver a su señoría que el documento que la testigo ha reconocido como una de las cartas de doña Adela es el auto de su señoría decretando la libertad de mi cliente bajo caución juratoria. Y he de suponer que su señoría jamás escribió cartas de amor al alarife Caravaca.

La sala estalló en nuevas carcajadas que tardaron varios martillazos de don Nuño en ser acalladas.

—Letrado —advirtió don Nuño; su voz era severa, pero en sus ojos titilaba la guasa—. Si vuelve a mover a la sorna a la sala a costa de este tribunal, lo encauso, ¿me oye?

—No se volverá a repetir, señoría —aseguró el letrado, apenas escondida la sonrisa que antes había relucido en sus labios.

Don Laureano de Ercilla, sin levantar la vista de sus papeles, manifestó que no disponía de más testigos. Solicitó como prueba documental la lectura por el escribano de las cartas que figuraban en el sumario como enviadas y recibidas por la acusada, a lo que el juez se negó por considerarlo irrelevante e innecesario.

El ujier, pues, llamó al primer testigo de la defensa.

—Don Alfonso Castro de Villa —llamó.

Don Alfonso Castro de Villa era el administrador de don Juan Navas del Rivero. Era un hombre de mediana edad, de pelo brillante peinado hacia atrás, grandes ojos negros saltones y casi una arroba de más. De voz tonante y apariencia sincera, juró decir verdad.

—Con la venia, señoría —dijo Pedro—. Solicito se le exhiban al testigo las cartas que se dicen remitidas por Manuel León de Caravaca y que figuran a los folios 31 a 37.

El ujier tomó del escribano el sumario y exhibió al testigo los documentos indicados por el letrado.

—¿Ha redactado usted estas cartas, señor Castro de Villa?

—Evidentemente, no —respondió el administrador, enrojeciendo.

—Bien —admitió Alemán—. Que se le exhiba ahora el documento presentado por esta defensa y que figura al folio 181 de las actuaciones. ¿Podría decirnos el testigo de qué documento se trata?

—Es un inventario de una partida de vinos para exportación.

—¿Quién ha elaborado ese documento?

El administrador demudó la faz, adivinando las intenciones del abogado. Y tardó en contestar.

—Yo —dijo al fin.

—¿De su puño y letra?

—De mi puño y letra —admitió Alfonso Castro de Villa; y añadió, desafiante—: ¿Y qué?

—Pues que, según se puede observar a simple vista, la letra de ese inventario y la de las cartas que se atribuyen al alarife ha sido escrita por la misma persona.

—Eso lo dirá usted, abogado. Yo lo niego tajantemente.

—No se preocupe, que después vendrá quien lo certifique. Otra cuestión: como administrador que es usted de la casa de don Juan Navas, ¿es cierto que las utilidades por todos los conceptos de los bienes y negocios de don Juan en el año 1751 fueron de ciento setenta y ocho reales?

—Puede ser.

—Así consta en el catastro del señor de Ensenada, don Alfonso.

—Pues así será.

—¿Y es cierto que sus gastos ascendieron en ese año a más de cuarenta y un mil reales?

—Si usted lo dice...

—Lo digo y lo demuestro con la documentación aportada al sumario. ¿Y es cierto que hipotecó la viña del pago de Cantarranas para responder de préstamos?

—Sí, creo que sí.

—¿Y es cierto que igualmente constituyó censo por importe de trece mil cuatrocientos reales para responder de deudas sobre la bodega de plaza del Cubo?

—Así es.

—¿Y le consta que esa bodega es un bien dotal de doña Adela?

—No lo sabía.

—Por último, ¿es cierto que entre los gastos de don Juan en el año 1751, más de ocho mil reales se invirtieron en joyas compradas en diversas platerías de la ciudad?

—Si así figura...

—¿Y es cierto que esas joyas eran regalos a su manceba, Esperanza Rendón?

—¡¿Y cómo quiere usted que yo sepa con quién se acuesta don Juan?! —respondió airado el administrador, provocando de nuevo risas en la audiencia.

—Ninguna pregunta más, señoría.

Desfilaron después por la sala diversos testigos que acreditaron el paupérrimo estado de las cuentas de don Juan Navas del Rivero: don Tomás de Geraldino, que manifestó que don Juan adeudaba los cánones de los dos últimos años del gremio de la vinatería y que buena parte de la causa de sus deudas era que había comenzado a exportar vinos directamente a Inglaterra y que uno de sus barcos, cargados con seiscientas botas de treinta arrobas cada una de vinos claros y aguardientes, había naufragado, causándole pérdidas por varias decenas de miles de reales. Compareció también Adolfo Zambrano, joyero con taller abierto al público en la plaza de los Plateros, quien afirmó que don Juan había gastado en su negocio miles de reales en joyas en los últimos años y que aún le adeudaba casi diez pesos de plata. Declaró igualmente Francisco Galera, administrador de don Pedro Esteban Ponce de León Padilla, quien sostuvo que el bodeguero adeudaba a su señor, caballero veinticuatro de Jerez, ciento ochenta escudos de oro en préstamos vencidos y no devueltos y sus réditos e intereses. Y llegó Esperanza Rendón, joven y hermosa, de cabello rojo como la alheña, llorosa y avergonzada, quien no reconoció su trato carnal con don Juan Navas del Rivero, sino que afirmó que el bodeguero visitaba a su madre por razones de amistad. Negó que don Juan le hubiese hecho promesas de matrimonio «cuando consiguiera desembarazarse de doña Adela». En ninguno de estos casos don Laureano de Ercilla hizo uso de su turno de preguntas.

Y le llegó la vez a don Juan Navas del Rivero, el marido *agraviado*. Llegó a la sala como un toro bravo, ajeno a lo que allí había ocurrido, pues tanto Mariano Sanjuán como Alfonso Castro de Villa habían salido de la Casa de la Justicia como almas que llevara el diablo sin ni siquiera detenerse a hablar con su señor, temerosos de sus represalias. Vestía de punta en blanco, con casaca bordada y peluca rizada. Juró decir verdad como si el solo hecho de preguntárselo le ofendiera.

—Con la venia —solicitó el letrado Pedro de Alemán y Camacho; y dirigiéndose al testigo—: Don Juan, ¿está usted arruinado?

—¿Cómo se atreve? —bramó el bodeguero.

—¿Quiere que le relacione sus deudas, hipotecas y censos? El señor juez de lo criminal ya los conoce.

—¿Y también conoce mis bienes? ¿También sabe cuánto vale mi casa de la Corredera?

—También está hipotecada, señor.

—Y, en cualquier caso, ¿qué tiene que ver todo ello con que mi esposa me haya sido infiel? ¿Qué tienen que ver mis finanzas con que mi esposa me haya afrentado con delito de adulterio?

—Enseguida se lo voy a aclarar. Si su esposa, por la razón que fuere, le reclamara ahora los bienes de su dote, ¿podría usted devolvérselos?

—No hay razón para que me los reclame, abogado. No es a mí a quien se juzga.

—Por ahora...

—¡No le consiento que...!

—¡No discutan letrado y testigo! —interrumpió don Nuño, a quien hacía meses no se le veía tan despierto y atento en un juicio—. Continúe, señor de Alemán. Y usted, señor Navas, responda a lo que se le pregunte.

—Había preguntado, señoría, si don Juan podría devolver los bienes dotales a su esposa en caso de que ésta se los reclamase.

—Y yo le insisto, ¿por qué me los iba a reclamar?

—¿Por consecuencia de una demanda de divorcio, tal vez?

Don Juan Navas miró al abogado conteniendo la furia a duras penas.

—Tendría dificultades. Momentáneas, por supuesto —se vio forzado a admitir.

—Salvo que el divorcio fuese por causa de adulterio de doña Adela, ¿no es así?

—No soy experto en leyes.

—Pues yo, con la venia de su señoría ilustrísima, le voy a recordar lo que dice la ley 78 de las de Toro: que si la mujer, durante el matrimonio, es condenada por algún delito o pena por la que haya de perder la vida, la libertad o la ciudad, el marido adquirirá la dote y sus bienes de ganancia. A no ser que el delito fuese de lesa majestad, violencia pública, parricidio, veneno u homicidio, porque en estos casos es el rey quien se queda con la dote con exclusión del marido. Supongo que sabe de qué le estoy hablando, don Juan...

—Esas elucubraciones suyas son sólo palabras, abogado. Y me ofenden. Lo que importa es que mi mujer ha cometido adulterio, y el adulterio es delito penado por la ley.

—Eso habrá de decirlo don Nuño y no usted. Lo que de verdad importa es que si su mujer es condenada por adulterio, usted se quedará para sí con todos sus bienes.

—Si la ley así lo ordena... —susurró el bodeguero, despectivo.

—¿Ha hipotecado usted los bienes dotales de su esposa, don Juan?

—Eso es falso, abogado. Hipotequé la viña, que es sólo mía.

—Pero constituyó censo sobre la bodega de plaza del Cubo, ¿no es verdad?

—Sí.

—Y el censo no es sino una carga constituida sobre un bien que no le pertenece, señor. Lo que podría ser hasta constitutivo de delito.

—Pagaré lo que debo. Hasta ahora estoy satisfaciendo puntualmente los intereses de ese censo. Que constituí, sépalo usted, por el bien de mi esposa y mis hijos.

—¿Ah, sí?

—Así es. Porque lo hice para poder finalizar la casa de la calle Corredera, donde tan lujosamente viven.

—Su esposa ya no, don Juan.

—Porque ella se lo ha buscado.

—¿Ha presentado usted demanda de divorcio contra su esposa ante el vicario general del arzobispado de Sevilla?

—Eso es falso, caballero.

—Señoría, solicito se dé lectura por el escribano al documento que obra al folio 161 de las actuaciones. Es un poder otorgado por el testigo a favor del procurador de Sevilla don Gumersindo Rosales de la Cávea.

—Sea —dictaminó don Nuño.

El escribano público dio lectura al documento indicado. Era un poder para pleitos otorgado por don Juan Navas del Rivero ante el escribano público de Jerez don Ignacio Buendía el día 15 de diciembre del recién finalizado año, por medio del cual instruía al procurador de Sevilla don Gumersindo Rosales de la Cávea para que «en nombre del otorgante y en virtud de las facultades inherentes al otorgamiento, formulare en contra de su esposa doña Adela Rubio y Cabeza de Vaca, con domicilio en Jerez, en la collación de San Miguel, calle Corredera, y ante el ilustrísimo señor juez provisor y vicario general del Tribunal de la Audiencia del arzobispado de Sevilla, demanda de divorcio *quod thorum et habitationem,* de forma tal que pueda el otorgante quedar libre de convivir con la susodicha esposa y, aduciendo causa de adulterio probado, hacer suyos los bienes de la dote y de la ganancia constante el matrimonio».

—¿Necesita, don Juan, que le pregunte lo que tal documento significa?

—Sé lo que significa, pero también ha de saber que esa demanda no ha llegado a presentarse.

—Evidentemente —arguyó el letrado—, porque en el poder se habla de «adulterio probado» y ha debido usted aguardar a la finalización de este juicio, en la confianza de una sentencia condenatoria que espero no se dicte.

—Y yo espero lo contrario —dijo don Juan Navas, colérico—. ¿O es que acaso no se han leído aquí esas cartas repugnantes que los adúlteros se cruzaron?

—A propósito de ello, ¿dónde halló usted, don Juan, las cartas que su esposa remitió a Caravaca?

—En uno de sus cofrecillos. Debió de dejarlas ahí por descuido.

—¿Y cómo se explica usted que esas cartas, que debían estar en poder de Caravaca, puesto que a él iban dirigidas, estuviesen en poder de su esposa, señor?

Don Juan Navas miró al abogado, perplejo.

—¿Cómo dice? —Y el abogado repitió la pregunta—. Supongo... supongo que no llegaría a enviarlas, ¿no? —acertó a explicar, vacilante don Juan Navas del Rivero—. Eso... eso debió de ocurrir.

—Pues, de su tenor, parece como si una carta respondiese a la otra. Raro es que se responda a una carta que no se recibe, ¿no cree usted?

—No intente confundirme, letrado —demandó el bodeguero, ya recompuesto a medias—. Lo que importa es que esas cartas se hallaron en poder de doña Adela y todo lo demás es palabrería de abogado.

—Explique, por favor, al tribunal por qué no denunció usted
también a Manuel León de Caravaca.

—No ha sido hallado, creo.

—¿Y sabía usted, al tiempo de su denuncia, que no iba a ser
hallado?

Nueva vacilación.

—Hice lo que me aconsejaron y nada más.

—Por último, don Juan, ¿mantiene usted desde hace dos
años una relación adulterina con la joven Esperanza Rendón,
hija de la viuda doña Dolores Valenzuela, ambas domiciliadas
en la plaza de Jaramago, en la collación de San Marcos?

—Quien diga tal cosa miente.

—Le recuerdo que está usted bajo juramento.

—Y yo le reto a que pruebe lo que afirma.

—¿No es cierto que cada domingo la visita?

—No es a la joven a quien visito, sino a su madre. Me une
con ella una simple relación de buena amistad, nada pecaminoso. Era amigo de su esposo difunto.

—¿Sabe usted que esa joven, Esperanza, ha comparecido
hoy como testigo?

—Lo sé. La he visto al salir del tribunal.

—¿Y sabe que ha dicho que se encuentra preñada de usted
de tres meses? —mintió el abogado.

Don Juan Navas del Rivero dio un respingo. Y sin reflexionar, precipitadamente, antes de que el fiscal pudiese protestar o
el juez pudiese detener la añagaza del letrado, agarrándose a la
baranda del estrado, aseveró:

—¡Eso no puede ser verdad! ¡El pasado domingo me dijo
que ya había sangrado y...!

Y se calló al advertir su torpeza. Quiso rehacer lo deshecho,
pero no le salieron las palabras.

—Quise decir... quise... decir que... —tartamudeó—. Quise
decir que...

—No es necesario que nos diga nada más. No hay más preguntas, su señoría.

Y entonces se escuchó en la sala un suspiro colectivo, como si la multitud que asistía al juicio hubiese estado conteniendo la respiración durante el interrogatorio.

—¿Alguna prueba más, señor letrado?

—Estaba propuesto como perito don Casiano Moreno, maestro de la escuela de la Compañía de Jesús, que iba a certificar que la letra del inventario de bienes de la autoría reconocida del administrador de don Juan Navas es la misma que la de las cartas que se atribuyen al tal Caravaca. Consta su pericia en autos. Pero a la vista de que la misma no ha sido impugnada y del desarrollo del juicio, y dada la hora que es, renuncio a la prueba.

—Y se le agradece. Tiene la palabra el promotor fiscal para conclusiones. Y sean breves, por Dios.

Don Laureano de Ercilla no quiso en esta ocasión dar por reproducida su acusación por vía de informe. Durante no más de cinco minutos, intentó convencer al juez de que el testimonio de Mariano Sanjuán y las cartas incautadas eran pruebas suficientes para condenar a doña Adela, mas en cuanto observó la cara de aburrimiento y escepticismo de don Nuño de Quesada cesó abruptamente en su informe.

—Gracias, don Laureano. Tiene la palabra el abogado defensor don Pedro de Alemán. Y le hago la misma prevención: sea breve, que ya es tarde.

—Lo seré, con su venia, ilustrísimo señor —confirmó el letrado.

Aguardó unos segundos antes de tomar la palabra, hasta que en la sala se hizo un silencio total. Cualquier rastro de nerviosismo se había evaporado en Alemán como la nieve en primavera. Se sentía seguro, confiado. Giró unos grados la mirada y se encontró con los ojos de Adela Navas, que lo miraba embelesada. Con esos ojos verdes como el color que decían tenía el agua de las playas de las Indias. Se sintió pletórico.

—En este proceso se ha cometido una gravísima equivocación —comenzó—. Un error grande como el mundo. Y no me refiero al encausamiento de mi cliente, doña Adela Rubio y Cabeza de Vaca, de ilustre linaje, de comportamiento intachable en su vida de casada, de dignidad sin parangón como todos hemos podido ver en el día de hoy. Me refiero a la gravísima equivocación, al inmenso error de quien la ha acusado. Porque quien la ha acusado ha creído que la justicia es torpe, que la justicia es necia. Y ha pretendido engañarla con unos testimonios insostenibles y con unas cartas que constituyen una argucia insultante para la inteligencia de todos quienes aquí nos hallamos. Ya ha oído usted, su señoría, el testimonio de Hortensia Laguna: ha confundido una de esas cartas con su auto de libertad. No voy a perder un segundo más en impugnar esas pruebas, que no son tales, puesto que insistir en ello sólo sería poner en duda su buen juicio, señor juez.

»Un antiguo poeta griego, creo recordar que fue Sófocles aunque perdóneme, señoría, si yerro, nos dejó dicho que sólo el tiempo puede revelarnos al hombre justo; al perverso, en cambio, se le conoce en un solo día. Pues bien, no en un solo día, sino en una sola mañana hemos conocido la perversidad de don Juan Navas del Rivero, esposo de mi cliente. Don Juan Navas, posiblemente, ha dejado de querer a su esposa. Tal vez nunca la quiso. Y no podemos ni reprochárselo ni extrañarnos por ello, puesto que ya sabemos que el matrimonio en estos tiempos no es acto de amor, sino de conveniencia. Una obligación en vez de una elección. Al menos entre las clases a las que pertenecen acusador y acusada. Don Juan Navas ha encontrado unas carnes más jóvenes, un regazo más acogedor, y tampoco podemos reprochárselo, pues sabemos que las pasiones hacen vivir al hombre. Lo que sí podemos reprocharle, ¡lo que sí debemos reprocharle!, es que para conseguir sus fines le haya faltado al respeto a doña Adela. Que le haya faltado al respeto a sus hijos. Que le haya faltado al respeto a usía. Que le haya faltado al respeto a la justicia. Y, sobre todo, que le haya faltado al respeto a la verdad. Olvidando que la verdad es como un faro en la tiniebla, que se hace ver por más negra que sea la oscuridad.

»Hoy, en este juicio, ha resplandecido la verdad. ¡Y tantas veces, señoría, la verdad no es bella, sino tan triste...! Porque ha sido triste, ha sido muy triste, descubrir que don Juan Navas no ha actuado al fin y al cabo por amor, ni por pasión. Ha actuado por dinero. Sólo por el vil dinero. Sólo por reales y maravedíes. Y no le ha importado acabar con todo cuanto le rodeaba para conseguir sus propósitos. ¿Le ha importado mentir? No. ¿Le ha importado denigrar a su esposa? No. Y, sobre todo, ¿le ha importado que sus hijos, Adela y Juan, sufrieran el dolor de verse alejados de su madre, de ver a su madre públicamente afrenta-da? No, no le ha importado. Nada en absoluto.

Respiró profundamente. Complacido, comprobó que don Nuño le oía con atención y que el auditorio estaba pendiente de sus palabras, embobado. Continuó hablando de las intenciones de don Juan Navas: quedarse con la dote de su esposa, no tener que responder de sus incumplimientos por haber gravado sus bienes dotales, no tener que compartir con ella los bienes de ganancia de su sociedad conyugal.

—En estos tiempos que nos ha tocado vivir, su señoría, el dinero lo es todo —prosiguió—. Al hombre se le considera no por su sabiduría, ni por su prudencia, ni por su religiosidad, ni por su probidad. Al hombre, y más en esta época de penurias, se le considera por su patrimonio: por sus monedas de oro, por sus casas, por sus aranzadas de tierras y de viñas, por sus censos, por sus coches de caballos, por sus lacayos de librea. Y ello no estaría mal si no fuera porque el riesgo de perder esa consideración ajena hace al hombre ser cruel, ser perverso, ser injusto y ser despiadado. Y le hace vivir en un continuo miedo, miedo a perder lo que se tiene, y ello lo lleva en muchas ocasiones a hacer lo que sea, por injusto que fuere, para que ese miedo no se torne realidad. Y no se da cuenta de que el dinero se pierde en cuanto se gasta, las casas se pierden en los incendios, las tierras se agostan con las plagas y los lacayos se van si no se les satisface su salario. No nos damos cuenta de que, en cambio, la sabiduría, la prudencia, la bondad sólo se agotan con la muerte, que es el puente hacia una vida nueva y mejor.

»Don Juan Navas no ha sabido ver nada de todo esto. Ha creído que con sólo su posición, su poder y su palabra podría vencer a la justicia, a la que en el fondo desprecia. Y que valiéndose de esa justicia a la que desprecia podría vencer aquellos miedos. Pero ha olvidado que la justicia es quien sostiene las virtudes del reino y no una ramera que se pueda usar a nuestro antojo.

»Doña Adela Rubio y Cabeza de Vaca es una mujer virtuosa. No merece haber pasado por el calvario por el que ha pasado. Pero algo bueno ha obtenido de todo ese vía crucis: el amor de sus hijos, que nunca la han abandonado. Y algo bueno va a obtener: la absolución que se solicita de su señoría, su sentencia justa, que es lo que este letrado, señor, respetuosa y humildemente le pide. Nada más.

El silencio de la sala, de túmulo tras las palabras del abogado, fue interrumpido por la voz de don Nuño, quien, dirigiéndose a doña Adela Rubio y Cabeza de Vaca, le preguntó con suavidad:

—¿Desea usted, señora, decir algo más?

Doña Adela, emocionada, negó con la cabeza. Pedro miró de reojo a Adela Navas. Lloraba.

—Queda el juicio visto para sentencia —anunció don Nuño, dando un golpe con el martillo.

La sala poco a poco fue despejándose. Dos de los tres abogados presentes —don Luis de Carvajal y don Martín de Espino y Algeciras— se acercaron al defensor y le felicitaron efusivamente. Don Juan Polanco le saludó desde lejos. También lo hicieron algunas otras personas que Alemán ni siquiera conocía. Cuando Pedro se levantó de su estrado para acompañar a su cliente a la salida, oyó la voz del juez:

—Letrado, ¿tiene usted un momento?

—Claro, señor.

—Pues acompáñeme.

Pedro, extrañado, acompañó al juez de lo criminal hasta un despacho situado a espaldas de su sitial. Don Nuño tomó asiento, invitó a tomarlo al letrado, se quitó garnacha y monóculo y preguntó:

—Supongo que después de esto dejará usted la oficina del abogado de pobres, don Pedro.

—No me lo había planteado, don Nuño —respondió Alemán, estupefacto.

—Es su segundo juicio en menos de un año en que tiene una actuación soberbia. Supongo que su bufete lo agradecerá.

—Gracias, señor. Pero hasta ahora mi bufete no es que esté colmado de clientes, precisamente.

—Lo estará. Pero no es eso por lo que quería hablar con usted —aclaró el juez—. Permítame preguntarle: ¿va a presentar su cliente cargos contra su esposo?

—¿Quiere ello decir que su sentencia será absolutoria, señoría? —preguntó a su vez el abogado.

—En un par de días se sabrá. Pero conjeturemos, sólo conjeturemos, que así sea. Respóndame, por favor.

—Supongo que tendrá que ser doña Adela quien lo decida, en su momento. Más no le puedo decir, don Nuño.

—De acuerdo. Pero sabe usted que su consejo será relevante, y más después de la gran labor que ha hecho en el juicio. Y al hilo de la cuestión que le planteo, permítame decirle una cosa: la gran virtud del abogado no es la oratoria, sino la prudencia. Sea usted, pues, prudente. Ya sabe usted, o ha de saberlo, y le habla quien no es letrado, que el hombre prudente es aquel que es capaz de deliberar y de juzgar de una manera conveniente sobre las cosas. Juzgue usted las consecuencias de los actos suyos y de su cliente, y acuérdese, cuando reflexione sobre lo que le digo, de lo mal que don Juan Navas ha juzgado.

—Le agradezco sus palabras y las tendré en cuenta, señor —dijo el abogado, aún sorprendido por lo que estaba oyendo. Aunque en el fondo sabía lo que estaba oyendo: una advertencia del poder en favor del poder.

—Estamos en una ciudad provinciana, don Pedro —continuó el juez—, donde todo se sabe y todas las deudas se pagan. Sólo le digo eso: sea prudente. Y ahora, buenos días, abogado, que supongo que su cliente estará deseosa de hablar con usted.

Doña Adela Rubio y Cabeza de Vaca estaba, en efecto, en la plaza de los Escribanos. Jerónimo de Hiniesta había ido a buscarle un coche que la llevara de regreso a la calle Abades. En cuanto vio llegar a Pedro de Alemán, se adelantó unos pasos.

—No sé cómo agradecerle lo que ha hecho por mí, don Pedro —dijo, tomándole de las manos—. Ni cómo voy a pagárselo.

—No me dé usted las gracias hasta que no tengamos la sentencia de don Nuño, señora.

—¡No hay nada que esperar, Pedro! —aseguró Adela Navas, acercándose. No vio la mirada extrañada de su madre al oír que se dirigía al letrado por su nombre de pila—. Ha hecho usted un trabajo increíble.

Por unos instantes, Pedro temió, y deseó, que la joven fuera a estamparle un beso en la mejilla. Adela Navas, empero, se contuvo.

—La veré de nuevo, doña Adela —dijo el letrado—, en cuanto a don Jerónimo de Hiniesta le notifiquen la sentencia. Que espero sea favorable, por supuesto. Ahora, por favor, descanse. Sólo nos queda esperar.

XXXI

La sentencia de don Nuño

La sentencia de don Nuño de Quesada llegó el jueves siguiente, a los dos días del juicio, tal como el juez había prometido. Sentenciaba la absolución de doña Adela, con todos los pronunciamientos favorables. Sin más discernimientos, pues ni nada mandaba sobre la situación personal ni matrimonial de la acusada, ni ordenaba abrir proceso contra su acusador.

En cuanto tuvo el veredicto en su poder, Pedro de Alemán fue a comunicárselo a su cliente, que aún seguía residiendo en casa de Ángeles Huertas, en calle Abades. El abogado recibió los parabienes de doña Adela y palabras de agradecimiento y miradas que no supo adjetivar de su hija, Adela Navas, que esa mañana del primer día de las Carnestolendas había ido a visitar a su madre en compañía de su hermano pequeño, Juan, aprovechando el clima de desconcierto que en su casa se vivía.

—¿Qué pasará ahora conmigo? —preguntó doña Adela, una vez finalizadas las efusiones y los agradecimientos.

Ángeles Huertas había dispuesto en la pequeña cocina de la casa un humilde piscolabis: unas limonadas y unos pasteles caseros. Después, juiciosa, aduciendo que tenía que ir a comprar pan, había dejado solos a madre, hijos y al abogado. Ahora estaban los cuatro de pie alrededor de la mesa, pues no había sillas para todos en la vivienda.

—La sentencia sólo decreta su absolución del delito de que venía siendo acusada, el adulterio, y no entra en más pormenores.

—¿Qué he de hacer, pues? ¡No puedo estar aquí con la pobre Ángeles indefinidamente!

—Tendríamos que instar demanda para conseguir sus derechos —explicó Alemán—. No veo más posibilidades, la verdad.

—¿Qué tipo de demanda?

—Podemos iniciar querella criminal, por supuesto. Motivos los hay de sobras. Pero entiendo que el divorcio civil sería lo más rápido.

—¿Qué supondría? ¿Y qué tiempo llevaría?

—En cuanto a tiempo, unos meses como mínimo, y más ahora que se aproximan unas fiestas tras otras —dijo el letrado, aludiendo a las actuales fiestas de Carnaval y a las próximas de Semana Santa, feria de primavera, Cruces de Mayo, Corpus Christi...—. En cuanto a qué supondría, es difícil explicarlo en dos palabras.

—Intente explicarlo de forma que lo entendamos, por favor —rogó Adela Navas.

—Lo intentaré. Con el divorcio se pretende que cese la obligación de la convivencia, obligación que ahora mismo está en suspenso dado el proceso penal que se ha seguido. Con la demanda de divorcio, basada en la falsa acusación formulada por su esposo, podríamos conseguir que se le permita regresar a su casa mientras se tramita el proceso y que se determine que su marido no podrá tener habitación con usted. Asimismo, debería obligársele a que la provea de lo necesario para su alimentación, vestido y para el sustento de sus hijos y de su casa.

—Hasta ahora, todo me parece bien —manifestó doña Adela Rubio.

—El problema vendrá, doña Adela, cuando haya que proceder a la liquidación de los bienes gananciales y cuando su marido se vea compelido a devolverle sus bienes dotales. Ya oyó usted en el juicio que su esposo se encuentra prácticamente en la ruina.

—¡Y no dejó de sorprenderme, Virgen Santísima! —exclamó la señora—. Jamás pensé que los negocios de mi esposo pudieran ir tan mal. Y nunca me comentó lo del barco naufragado. Si lo hubiera hecho, yo habría consentido en que se hipotecasen mis bienes. No tenía necesidad de hacerlo a mis espaldas.

—Posiblemente, esa liquidación de gananciales y esa devolución de bienes dotales vaya a traernos más problemas que ventajas. Por un lado, he de suponer que en los gananciales hay más deudas que bienes; y por otro lado, dudo que exista metálico en el patrimonio de don Juan para devolverle los reales entregados como dote y para levantar el censo constituido sobre la bodega. Y todo este tipo de actuaciones puede que no haga sino acelerar la ruina. Y que obligue a su marido a instar proceso de quiebra.

—¡Dios mío, la quiebra! —se quejó doña Adela—. Eso conllevaría que perdiéramos todo: nuestra casa, nuestras cosas... ¡Todo! ¿Tan grave es la situación, señor?

—No lo sé con certeza, doña Adela —respondió el abogado—. Sólo conozco las deudas registradas en los archivos del protocolo y las utilidades anuales de los bienes de su marido conforme al catastro. Pero hay muchas cosas que no conozco: la valoración de esos bienes, los depósitos que puedan existir en metálico, los créditos que ostente su esposo frente a terceros... Otras deudas no registradas... Hay muchas cosas que no sé. Dar una opinión definitiva sería aventurado. De todas formas, a la luz de las informaciones que poseo y que usted pudo vislumbrar en el juicio, lo que sí puedo decirle es que el riesgo existe.

—¿La quiebra significa lo que yo creo que significa? —preguntó Adela Navas, angustiada—. ¿La bancarrota?

—La quiebra es el procedimiento mediante el cual un comerciante se declara en estado de insolvencia, es decir, que no puede pagar sus deudas. Y he de advertirles, señoras, que incluso se puede llegar a la cárcel por causa de la quiebra, aun cuando se cedan a disposición de los acreedores todos los bienes y pertenencias del deudor. Las pragmáticas de 1536 y 1560 disponen que...

—¡No podemos llegar a eso, don Pedro! —interrumpió doña Adela, al borde del llanto—. ¡Mis hijos! —se lamentó, abrazando a Adela y a Juan; el pequeño, que probaba todos los pasteles de Ángeles Huertas, ajeno a la conversación de los adultos, miró a su madre sin entender nada—. ¿Qué será de ellos, Virgen Santa? Hay que buscar otras soluciones, algo que nos convenga a todos.

El letrado se quedó pensativo unos instantes, mientras Adela Navas intentaba consolar a su madre. Reflexionó sobre las palabras de don Nuño y se dijo que, en efecto, la prudencia es virtud y no sinónimo de cobardía. Y en muchas ocasiones los consejos prudentes son, más que los tambores de guerra, la salvación de los que ya no tienen esperanza.

311

—Tal vez yo pueda hacer algo por ustedes, señoras —dijo.

—¿Más aún de lo que ya ha hecho? —preguntó Adela Navas, mirando fijamente al letrado. Y en sus ojos había algo más que agradecimiento.

—Escúchenme un momento, señoras, por favor...

* * *

—No esperaba su visita, la verdad. Al menos, no tan pronto. ¿Ya me ha denunciado mi esposa?

Don Juan Navas del Rivero y Pedro de Alemán y Camacho se encontraban reunidos en la mañana de ese jueves, primer día de los festejos de Carnaval, en el despacho que el bodeguero tenía en la planta baja de su casa de la Corredera. El aspecto de don Juan distaba mucho del de la primera visita que el abogado le había hecho y del que se le vio durante el juicio. La altanería, la soberbia, las ínfulas de poder habían sido sustituidas por un gesto de derrota que se evidenciaba en el color de su tez, antes lozana y hoy de un curioso color entre blanca y verde, como las pencas de las acelgas. El comentario hecho al abogado demostraba que ya conocía la sentencia a pesar de que sólo habían transcurrido unas horas desde su notificación. Las noticias en Jerez volaban como las golondrinas.

—No, señor. Su esposa no lo ha denunciado. Podría hacerlo, porque se ha acreditado que su acusación era falsa y que ha obligado a sus testigos a mentir en juicio, pero ni ha presentado querella ni, por ahora, desea hacerlo.

—He de suponer, entonces, que opta por algo más liviano: la demanda de divorcio.

—Tampoco es ése su deseo.

Don Juan Navas se incorporó en su asiento, en el que había estado dejado caer como una marioneta sin marionetista. Un ademán de intriga apareció en sus cejas, que se fruncieron.

—¿He de entender que mi esposa no quiere el divorcio? ¿He de entender que quiere seguir viviendo conmigo como si nada hubiese ocurrido?

—No talmente así. Su esposa no quiere (insisto, por ahora) el divorcio porque le he explicado las consecuencias del juicio: la obligación de dividir los bienes de ganancia y de reintegrarle sus bienes dotales. Y que todo ese proceso podría empeorar su situación financiera y abocarle a la bancarrota. Y su esposa conoce las consecuencias de la quiebra y no las desea ni para ella ni para sus hijos. Y tampoco para usted, pues el alma de doña Adela es de gran nobleza, a pesar del daño que se le ha infligido.

—¿Y qué quiere entonces?

—Permítame, antes de formularle mi oferta, que le explique, aunque sea someramente, las consecuencias que para usted tendría un proceso, sea civil o sea penal.

Y le resumió la situación de forma parecida a como lo había hecho con su cliente doña Adela Rubio.

—Cualquier abogado con quien usted hable, le podrá confirmar mis palabras.

—Está bien —dijo el bodeguero—. ¿Y cuál es su propuesta?

—En primer lugar, doña Adela regresará mañana mismo a esta su casa. Continuarán ustedes en habitaciones separadas y usted renunciará por escrito a hacer uso del matrimonio y del débito conyugal sin el consentimiento de doña Adela.

—No sería nada nuevo. Continúe.

—Deberá entregar cada mes a su esposa quinientos reales para su sustento, su ropa, la de sus hijos y el mantenimiento de la casa.

—No es una cantidad pequeña, letrado.

—Pero innegociable.

—¿Con esa suma pagará ella a la servidumbre o correrá ésta de mi costa?

—Deberán ustedes acostumbrarse a vivir con menos servicio. Su administrador y su mayordomo deberán mañana mismo partir de Jerez y obligarse a no regresar en al menos tres años. Digamos que sería como un destierro voluntario. De no acceder, se les planteará querella por perjurio.

—Mi administrador Alfonso Castro de Villa se fue ya ayer de Jerez como alma que lleva el diablo. Sabía lo que le podía venir encima y ha preferido marchar con su mujer y sus hijos a Encinasola, en Huelva, de donde es natural y donde aún tiene familia. En cuanto a Mariano Sanjuán, hablaré con él hoy mismo. ¿Algo más?

—Sí, por supuesto. Mucho más.

—Pues dígame, señor.

—Procederé a preparar escritura pública por medio de la cual su esposa doña Adela Rubio y Cabeza de Vaca ejercitará la facultad de renunciar al régimen legal de la sociedad de gananciales, facultad prevista en la ley 60 de Toro. Y a partir de la fecha de la escritura el matrimonio pasará a regirse por el régimen de la separación de los bienes de cada cónyuge. Usted instruirá a su abogado don Juan Polanco Roseti a fin de que le prepare escritura consintiendo todo lo anterior.

—Don Juan Polanco ya no es mi abogado. Ya le comunicaré oportunamente el nombre de quien me asesorará en todo esto. Pero sí, no me opongo a lo que me expone. ¿Más cuestiones?

—Por supuesto —afirmó Alemán—. Sólo acabamos de empezar.

—Ande usted con cuidado —repuso el bodeguero—. Ni con el animal más herido se pueden perder las cautelas.

—Retornará usted a su esposa sus bienes dotales.

—Dígame cómo podré hacerlo, ya que tan bien conoce mi situación económica.

—En cuanto a los reales que se le satisficieron como metálico en la dote, que creo recordar fueron quince mil quinientos, se los devolverá usted a razón de tres mil reales anuales, con un interés del cinco por ciento cada año. Aparte, por supuesto, de los quinientos reales de que antes le he hablado. Y levantará el censo que pesa sobre el inmueble.

—No tengo posibilidad de pagar ese censo sin poner en gravísimo riesgo mis negocios.

—Puede usted vender la viña de Cantarranas. Aunque esté hipotecada, el producto de su venta será suficiente para levantar hipoteca y censo, y aún le quedará metálico para procurarse algún saneamiento. Hoy en día, en los negocios de vinos tiene poco sentido ser cosechero, bodeguero y exportador, como usted pretende.

—¿Es que quiere usted también organizar mis negocios, maldita sea? —estalló don Juan Navas.

—He hablado con don Tomás de Geraldino, que ha sido quien me ha encaminado. Dice que de aquí a unos años el gremio de la vinatería va a imponer por ordenanza lo que usted hará ahora voluntariamente.

—Lo pensaré. ¿Qué más?

—Ya casi estoy acabando —le tranquilizó Alemán—. Deseo facilite a su esposa relación completa de sus bienes, derechos y deudas con el máximo detalle. Será preciso conocerla para proceder a la extinción de los bienes de ganancia, y doña Adela tiene derecho a conocer al dedillo su situación económica para poder juzgar si podrá usted cumplir con lo que se obligue.

—Sea.

—Instalará usted su alcoba en la planta baja de esta casa, donde prefiera.

—¡Eso es humillante, abogado!

—Y su esposa y sus hijos permanecerán en la planta superior. Se obligará usted por escrito a no traspasar los umbrales de esa planta. Sólo podrá disfrutar de la baja y de la primera galería.

—¡No! ¡Me niego! ¿Cómo pretende usted hacerme cautivo en mi propia casa? ¿Cómo pretende limitar mis movimientos en lo que yo mismo he edificado?

—Su esposa lleva meses viviendo en una habitación miserable y comiendo de la caridad de su antigua aya. Lo que le planteo no es negociable.

—¿Y si me niego?

—Hoy mismo presentaré querella por acusación falsa, por perjurio y por cuantos delitos se me ocurran. Y demanda de divorcio civil ante el alcalde mayor. Y conseguiré echarle de esta casa. Ni de la planta baja o de la primera galería podrá usted disfrutar.

—¿Ha terminado ya?

—No. A partir de ahora se obligará por escrito a actuar como un ordenado comerciante, sin despilfarros y sin gastos superfluos. E intentará de esa forma sacar a flote su industria. Me dará usted cuenta a mí personalmente cada seis meses del estado de sus negocios, para que yo pueda informar a su esposa y garantizarle su capacidad económica para cumplir lo prometido. Podrá seguir viendo, si le place y ella consiente, a su manceba, pero se acabaron las joyas y los presentes para la tal Esperanza.

—¡Por Dios!

—Y pagará usted mis honorarios. Si no puede en reales, en vinos, y ya me encargaré yo de venderlos.

—¿Cuánto?

—Quince escudos de oro o su equivalente en botas de vino claro de treinta arrobas.

—Tengo que pensar todo lo que me propone.

—Lo siento, don Juan, pero su esposa no puede seguir viviendo donde lo hace. Ni es digno para una dama ni podemos seguir obligando a Ángeles Huertas a compartir un espacio y unos dineros de los que no dispone. Debe usted decidir ahora. Si quiere consultar a un abogado, puedo esperar hasta la tarde. Pero no más. O su esposa puede volver mañana a esta casa en las condiciones expuestas, o tendrá usted su querella y sus pleitos. Y, como dijeron sus católicas majestades, salga el sol por Antequera y póngase por donde quiera.

Don Juan Navas se levantó y durante unos minutos paseó por el despacho, las manos unidas a la espalda, el gesto de profunda concentración, la faz demudada. De vez en cuando miraba al abogado, como calibrando su fuerza. Al fin, volvió a sentarse, puso las manos sobre la mesa, enfrentó la mirada del letrado y dijo:

—¿Sabe usted una cosa, abogado? Cuando todo esto empezó, jamás pensé que mi esposa contrataría a alguien como usted. Ni en mis mejores sueños lo habría supuesto. Y me habría emborrachado de contento si alguien me lo hubiera adelantado. Estaba seguro de que contrataría a alguien de la talla suficiente para contender con don Juan Polanco Roseti, que buscaría a un adversario digno de él, a alguien como don Martín Espino o don José Bernal o don Juan Mateos Murillo. Y que ese tío suyo de El Puerto la ayudaría a sufragar sus honorarios. Supuse que con tales abogados ni siquiera llegaríamos a juicio: se pergeñaría un acuerdo satisfactorio para todas las partes, doña Adela iría a vivir a El Puerto y todo se zanjaría. Y cuando supe que era usted su letrado, alguien joven, sin experiencia... ¡El abogado de pobres, por Dios...! Pues me froté las manos... Y, en cambio, mire usted ahora. Y no se me ofenda, por favor.

—Todo lo contrario. Sus palabras no constituyen ofensa, don Juan, sino al revés. El abogado será más o menos competente cuanto más o menos haga suyos los problemas de su cliente. Y los problemas de doña Adela fueron mis problemas desde el primer día que la vi.

316

—Acepto sus condiciones, letrado. No me quedan muchas más opciones. Arbitre lo necesario para firmar cuanto se haya de suscribir ante escribano. Y ahora, si no le molesta, me gustaría quedarme solo. Supongo que mi esposa regresará mañana y es mucho lo que tengo que organizar.

—Gracias, señor. Pero hay una última cuestión.

—¡No, por Dios! ¿Qué más puede pedir?

—Ha de saber que desde hace algunas semanas paseo con su hija doña Adela cada domingo, al mediodía. Sólo conversamos y hablamos. Solicito su permiso para seguir haciéndolo.

La cara del bodeguero, que tras cerrarse el trato parecía haberse relajado, volvió a sofocarse.

—Pero... ¿sabe usted que mi hija está comprometida con el hijo de don Juan Pedro Lacosta y González, abogado?

—¿Y piensa usted que ese caballero mantendrá su palabra una vez regrese de Londres y se entere de lo acontecido y sepa que ni siquiera podrá pagar usted la dote que se haya convenido?

—Es usted un insolente, joven.

—Su hija lo vale, señor.

—¿Y qué piensa ella?

—Ella misma habrá de decírselo cuando se lo pregunte usted.

—¡Quítese de mi vista, por el amor de Dios!

—Entiendo, don Juan, que eso es un sí. Vendré el domingo a recoger a su hija, si ella me lo consiente. Antes, no obstante, recibirá noticias mías acerca de esas escrituras que se han de firmar. Y yo las espero suyas acerca de cómo se llevará a cabo el pago de mis honorarios. Ha sido, por supuesto, un placer. Buenos días y quede usted con Dios.

XXXII

ASESINATOS EN EL CARNAVAL

Aunque oficialmente el Carnaval de Jerez comenzaba el domingo anterior al miércoles de Ceniza, para el pueblo las festividades se iniciaban el jueves previo. A partir de ese día reinaba en Jerez Don Carnal. Durante todo el fin de semana se liberaban los instintos, se relajaban las costumbres y la gente se desfogaba antes de la llegada de Doña Cuaresma.

El Carnaval oficial comenzaba con una serpiente de cohetes que recorría la plaza del Arenal, la calle Larga, la Lancería y las calles aledañas, y que con sus petardos y bengalas multicolores hacía las delicias de mayores y pequeños. En la plaza del Arenal se celebraban juegos de cañas y corridas de toros. Las gentes humildes relegaban sus miserias durante unas horas paseando por las calles disfrazadas de máscaras, bailando y cantando, comiendo altramuces, merendando barquillos, olvidando las diferencias sociales, disfrutando del vino de la tierra y de las fachadas engalanadas, y se veían por doquier los antifaces, las caretas, las jeringas de agua y los caramelos arrojadizos.

Durante todos esos días, y desde que se hubo presentado de improviso en la casa de su señor, Andrés Caputo había estado siguiendo al sacristanillo Jacinto Jiménez Bazán. Su propósito: saber si el sacristán había compartido la información que poseía con alguien más y si había otras personas implicadas en el chantaje. Para llegar a ese conocimiento debía conformarse con lo que viera por las calles. Evidentemente, no podía saber lo que ocurría dentro de la casa del sotasacristán y no sabía si su mujer o sus hijos mayores estaban al tanto de lo que el individuo se llevaba entre manos. Tendría, pues, que adoptar medidas al respecto. Con relación a lo que ocurría en la capilla de la torre, el bravonel descartó de inmediato que los canónigos o el abad pudiesen estar enterados de nada, pues, si hubieran sido advertidos, hacía tiempo ya que el ardid de su señor habría sido puesto al descubierto.

No le fue difícil seguir a Jacinto Jiménez ni temió ser sorprendido —tampoco le habría importado—, pues el bullicio de las calles hacía innecesaria toda cautela. De todas formas, con que lo hubiera seguido un solo día le habría bastado. La rutina del sotasacristán resultó exasperante: por la mañana iba a la capilla de la torre, donde los canónigos ya preparaban la próxima Cuaresma; al mediodía, lucía sus nuevos dineros, presumía de reales y maravedíes, y comía y se emborrachaba en una tabernucha del Arroyo de los Curtidores o en un tabanco de la calle Cazorla Alta. En este último coincidió en un par de ocasiones con un tal Abelardo Peña. Según supo el bravo después de hacer un par de preguntas al tabernero, ese Abelardo era el campanero de la colegial; vivía en la cercana calle de los Ciegos y parecía un hombre de costumbres morigeradas, todo lo contrario que Jacinto. Y aunque sotasacristán y campanero habían compartido una jarra de vino durante esos encuentros, éstos fueron fugaces y no pareció que hubiese ni intercambio de dineros ni de noticias entrambos. Andrés Caputo casi descartó enseguida a Abelardo Peña como cómplice del sacristanillo. Aunque tendría que asegurarse.

Jacinto acostumbraba a llegar por la tarde a su casa antes de que la jumera le impidiese andar. Solía discutir con su mujer casi a diario, e incluso en una ocasión el sicario oyó cómo se rompían cacharros durante una de las trifulcas. Luego, dormía la siesta y la mona, se levantaba a eso de las cuatro y media y, resacoso pero feliz, volvía a la capilla de la torre, donde seguía con sus faenas. Y a las ocho más o menos se encaminaba al mesón del Toro, en los Llanos de San Sebastián, donde cenaba a solas, volvía a abusar del aguapié y se trajinaba cada noche a una putita extremeña de la que el bravonel supo que estaba limpia y que se llamaba Guadalupe.

El lunes de Carnaval, Andrés Caputo se dijo que seguir con la vigilancia era una pérdida de tiempo. El sacristanillo era un autómata: levantarse, trajinar con misales y copones, presumir de dineros, comer, beber, pelear con su mujer, dormir, volver a trajinar en la capilla, comer, beber y follarse a la putita. Y así un día y otro, sin mudanzas ni aburrimientos. Pero, por aquello de no dejar ningún cabo suelto, el bravo decidió apurar las precauciones.

De principio, se hizo el encontradizo con Abelardo Peña en la taberna de la calle Cazorla Alta. Lo invitó a vino y arenques y consiguió traer a colación al sotasacristán. Hizo una vaga alusión al «tipo ese que ayer no paraba de presumir de dineros, con esa sotana de monaguillo», y enseguida la lengua de Abelardo Peña se disparó. Le habló de Jacinto Jiménez como de un pobre infeliz que por razones que se le escapaban había entrado en posesión de un buen puñado de monedas de oro que despilfarraba hasta el punto de que corría el riesgo de dilapidarlas en días. Le contó las continuas riñas con su mujer y las broncas que recibía día sí y otro también del abad don Antonio de Morla. Y, lo más interesante, le habló de aquella pelea que había mantenido con Diego González, el paje del canónigo don Francisco de Mesa y Xinete, de resultas de la cual el sacristanillo acabó con la nariz partida, aunque, según aseguraba, peor parado había salido el paje, que le había proferido graves amenazas. A Caputo le quedó claro que Abelardo Peña no estaba en el ajo y lo dejó en paz.

Y después se fue a ver a Guadalupe. El bravo tomó el camino del mesón del Toro, donde requirió los servicios de la fulana. Pagó a la extremeña sin discutir lo que le pidió —cinco reales, lo mismo que un cuarto de cántara de vino— y le dio igual cantidad de propina. Le dijo que iba de parte del sacristanillo de la colegial, que se había deshecho en elogios sobre ella, y consiguió que la furcia aflojara la lengua. Pero, para su decepción, ni Jacinto le había contado nada de lo que sabía ni la ramera estaba al tanto de los tejemanejes de su cliente. Lo único que ésta pudo contarle fue que el sotasacristán no era individuo de costumbres carnales dignas de ser resaltadas: no le iban las perversiones y era bastante normalito en la cama. Guadalupe no le proporcionó ninguna otra información de interés. Y el bravonel, ya que estaba allí con esa putita extremeña, ya que había pagado el precio y ya que la tal Guadalupe no era fea de cara y tenía buenas carnes, decidió tomar aquello por lo que había pagado. Se encamó con ella y la tuvo en faena, bocarriba y bocabajo, del derecho y del revés, durante más de dos horas. Y si acabó en ese tiempo fue porque el mesonero comenzó a aporrear la puerta urgiendo a su pupila a que finalizara con ese cliente. Con Andrés Caputo, Guadalupe tuvo que sufrir todas las perversiones que no había tenido que padecer con el sacristanillo. Tan dura fue la cosa que la pobre putita no pudo trabajar al día siguiente. Y eso que la niña tenía aguante y que era martes de Carnaval, donde la jodienda se encarecía y más se prodigaba.

Andrés Caputo salió de la mancebía silbando y con los nervios sosegados. Esos nervios que durante los últimos días lo habían venido atosigando deseando que llegara el momento que anhelaba y que, por fin, ya había llegado.

Mañana era martes de Carnestolendas, el día de mayores algazaras y donde podría actuar con mayor seguridad y mayores disimulos. Y lo tenía todo dispuesto.

* * *

Jacinto Jiménez Bazán llegó a su casa en la noche del martes de Carnaval beodo como un piojo en un tonel y contento como un ganso. Había pasado un rato feliz con otra coima del mesón del Toro llamada Vicenta, que era de Coria y que no estaba tan buena como su Guadalupe, pero que le dio buen gusto. Guadalupe, según le dijeron, estaba enferma, acatarrada. Cosas del loco febrero. Y con un cantarillo de vino en la mano y coplillas en la boca llegó a su casa de la cuesta del Aire, cuando ya hacía rato había sonado la campana de la queda de San Dionisio, que en los días anteriores no se respetaba, pero que ahora ponía fin al jolgorio. Las ordenanzas municipales permitían la algarabía carnavalesca durante los días de Carnestolendas hasta las tres de la mañana. En eso, los regidores municipales eran considerados. No lo eran en otras cuestiones. Así, por ejemplo, se prohibían los disfraces de curas y clérigos, las armas en los disfraces, las letrillas en exceso promiscuas y las que faltasen al respeto a las autoridades. Y en ese martes en que acababa el Carnaval, la fiesta debía cesar a las doce en punto de la noche bajo pena de arresto y multa, pues a esa hora comenzaba el miércoles de Ceniza y la Cuaresma, y ya no valían componendas: era tiempo sagrado y toda celebración profana estaba prohibida.

Jacinto entró en su casa a las doce menos cuarto. Lo hizo feliz, cantando a voz en grito sin importarle que su familia durmiese. Apuró el cantarillo de vino, cesó en el cántico cuando oyó el grito destemplado de su mujer que, desde la alcoba, le chillaba para que se callase, caminó dando tumbos hasta la cama y se dejó caer sobre ella sin quitarse la sotana siquiera. Y se durmió al instante. A su lado, Luisa Cabanillas volvía a roncar.

Andrés Caputo aguardaba apostado en las sombras del callejón del Aire. Vestía de negro por completo, con antifaz y su sempiterno sombrero chambergo, y capa también negra que lo embozaba. Vio llegar al sacristanillo, radiante con la turca que llevaba y aguardó a que sonaran las campanas de la torre de la colegial y de todas las iglesias de la ciudad anunciando la irrupción de Doña Cuaresma. Entonces, de una patada que se confundió con el repique de las campanas, forzó la puerta de la casa del sotasacristán. Se lanzó adentro. La casa de Jacinto estaba en sombras. Esperó en silencio, alerta a cualquier movimiento, a cualquier ruido. Oyó un leve quejido —le pareció que de una niña pequeña— que venía de la alcoba de la derecha, la que estaba junto a la cocina. Y se quedó quieto hasta que el ligero sollozo cesó. Aguardó un poco más a que sus ojos se acostumbraran a la oscuridad. Y entonces, como un leopardo, avanzó.

Eligió al azar el dormitorio de la izquierda. Allí, sobre el camastro, cubierto de mantas, se veía un solo bulto. La cama, sin embargo, era para dos personas, pero uno de los lados estaba vacío. Oyó la respiración regular del durmiente, y cuando se acercó vio que era un varón, de diecisiete años más o menos. Edad más que suficiente para que su padre compartiese indiscreciones con él. Se aproximó, sigiloso, a la cabecera de la cama y pudo ver el rostro del joven. Roncaba sin hacer ruido, con la boca abierta. La baba le resbalaba por la barbilla. Aun con los ojos cerrados, su expresión era de memo. Sacó el puñal del cinto y, sin dudarlo ni un momento, lo hundió en el cuello del muchacho. Sólo se oyó el ruido de la tráquea al romperse y el borboteo de la sangre. Jacintillo, el hijo mayor de Jacinto Jiménez Bazán, murió sin ni siquiera saber el porqué.

Andrés Caputo, ya empapado en la sangre que había brotado de la herida, abandonó ese dormitorio y entró en el de la derecha. Sobre la única cama dormían tres niños. Cuando se aproximó, vio que eran dos niñas pequeñas y un niño de no más de nueve o diez años de edad. Se quedó pensativo, dudando. El bravonel no conocía la misericordia; pensaba que la compasión era para los débiles y que los piadosos morían los primeros. No temía ni a Dios ni al diablo, sólo a los arcabuces enemigos. Él, como soldado que era, hacía lo que tenía que hacer sin importarle otra cosa que el cumplimiento del deber. Sin embargo, se dijo que la muerte de esos niños no iba a reportarle ningún beneficio y, en cambio, podría acrecentar muchas iras. Además, eran demasiado pequeños para saber nada. Dudó una vez más y finalmente se giró y salió de la habitación.

Volvió al minúsculo vestíbulo y anduvo hasta la alcoba del fondo. Era la última habitación de la casa. Hasta ahora, sólo había visto a cuatro hijos y había matado a uno de ellos. Le faltaba otro. Supuso que dormiría con los padres. Entró en la alcoba. Antes de ver nada, olió el hedor a vino a medio digerir que salía del dormitorio. Vio dos bultos sobre la cama. Allí dormían el sacristanillo y su esposa, Luisa creía que se llamaba. ¿Dónde estaría el hijo que faltaba? Bueno, pensó, igual se había equivocado y el matrimonio sólo tenía cuatro hijos. Por el tamaño de la silueta, consideró que la mujer dormía en la parte de la derecha de la cama. Fue hasta allí, apretó la mano izquierda sobre la boca de Luisa Cabanillas y con la derecha le rajó el cuello de oreja a oreja. Sin importarle que la sangre que brotaba a chorros de la herida lo mojase, mantuvo la mano sobre la boca hasta que se dio cuenta de que era innecesario: la mujer había muerto inmediatamente.

Deshizo sus pasos y se situó en el lado izquierdo de la cama. Sobresaliendo de las mantas, la cara del sotasacristán de la iglesia colegial se abotargaba con cada ronquido. Una vela de mocos salía del orificio izquierdo de su nariz. El bravo pensó en actuar como lo había hecho con la mujer, raudo y enérgico, pero se dijo que ese mentecato no merecía una muerte inadvertida. Le clavó la punta de la daga en la mejilla. De forma suave, sólo arañando. El sacristanillo murmuró, cabeceó pero siguió durmiendo. Caputo hincó el acero en la carne con más fuerza y Jacinto se despertó.

—¿Qué demonios quieres, Luisa? —fue lo que se le ocurrió decir, confundido. Y su confusión fue a mayores cuando advirtió que de la mejilla le brotaba un arroyuelo de sangre que se mezclaba con los mocos. Vio entonces la silueta negra y embozada del bravonel—. ¡¿Quién eres?! ¡¿Luzbel?! —medio gritó.

Andrés Caputo no dijo nada. Aguardó a que la vista del hombre se aclarara. Jacinto, sin embargo, sin dejar de mirar a esa sombra diabólica, manoteó sobre el bulto de su mujer sobre la cama, como requiriendo su ayuda. Pero Luisa no se movía. Palpó la sangre, espesa, caliente, que chorreaba sobre las mantas. Y entonces su medio grito se convirtió en grito total.

—Esto es de parte de mi señor, el marqués de Gibalbín —explicó Caputo. Y añadió—: Mal favor nos hacen los ojos que ven lo que nunca debieron ver.

Y sin piedad y sin prisas acercó la daga hasta el ojo derecho del sacristanillo y la hundió hasta el fondo.

Jacinto no tuvo tiempo ni de gritar. La daga le había perforado el cerebro. Murió al instante.

El bravo salió a la calle, sanguinolento. Comprobó que no había nadie a diestra ni a siniestra y subió la cuesta del Aire en dirección a los Llanos del Alcázar, donde había amarrado el caballo. No vio a la figura que, justo cuando él ascendía por el angostillo de la cuesta, doblaba la calle de la Visitación.

* * *

José Jiménez Cabanillas, que había cumplido dieciséis años en enero de ese mismo año del Señor de 1753, había tenido que ayudar al servicio de don Juan Pablo Riquelme de Villavicencio. Esa noche celebraba una cena de gala en su casa para despedir el Carnaval. Habían asistido sólo dieciocho personas, pero el mayordomo había requerido a José para que se enfundara la librea y se quedara a la cena a servir el agua y ofrecer los lavamanos a los ilustres convidados. Y se había perdido la última noche de las fiestas de Carnaval y no había podido asistir al paseo de máscaras con Elenita, que iría preciosa vestida de diablesa. Había visto el disfraz de la criadita la noche anterior, negro y rojo, muy ceñido, con una generosa abertura en la parte delantera. Los pechos de Elenita, que ya comenzaban a hincharse con el aire de su juventud, prometían ser un espectáculo en el espléndido escote del vestido. Así que ayudó en la cena malhumorado y esquivo, hasta el punto de que más de una vez tuvo que ser regañado por el mayordomo.

La cena acabó a las once y media en punto de la noche, para que los invitados estuviesen en sus casas antes del inicio de la Cuaresma y pudiesen comenzar ya con sus rezos y devociones. Excepto el Riquelme, que seguro que también esa noche, como cada noche, iría a retozar en la cama de Rosarito, la pinche de la cocinera, por muy Cuaresma que fuese.

Huraño, José Jiménez Cabanillas fue andando despacio desde la plaza del Mercado hasta la cuesta del Aire en cuanto acabó la cena. No se le iban de la cabeza los pechos de Elenita en su disfraz de diablesa. Y maldecía su mala suerte y la ocurrencia del mayordomo de hacerle trastear esa noche, precisamente esa noche, con jarras y aguamaniles.

Subió la calle Cruces, llegó a la calle de la Visitación, y justo cuando doblaba para llegar al callejón del Aire, divisó a una figura embozada, toda vestida de negro, con sombrero chambergo, que a paso ligero subía la cuesta con dirección a los Llanos del Alcázar. Un amante de última hora, al que va a sorprender la Cuaresma con el antifaz puesto si no se apura, pensó. Y siguió andando hasta la puerta de su casa.

Dio un respingo y un salto hacia atrás cuando vio la puerta forzada, rota, caída sobre sus goznes. Un sudor frío comenzó a recorrer su espalda.

—Padre —llamó, asomándose, pero sin alzar la voz.

Aguardó a oír la voz de su padre, esperó a oír la voz de su madre y las explicaciones de ambos sobre su última pelea que había dado con la puerta de la casa por los suelos. Pero no oyó nada. Temblando a sus pocos años, entró sigilosamente en la casa. Se tranquilizó algo cuando penetró en la alcoba de los pequeños y vio que sus hermanos Manuel, Luisilla y María dormían como benditos. Entró, ya más relajado, en su alcoba, y un raro olor le vino a las narices. José había olido antes la sangre de los caballos cuando se herían en sus galopes o cuando los jinetes abusaban de las espuelas, y la de los cerdos y los pollos cuando eran degollados, y se dijo que allí olía a algo similar. Como a hierro, como a metal oxidado. Como a muerte. Trémulo, encendió una velilla que siempre estaba en su dormitorio y se acercó a donde dormía su hermano mayor Jacintillo. Y vio la sangre, aún roja y rezumante. Meneó el cuerpo de su hermano, lo llamó a gritos, oyó los sollozos de sus hermanos pequeños que se habían despertado con sus alaridos, pero nada más. Jacintillo no se movía. Comenzó a llorar. Corrió a la alcoba de sus padres, con la vela temblequeando en sus manos convulsas que ni siquiera se apercibieron de la cera hirviente que caía sobre ellas. Allí olió igual. Y vio la misma sangre. Y más. Un río de sangre que lo empapaba todo. Y a sus padres muertos.

Salió de la alcoba, fue a por sus tres hermanos pequeños, los sacó a gritos de la cama, los cuatro llorando a mares, y salieron a la calle. Corrieron hasta la primera casa donde vieron luz.

XXXIII

EL DIVORCIO DE DON
LORENZO VARGAS-MACHUCA

Ese miércoles de Ceniza, en la soledad de su oficina en la Casa del Corregidor, Pedro de Alemán y Camacho se planteaba muy seriamente dejar su oficio de abogado de pobres. No se le iban de la cabeza las palabras del juez de lo criminal don Nuño de Quesada, que eran como una invitación. O como un reto. Y en los escasos días que habían transcurrido entre el juicio de doña Adela y ese primer día de Cuaresma habían llegado a su bufete casi tantos clientes como durante todo el año anterior.

Primero llegó a su despacho de calle Cruces un matrimonio anciano, propietario de una tintorería en el Muladar de Caballo, en la antigua judería. Los viejecitos tenían seis hijos y veintiséis nietos y querían asesoramiento para su testamento.

Ese mismo día, un labrador con posibles le encomendó un pleito: la negación a un colindante de una servidumbre de paso que perjudicaba sus pastos. Al día siguiente le entraron dos nuevos litigios: la defensa penal de un batanero acusado de apalear a un aprendiz y la interposición de querella en nombre de un maestro carpintero que acusaba a su contable de desfalco. El lunes llegó a su bufete, de la mano de Jerónimo de Hiniesta, un pleito sobre el impago de una partida de piedras martelillas suministradas por un cantero de San Mateo a un particular que edificaba su casa en la calle Veracruz; y a renglón seguido, un tabernero le encomendó demandar a un calderero con taller abierto en la Honda de los Caldereros por haberle vendido una partida de ollas, vasos, jarras y cazuelas fabricada con materiales defectuosos que humeaban en cuanto eran puestos al fuego.

Y el mismo martes de Carnaval apareció por su bufete de calle Cruces don Lorenzo Vargas-Machuca García, pariente cercano de don Juan Vargas-Machuca Basurto, caballero veinticuatro y regidor del concejo. Don Lorenzo, hombre de notables caudales, era un rentista que poseía varios inmuebles en Jerez, sobre todo por la collación de San Miguel, y que vivía de esos arriendos. Su esposa, doña Sebastiana Argudo Menéndez, le había presentado demanda de divorcio ante el juez provisor y vicario general del Tribunal de la Audiencia del arzobispado de Sevilla. Lo acusaba de malos tratos, y su demanda era un compendio de hechos que realmente estremecían.

Sin embargo, don Lorenzo Vargas-Machuca García aparentaba todo menos ser un hombre violento: era de poco tamaño, carnes enjutas, tez pálida, manos muy cuidadas y mirada pacífica. Pese a ello, Pedro de Alemán prefirió no dar de inmediato por falso el relato de doña Sebastiana. Sabía, si no por experiencia sí por naturaleza, que las apariencias podían ser engañosas y que el diablo acostumbraba a disfrazarse de doncella. Interrogó a don Lorenzo sobre los hechos de que era acusado por su esposa, y el rentista los negó con tanta rotundidad como su espíritu pusilánime le permitía. Alemán, para sus adentros, decidió que allí había un problema: casi con toda seguridad, un matrimonio tormentoso en el que los dos, marido y mujer, eran víctimas y verdugos. Aconsejó a su nuevo cliente intentar una transacción antes de que el litigio avanzase y a don Lorenzo no le pareció mal la idea. Quedaron en que Pedro hablaría con don Antonio de Reyna Dávila, joven abogado que había sido pasante de don Luis de Salazar y Valenzequi y que ya descollaba en su bufete recién inaugurado. Y el marido demandado se fue contento del bufete de Alemán dejándole su agradecimiento y un bonito puñado de reales como provisión de fondos.

Ante tal volumen de nuevos litigios, le rondaba el pensamiento de renunciar a su oficio en el concejo. La idea le había venido a las mientes esa misma mañana, nada más salir de su casa a primerísima hora en dirección a la Casa del Corregidor, subiendo por la cuesta de la Cárcel Vieja como acostumbraba. Y tan abstraído iba en sus especulaciones que no hizo caso al ajetreo que había por aquellas calles a pesar de lo temprano de la hora: corchetes corriendo de aquí para allá, al menos un par de alguaciles preguntando de casa en casa, vecinos haciendo corrillos en las casapuertas con cara de luto y pasmo, el coche de la ronda yendo y viniendo, y un runrún como de desgracia. Hasta vio por allí a don Florián Alvarado y López de Orbaneja, alguacil mayor del concejo recién reelegido, acompañado de un alguacil y varios corchetes. Algo realmente infrecuente, pues don Florián no solía dejarse ver en el ejercicio de su cargo.

Supuso que todo aquello no sería sino la indagación de una de las habituales reyertas que acontecían en Jerez en los días de Carnaval, sobre todo en el martes en que las Carnestolendas finalizaban. Y no le echó más cuenta. Y siguió subiendo la cuesta rumbo a su oficina.

Y ahora, en ella, seguía rumiando la idea de renunciar a su cargo concejil. Mas no lograba decidirse. Por un lado, se decía que sería dichoso dedicándose a sus propios pleitos, y más ahora que parecía que su estrella rutilaba y ya no lo buscaban solamente rufianes como don Sebastián de Casas. Pero, por otro lado, sentía que renunciar al oficio de abogado de pobres sería un poco como traicionar a su padre, que tantos empeños había dedicado en defender a los más desfavorecidos.

No supo llegar a ninguna decisión. Y las dudas lo corroían.

De cualquier forma, el solo hecho de plantearse la disyuntiva entre seguir o no seguir como abogado del concejo ya era motivo de satisfacción. Porque la posibilidad de poder elegir suele ser más venturosa que la elección misma. Pedro de Alemán echó la vista atrás y se dijo que cuánto podía cambiar la vida de una persona en sólo unos meses. Hacía menos de un año, era un abogado que bordeaba el fracaso, que recurría a las fullerías para procurarse el sustento y que no tenía escrúpulos en conseguir de las hembras que lo visitaban apuradas por sus desgracias aquello que ellas únicamente darían de buen grado a sus esposos o sus amantes. Y ahora era alguien que no sólo parecía haber escapado del abismo, sino que sufría arcadas con sólo pensar en aquellas conductas. ¿Y qué había hecho él para cambiar tanto?, meditó. Y tuvo que llegar a una triste conclusión: nada, con toda seguridad. Absolutamente nada.

Y pensó que en el hombre no habita el bien o el mal. Se dijo que en el hombre coexisten ambos, siempre en precario equilibrio, y que sólo las circunstancias que no dependen de uno ha-

cen que la balanza se incline hacia un lado u otro. Supuso que
no era un pensamiento original, pero era lo que sentía. Se dijo
que ojalá su salvación moral, si finalmente se producía, hubiese
sido producto de una cruenta contienda entre esos dos elementos que batallaban dentro de él.

* * *

—¡Eres un maldito bastardo, Caputo! ¡Un bastardo hijo de
puta! —bramó don Raimundo José Astorga Azcargorta, marqués de Gibalbín—. ¡¿Pero cómo has podido hacerlo, maldito?!

Ante él, en el despacho privado de su mansión de calle San
Blas, se hallaba el bravonel Andrés Caputo. Se hallaba repanti-
gado en el asiento, mordisqueaba un palillo con el que de vez en
cuando se hurgaba las uñas y miraba al marqués con descaro.

—Lo que usted me dijo, marqués.

—¡Yo no te dije que mataras a nadie, cabrón! ¡Y menos a una
mujer y a un jovenzuelo que no tenían nada que ver con los tejemanejes de su padre, hijo de puta!

—Conténgase, marqués, que por menos he rebanado gaznates.

—¡¿Me estás amenazando?! —preguntó el de Gibalbín, levantándose de su silla, lívido—. ¡¿Aún tienes la desfachatez de
amenazarme?!

—Yo no lo estoy amenazando. Sólo le digo lo que hay. E hice
lo que hice porque usted me lo mandó.

—¿Te mandé yo que mataras a nadie, canalla? —adujo el
marqués, volviéndose a sentar e intentando recuperar la calma.

—Me dijo usted que me fiara de mi criterio —repuso el bravo—. Y eso hice. No podía dejar con vida a la mujer y al hijo mayor sin saber si estaban o no al tanto del chantaje. Lo contrario
habría sido una ligereza que usted no me habría perdonado jamás. Así que no se me queje ahora.

—¡No me hables de esa forma, pardiez!

—¿Y cómo quiere usted que le hable, si no sé hacerlo de otra
manera? A los soldados no nos enseñan modales, sino cómo
usar la pica y el mosquete.

—¿Qué va a pasar ahora, Santo Dios? —preguntó el marqués, más para sí que para el otro.

—Los alguaciles investigarán, supongo. Pero también pienso que usted podrá hablar con don Florián y dejar todo parado.

—Ni don Florián ni nadie va a poder echar tierra sobre el asesinato de tres personas, y una de ellas sacristanillo del cabildo colegial. ¿Tú crees que los canónigos lo iban a permitir?

—Ahora que lo dice usted...

Andrés Caputo no terminó la frase. Tiró el palillo al suelo, lo que le valió una mirada iracunda del marqués, y se quedó pensativo. No era el bravonel hombre de muchas reflexiones, pero en esta ocasión creyó haber alumbrado una idea de genio. Recordó aquella conversación con el campanero y en su mente aviesa se fue pergeñando un plan que poco a poco fue tomando forma.

—¿Qué piensas? —interrogó el Astorga, extrañado ante la quietud de su sicario.

—Que si hallamos un culpable, todo se termina. ¿No es así?

Y le contó a don Raimundo José su plan. Le contó lo que sabía, lo que había pasado con el sacristanillo, lo que se proponía hacer y las consecuencias de sus actos. Y al de Gibalbín, por una vez, no le pareció descabellada la idea de su bravonel.

—Deje todo de mi cuenta, marqués —dijo éste. Y sin más reverencias, se levantó y se fue.

Eran sólo las nueve de la mañana del miércoles de Ceniza. Andrés Caputo se plantó en apenas cinco minutos ante la casa de don Francisco de Mesa y Xinete. Un minuto tan sólo tardó en comprobar que la casa estaba vacía y que no había nadie en los alrededores. Dos minutos le llevó encontrar una ventana mal cerrada. Y tiempo igual introducirse en la casa, dejar allí lo que había ido a dejar y quitarse de en medio por piernas.

XXXIV

LA DETENCIÓN DEL PAJE
DIEGO GONZÁLEZ

—¡Don Pedro, que dice mi padre que venga usted conmigo ahora mismo que es muy urgente y que por favor!

Dimas Gutiérrez entró en la oficina del abogado de pobres como si le persiguiesen todas las huestes de Satanás blandiendo tridentes y boqueando llamaradas. Sin resuello y sudando a mares a pesar de que ese día, primer jueves de Cuaresma, hacía en Jerez un frío que pelaba. El frío de un mes de febrero cuya Cuaresma había comenzado gris y con lluvias, como si el cielo añorase a Don Carnal. Al frío y la lluvia se había unido la noticia del crimen del sacristanillo, como la gente lo llamaba, y de parte de su familia. La gente estaba conmocionada. Pedro conoció la nueva la tarde anterior, pero en ningún momento se le ocurrió relacionar ese crimen con la intempestiva llegada del hijo de su amigo don Bartolomé a la Casa del Corregidor.

—Pero ¿qué te pasa, chico? —preguntó el letrado, sobresaltado después de la irrupción del muchacho en la oficina—. ¿Qué te ocurre, Dimas?

—¡Que dice mi padre... que venga... usted... corriendo!

Y de ahí no hubo forma de sacarlo. Sólo decía eso: que su padre, don Bartolomé Gutiérrez, el sastre, lo reclamaba, y con urgencia. Así que, alarmado, Pedro optó por no perder más tiempo y seguir a Dimas hasta la calle Algarve. Suponía que algo grave ocurría. Llegaron a la casa del alfayate y allí, junto con don Bartolomé Gutiérrez, se hallaba el canónigo don Francisco de Mesa y Xinete. Pero parecía otro hombre: pálido, demacrado, descompuesto. Al letrado le recordó al padre primerizo en la antesala del parto.

—Buenos días —saludó Alemán, preocupado—. ¿Qué sucede? Dimas no ha sido capaz de explicarme nada.

—¡Pedro, buenos días! ¡Por fin! —se congratuló el sastre—. Tenemos un problema grave y necesitamos de ti. Pero sentémonos, por favor. Don Francisco...

El canónigo, que estaba de pie paseando por la estancia hecho un manojo de nervios, tomó asiento donde el alfayate le indicaba. Y tuvo éste que ayudarle a sentarse.

—Me están ustedes preocupando, señores —dijo Alemán, sentándose a su vez.

—Han detenido a Diego —musitó el clérigo, con la mirada perdida.

—¿Diego? —preguntó el letrado, sin caer en la cuenta.

—Diego González, el asistente de don Francisco —aclaró don Bartolomé—. Su paje. Un muchacho de una bondad infinita.

Pedro recordó que tanto el sastre como el canónigo le habían hablado del tal Diego. Pero él no lo conocía personalmente.

—¿De qué lo acusan? —preguntó, aunque ya se temía la respuesta.

—¡Nada más y nada menos que de haber matado a Jacinto, el sacristanillo del cabildo, y a su mujer y a su hijo mayor, un pobre muchacho medio lerdo! —explicó don Bartolomé Gutiérrez—. ¡Es un disparate! ¡Una aberración! Diego sería incapaz de hacer daño a una mosca.

—Está preso desde ayer noche —aclaró el canónigo, intentando recomponerse.

—¡Dios mío! ¿En qué se basan para acusarle? —preguntó el abogado.

—No lo sabemos —respondió el sastre—. Aquí don Francisco ha intentado hablar con don Nuño, pero no le ha sido posible. Estaba de juicio, según le han dicho. El abad también está haciendo gestiones, pero hasta ahora no sabemos nada.

—Esta mañana, a primera hora —añadió el canónigo—, han registrado la habitación de Diego. Don Nuño lo autorizó ayer noche mediante auto. Y sé que han encontrado algo, aunque no han querido decirme qué.

—Según se comenta, el sacristanillo fue muerto el martes de Carnaval, es decir, antes de ayer, poco antes o poco después de la medianoche. ¿Dónde estaba Diego a esa hora, don Francisco?

—Durmiendo, como todos en casa —respondió Mesa y Xinete—. Ya sabes que los curas no solemos salir a disfrutar mucho del Carnaval. Además, esa noche comenzaba la Cuaresma. Estuvimos durante toda la tarde preparando la misa del miércoles de Ceniza. Diego se encargó junto con Abelardo, el campanero, y el propio Jacinto de traer del almacén que hay en la colegial las cenizas de las palmas bendecidas el Domingo de Ramos del pasado año, que se habían quemado días antes, y pasamos buena parte de la tarde con los preparativos. Y allí estaba el pobre Jacinto, disponiéndolo todo: los libros, los copones, el agua bendita, el incienso para sahumar las cenizas... Y no había enemistad ni rencillas entre Diego y él. Todo lo contrario, te lo aseguro. Incluso Diego bromeó con el sacristanillo, que parecía de excelente humor.

—¿Quién puede atestiguar que Diego estaba en casa esa medianoche?

—Yo, por supuesto; y doña Ana Ledot de la Mota, nuestra ama de llaves. Pero ambos dormíamos, claro.

—Don Francisco, he de decirle que si han detenido a su paje —advirtió Pedro de Alemán—, es porque existen pruebas sólidas contra él. Usted, reverendo, no es un cualquiera en Jerez. Se le respeta y se le admira. Su labor en el hospicio de niñas huérfanas es motivo de encomio en toda la ciudad. Se le conoce no sólo por su piedad, sino por sus escritos y por su sabiduría... Si se ha aprehendido a su paje acusado de un crimen tan grave como el homicidio o el asesinato, es porque hay motivos para ello, padre. Ya conoce usted a don Nuño, es un hombre prudente. No habría dictado auto de registro ni ordenado detención preventiva si no le asistieran buenas razones.

—No sé qué pruebas podrán existir contra Diego —aseveró el canónigo—, pero, sean las que sean, te aseguro que son fruto del error o de la perfidia. Diego es un buen muchacho. Lo conozco desde que era un niño, un huérfano al que recogí en mi casa poco después de llegar a Jerez. Y lo he visto crecer y madurar. Hacerse un hombre. Y un hombre de bien. Soy capaz de poner mi mano en el fuego por él, don Pedro. ¡Pero si es como mi hijo, Dios mío...! Y, además, ¿por qué iba a dar muerte Diego al pobre Jacinto? ¿Y a su mujer? ¿Y a su hijo? Esto es obra del diablo, señor.

—Discúlpeme, padre, pero ¿qué desea usted de mí?

—Diego necesitará un abogado, ¿verdad? Un buen abogado. Y don Bartolomé me ha hablado tan bien de ti. Ya le dije la primera vez que nos vimos que habían llegado a mis oídos noticias de tus habilidades y de tus éxitos. Y de la manera tan diestra de conseguirlos. También he sabido de tu defensa de esa señora, de doña Adela, la esposa de don Juan Navas, en el caso de adulterio. Quiero que defiendas a Diego, Pedro.

El abogado percibió que la sangre se le subía a la cabeza. Intentó que no se le notase la turbación que sentía. En Jerez apenas si había uno o dos asesinatos al año y solían ser reyertas de facinerosos en las que las armas blancas y el alcohol conjugaban de mala forma. Y que acababan con torturas y confesiones. Pero ¡defender al asistente de un canónigo de la colegial acusado de asesinato! Bueno, de tres asesinatos, en realidad. ¡Dios mío! Sería un paso importantísimo en su carrera. Y también asumir un riesgo imponente, en caso de que no supiera estar a la altura de las circunstancias.

—Sabe usted, padre, que soy joven y no tengo gran experiencia —dijo, mirando fijamente a don Francisco de Mesa y Xinete, y rogando al cielo para que sus palabras, que se veía obligado a pronunciar muy a pesar suyo, no cambiasen la determinación del cura.

—La juventud no es pecado, sino virtud, Pedro —arguyó el clérigo, y el abogado suspiró en silencio—. Y la experiencia suele servir para analizar lo que hemos dejado atrás, pero no lo que nos queda por vivir. Insisto, quiero que seas el defensor de mi Diego.

—Ha de saber usted, don Francisco —argumentó Alemán, sintiendo cómo el corazón le palpitaba—, que letrados tan prestigiosos como don Luis de Salazar y Valenzequi o don Martín de Espino y Algeciras, por citar sólo a dos, estarían encantados de defender a Diego González. Don Luis suele ser, además, abogado de frailes y sacerdotes.

—Don Luis y don Martín merecen todos mis respetos —aseguró Mesa y Xinete—. Pero quiero que a Diego lo defienda alguien sin ataduras. Alguien a quien le importe más su cliente que su propio prestigio. Sé que Diego es inocente y no admitiré componendas. Quiero a alguien que pueda ayudarle a que su inocencia reluzca. Y ese alguien eres tú.

El abogado estuvo a punto de aceptar rápidamente e incluso de abrazar al clérigo. Supo contenerse, no obstante. E intentó que su voz sonase calmada cuando dijo:

—No puedo prometer milagros, padre.

—Ni yo te puedo exigir lo que sólo le suplico a Dios, a su Madre y a sus santos.

—Si ésa es su voluntad, acepto, don Francisco. Defenderé a Diego González con todas mis fuerzas y todo mi saber. Y si no me necesitan aquí y no han de contarme nada más que precise saber, creo que no debemos perder tiempo. Lo primero es conseguir la libertad de Diego. Y lo más importante es que yo hable hoy mismo con él, antes de que nadie lo haga, si es que no lo han hecho ya. Así que, con el permiso de ustedes, voy a la cárcel real.

—¿No deseas que antes fijemos tus honorarios? —preguntó el canónigo.

—Tendremos tiempo, padre, de preparar el contrato y fijar la minuta —objetó el abogado, tendiendo la mano al clérigo y al sastre, que se la estrecharon efusivamente—. En cambio, a Diego el tiempo le parecerá un infierno en sus circunstancias. Así que voy a verlo.

—Gracias, Pedro —dijo don Bartolomé Gutiérrez—. Muchísimas gracias.

—Y que Dios te bendiga, hijo —añadió don Francisco de Mesa y Xinete.

* * *

El gesto de Diego González cuando Pedro de Alemán fue a verlo a la cárcel real no era de rabia, ni de enojo, ni de desesperación. Era de incomprensión, de incredulidad. Como si no le cupiera en la cabeza que aquello le pudiera estar pasando a él. El abogado se le presentó, le dijo que había sido contratado por el canónigo para su defensa y entrevió enseguida el buen corazón del paje. Éste, antes que nada, antes incluso de preguntarle por su futuro y por sus expectativas, le interrogó por el estado de ánimo de don Francisco. Parecía que le importase más el estado de ánimo del clérigo que su propia situación de preso. El letrado lo tranquilizó en ese sentido y le aseguró que el canónigo creía en su inocencia y estaba dispuesto a empeñar la vida en su defensa. Al igual que él.

Diego González le refirió a Pedro que el alguacil mayor le había tomado declaración la noche anterior, que lo había amenazado con el potro y con tormentos de agua si no confesaba, y que él, pese a todo, negó toda implicación en los crímenes y se declaró una vez y otra ajeno a los mismos.

Sí reconoció, por supuesto, conocer al sacristanillo.

—Él trabajaba en la capilla de la torre y yo me muevo constantemente por allí —le contaba ahora al abogado—. Soy el asistente de uno de los canónigos y voy frecuentemente por la capilla y ayudo a mi señor en la supervisión de las obras de la nueva iglesia. ¡Claro que conocía a Jacinto! ¡Pero yo no tengo nada que ver con su muerte, lo juro por Dios!

—¿Tuviste alguna vez rencillas con él?

Diego fue a decir que no, que jamás había mantenido disputa con el sotasacristán, pero de pronto se le vino a la mente lo que había acontecido aquella noche de... noviembre, creía recordar. Sí. Noviembre del año pasado, poco después de los Difuntos. Le relató el encuentro que había tenido con él a resultas del cual se había magullado en la nariz, pero que él no había tenido nada que ver con esa herida. Y le narró cómo el canónigo y él le habían ayudado permitiéndole sufragar el arreglo de los desperfectos causados por el sacristanillo sin que el abad se enterase.

—¿Cómo pudo hacerse cargo de esos desperfectos? —preguntó el abogado, extrañado—. No creo que el de sotasacristán sea un oficio demasiado bien remunerado. ¿O es que acaso los daños fueron mínimos?

—No fueron mínimos, señor. Lorenzo Moreno Valderrama, el maestro orfebre de la calle Nueva, vino y los tasó en casi cuatro escudos.

—¿Y cómo pudo el sacristanillo pagar cuatro escudos de su sueldo?

—No pudo. Tenía algo menos de dos escudos. El resto lo puso don Francisco y se lo iba descontando del salario, sin que don Antonio de Morla se enterara.

—Aun así, me suena raro. Jacinto Jiménez, un simple sacristanillo, tenía ahorrados casi dos escudos. Y con cinco hijos...

El abogado, reflexivo, sacó su cuaderno de apuntes y anotó ese dato. Le pareció significativo y digno de que se indagase.

Diego González no pudo aportarle nada más de interés. No conocía el resultado del registro de su habitación, pues no había estado presente y no era capaz de aventurar el porqué se lo acusaba. Afirmó una vez y otra su inocencia. Alemán le explicó los detalles del proceso y le hizo saber que esa misma mañana vendría a la cárcel real el escribano don Beltrán Angulo para que otorgase poder a favor de don Jerónimo de Hiniesta y que de inmediato se presentaría ante el juez de lo criminal instancia solicitando su libertad bajo caución juratoria.

Antes de que se despidieran, el paje preguntó al letrado:

—¿Qué me puede pasar?

—Nada, si en verdad eres inocente. Y yo lo creo a pies juntillas.

—No me refería a eso, don Pedro. Supongamos que por mano del diablo todo se tuerce y me condenan. ¿Qué pena se me habría de imponer?

Pedro dudó. Sintió una profunda lástima por ese muchacho joven, grande y fuerte que lo miraba como un niño huérfano. A punto estuvo de dar un rodeo para no contestar a su pregunta, pero al fin decidió que Diego González se merecía la verdad.

—Los crímenes de que se te acusa están penados con la muerte, Diego. En la horca, tras escarnio público.

El joven paje bajó la mirada al suelo de la fría estancia. Se estremeció, se le demudó la tez, se le humedecieron los ojos. Parecía a punto de derrumbarse, de dejarse caer como un trapo sobre el piso de tierra apisonada. Pero enseguida se recompuso, miró a su letrado y dijo:

—Confío en usted, don Pedro. No le conozco, pero si mi señor confía en usted, yo no puedo ser menos.

—Voy a hacer todo cuanto esté en mis manos para sacarte de aquí. Y luego, tiempo tendremos para deshacer este entuerto. Confía en Dios, muchacho.

—Y en usted, señor. Porque mi alma está en manos de Dios, pero mi vida está en las de usted.

Pedro abandonó la cárcel real. Las palabras del muchacho retumbaban en sus oídos. Ésa era la grandeza y al mismo tiempo la miseria del abogado. Se ponían en sus manos vidas y haciendas ajenas. Y para defenderlas carecía de espadas y escopetas: sólo disponía de sus conocimientos y de su destreza para salvar lo que en ese momento se le antojó el bien más precioso que existía sobre la faz del mundo: una vida joven.

Abrumado, subió las escaleras de la Casa de la Justicia.

* * *

Se informó de que el actuario que tramitaba el sumario de Diego González era el escribano público don Damián Dávalos y Domínguez. Don Damián había intervenido en los juicios de doña Adela y del mozo de cuerda. Conocía a Pedro de Alemán, había conocido a su padre y el letrado supuso que no le impediría echar un vistazo a lo actuado aunque aún no estuviese personado en las actuaciones en nombre del paje.

Con ese propósito subió hasta el primer piso de la Casa de la Justicia. Un ujier le informó de que don Damián se hallaba en la sala de la planta baja, celebrando juicio con don Nuño. Y que, sin el permiso del escribano, no podría mostrarle nada. Se dio la vuelta, cariacontecido, y se topó entonces con el rostro bonachón de Tomás de la Cruz, el alguacil.

—Buenos días tenga usted, letrado.

—Buenos días, Tomás.

Bajaron juntos las escaleras, hablando de intrascendencias. Al llegar al descansillo, el alguacil se detuvo, asió al letrado del brazo y, en voz baja, le dijo:

—He oído que preguntaba usted por el sumario de Diego González, el paje del canónigo. ¿Es que acaso lo va a defender usted?

—Así es. Pretendía echar un vistazo al sumario antes de personarme, pero don Damián no está.

—No va a ser un asunto sencillo, don Pedro.

—¿Y por qué lo dice usted, Tomás?

—Intervine en las primeras pesquisas y en el registro. Y la cosa pinta fea, abogado.

—¿Podría usted ser más explícito?

El alguacil miró arriba y abajo, cerciorándose de que la escalera estaba desierta y nadie podría oírle. Luego, arrimándose al letrado, le explicó:

—Hay pruebas contundentes. Creo que no hago ningún mal hablando con usted, puesto que lo que yo le diga ahora lo podrá usted conocer de primera mano dentro de unas horas, en cuanto se persone. Pero he de decirle que se han hallado pruebas que comprometen y muy mucho a ese joven.

—¿Como cuáles?

—En la cama del sacristanillo, bajo el colchón, se encontró un pañuelo ensangrentado. En una de sus esquinas figura el escudo del canónigo Mesa y Xinete y sus iniciales. Y durante el registro de la habitación del paje, escondida bajo unas ropas en el cajón de una cómoda, se halló una daga, también ensangrentada. Y, según he oído comentar, el paje y el sacristanillo riñeron no ha mucho y mediaron amenazas. De muerte, según dicen. En estos días se tomarán declaraciones y se proseguirá con las pesquisas. Y es el propio alguacil mayor don Florián Alvarado quien dirige la investigación. Ya ve usted. Lo que le digo, un asunto feo, abogado.

Pedro de Alemán agradeció al alguacil la información, que le había caído como un jarro de agua fría. Con pruebas de menos peso se había ahorcado a más de un reo. Se despidió de Tomás de la Cruz en la planta baja y, cuando ya se disponía a salir de la Casa de la Justicia, se encontró con don Nuño de Quesada, que había finalizado el juicio que lo había mantenido ocupado esa mañana. Lo saludó sonriente.

—No me ha llegado querella de doña Adela —dijo el juez, estrechando la mano al abogado—. Espero que mis consejos le sirvieran de algo, letrado.

—Así fue —aseguró Alemán, apagada la voz y descompuesto el ademán. No conseguía que las imágenes de ese pañuelo bordado y esa daga ensangrentados se fueran de su mente—. Hemos conseguido llegar a acuerdo con don Juan Navas y por ahora no va a haber pleito, ni civil ni criminal.

—Pues no sabe usted cuánto lo celebro —afirmó De Quesada—. ¿Quién dijo aquello de que un mal arreglo vale más que un buen pleito? ¡Cuánta razón tenía! Pero... le veo como absorto, letrado. Preocupado. ¿Se puede saber lo que le ocurre?

—Vengo de ver a Diego González, el paje de don Francisco de Mesa y Xinete.

Don Nuño, que estaba a punto de despedirse para seguir su camino, se detuvo de repente. Su gesto se puso serio.

—¿En el juicio de los asesinatos?

—¿En cuál si no?

—Progresa usted rápidamente, señor De Alemán —dijo don Nuño, contemplando detenidamente al abogado, con gesto serio y pensativo—. Aunque he de decirle que es un asunto extremadamente grave. Y con muchas connotaciones: la muerte de un chico retrasado, la de un sacristán del cabildo colegial y su esposa... No es caso baladí. Nada que ver con un adulterio o el juicio de un mozo de cuerda contra un alguacil corrupto.

—Lo sé, señor —reconoció Pedro, que no conseguía salir de su abatimiento.

—Pues tenga usted cuidado. No se lo tome a mal, pero en este caso hablamos de asesinatos, y hay pruebas sólidas. No le van a valer los interrogatorios mañosos ni los juegos de manos. Yo que usted, iría prevenido.

—Gracias por su consejo, señoría. Y ahora, si usted me lo permite... —dijo Alemán, deseando irse. Ni le gustaba el rumbo de esa conversación ni tenía tiempo para ella. Quería tener acceso al sumario lo antes posible y contrastar la información de Tomás de la Cruz.

—Una última cosa —expuso don Nuño, antes de que el abogado se despidiera—. Cuando una lancha bonitera se interpone entre dos navíos de noventa cañones que se bombardean entre sí, ¿cuál cree usted que es la primera embarcación en hundirse?

—No le entiendo, señoría.

—En este caso no se trata simplemente de la muerte de un sacristanillo y su familia, letrado. Hay otras posturas en juego. El cabildo colegial, que se debate entre dos intereses: los de su sacristán muerto y los del paje de uno de los suyos. El buen nombre de la justicia del rey, que no puede quedar en entredicho porque el acusado sea el protegido de un hombre notorio. Y el poder, que se muestra interesado en este caso. Muy interesado, vive Dios. Y usted puede verse de pronto atrapado en medio de esos intereses contrapuestos. Como la lanchita de que le hablaba.

—¿Quién puede haber interesado en este asunto, más allá de los propios implicados?

—¿Sabe usted que don Florián, el alguacil mayor, está dirigiendo personalmente las pesquisas...? Pero, bueno. Creo que ya he hablado más de lo que debía, letrado —dijo don Nuño por toda respuesta. Y despidiéndose—: Quede usted con Dios. Y suerte en su cometido.

Y se marchó, caviloso, hacia la plaza de los Escribanos.

XXXV

Tiempos de paseos

En aquellos años, el noviazgo de aristócratas y burgueses no existía. Entre las clases acomodadas de Jerez no había ningún tiempo de tránsito entre la soltería y el matrimonio. Los novios solían conocerse personalmente pocas semanas antes de la ceremonia nupcial concertada por sus padres. Hasta entonces, la obligación de las jóvenes casaderas era sólo mantener su virtud a la espera de que sus padres le buscasen un marido de conveniencia.

A esas jóvenes se las educaba en el alejamiento del varón. Permanecían enclaustradas en sus casas, bajo la férrea vigilancia de la madre, de las nodrizas, de las ayas, de los hermanos... Y, en última instancia, de su padre, encargado de proteger su honra y su honestidad, prendas tan importantes como la dote para el concierto de un matrimonio de interés. Y las muchachas se avenían con mayor o menor agrado a esta situación, que consideraban como la única que les iba a posibilitar el acceso a un buen casamiento. No se les permitían diversiones en las que debieran estar solas con hombres jóvenes ni situaciones en las que su virtud y recato pudieran verse comprometidos. Si tenían que salir a la calle los domingos o fiestas de guardar para ir a misa o simplemente para pasear y procurar que su tez no empalideciese en extremo, lo hacían acompañadas de criadas o de ancianas virtuosas que cuidarían muy mucho de su pudor. Y si, ya concertados los esponsales, salían a pasear con sus futuros esposos, lo hacían acompañadas de «sujetavelas», como se llamaba al fámulo o a la criada o incluso al hermano mayor que iba con ellos en el paseo y vigilaba para que el novio no se sobrepasase.

En este orden de cosas, Adela Navas y Rubio era una muchacha singular. No era que no respetase las convenciones, no. Intentaba hacerlo y acomodarse a lo que se esperaba de una damita de su posición. Pero en el fondo de su alma sabía que no estaba dispuesta a desperdiciar su vida por causa de esas convenciones. Y así vivía, en un difícil equilibrio que hasta ahora había conseguido mantener. A pesar de sus paseos subrepticios con Pedro de Alemán y las visitas a su madre en la calle Abades, todo ello a espaldas de don Juan Navas. Los acontecimientos posteriores, empero, dejaron en un segundo plano esas indisciplinas.

Adela Navas, como hija de alto burgués, no había acudido a colegio de monjas ni, por supuesto, a amiga general. Había recibido su instrucción en su propia casa, de manos de una institutriz —doña María Antonia Figueroa—, tan poco estricta como versada en muchas materias. Y alegre como el adiós a un adversario.

Adela Navas había aprendido de doña María Antonia Figueroa letras y lecturas, geografía y religión, matemáticas y astronomía, costura e hilado, protocolo y trato a los criados, y todo cuanto una joven de su posición debía saber. Pero asimismo la institutriz le había inculcado la relevancia fundamental de las féminas en la sociedad de la época. Pues ya comenzaba a admitirse que la mujer, aparte de buena esposa, mejor educadora de los hijos y la servidumbre y sostén de la armonía familiar, era algo más. No sólo un simple adorno hermoso o un objeto de deseo. Era una persona, con las mismas aptitudes que el hombre. En palabras del padre Feijoo, el hombre y la mujer tenían las mismas capacidades intelectuales y era la diferente educación que se les daba a las mujeres lo que les impedía desarrollar sus talentos.

Adela Navas y Pedro de Alemán se veían cada domingo. Y ya el abogado no la esperaba a escondidas en la plaza de las Angustias. Aunque no traspasaba los umbrales, la esperaba a las puertas de su casa en la Corredera. Don Juan Navas, que ya no iba los domingos a la plaza de Jaramago, procuraba no encontrarse nunca con el letrado y hasta ahora lo había conseguido. Todas sus comunicaciones se realizaban por escrito, a través del nuevo abogado del bodeguero, don José Joaquín Triano de Paradas. Doña Adela se hizo la encontradiza en una sola ocasión: saludó a Alemán educadamente, pero con afecto, y le deseó lo mejor.

En sus recorridos dominicales, Adela y Pedro no se limitaban como antes a pasear por las cercanías de las Angustias. Sus paseos se decidían por sus antojos y no por los miedos a ser vistos. Siempre con Adela asida del brazo de Pedro, hablaban de todo cuanto les venía a las mentes, sin necesidad de miramientos ni prevenciones. Que era lo importante, pues cuando, entre jóvenes que se atraen, se ha de pensar antes de hablar, es que esa atracción es sólo física y, por tanto, frágil y quebradiza. Adela conversaba con el letrado del estado de las cosas en su casa, del delicado equilibrio que existía, de las tensas relaciones entre sus padres. Y de los problemas económicos del bodeguero, que a su hija no se le escapaban. Y de todo cuanto se le ocurría: de su hermano pequeño, de la ansiedad de Hortensia, de la marcha de Mariano Sanjuán. Y de ella misma. El abogado, por su parte, le hablaba de su pasado, de sus estudios en Sevilla, de su padre, el recordado don Pedro de Alemán y Lagos, y de sus asuntos y pleitos. Pese a esa confianza que existía entre ellos y pese a que se nombraban entre sí como Adela y Pedro, seguían manteniendo el respetuoso trato de usted. Y jamás existió un contacto físico entre ellos, más allá del brazo de Adela asido al brazo del letrado y el casto beso de él en la mano de ella cuando se despedían.

Pocos días antes de Semana Santa y conforme a lo que todos intuían iba a pasar, Adela enseñó, regocijada, a Pedro una copia de la escritura por medio de la cual el bodeguero y don Juan Pedro Lacosta y González declaraban resueltos los esponsales de sus hijos Adela y Juan Pedro. El letrado no tuvo reparos en reconocer que su colega Triano de Paradas había realizado un buen trabajo, pues había conseguido que don Juan no tuviese que devolver una parte de las arras recibidas, como indemnización para «paliar los gastos producidos para la preparación de la boda».

Cuando Alemán acabó de leer esa escritura, notó un pellizco feroz en el estómago. Adela ya no era una joven comprometida por contrato de esponsales. Ya era una mujer soltera y libre. ¿Qué se esperaba de él ahora? ¿Y qué esperaba él mismo? El pellizco se intensificó.

Cuando se vieron al domingo siguiente y Alemán, ruborizándose, sacó a colación el tema, Adela no dijo nada. Ella, simplemente, sonrió.

—En su momento le solicité a su padre su aquiescencia para poder pasear con usted, Adela, como venimos haciendo —expuso el letrado en un momento en que caminaban por la calle Lancería—. ¿Se opondría usted a que le pidiera permiso para que pudiésemos hacerlo en serio?

—Ah —repuso la damita, pizpireta—, ¿pero es que se puede pasear en serio y en broma?

XXXVI

EL SUMARIO DEL CRIMEN
DEL SOTASACRISTÁN

Diego González fue puesto en libertad bajo caución juratoria el primer lunes de Cuaresma, 5 de marzo de 1753, después de casi cinco días en la cárcel real. Pero, pese a las palabras de don Nuño acerca de la justicia del rey y de su aplicación igual para todos, la realidad es que el régimen carcelario del paje había sido muy atenuado. Después de que don Francisco de Mesa y Xinete hablase con el corregidor de la ciudad, con la mediación del alcaide del alcázar, a Diego se le había permitido salir cada noche para cenar en casa del clérigo, debiéndose reintegrar a la cárcel antes del toque de la campana de la queda. Cosas de los poderosos. Y si no salió antes de prisión fue porque don Nuño de Quesada estaba desde el viernes anterior aquejado de un ataque de gota tan doloroso que ni un simple auto quiso firmar durante la convalecencia.

Otorgado el poder por el paje ante el escribano don Beltrán Angulo y personado el procurador Hiniesta en nombre del acusado en el sumario, Alemán pudo tener acceso a él. Y lo primero que le sorprendió fue su tramitación exhaustiva y puntillosa. Nada que ver con los sumarios chapuceros a que tan acostumbrado estaba.

Después de que los crímenes se hubiesen descubierto cuando José y sus hermanos, llorando a moco tendido y aterrorizados, llegaron a casa de unos vecinos que dieron la voz de alarma a la ronda, se había llevado a cabo una investigación a fondo: se registró la casa del sacristanillo de arriba abajo y se halló el pañuelo de Diego González bajo el colchón del desventurado Jacinto Jiménez; se encontró en la sotana del muerto una bolsa con casi cinco escudos de oro; se tomó declaración a vecinos y colindantes, que no habían visto ni oído nada; y luego que se le hubo medio pasado el ataque de histeria, se oyó en manifestación a José Jiménez Cabanillas, el segundo de los hijos del sotasacristán.

José había relatado a los alguaciles que había trabajado hasta tarde esa noche de martes de Carnaval en la casa de don Juan Pablo Riquelme de Villavicencio; que había salido de allí cerca de la medianoche y que se había dirigido a su casa sin desviarse; y que al doblar la calle de la Visitación había visto una figura embozada que subía la cuesta del Aire. No podía asegurar que esa figura saliese de casa de sus padres; únicamente podía afirmar que era un hombre, que llevaba máscara y que no pudo verle la cara. No se le preguntó por los dineros del sacristanillo ni por ninguna otra cuestión. Después se le dejó marchar a la casa de Riquelme, donde residiría a partir de entonces por la generosidad de don Juan Pablo, mientras que sus tres hermanos pequeños —Manuel, Luisilla y María— quedaban bajo el cuidado de su tía Cristina, la mujer del esterero. A ninguno de los tres se le oyó en manifestación.

Al día siguiente, después de la detención de Diego, se le tomó declaración a Abelardo Peña, el campanero. El hombre dijo no saber nada de la noche de autos, pues dormía desde las once y poco, después de haber estado todo el día trabajando en la capilla de la torre. En cambio, sí pudo dar razón de la pelea que habían mantenido paje y sotasacristán, pues, según refirió, este último se la había contado. Había sucedido allá por noviembre, relataba el campanero, cuando Jacinto había sorprendido a Diego hurtando en el almacén de la colegial. O al menos eso había asegurado el sacristanillo, así como que el paje lo había amenazado y que «la cosa habría de resolverse entre hombres». Ni sabía qué había hurtado Diego ni el desenlace de las amenazas. Ni nada más, sólo que Jacinto tenía la nariz magullada.

De resultas de la declaración de Abelardo Peña, se tomó nueva declaración a José, el hijo de los difuntos, quien manifestó que su padre también le había contado la reyerta con el paje, de quien el finado había dicho que había salido peor parado que él de la escaramuza. El motivo de la riña, según Jacinto le había narrado, era haber sorprendido a Diego González robando en el almacén de la colegial. Las declaraciones de José y Abelardo coincidían y señalaban al paje.

Se tomó asimismo declaración a doña Ana Ledot de la Mota, ama de llaves de don Francisco de Mesa y Xinete. Manifestó que Diego había cenado con ellos ese martes de Carnaval, que estaba como siempre, jovial y hambriento, y que poco después de las once se había recogido en su habitación. Ella, al igual que el canónigo, lo habían hecho minutos después. Aseguraba una y otra vez que el paje no había salido luego de su alcoba, pero se vio forzada a reconocer que, si lo hubiese hecho, ella no se habría apercibido, pues dormía y solía tener un sueño duro. A don Francisco, tal vez por ser quien era, no se le oyó en manifestaciones. O porque se presumía que iba a favorecer al acusado, pues sí se tomó respetuosa declaración al abad de la colegial don Antonio de Morla y al canónigo magistral don Alonso Moreno Tamajón, quienes nada pudieron aportar a la causa, y a otros clérigos y ayudantes.

Don Nuño de Quesada había dictado auto de detención contra Diego González el miércoles de Ceniza, día 28 de febrero, y a renglón seguido había decretado el registro de su habitación en la casa del canónigo. El acta del registro, redactada por el escribano don Damián Dávalos y Domínguez, era meticulosa. Daba cuenta del estado de la habitación antes de comenzarse el registro, de los objetos que allí había y de que, en el segundo cajón de la cómoda situada a la entrada del cuarto, escondida en el fondo entre ropas blancas, se halló un daga con hoja de acero como de medio codo de largo y empuñadura sin adornos, manchada de sangre, ya seca. La ronda se había incautado del arma así como de las ropas bajo las cuales se había hallado. Pedro de Alemán pudo examinar esas piezas de convicción: tuvo en sus manos las sábanas y fundas de almohada confiscadas y la daga cuya hoja estaba toda impregnada de sangre ya coagulada, de color marrón rojizo, incluso parte de la empuñadura. La ronda había decomisado asimismo las prendas de vestir que, según doña Ana, llevaba el paje la noche del martes. En ellas no se habían encontrado ni rastros de sangre ni signos de reyerta, ni desgarrones ni roturas.

Aunque, según constaba en el sumario, se seguían con las indagaciones, ésas eran las pruebas cruciales que sostenían la acusación contra Diego González, el paje de don Francisco de Mesa y Xinete.

Cuando Pedro salió de la Casa de la Justicia tras haber pasado más de dos horas leyendo el sumario, iba pensando que en esas actuaciones no se daba respuesta a preguntas que debían de ser esenciales para cualquiera que examinara el caso: ¿por qué el sacristanillo, pobre de solemnidad, guardaba casi cinco escudos en su sotana y había pasado las semanas anteriores gastando a manos llenas? ¿Qué tipo de enfrentamiento había ocurrido entre sotasacristán y paje? ¿Qué había hurtado Diego González del almacén de la colegial? ¿Por qué matar meses después a Jacinto, a su mujer y a su primogénito? ¿Cómo por una simple discusión, aunque hubiesen llegado a las manos, podía llegarse al asesinato más cruel y despiadado?

Había, pues, trabajo que hacer. Existían preguntas para las cuales había que buscar respuestas. E igualmente había algo más. Algo que el abogado no podía explicar en ese momento. Como un detalle que se le escapara. Como un picor en lugar al que la uña no alcanzaba. Algo que sabía era relevante, pero que en ese momento no podía aprehender. ¿Qué era, pardiez?

Sumido en esas cavilaciones, se dirigió a la casa del canónigo don Francisco de Mesa y Xinete.

* * *

Don Raimundo José Astorga Azcargorta, marqués de Gibalbín, y don Florián Alvarado y López de Orbaneja, alguacil mayor del concejo, paseaban esa mañana de marzo por la Porvera, paso majestuoso, ambos con las manos a la espalda, ropas impolutas y lujosas, pelucas recién cepilladas, sonrisa en ristre. Daban limosna a cuantos mendigos lograban sortear a su escolta —dos criados de cada noble, que los seguían a pocos pasos—, recibían plácemes y respetos, saludaban con leves inclinaciones de cabeza a los caballeros con quienes se cruzaban y con elegantes reverencias a las damas que se encontraban en su camino. La mañana parecía presagiar la cercana primavera: el cielo era azul: el clima, cálido; la brisa, acariciante; y en los naranjos y limoneros de la ciudad ya empezaban a aparecer las blancas puntillas de los azahares.

—¿Cómo llevas la investigación del crimen del sacristán? —preguntó el de Gibalbín al alguacil mayor, cuando se aproximaban a la puerta de Sevilla.

354

—Caso cerrado —contestó don Florián—. Se halló el arma del crimen en poder del paje y su pañuelo bajo el colchón del muerto. No hay defensa posible, marqués.

—Pero el acusado no ha confesado el crimen, ¿me equivoco?

—No te equivocas. Pero no creo que se precise la confesión para una condena. Las pruebas que tenemos son inexorables —explicó el alguacil mayor.

—¿No os planteasteis la tortura?

—¡Por Dios, Raimundo! Estamos hablando del protegido de un canónigo. Claro que no. Lo amenacé con el potro, pero fue sólo eso, una amenaza. Por cierto, tienes que explicarme tu interés en el caso. A más de uno le ha sorprendido que me haya situado al frente de la investigación.

—No habrás dicho que fue por petición mía, ¿verdad?

—No, no, por supuesto que no. Pero sí me intriga tu interés, ya te digo —insistió el Alvarado, que no conocía la implicación de Andrés Caputo en las muertes. Como tampoco sabía del chantaje de que el marqués había sido objeto por parte del sacristanillo. El de Gibalbín, reservado y siempre suspicaz, había preferido afrontar solo el lance, sin implicar en el asunto a sus otros cómplices. Era de los que pensaban que las noticias, cuantos menos las conozcan, menos se propagan.

—Ha sido un crimen brutal —adujo don Raimundo, inclinando la cabeza para saludar a un veinticuatro que en ese instante salía de intramuros acompañado de su hijo por la puerta de Sevilla—. Y con los tiempos que corren, es bueno que se resuelva pronto y bien. Que no se dé lugar a pábulos. Y que no haya agitaciones que nos molesten, ya sabes.

—Hablando de eso, ¿qué sabes de Alarcón? ¿Cómo lleva lo suyo?

—Me asegura que tiene terminadas las réplicas de las santas. Está dando los últimos retoques a *La Porciúncula* y me ha prometido que para final de mes acaba todo.

—¿Y de los ingleses?

—Llegan el 14 de abril, miércoles santo. Si Alarcón cumple su palabra, tendremos dos semanas para la sustitución de los originales por las réplicas.

—Mala época es para trastear en las iglesias. Raro es el día en que no hay quinario, septenario o novena, voto a bríos.

—Pues tendremos que apañárnoslas como podamos. El convento de capuchinos no creo que presente muchos problemas. Está apartado y sin cofradías. Más difícil va a ser lo de San Dionisio.

—Confío en que el cura rijoso —dijo don Florián— nos eche una buena mano con el párroco.

—Por la cuenta que le trae —sentenció el de Gibalbín—, así habrá de ser, no lo dudes.

Y continuaron su paseo por la calle Larga, recibiendo cortesías y prodigando cumplidos. Ajenos cuantos les reverenciaban y cuantos recibían sus agasajos a los planes que barruntaban los dos gentilhombres jerezanos.

* * *

El ademán de Diego González apenas si había cambiado desde que lo visitara en la cárcel real. Seguía con gesto de incomprensión, de incredulidad, como si aquello le estuviese pasando a otro. Miraba a su abogado con semblante confundido, y más de una vez tenía Pedro de Alemán que repetir sus preguntas.

—¡Pero si fui yo quien sorprendió al pobre Jacinto hurtando y no al revés! —explicaba Diego González en el salón de la casa del canónigo Mesa y Xinete—. ¡Y eran sólo unos cuartillos de vino de misa, por todos los santos! ¿Quién querría matar por eso?

—Se dice que hubo una reyerta y que la nariz del sacristanillo se quebró.

—No hubo reyerta ninguna, señor —añadió Diego, cansada la voz—. Jacinto tropezó y cayó y se abrió la nariz. Eso fue todo. No usé ninguna violencia contra él, todo lo contrario. Y como no paraba de sangrar, le di mi pañuelo para que se limpiase. Se lo quedó, y ni yo ni él hicimos para que me lo devolviera. Por eso se ha hallado el maldito pañuelo en casa del sotasacristán.

—¿Alguien puede confirmar que no hubo reyerta entre Jacinto y tú, Diego? —preguntó el abogado.

—Yo, por supuesto —terció el canónigo antes de que el paje pudiera responder—. Me vi con Jacinto al día siguiente del suceso en la capilla de la torre. Lo reprendí y él me reconoció sin ambages el hurto del vino. Me pidió perdón, me suplicó que no se lo tuviera en cuenta. Y me dijo que estaba dispuesto a pagar los daños y me rogó para que el abad no se enterase, porque temía por su empleo.

—¿Le preguntó usted, don Francisco, por la procedencia del dinero que decía tenía? ¿No le pareció raro que un sacristanillo pudiese tener en su poder casi dos escudos?

—Sí que me pareció raro y sí que le pregunté. Me dijo que eran ahorros y no quise insistir, aunque no me creí ni tanto así de sus palabras.

—Lorenzo Moreno Valderrama, el orfebre de la calle Nueva, también puede corroborar lo que digo —intervino entonces Diego, más esperanzado—. Le conté lo que había sucedido cuando me reuní con él para tasar los daños.

—Bien, tenemos dos testigos que pueden corroborar lo que dices y una explicación razonable para que se hallara el pañuelo en casa de Jacinto —resumió el abogado—. ¿Qué me pueden decir ustedes de la daga hallada en la cómoda?

Canónigo y paje se miraron, sin saber qué decir.

—Jamás había visto esa daga, señor —aseguró Diego González, volviendo la mirada hacia Alemán—. Lo juro por mi madre, que su gloria goce. ¡Jamás!

—Alguien debió de ponerla allí... —sugirió el canónigo, sin demasiada convicción.

—Sí, pero ¿por qué? —preguntó el abogado—. ¿Y cómo? ¿Y cuándo?

—No lo sé, no lo sé —musitó el paje, difuminada la esperanza que antes había alumbrado sus ojos.

—El miércoles de Ceniza, por la mañana, recuerdo que la casa quedó sola desde primera hora —advirtió don Francisco de Mesa y Xinete—. Diego y yo subimos temprano a la capilla de la torre y doña Ana salía con Juana, la criada, al mismo tiempo que nosotros. Nos dijo que iba a la pescadería, a buscar bacalao. Ya sabe usted, la vigilia... Cualquiera pudo entrar en esta casa y esconder la daga en la alcoba de Diego.

—¿Pero cómo, padre?

—Esta casa es vieja, usted mismo lo puede ver. Y no he llevado a cabo arreglos porque estamos en tratos con el cabildo para venderla y que pueda ser derribada, para así ampliarse el reducto del nuevo templo. Las ventanas son endebles, hay alguna incluso que no cierra bien. Pero nunca nos ha preocupado. ¿Quién iba a entrar a robar en casa de un canónigo tan pobre como yo? ¡Si todo lo que tenía, hasta la herencia de mis padres, se me fue en el hospicio y en la amiga...!

Pedro de Alemán se quedó pensativo. De nuevo le recorrió el pecho aquella sensación angustiosa de que había algo que se le escapaba, mas no conseguía dar con lo que fuera.

—Sí, es probable —dijo, al fin, levantándose—. O, al menos, posible. Alguien entró en la casa y dejó la daga entre las cosas de Diego. Es la única explicación que nos queda. Pero... ¿por qué? De todas formas, hay otras preguntas que siguen sin responderse. Eso de los dineros del sacristanillo me da que pensar, no sé... Y hay algo más... Creo que debo hablar personalmente con los testigos de la acusación.

XXXVII

LA VISITA AL ESTUDIO DEL PINTOR

En su estudio de la calle Évora, atestado de latas de pintura, brochas, aguarrases, ceras, restos de comida y basuras por doquier, Ignacio de Alarcón contempló orgulloso los cuatro cuadros de las santas de Zurbarán, cuyos originales se hallaban en el convento de los padres capuchinos, en el valle de San Benito, en el camino a Sevilla. Llevaba un rato contemplando su obra, como el capitán su barco antes de la botadura. Se admiró de los colores, de los trazos delicados y al mismo tiempo firmes, de los juegos de luces, de las sombras magníficas, de los pliegues soberbios. Se embelesó en su propia habilidad.

Había finalizado los cuatro cuadros el día anterior: *Santa María Egipciaca, Santa Olalla, Santa Eufemia* y *Santa Dorotea*. Todas ellas vestidas con lujosos ropajes renacentistas y luciendo gestos piadosos. Se representó en su mente los originales y se dijo que sólo un consumado experto en artes podría diferenciar los lienzos auténticos de esas espléndidas falsificaciones. Uno de los lienzos, el de *Santa Eufemia*, aparecía incluso firmado por el maestro don Francisco de Zurbarán, algo poco habitual. Y había plagiado su firma y rúbrica con una maña de la que él mismo se sorprendía.

Le restaba sólo el proceso de envejecer los cuadros. Para ello, Ignacio de Alarcón se fabricaba su propio betún de Judea: había mezclado brea líquida con trementina y durante dos semanas había dejado la mezcla en un bote de vidrio para que ambos materiales se fundieran adecuadamente; luego, le había añadido cera, y volvió a dejar reposar la mezcolanza. Cuando el betún así conseguido estuvo preparado y hubo comprobado que el óleo de los cuadros falsificados estaba seco por completo, asió la brocha y comenzó a aplicar con extremo cuidado y muy lentamente la sustancia obtenida sobre las telas, dando pequeños toques en redondo con un paño de lino y frotando suavemente para conseguir una pátina antigua similar a la de los originales.

En esas tareas se hallaba cuando llamaron a la puerta de la calle Évora. La moza de la mancebía de la Hoyanca a la que pagaba diez reales por visitarle dos veces por semana no tendría que llegar hasta la noche. Y no esperaba visitas. Dejó el betún con cuidado en una mesa, depositó las brochas en el recipiente con aguarrás y cubrió los cuadros con sábanas blancas procurando que la tela colgara sobre el bastidor y no tocara los lienzos. Cerró la puerta del estudio, cruzó el vestíbulo y abrió la puerta.

—¿Molestamos? ¿Es buen momento para una visita de cortesía?

Don Raimundo José Astorga y don Florián Alvarado estaban plantados ante la puerta del estudio del pintor. Ambos lucían elegantes ropajes y sonreían abiertamente.

—Buenos días, caballeros —dijo el artista, con un suspiro de extrañeza y al mismo tiempo de alivio—. No esperaba a nadie y han logrado inquietarme. ¿Qué se les ofrece?

—Ver aquello por lo que hemos pagado —contestó el marqués de Gibalbín, abriéndose paso hasta el interior de la vivienda, con cuidado de dónde pisaba, pues la casa estaba hecha una cochinera. Don Florián lo siguió y el pintor cerró la puerta a sus espaldas—. Teníamos tiempo hasta la hora del almuerzo. ¿Algún problema?

—Ninguno, por supuesto —afirmó Alarcón, intentando secarse las manos en el delantal—. Pasen, pasen... Y perdonen el desorden.

Caballeros y pintor entraron al estudio de éste. Ignacio de Alarcón se adelantó, descolgó las sábanas que tapaban los cuadros de las santas y miró a los nobles, expectante.

—Si lo desean, puedo quitar las esteras del ventanal. Así tendrán más luz y...

—No es necesario —atajó don Florián, apartando con el pie un mendrugo de pan tirado en el suelo a medio morder. Su voz denotaba la admiración que sentía ante aquellas obras de arte.

Obras que si no fueran copias de un original mejor, serían extremadamente valiosas.

Durante unos minutos los caballeros contemplaron admirados las réplicas de Alarcón, recibieron las explicaciones de éste sobre los trabajos que quedaban por hacer en esos cuadros y, luego, les mostró la réplica del lienzo del jubileo de la Porciúncula, sobre el que el pintor ya estaba aplicando color, y la de la *Virgen niña dormida*, que sólo era un bosquejo de carboncillo todavía.

—¿Estarán para la fecha fijada? —preguntó el de Gibalbín.

—No tenga usted la más mínima duda —aseguró el artista con más seguridad de la que sentía.

Astorga y Alvarado estuvieron con el pintor un rato más, conversando sobre lienzos y fechas, sobre técnicas de falsificación y sobre la manera de envejecer cuadros. A eso de las doce y media, los caballeros se despidieron. A la salida, poco antes de alcanzar la Corredera, saludaron al dueño de la casa, pariente de un veinticuatro.

XXXVIII

LAS PESQUISAS DE PEDRO DE ALEMÁN

La casa de Riquelme estaba situada en la plaza del Mercado, en la collación de San Mateo. Se trataba de un imponente palacio de estilo plateresco construido hacía más de dos siglos por el alarife Fernando Álvarez por encargo de don Hernán Riquel, antepasado de don Juan Pablo.

Pedro de Alemán se anunció en la puerta y solicitó ver a José Jiménez Cabanillas, el hijo del sotasacristán asesinado. Don Juan Pablo Riquelme no se hallaba en la casa y el criado que lo recibió no vio inconveniente en que el letrado se visitase con el joven palafrenero, que se hallaba trabajando en las cuadras situadas a la entrada del palacio, en la parte derecha.

José Jiménez tenía aspecto de jovenzuelo despierto. En sus grandes ojos lucía una mirada de curiosidad que apenas era velada por la conmoción de la tragedia vivida. Alemán se presentó como el abogado de Diego González y solicitó de José hablar con él sobre el crimen de sus padres y su hermano Jacintillo.

—No sé si debo —repuso, dubitativo, el rapaz.

—No creo que hagas daño a nadie, José —adujo el letrado—. Ya has declarado dos veces ante los alguaciles y, de todas formas, tendrás que responder a mis preguntas durante el juicio. ¿No piensas que sería mejor que antes de ello tú sepas lo que yo quiero saber y yo conozca lo que tú sabes? Así será más fácil para todos, ¿no crees? Y serán sólo unos minutos.

—¿Cómo está Diego? —preguntó el joven.

—Bien, dentro de lo que cabe. ¿Eres amigo de Diego? —respondió el letrado, sorprendido por la pregunta.

—Lo conozco, sí, y no me puedo creer que... ¿Qué es lo que quiere usted saber?

—Tal ver fuera mejor que saliésemos a la plaza, José. Allí podremos hablar tranquilamente.

José Jiménez dejó en un cubo el cepillo con el que instantes antes peinaba las crines de un hermoso caballo negro. No había nadie más en las cuadras. Miró de nuevo al letrado, asintió con la cabeza y señaló a Alemán la salida de la mansión. Se sentaron en un banco junto a la fuente que había en la plaza. Aunque el tiempo era bueno, no había demasiada gente allí, sólo unos mendigos y un par de paseantes, y pudieron hablar sin que nadie les molestase.

—Me decías antes, José, que no te podías creer que..., y te interrumpiste. ¿Qué es lo que no puedes creer?

El joven agachó la cabeza, se llevó ambas manos a las sienes y la movió a diestra y siniestra como queriendo apartar de sí un recuerdo ominoso. Después, la alzó y enfrentó la mirada de Alemán.

—¡Hay tantas cosas que no me puedo creer! —exclamó, con los ojos llenos de lágrimas—. ¡No me puedo creer que mis padres estén muertos! ¡No me puedo creer que no volveré a ver a mi hermano Jacintillo, que jamás hizo daño a nadie! ¡No me puedo creer lo que ha pasado, señor! Eso es lo que no puedo creer...

—Lo siento mucho, de verdad —dijo el letrado, poniendo una mano sobre el brazo del muchacho; lo mantuvo allí hasta que vio que se tranquilizaba; luego continuó—: Te preguntaba porque creí que te referías a Diego...

—A Diego también, claro. ¿Cómo voy a creer que Diego haya matado a mis padres y a Jacintillo, por Dios? Ya me costó creer a mi padre cuando me contó lo que había pasado en el almacén de la colegial... Es todo tan raro, tan increíble, que...

—¿Qué te contó tu padre, José?

El muchacho narró entonces a Alemán lo que había sucedido aquella noche de noviembre: que casi choca con su padre cuando llegaba a casa; que vio la nariz sangrando del sacristanillo y que éste le dijo que había reñido con Diego González, el paje del canónigo; que lo había sorprendido robando y que el paje había salido peor parado que él de la escaramuza.

—¿Le creíste, José? —preguntó Alemán al detectar cierto tono de duda en el joven cuando contaba lo que su padre le había relatado aquella noche—. Decías antes que te costó creerle.

—Era mi padre, señor...

—Era tu padre, sí, y nuestra obligación es respetar a nuestros padres, José. Pero el tuyo ya no está, como no lo está el mío. Y quien sí está entre nosotros es Diego González, cuya vida está en juego. Sabes que la pena por los crímenes de que se le acusa es la muerte, ¿verdad? La muerte en la horca. A la vista de todos, en la plaza del Arenal. Lo sabes, ¿verdad, José?

—No le creí —dijo José Jiménez, después de unos instantes de silencio durante los cuales no había dejado de clavar la mirada en la del abogado, como queriendo apreciar sus propósitos—. Que Dios me perdone porque era mi padre, pero no le creí.

—No le creíste... ¿Por qué, José?

El muchacho guardó silencio una vez más. Luego, explotó de nuevo:

—¡Pues porque Diego no tenía necesidad ninguna de robar nada en el almacén de la colegial! ¿Por qué va a ser? ¡Y porque yo sé que quien robaba allí el vino de misa era mi padre! ¡Lo vi muchas veces llegar a casa con el cántaro, cuando creía que todos dormíamos! Y aunque fuera verdad que Diego estaba robando, ¿quién era mi padre para amonestarle? ¿Por qué se iban a enfrentar? ¡Y Diego es buena persona, sí, lo es, y no era él a quien yo vi aquella noche!

—¿A quién te refieres? ¿Y a qué noche? ¿Me hablas de la noche de... las muertes?

—Sí, la noche del crimen. Ya les dije a los alguaciles que la persona a la que vi subiendo la cuesta del Aire no podía ser Diego. ¡Se lo dije la segunda vez que vinieron a verme, pero no quisieron saber nada de lo que les decía! Ese hombre, ese caballero, perdón, decía que no era importante...

—José, tranquilízate, te lo ruego. ¿De qué caballero hablas?

—Del que parecía mandar sobre los demás alguaciles. Se dirigían a él como don Florián.

—Sí, don Florián Alvarado, el alguacil mayor. ¿Qué ocurrió con él?

—Cuando me tomaron declaración por segunda vez, me preguntaron por Diego y por la pelea aquella del almacén de la torre. Y les conté lo mismo que le he contado a usted, aunque ellos no me preguntaron si creía a mi padre, que en paz descanse. Y cuando me preguntaron si la persona que vi subir la cuesta cuando yo llegaba a casa la noche de las muertes podía ser Diego González, yo les dije que no, que ese hombre era más grueso y más bajo que Diego, casi un pie más bajo. Pero no lo escribieron, decían que eso no importaba.

—Háblame de ese hombre a quien viste, José, por favor.

—Yo llegaba a casa después de haber ayudado en la cena de Carnaval de don Juan Pablo. Serían poco más de las doce, creo. O un poco antes, no sé, ya no recuerdo con claridad. Y cuando doblaba la calle Visitación, vi a una figura que se hallaba a pocos pasos de mí, subiendo la cuesta del Aire. No le pude ver la cara porque iba embozado y con antifaz. Y con sombrero chambergo. Pero sí me di cuenta de que no era Diego, porque era mucho más bajo que el paje. Y se lo dije a los alguaciles.

—De acuerdo, José. Ahora quiero preguntarte por otra cosa. Cuando fue hallado su cadáver, tu padre guardaba en la sotana cinco escudos. ¿De dónde sacaba tu padre el dinero?

—No lo sé, señor.

—Alguna idea tendrás...

—No, nunca me contó nada. Y eso que era conmigo con quien más hablaba, porque el pobre Jacintillo... ya sabe usted... —Se secó una lágrima y continuó—: Ya en verano había estado manejando más reales de la cuenta, pero no sé de dónde los sacaba.

—¿En verano?

—Así es, señor. Poco después de julio. Comenzó a gastar a manos llenas, ya sabe usted, comida, ropas para nosotros, vino y... bueno, otras cosas. Pero, sobre todo, vino. Y de pronto se quedó sin nada y otra vez en la miseria.

—¿Hasta cuándo?

—Pues hasta poco antes de... de morir. De nuevo estaba gastando como loco y sin miramientos.

—¿Nunca le preguntaste por el origen del dinero?

—Nunca, señor. Mi padre no era muy dado a las explicaciones.

—¿Tu madre tampoco le preguntó?

—Mis padres no hablaban —explicó el muchacho con pena—. Sólo peleaban.

—Está bien, José. Creo que no tengo ninguna pregunta más que hacerte. No sabes cómo te agradezco que hayas querido hablar conmigo. Ahora ya puedes...

—Hablaba en sueños, señor.

—¿Cómo?

—Mi padre, que solía hablar en sueños... Alguna vez lo oí, cuando llegaba tarde a casa del trabajo y me lo encontraba durmiendo la borrachera en la cocina.

—¿Y qué soñaba?

—Siempre farfullaba lo mismo: algo muy extraño para mí. Algo sobre unos caballeros y unos cuadros, y sobre la colegial, y sobre un cura. Siempre lo mismo.

—¿Y nunca dijo nombres? ¿Nunca se refirió a alguien por su nombre?

—No, no, nunca mascullaba nombres. Sólo decía eso: no se qué de unos cuadros y escudos... miles de escudos. Nada más.

—¡Qué cosa más rara, José! ¿Qué podía saber tu padre de pinturas?

—¿Mi padre de pinturas? Pues lo mismo que yo, señor: nada. El pobre sabía de copones e incensarios, y poquito, y pare usted de contar. ¿Qué iba a saber mi padre de pinturas? Pero tal vez no haya que hacer mucho caso a eso, ¿no? Al fin y al cabo, los sueños sólo son eso: sueños.

El letrado, sin embargo, después de despedirse de José Jiménez Cabanillas, que regresó a sus faenas en la casa de Riquelme, se pasó un buen rato sentado en aquel banco de la plaza del Mercado sin parar de escribir en su librillo de notas. ¿Quién sería ese individuo del chambergo y antifaz? ¿En qué cuadros estaría soñando Jacinto Jiménez? ¿Y en qué caballeros, pardiez?

* * *

—Si el pobre Jacinto hubiese tenido que llamar amigo a alguien, ese alguien posiblemente habría sido yo. No tenía a nadie.

Alemán se había citado con Abelardo Peña en la taberna de la calle Cazorla Alta con la mediación del canónigo Mesa y Xinete. Era poco antes de la hora de comer y ambos compartían una jarra de cerveza y un plato de queso.

—Excepto, claro —añadió el campanero—, la muchacha esa, Guadalupe.

—¿Guadalupe...? Pues no sé a quién te refieres.

—Sí, Guadalupe. Una de las mancebas del mesón del Toro, en los Llanos de San Sebastián. Una... ya sabe usted... una prostituta.

—Y él te habló de ella...

—Pues... verá usted... no, él nunca me habló de ella —reconoció Abelardo Peña, ruborizándose—. Yo estoy soltero, ¿sabe usted? Lo vi allí en alguna ocasión y... y... bueno, que lo vi, diantres. Y más de una vez.

Pedro comprendió de inmediato. Procurando mantener el semblante serio, asintió con la cabeza.

—¿Y estaba muy unido Jacinto a esa... Guadalupe? Me has dado a entender que se la podría considerar su amiga, o algo así.

—Siempre se iba con ella, cada vez que iba al Toro. Se comentaba mucho por allí, ¿sabe usted? Porque se dice que en la variedad está el gusto, ¿no? Pero el pobre siempre se iba con la misma, con esa Guadalupe. Bueno, cada vez que tenía dinero, claro. ¿Y de verdad que ha sido Diego quien ha dado muerte a esos infelices? Le juro por lo más santo que no me entra en la cabeza, que no me lo puedo creer, vamos...

—Últimamente —continuó Alemán, sin pararse a responder la pregunta de Peña—, parece que el sacristanillo manejaba sus buenos maravedíes.

—Eso creí entender, aunque él nunca me dijo nada. Pero se le veía gastar a gusto, sí, señor.

—¿Y sabes de dónde sacaba Jacinto esos dineros, Abelardo?

—Ni idea, señor —contestó el campanero, masticando un trozo de queso—. Jacinto ganaba más o menos lo que yo, y ya ve usted, yo ni siquiera he podido casarme. Así que no tengo ni idea de cómo lo hacía para gastar de esa forma. Es cierto que José lleva algún tiempo trabajando con el señor Riquelme, pero tampoco creo yo que gane mucho allí el chaval, ¿no?... Lo siento. No tengo ni idea, de verdad.

—Háblame de la pelea aquella que te refirió Jacinto. La que dijo tuvo con Diego González.

Abelardo Peña, por enésima vez en esos días, contó a Pedro lo que el sacristanillo Jacinto Jiménez Bazán le había narrado aquel día de noviembre: que había sorprendido al paje trasteando en el almacén, que habían reñido y que ambos salieron lastimados; y que Diego le había proferido amenazas.

—Y eso es todo, señor. Ni me volvió a decir nada más ni yo le volví a preguntar. Era un asunto delicado, estando de por medio un canónigo, como usted comprenderá. Ya se lo dije al tipo aquel que también me preguntó antes de que todo esto pasara.

—¿Un tipo te preguntó por esa pelea antes de las muertes? ¿De quién me hablas, Abelardo?

—Sí, aquí mismo, en la mesa de allí —dijo, señalando una de las mesas de la entrada—. Y a esta misma hora, chispa más o menos.

—¿Y eso qué día fue?

—Hoy es viernes, ¿verdad...? —se preguntó a sí mismo Abelardo Peña—. Sí, claro, el segundo viernes de Cuaresma. Esta noche tenemos vía crucis, sí. Pues fue el lunes. Eso es, el lunes de Carnaval.

—Te refieres al día antes del crimen.

—Así es, sí. Creo que sí. El lunes. De lo que estoy seguro es de que fue antes de... de los crímenes, vaya.

—¿Y quién te preguntó por la pelea entre Jacinto y Diego, Abelardo?

—Bueno, en realidad, no me preguntó por la pelea en sí. Me preguntó por Jacinto. Un tipo al que nunca había visto antes. Me invitó a vino y arenques y me hizo algunas preguntas.

—Sobre Jacinto.

—Bueno, al principio, no. Al principio no hablamos de Jacinto. Tampoco recuerdo muy bien de qué hablamos, pero de Jacinto no, eso seguro. Pero al segundo platillo de arenques me preguntó por él. Tampoco dijo su nombre, sino que vino a decir que me había visto antes por allí con «el hombrecillo ese que tanto presumía de dineros, vestido con sotana de monaguillo». O algo así. Y entonces le dije que ese hombre era Jacinto, el sotasacristán de la colegial. Y le conté algunas cosas, es cierto. Como la pelea que tuvo con Diego. Y el tipo entonces se mostró interesado y me hizo algunas preguntas sobre esa riña. ¿Hice mal, señor?

—¿Sabes quién era ese individuo? ¿Sabes su nombre?

—Ni idea —respondió el campanero—. Ahora que lo pienso, sí que es extraño que no me dijera su nombre. Y yo no se lo pregunté. Y él sí sabía el mío... Raro, ¿verdad...? Nunca lo había visto por aquí.

—¿Me lo podrías describir?

—Bueno, no sé. Yo juraría que es, o fue, soldado. Y no me pregunte por qué. Tal vez por la pinta, por la forma de beber. No sé...

—¿Cómo era? Físicamente, me refiero.

Abelardo Peña pensó durante unos instantes que el letrado aprovechó para rellenarle el vaso.

—Más bajo que usted y que yo. Pero con el pecho como un toro. Un bigote negro y largo como un día sin pan... ¿Y qué más...? Pues no sé.

—¿No te dijo su nombre? ¿Seguro? ¿Ni el de pila? —insistió Alemán.

—No, no, ya le he dicho que no. Y él sabía el mío. ¿Es raro, verdad? —repitió.

—Dices que te pareció soldado. Intenta recordar, Abelardo. Es importante, te lo aseguro. ¿Por qué te dio esa impresión? ¿Iba armado?

—Pues... no lo sé... Pero fue lo primero que pensé cuando lo vi. Tal vez... sí, tal vez fue por el sombrero que llevaba. El chambergo ese...

Pedro a punto estuvo de tirar la jarra de vino al suelo de la tabernucha, repleto de serrín y desperdicios.

* * *

Los domingos eran habitualmente días felices para Pedro de Alemán. Días de ilusión, de olvidarse de pleitos y desgracias ajenas. Eran los días de la semana en que se veía con Adela Navas, en que paseaban y hablaban, en que se reía como no recordaba haberse reído jamás. En los que se embriagaba con su perfume, de lavanda y lilas; en que se estremecía con el roce de las telas de sus vestidos; en que se perdía en los ojos verdes de la damita.

Ese domingo segundo de Cuaresma, sin embargo, había sido un día raro: no había sentido la jovialidad de otros domingos, había estado caviloso, taciturno. No conseguía alejar de su pensamiento el crimen del sacristanillo, y más de una vez Adela tuvo que llamarle la atención, de ido como lo veía.

—Pero ¿qué le pasa, Pedro? ¿Se aburre hoy conmigo? —preguntó ella, cuando paseaban por la plaza de la Yerba, donde se instalaban los vendedores de hortalizas, de garbanzos y lentejas, de berzas y coles y otras verduras. Y por eso se llamaba «de la Yerba».

—No, no, en absoluto —respondió él, intentando asomar una sonrisa a sus labios—. No es eso. ¿Cómo me voy a aburrir yo con usted, si espero cada semana la llegada del domingo como agua de mayo? Si supiera usted lo que la eché de menos el domingo pasado, que no pudimos vernos...

El domingo anterior, primero de la Cuaresma, había coincidido con el cumpleaños de Juan, el hermano pequeño de la joven, que había nacido un 4 de marzo. Adela se había tenido que quedar en casa preparando la fiesta de cumpleaños del niño.

—Pues hoy se le ve como si estuviera en otro lugar. Como si estuviese pensando en no sé qué.

Alemán dudó si contarle a Adela la causa de su desánimo. Finalmente, al verla tan preocupada, se decidió.

—Se habrá enterado usted —dijo— de lo que aconteció la noche del martes de Carnaval al miércoles de Ceniza...

—¿Se refiere usted a las muertes del sacristán de la colegial, de su mujer y de su hijo mayor? —preguntó Adela, con ademán de horror—. ¡Ha sido algo terrible! ¡Tres asesinatos! ¡Y en Jerez! Nos lo contó Hortensia el mismo miércoles de Ceniza, pues salió a la compra y decía que no se hablaba de otra cosa en las calles... Pero ¿qué tiene que ver eso con usted?

—Defiendo a Diego González. Lo han detenido y acusado de los crímenes. Yo soy su abogado, Adela. Y no consigo sacarme el caso de mi mente, lo siento.

—Algo he oído acerca de una detención. De alguien relacionado con un canónigo de la colegial.

—Diego González es el asistente de don Francisco de Mesa y Xinete, canónigo del cabildo colegial. Ha sido imputado por los asesinatos, aunque ahora está en libertad bajo caución juratoria. Como le he dicho, yo lo defiendo. Y estoy preocupado por ese caso. Eso es lo que me ocurre, pero no es por causa de usted.

Ella se quedó pensativa, con el gesto serio y la mirada al frente. Después, aminorando el paso, miró al letrado y preguntó:

—¿Cómo se puede defender a alguien que ha hecho cosas tan horribles?

Pedro de Alemán enfrentó su mirada, dejó pasar unos segundos y tomó aire antes de responder.

—Vino usted a buscarme cuando su padre acusó a su madre de adulterio, ¿recuerda, Adela?

—¡Claro que sí! ¿Cómo lo voy a olvidar?

—¿Y por qué vino a verme?

—Bueno, mi madre necesitaba un abogado, ¿no? Y yo...

Y la joven calló. Se dio cuenta de que ella misma había respondido a la pregunta que había hecho. Una pregunta que ahora se le antojaba estúpida. Y ella no era estúpida.

—Lo siento —dijo, en cierta forma conmovida—. No debí haberle hecho esa pregunta. Soy una tonta.

—No se reprenda usted —la consoló Alemán—. Hay mucha gente que también se plantea esa cuestión. Más de una vez yo también me la he planteado, no crea usted, Adela, porque he conocido personas que no se merecían ni una palabra en su defensa. Una vez, en la oficina del abogado de pobres, recién tomada posesión del cargo, tuve que defender a un quincallero que había abusado durante la feria de una niñita, poco mayor que su hermano Juan. Y me dieron ganas no de no defenderlo, sino de estrangularlo yo mismo con mis propias manos. Pero, claro, después pensé: ¿soy yo juez acaso? Y si no existieran los abogados, ¿para qué iba a haber jueces? Y si no hubiera jueces, ¿habría justicia? Y si no hubiese justicia, ¿habría reino? Y así podría seguir un rato más.

—¿Su cliente es... es inocente?

—Eso sólo le corresponde decirlo a don Nuño, Adela —expuso Alemán—. Pero yo estoy convencido de su inocencia. Daría mi mano derecha por ella.

Y le contó los pormenores del caso, y así pasaron el mediodía, hablando de pruebas e incriminaciones.

Ahora, por la tarde, en su bufete, Pedro de Alemán era incapaz de apartar el caso de Diego González de su pensamiento. Aunque era domingo, tenía trabajo.

Convencido de que sería inútil seguir intentando concentrarse en esos asuntos, apartó los legajos de la mesa y abrió su librillo de notas. Fue leyendo y escribiendo al mismo tiempo, a medida que se le ocurrían ideas, que más que ideas eran preguntas y más preguntas: ¿cuál fue el motivo de las muertes? ¿Quién era el individuo del sombrero chambergo? ¿Por qué apareció la daga con que se había dado muerte al sacristanillo en la alcoba de Diego González? ¿Con qué cuadros y con qué caballeros soñaba el sacristanillo? ¿Qué origen tenían los dineros que guardaba Jacinto Jiménez en su sotana? ¿Por qué se dio muerte a Luisa Cabanillas y a su hijo Jacintillo? ¿Por qué se dejó con vida a los tres chiquillos menores? ¿Habrían matado también a José de haberse hallado en la casa?; si la daga, tal como Diego mantenía, no era suya, ¿por qué se había pretendido inculpar al paje? Preguntas para las que no tenía respuestas en la soledad de su bufete. En la soledad del abogado, que era la mejor de sus compañeras y la más terrible de sus adversarias.

Cansado, necesitado de tomar el aire, que en esos primeros días de marzo era agradable, se guardó la libreta y salió del despacho. Dio un paseo por los Llanos del Alcázar y cuando se hartó de andar se le ocurrió visitar al canónigo y a su paje y compartir con ellos esas inquietudes. Lo recibieron con agrado y lo convidaron a cenar, mas Pedro de Alemán declinó la invitación. No tenía hambre; al menos, no de alimentos, sí de respuestas. Pero ni el canónigo ni el paje le pudieron ayudar a encontrarlas.

Abandonó la casa de Mesa y Xinete poco antes de las ocho. Caminaba ceñudo bajo la tarde que se oscurecía. Durante los diez días que habían transcurrido desde que asumió la defensa de Diego González, había hecho cuanto había podido, cuanto estaba a su alcance, bien lo sabía Dios. Había dado una y mil vueltas a cada prueba, a cada resquicio, había hablado con José Jiménez, se había visto con Abelardo Peña y había hablado con decenas de vecinos de la collación buscando una pista, algo que lo orientara. Pero ni había encontrado respuestas a sus preguntas, ni había logrado dar con el motivo de la inquietud que lo corroía, esa sensación de que algo se le pasaba por alto; ni se le iba de la cabeza que el paje podría ser condenado a la horca si no hallaban una explicación a la daga encontrada en la cómoda de su alcoba.

No tenía ganas de meterse en su casa, de seguir dándole vueltas a sus problemas. Se dijo que no perdería nada por hablar con ella. Y enfiló el camino de los Llanos de San Sebastián y del mesón del Toro.

* * *

Las mancebías habían sido prohibidas en el siglo pasado por disposición real. Sin embargo, en los tiempos que corrían, que lo eran de estrecheces y carencias, ¿cómo pretender también estrechuras en lo carnal? Y resultaba que, pese a decretos y pragmáticas, las putas eran consentidas siempre que prestasen sus servicios en tabernas y mesones y no en la vía pública.

En Jerez, como en toda ciudad grande, había varias mancebías. No es que fuese como Madrid, donde había censadas más de setecientas, pero sí que había lupanares con putas de carnes abundantes y limpias. De entre ellos, los más conocidos eran el de la Hoyanca, antaño mancebía pública, y el de los Llanos de San Sebastián. Este último, conocido como mesón del Toro, pues, además de hembras, ofrecía comida y camas, subsistía desde hacía casi tres siglos.

Allí se hallaba Pedro de Alemán en la noche de ese segundo domingo de Cuaresma. Mal día para asuntos carnales, con tantos quinarios y abstinencias, y por ello estaba el establecimiento casi vacío. Había preguntado por Guadalupe, y daba un sorbo de vino de la jarra que le habían servido cuando vio llegar a una hembra de buen porte, carnes blancas y firmes, pero con un gesto displicente que mal casaba con la alegría que creía era consustancial con las putas, ya fuera natural o fingida.

—¿Ha preguntado usted por mí? —interrogó la hetaira.

—Si eres Guadalupe, sí —contestó el letrado.

—Pues vamos —dijo la extremeña, girando la cabeza para señalar a un portoncillo que conducía al piso superior, donde estaban los cuartuchos en los que el trato se consumaba. Y al hacer ese gesto, su pelo negro y rizado, que antes le cubría las mejillas, dejó al descubierto varios cardenales que le llegaban hasta la frente y que se introducían bajo su cabello, y que ya amarilleaban. El letrado observó que también asomaban magulladuras por su escote.

—¡Espera! —rogó Alemán—. Siéntate, por favor. Sólo quiero hablar.

La coima miró al abogado con detenimiento. Se fijó en sus ropas, usadas pero pulcras; en el buen color de su tez y en sus manos, que eran grandes y sin callos y que revelaban que no se hallaba ante un obrero o un campesino, sino ante alguien que trabajaba no con la fuerza de sus brazos, sino con la de su mente.

—Le cobraré igual —dijo Guadalupe.

—No me importa. Siéntate, por favor.

Guadalupe echó una última ojeada a Alemán y después a la silla que había frente a él. Pareció que su desconfianza se atenuaba y se sentó.

—¿Quieres vino? ¿Una zarzaparrilla, tal vez?

La joven, porque la puta era muy joven, no más de veinte años posiblemente, sonrió por primera vez. Una sonrisa cansada y efímera.

—Las putas no bebemos zarzaparrilla —adujo—. Probaré ese vino. ¡Un vaso, niño!

Aguardaron a que el mozo les trajera otro vaso. Alemán lo llenó hasta la mitad.

—Toma —dijo, ofreciéndoselo—. ¿Quién te ha hecho eso?

Guadalupe se llevó las manos al pelo y procuró que le volviese a cubrir las magulladuras. Y se ajustó el escote.

—Nadie —respondió—. Y son cinco reales. Aunque sea por hablar.

Pedro de Alemán sacó su bolsa, extrajo de ella varias monedas y se las dio a la extremeña.

—Aquí tienes.

—Pues usted dirá —dijo la coima, guardándose las monedas—. ¿De qué quiere que hablemos?¿Le pone hablar conmigo?

—Soy abogado —explicó Alemán.

—Y yo puta —repuso ella—. ¿Hay mucha diferencia?

El letrado no pudo por menos que sonreír.

—Otro día intentaremos responder a esa pregunta —dijo—. Lo que quería decirte es que estoy aquí por motivos de trabajo.

—¿Y qué tengo yo que ver con su trabajo?

—¿Conocías a Jacinto, el sacristanillo de la colegial?

Guadalupe Zambruno, que ése era el apellido de la hetaira, pegó un salto que a punto estuvo de derribar la silla. Como si le hubiesen tocado el culo con un hierro candente. Y se puso pálida.

—¿Qué te pasa, mujer? —preguntó Alemán, extrañado—. Pero siéntate. ¿Qué he dicho?

—Ni tengo nada que ver con ese tipo ni quiero tenerlo. ¿Qué quiere usted de mí?

—Por lo pronto, que te sientes. —Y se quedó en silencio hasta que Guadalupe, aunque con desconfianza, volvió a ocupar la silla—. Y ahora, explícame, ¿por qué te has asustado de esta manera?

—El último que me preguntó por ese hombre me dejó estos recuerdos —explicó, señalándose los cardenales—. Ya ve usted que tengo mis razones.

—Jacinto ha muerto. Asesinado.

Guadalupe Zambruno abrió la boca, sorprendida. Fue a hablar, pero no le salieron las palabras.

—¿No te has enterado de esos crímenes? ¿Los del martes de Carnaval?

—Algo se escuchó por aquí —respondió la manceba, tras apurar su vaso de un buche y volver a llenarlo—. Pero no sabía que... que Jacinto... ¡No tenía ni idea! He estado varios días sin poder bajar.

Pedro le contó los atroces asesinatos, le refirió que el paje de un canónigo había sido inculpado y que él era su defensor. Guadalupe adujo no saber nada de esos crímenes. Conocía, sí, al sacristanillo, que iba muy de vez en cuando por la mancebía y siempre la reclamaba a ella. Bueno, siempre no, desde hacía año y medio más o menos, que era el tiempo que llevaba ella trabajando en el mesón. Y que era cierto que últimamente el sotasacristán iba más, y durante el Carnaval casi a diario, pero que ella no sabía el origen de sus dineros ni podía ofrecer más datos.

—Está bien —dijo el abogado, con la decepción dibujada en el rostro—. No te molesto más.

—Ha pagado usted, así que molestia, ninguna.

Pedro iba a levantarse y marcharse cuando decidió formular una pregunta que no podía dejar de hacer:

—Antes, cuando te nombré al sacristanillo, te espantaste como si hubieses visto al demonio. Y dijiste que quien te había pegado también lo nombró. ¿Quién era?

—¡Un hijo de la gran puta, que el diablo se lo lleve! ¡Espero que no vuelva por aquí! —Y bajando la voz, aunque resuelta, añadió—: A usted se lo puedo decir, porque sólo quiere hablar: desde que pasó lo que pasó, hay una daga debajo de la almohada de mi cuarto. ¡Y si ese cabrón del chambergo quiere pelea, por Dios que la va a tener!

—¿Qué has dicho, Guadalupe?

—Que si ese cabrón quiere una pelotera, que se vaya cuidando los machos, que puede resultar *rebanao*. Eso he dicho, sí, y no lo retiro.

—¡No, no, lo del chambergo!

—¿A qué se refiere usted?

—Ese hombre... el que te pegó... ¿Llevaba un sombrero chambergo?

—Sí, así es. Un sombrero chambergo, el muy cabrón. ¡Y más mala leche que una vaca enferma!

—Descríbemelo, por favor. Y cuéntame qué te preguntó acerca de Jacinto y qué ocurrió.

Y Guadalupe, olvidada la displicencia y recobrados los bríos por lo que la motejaban Guadalupe la Brava, contó a Pedro todo cuanto recordaba de esa infausta noche. Todo menos el nombre del bravonel, pues éste le había dejado sus recuerdos pero no su gracia.

XXXIX

EL LATROCINIO

Es lunes 2 de abril de 1753. Quinto lunes de Cuaresma. Once y media de la noche. Jerez está desierto como un erial a estas horas. Y oscuro, pues la luna de Nisán está velada por nubes negras que amenazan agua. Un carruaje transita al trote por los Llanos de San Sebastián. Es uno de los coches de la ronda, y en él van tres personas: Andrés Caputo, el bravonel del marqués de Gibalbín, al pescante, y don Florián Alvarado e Ignacio de Alarcón en su interior, al resguardo del mal tiempo. Caputo y Alarcón visten ropajes de alguaciles, aunque el bravo, en vez del tricornio, lleva su inseparable chambergo. Se ha negado a quitárselo. «Si me lo quito —había aducido—, igual se me va la cabellera con él. Y ya no soy yo». Don Florián viste casaca negra y va amparado por su cargo de alguacil mayor del concejo.

Llegan a las puertas del convento de los padres capuchinos enseguida. El convento, aunque ubicado en las afueras de Jerez, se encuentra a apenas doscientos estadales de la puerta de Sevilla. Se halla rodeado de una gran huerta donde los frailes cultivan sus propias hortalizas, frutas y verduras, y aún les da para vender parte a los mercaderes de la ciudad.

El coche de la ronda cruza la huerta sin importarle que los cascos de los caballos pisoteen algunas de las verduras. Ni el ruido de esos cascos retumbando sobre la dura tierra. Cuando llegan a las puertas del convento, Andrés Caputo desciende del pescante y don Florián y el Alarcón de la caja del coche. Bravonel y pintor dejan que el alguacil mayor se adelante y haga resonar la aldaba del portón. Los frailes duermen a esa hora, a espera de los maitines. Don Florián hace sonar la aldaba por segunda vez. Por tercera vez, con mayor fuerza. Al fin, se oye una voz ronca desde el interior. Suponen que es el fraile portero.

—Alabado sea el Señor —saluda la voz—. ¿Quién va?

—El alguacil mayor del concejo y la ronda de noche.

—¿Y qué desean?

—Hemos sido alertados de un intento de robo en el convento, hermano —dice don Florián, conforme a lo urdido—. Abra con urgencia.

—Aviso al fray prior. Aguarden.

—No tenemos tiempo —insiste don Florián—. Es de la máxima urgencia. Abra de inmediato o no respondo de lo que ocurra.

El fraile portero duda. Sabe que en el convento hay cosas valiosas: cálices y copones, objetos de oro, joyas en algunas imágenes, cuadros... Se santigua y abre.

—Gracias, hermano —lo saluda el alguacil mayor. Y entra en la portería, seguido del bravo y del pintor, ambos con sus ropajes de alguaciles.

—¿Qué ocurre? —pregunta el portero, asustado.

—Gente armada ha penetrado en el convento con intención de robar. Avise a su prior y que dé órdenes de que todos los frailes se encierren en sus celdas hasta mi aviso. Se trata de individuos peligrosos que pueden hacer uso de las armas si se sienten en peligro.

El portero mira al caballero y en sus ojos brilla el temor de los pusilánimes. Asiente con la cabeza, va a decir algo, pero no le sale la voz. Se da media vuelta y se adentra corriendo en las profundidades del convento.

—Vamos —urge don Florián a sus compinches.

Ignacio de Alarcón y Caputo salen afuera y se introducen en el coche. Vuelven cargados con cuatro bultos. Son los cuadros falsificados, envueltos esmeradamente en telas negras. Y entran en el convento con su carga.

Atraviesan el claustro y llegan a la iglesia conventual. Allí, en ambas paredes del coro, se hallan los cuadros de Zurbarán. Hay seis cuadros de santas, y es Alarcón quien se encarga de localizar los que le interesan: los de *Santa María Egipciaca, Santa Olalla, Santa Eufemia* y *Santa Dorotea*. Para poder identificar las pinturas, el sevillano tiene que descorrer los lienzos morados que cubren los cuadros, que, al ser de santas, han de ser velados durante la Cuaresma. Los tres primeros se hallan colgados en la pared de la derecha; el otro, el de *Santa Eufemia*, en la pared de la izquierda, junto a los de otras dos santas. Al cuadro del jubileo de la Porciúncula lo localiza de inmediato, pues es de mayor tamaño que los otros y cuelga en el altar mayor.

Mientras el bravonel vigila, Ignacio de Alarcón, ayudado por don Florián, va descolgando uno a uno los cuadros. No necesita de escalera, pues los lienzos cuelgan a no excesiva altura. Sólo necesita alzarlos para desprender el cáncamo de la alcayata. Aunque pesan, puede con ellos, y luego el alguacil mayor le va ayudando a depositarlos con cuidado en el suelo. Alarcón respira para recuperar el resuello. Con unas tenazas que saca de sus ropajes abre los clavos que sujetan el bastidor al marco. Saca los lienzos de sus marcos y va sustituyéndolos uno a uno por las réplicas. Éstas encajan perfectamente en los marcos. Vuelve a cerrar los clavos con la cabeza de las tenazas. Mira las pinturas falsificadas. Las observa con detalle. Y se admira una vez más de su habilidad.

Cuando salen afuera, cargados con los cinco cuadros originales, montados sólo en sus bastidores, don Florián encarga a Caputo que se adelante. No quiere que un curioso prior los sorprenda en plena faena. El bravo comprueba que el claustro está desierto y que el pasillo que conduce a la portería y al exterior está también vacío. Sonríe al imaginarse a los frailes aterrorizados en sus celdas. Muestra al sonreír sus dientes de oro y escupe un trozo de tabaco masticado al suelo. Hace señales a los otros: les anima a avanzar. No hay peligro.

Don Florián, cuando se cerciora de que los cuadros robados están a buen recaudo en el coche, se adentra en el convento y grita:

—¡Hermanos, ya pueden salir! ¡No hay nadie, era una falsa alarma! ¡Queden ustedes con Dios!

Oye ruidos de pasos y suspiros de alivio más allá del refectorio. Cree oír una voz lejana dándole las gracias y alabando a Dios.

El coche de la ronda abandona el valle de San Benito camino de San Dionisio. Con él, cuatro «zurbaranes» que, si Dios no lo remedia, acabarán en la lejana Albión, en manos de mister John Blackwood.

Apenas un cuarto de legua, o menos, los separa de la vieja iglesia del patrón de la ciudad. Es ésta un templo levantado por maestros alarifes jerezanos en el siglo quince. Con caracteres góticos y mudéjares, preside la plaza de los Escribanos, a la izquierda de la Casa del Cabildo, según se la mira. Es de planta basilical y tiene tres naves. En una de ellas, junto al mausoleo de doña Catalina de Zurita y Riquelme, noble y descendiente de nobles, y como amparándolo, está lo que los tres hombres que llegan en el coche de la ronda buscan: el cuadro de la *Virgen niña dormida*, de don Francisco de Zurbarán.

Dejan el coche de caballos junto al angostillo de San Dionisio. La plaza está desierta, ni ratas corren por las calles a la hora que es. El alguacil mayor y los dos falsos alguaciles descienden del coche y ven llegar, como encogido, a don Alejo Suárez de Toledo, cura colector de la parroquia de San Miguel, que les aguarda aterido bajo un naranjo. Don Alejo no se halla en sus dominios, pero ha conseguido que el sacristán de San Dionisio le preste por unas horas la llave de la puerta lateral del templo, la que da al angostillo. Una boda secreta de los hijos de un noble ha sido la torpe excusa. Una boda secreta que por juramento habría de celebrarse en la soledad de la noche y en la capilla del Cristo de las Aguas. Y de la que nadie, y menos el párroco de San Dionisio, debe enterarse. Pero el sacristán, tan torpe como la excusa, no ha dudado de la certeza de la historia y ha prestado su llave a un cura, a todo un colector de San Miguel. Que no es un cura cualquiera. Y ha recibido a cambio una bolsa llena de maravedíes.

—Por fin llegan ustedes —musita el cura, con voz cobarde.

—A la hora prevista —dice don Florián, a quien ese cura le hace rechinar los dientes.

—Síganme, por favor —pide el páter.

Protegidos por las sombras, los cuatro hombres cruzan el angostillo, aguardan a que el colector abra con poca maña la puerta lateral de San Dionisio y entran raudos en el interior en cuanto ven el paso expedito. Ignacio de Alarcón lleva bajo el brazo su réplica del cuadro de la Virgen niña, al que tanto esfuerzo ha dedicado y tantas horas de insomnio le ha costado. La iglesia está en penumbras, apenas alumbrada por las velillas que siempre quedan encendidas al final del día hasta que la cera se agota y presenta un aspecto fantasmal con los inmensos lienzos morados que cubren imágenes y retablos. Sólo las tallas del Ecce Homo, de la Virgen del Mayor Dolor y del Santo Cristo de las Aguas permanecen sin velar.

Al llegar ante el panteón de doña Catalina de Zurita y Riquelme, noble dama emparentada con los marqueses de Villarreal, Ignacio de Alarcón repite lo que ya ha llevado a cabo en el convento de los padres capuchinos: descuelga el cuadro original y lo saca de su bastidor; y sustituye el original por la réplica, que encaja a la perfección en el marco. Después, se queda mirando su obra. Y duda. Piensa que el brillo es excesivo, que a lo mejor no ha aplicado suficiente betún de Judea, que...

—Vamos —le urge el alguacil mayor del concejo.

Ignacio de Alarcón da unos pasos atrás y vuelve a mirar su obra. Desde esa distancia el brillo queda difuminado y se tranquiliza. Suspira y sigue a los tres hombres que caminan por la nave principal del templo. Salen por la puerta del angostillo. Don Florián, Caputo y Alarcón montan en el coche de la ronda. Don Alejo Suárez de Toledo camina solo, en dirección a la puerta Real, para llegar a su casa de la calle de las Novias. «Ojalá estuviera allí Matildita», piensa el cura rijoso.

* * *

Es día 14 de abril de 1753. Miércoles santo. Al mediodía. En esta ocasión, los ingleses han llegado pronto. En la casa-palacio del marqués de Gibalbín, en la calle de San Blas, mister Stephen St. Cross contempla con suma atención los seis cuadros de Zurbarán que descansan sobre caballetes en el salón principal de la residencia de don Raimundo José Astorga Azcargorta. Usa su metro, su lupa, su monóculo y de vez en cuando hojea un libro que ha traído. Los caballeros no saben de qué va ese libro, porque está escrito en inglés, pero presumen que es de arte porque contiene láminas de pinturas. Coloridas y hermosas. Junto a él, mister Francis Jameson degusta una copa de brandy y fuma un puro habano. Se cuida de que la ceniza no caiga en el suelo de la casa del marqués, que está alfombrado de tapices orientales. Tras él, aún sentados a la mesa, el marqués, el alguacil mayor del concejo don Florián Alvarado y López de Orbaneja, el cura colector de San Miguel don Alejo Suárez de Toledo e Ignacio de Alarcón fuman y beben relajados. El cura no fuma en verdad, pero sí bebe y está también relajado. Han observado la expresión de arrobo del gris inglés experto en arte mirando el cuadro de la Virgen niña y están seguros de que no sólo no pondrá objeciones, sino de que mostrará su satisfacción. En un rincón de la estancia está Andrés Caputo, el bravonel. En esta ocasión, el de Gibalbín le ha pedido que esté presente. «Por lo que pueda pasar», le ha dicho. Pero ahora el marqués sabe que no va a pasar nada. Nada malo, al menos. Aunque deja que el bravonel siga ahí, amenazador y expectante, y no le reprende cuando, sin que el inglés lo observe, coge uno de los puros de mister Francis Jameson y lo enciende sin recato.

—*They are wonderful! Specially, that of the Virgin slept girl* —sentencia finalmente mister Stephen St. Cross, que parece a punto de ponerse a aplaudir. Por primera vez en la noche, y tal vez en muchos meses, sonríe.

—¡Oh, perfecto! —dice Jameson, que traduce a continuación las palabras de su paisano a los caballeros españoles. Y se deshace también en palabras de elogio y agradecimiento que ensanchan la sonrisa de cura, falsificador y veinticuatros. El bravonel no sonríe.

Los ingleses regresan a la mesa, aunque mister Stephen St. Cross parece resistirse a dejar de mirar los cuadros y tiene que ser llevado del brazo por el otro inglés. Se le ve entusiasmado. Y no para de murmurar para sí en su ininteligible idioma. Ya sentado, mister Francis Jameson saca de su maletín una bolsa con mil escudos en monedas de oro y una letra de cambio por otros cinco mil. Todo según lo convenido. Don Florián cuenta las monedas, asiente luego y el cura entrega al inglés los títulos de propiedad de los cuadros, que él mismo rubrica como si tuviese facultades para ello. Pero el inglés, confiado, no pone reparos y recibe con agradecimiento los documentos falsos. Tiene en su poder aquello a por lo que venía: los seis cuadros del maestro Zurbarán. Lo demás es accesorio. Toman un par de copas de brandy más, fuman de nuevo, vuelven a beber y a fumar, y don Raimundo, cuando oye que son las dos, anuncia que es la hora del almuerzo. Mister Jameson lo agradece en silencio: no se explica por qué estos españoles comen tan tarde; hace más de una hora que el estómago le duele de hambre. Y mister Stephen St. Cross se está emborrachando y amenaza con quedarse dormido. Almuerzan en el comedor de la mansión: pescados del Guadalete y mariscos, que es vigilia, aunque el marqués no sabe si esos ingleses también guardan el ayuno y abstinencia cuaresmales. Está a punto de preguntar, pero se dice que tal vez sea una impertinencia. A eso de las cuatro, los dos ingleses, con sus seis «zurbaranes», parten para Cádiz.

Los españoles se distribuyen las monedas según lo acordado. Cien escudos de oro son para el cura colector; doscientos para Alarcón. Los restantes setecientos se los reparten a partes iguales el marqués y el alguacil mayor. De los cinco mil escudos de la letra de cambio no se habla: se da por hecho que son cuestión reservada a los nobles. Que para eso han ideado el negocio. Ignacio de Alarcón pide venia para ausentarse. Anuncia que quiere regresar mañana a primera hora a su Sevilla natal y quiere tenerlo todo dispuesto. El cura también se despide y quedan solos los veinticuatros, que conversan de sus cosas.

En San Mateo, las campanas llaman a los fieles a la misa del miércoles santo. Al caer la tarde, los llamará a los oficios de tinieblas.

XL

Un beso en Semana Santa

La Semana Santa, en Jerez, revestía en esos años caracteres de fiesta mayor. Toda la ciudad se ataviaba con sus mejores galas para conmemorar la Pasión y Muerte de Nuestro Señor: se engalanaban los balcones con colgaduras y paños morados, se ponían faroles en cierros y ventanas, los hombres vestían de negro riguroso, al igual que las mujeres, que velaban su cara con negras blondas. Y el concejo procuraba que todo aconteciese como tenía que acontecer dictando bandos y ordenanzas.

Durante el Domingo de Ramos, el miércoles santo, el Jueves Santo, la madrugada del viernes y el Viernes Santo, un notable ramillete de cofradías recorría las calles de Jerez. La del Nazareno, la del Cristo de la Expiración, la de la Piedad, la del Santo Entierro, la del Despedimiento, la de San Pedro, la de San Bartolomé, la del Dulce Nombre... En ellas procesionaban cofrades que portaban velas y eran llamados «los hermanos de luz», y cofrades que se disciplinaban en público y eran llamados «los hermanos de sangre», porque con sus vergajos se abrían las espaldas y teñían de rojo las calles jerezanas. Estos hermanos disciplinantes llevaban túnica blanca y capirote, con las espaldas desnudas para que los azotes cayeran directamente sobre la piel, que enseguida se abría. Junto a ellos iban acólitos que les limpiaban la sangre. En muchas procesiones había «aspados» o «empalados»: eran penitentes que sólo vestían una túnica de medio cuerpo, de modo que les dejaba desnudos el pecho y las espaldas; caminaban con los brazos en cruz y atados a un palo mediante gruesas sogas. También acompañaban a las cofradías comunidades de religiosos y músicos que abrían la marcha.

Pedro de Alemán y Adela Navas se hallaban el Jueves Santo en la collación de Santiago contemplando la procesión de San Pedro Penitente. Don Juan Navas y doña Adela habían consentido en que su hija fuera a ver las procesiones de Semana Santa acompañada del abogado, con la prevención de que tenía que volver a la Corredera antes de la queda, aunque la queda en esos días santos no se respetaba. Llevaban meses paseando y las cautelas paternas se habían atenuado. Estaban en la esquina de la calle de Juan de Torres, frente a la iglesia de Santiago. Y era ya casi de noche. Se hallaban en silencio, pero el silencio entre ellos no era incómodo. Adela contemplaba con gesto de horror la sangre que manaba de las espaldas desnudas de los disciplinantes. Él apretó su brazo contra el de ella, para reconfortarla.

—¿Tiene usted miedo? —susurró.

—No —respondió la damita—. Pero no entiendo por qué lo hacen. ¿No les duele?

—Son hombres duros. Canteros y picapedreros. Ésta es la cofradía de su gremio. Supongo que tienen duro el pellejo. Pero sí, claro que ha de dolerles.

La cofradía se paró de pronto. La procesión se interrumpía para que un clérigo, alzado sobre una plataforma, pronunciara un encendido sermón sobre la Pasión de Cristo.

—Acerquémonos a la imagen —propuso Alemán.

Caminaron unos pasos y se aproximaron a la «urna», sobre la que figuraba Jesús prisionero. Adela se quedó mirando fijamente a ese Cristo de mirada dolorida que parecía clavar sus ojos en ella. Se le humedecieron las pupilas y comenzó a musitar en voz muy baja. La potente voz del predicador impedía oír a la joven.

—¿Reza usted?

—Por mis padres —respondió ella cuando acabó el rezo, levantándose el velo y acercando sus labios a él para que pudiera oírla—. Para que puedan vivir en paz. —Y añadió después—: Y por nosotros.

El abogado de pobres no dijo nada. No habría podido aunque lo hubiese intentado. Aunque lo hubiese querido. Y se dijo que había momentos en que el silencio era la palabra más hermosa. Sólo le sonrió. Y eso bastó.

Poco después de las diez de la noche enfilaron la calle Ancha para llegar a la Porvera y seguir el camino hasta la Corredera.

Tomaron torrijas que compraron a un vendedor ambulante y se rieron cuando la miel les pringó los dedos. Se enjuagaron en un caño de los Llanos de San Sebastián y siguieron hablando y riendo hasta llegar a las inmediaciones de la casa de ella. Y rieron más cuando la cera que los hermanos de luz de la cofradía de las Angustias habían derramado y que estaba adherida al piso casi hace resbalar a Pedro. Y mientras reían, Adela pensaba. Pensaba a cuántas mujeres se les negaba el amor. Pensaba en todas las mujeres que iban a obedecer a sus padres y se iban a casar con alguien a quien en verdad no amaban, sin haber besado jamás unos labios enamorados. Pensaba en todas esas mujeres que nunca iban a conocer lo que ella estaba viviendo en esos momentos.

Y pensaba que ella estaba enamorada. Porque eso —la miel pringando los dedos, las risas tontas, los silencios cómodos, las largas miradas, la felicidad que la embargaba y le oprimía el pecho por cualquier cosa...— debía de ser el amor.

La Corredera estaba desierta a esas horas de la noche. Ninguna cofradía procesionaba por las calles cercanas. Sí se oían, pero muy lejanos, los tambores de la cofradía del convento de San Agustín, que daba culto al Cristo de la Coronación de Espinas y a la Virgen de la Aflicción. El azahar de los naranjos colmaba la calle de su aroma dulce. Llegaron al umbral de la casa de ella. La casona estaba silenciosa, dormida.

—Mañana podríamos ver a la cofradía del Cristo de la Expiración, si a usted le parece. La ermita de San Telmo no nos coge lejos.

Ella dijo que sí, que claro. Y fijaron la hora de la cita. Luego quedaron mirándose y ambos supieron lo que iba a pasar. Y lo desearon.

No había más luz que los ojos verdes de ella en ese zaguán oscuro. Pero sus labios se encontraron sin dificultad. No fue un beso como el de aquel día frío de noviembre. Aquello no había sido un beso, había sido otra cosa: un simple contacto de hielo, un simulacro. Este beso fue de una pasión tremenda y al mismo tiempo de una ternura infinita. Dulce y salobre a la vez. Urgente y lento. Y de todos los colores del arcoíris, porque los besos también tenían color.

Después, se dijeron que se querían. Y se dijeron cosas que quedaron para ellos en la penumbra de esa silenciosa casapuerta.

Cuando el abogado de pobres regresaba a su casa por la plaza del Arenal, tan embebido iba en la felicidad que lo llenaba de arriba abajo que a punto estuvo de no oír el saludo que le daban.

—Buenas noches, don Pedro.

Era don Lorenzo Vargas-Machuca García, que caminaba del brazo de su esposa doña Sebastiana Argudo Menéndez. Venían del convento de San Agustín, de contemplar la procesión agustina. Se habían reconciliado unas semanas atrás, después de que Pedro de Alemán y su colega don Antonio de Reyna Dávila pactaran unas capitulaciones de conveniencia para ambos y de que ellos mismos se convencieran de lo improductivo del divorcio. A pesar de lo tormentoso de la demanda de la buena señora.

—Don Lorenzo... Doña Sebastiana —saludó el letrado.

—Me gustaría consultarle un problema que tengo, don Pedro —explicó el rentista—. Un asunto relacionado con una de las fincas arrendadas. ¿Cuándo le viene bien?

—El lunes de gloria, a eso de media tarde, podría ser buen momento, si a usted le conviene.

—Pues allí estaré.

XLI

El estudio de la calle Évora

Don Lorenzo Vargas-Machuca García llegó al bufete de Pedro de Alemán a eso de las cinco y media de la tarde del lunes de gloria. Jerez estaba ese día como dormido, somnoliento después de tanto éxtasis y tanta bulla. Pero enseguida se recobraría de su indolencia y estaría dispuesto a emprender la siguiente fiesta, que sería a pocos días de la Semana Santa: la feria de primavera. De las procesiones sólo quedaba en la mente de los jerezanos el recuerdo de los momentos álgidos, de los solemnes instantes de piedad y recogimiento; y en las calles, el rastro de la cera fundida y de la sangre de los disciplinantes.

—¿Cómo van las cosas en el matrimonio? —preguntó Alemán una vez que se hubieron saludado y el Vargas-Machuca hubo tomado asiento.

—Bueno, usted sabe —respondió el rentista—. Cuando uno lleva tanto tiempo casado como yo con doña Sebastiana, siempre se hallan razones para desear el divorcio; pero cuando se buscan motivos para seguir casados, también se encuentran, letrado, y no pocos. Sigue usted soltero, ¿verdad?

—Así es.

—Pues cuando se case me entenderá. O, al menos, cuando lleve tanto tiempo casado como yo. De todas formas —añadió el rentista, muy dado a los dichos, por lo que se veía—, qué razón llevaba San Agustín cuando dijo aquello de que casarse está muy bien, pero que no casarse está mucho mejor. O algo parecido. Claro, que lo dijo un célibe. O a lo mejor es por eso que se hizo cura: porque conocía demasiado bien a las mujeres.

—El otro día, cuando les vi por la plaza del Arenal —dijo el abogado, sonriendo con las palabras de su cliente—, parecían ustedes contentos. Doña Sebastiana y usted. O al menos esa impresión me dio.

—Después de la tormenta siempre viene la calma, o eso dicen. Y que dure. Pero sí, las cosas parece que mejoran, gracias a Dios, don Pedro. Aunque uno nunca puede fiarse.

—Ya veo que le gustan los dichos, don Lorenzo.

—A lo mejor es por lo que dijo Sófocles: si te casas con una buena mujer, serás feliz; si no, te convertirás en filósofo. Algo de eso debe de haber, ¿no cree?

Ambos rieron de buena gana.

—Bueno, ¿y qué le trae a usted por aquí, don Lorenzo?

—Pues el Jueves Santo, cuando me encontré con usted, me parecía algo grave. Ahora, viniendo para acá en el coche de caballos, me ha parecido una insignificancia. Tanto que a punto estuve de decirle a mi cochero que se diera la vuelta. No sé si hago bien en molestarle.

—No es molestia en absoluto, señor. Para eso estamos. Y ya que está usted aquí, no pierde nada con contarme lo que le inquieta.

—Pues verá usted. El año pasado, a mediados de mayo, arrendé una de mis casas. Una pequeña que tengo en la calle Évora, de una sola planta y con varias habitaciones. Se la alquilé a un sevillano que tenía que pasar unos meses en Jerez por negocios.

—Y ha habido problemas con el pago de la renta, supongo...

—No, no, todo lo contrario. El arrendatario, un tal Ignacio de Alarcón, siempre fue puntual en el pago del alquiler. Y pagó un mes por adelantado incluso.

—Pues perdón por la interrupción —dijo el letrado, algo aburrido—. Continúe usted, don Lorenzo.

—Hace cosa de semana y media o así me anunció que dejaría la casa el miércoles santo. Que ya había acabado el negocio que lo había traído a Jerez y que se marchaba. Le dije que muy bien, que qué le íbamos a hacer, y él me dijo que me dejaría la llave en mi casa, que es la suya, en la calle de Doña Phelipa de Austis. Y así lo hizo. El Jueves Santo fui a la casita de calle Évora junto con mi administrador, el señor Espinosa, para que él se encargara de adecentarla, que ya sabemos que cuando un inquilino se va siempre hay que hacer algún arreglillo. Y ahí viene el problema.

—Le sigo —dijo el letrado, más aburrido aún. Oía, pero apenas escuchaba.

—Aquello estaba como una leonera, don Pedro. Papeles quemados, basuras por todas partes, cazuelas por los suelos, el fogarín destrozado, lienzos rotos y decenas de latas de pinturas a medio usar. Y todo el suelo del salón lleno de restos de óleos. Un pandemónium, vamos.

—¿Ha dicho usted latas de pinturas? —preguntó el letrado, repentinamente interesado.

—Pinturas y lo que usted se quiera imaginar. Como si ese Alarcón se hubiese pasado todo el año pintando cuadros allí como un loco, sin mirar dónde dejaba la brocha. Y como si comiera en el suelo, vamos. Lo ha dejado todo hecho un asco. Que da pena verlo. El señor Espinosa está evaluando los daños, sobre todo el coste de reparar los suelos llenos de manchas de aceites, y tendrá el presupuesto hoy mismo, o a lo más tardar mañana. Y me preguntaba si es posible demandar al pintor y reclamarle esos daños. Con lo que dejó de adelanto no va a llegar, eso seguro.

El abogado de pobres miró al rentista, pensativo. Recordó lo que le había contado José Jiménez Cabanillas sobre los murmullos de su padre el pobre sacristanillo en sueños. Algo sobre cuadros y pinturas.

—¿Tiene usted inconveniente en que vayamos a la calle Évora? —preguntó—. Me gustaría ver personalmente esos desperfectos antes de darle mi opinión. Si no es mucha molestia.

—Se lo agradezco, pero no creo que sea necesario, ¿no? Con que le facilite el presupuesto de los daños sería suficiente, ¿verdad? No quiero hacerle perder el tiempo. Debe de ser usted un hombre muy ocupado.

—Insisto, don Lorenzo.

—Pues si insiste y la visita no engorda sus honorarios...

El vehículo de Vargas-Machuca los esperaba al principio de la calle Cruces, en la esquina del Arroyo de los Curtidores. Era un coche con capota enganchado con un solo caballo, un tordo de buena planta, a la limonera. En el pescante, un criado de don Lorenzo. El caballo fue todo el tiempo al paso, sin ni siquiera poder iniciar un trote sosegado: la cera que alfombraba las calles, derramada por los cirios de los hermanos de luz de las cofradías de Semana Santa, ponía en riesgo la seguridad de coche y rocín. Así que fue un paseo más bien largo. El coche los dejó en la Corredera, a pocos pasos de la casa arrendada. La calle Évora era de gran estrechura y no se permitía el paso de carruajes a esas horas.

Don Lorenzo abrió la puerta de la casa con su propia llave. En cuanto entraron, una punzante tufarada les hirió el olfato. Allí olía a aceites y a aguarrases, a betún y a cera, a productos químicos. Y también a comida descompuesta, a basura podrida y a no haberse limpiado nada en muchas semanas.

—Ya ve usted qué desastre —anunció el rentista, dando paso al letrado y señalando con un gesto de la mano la suciedad que se acumulaba por todos lados en la estancia principal de la casa.

El abogado de pobres entró en el salón. Mientras tanto, don Lorenzo Vargas-Machuca abría con dificultad el ventanal que daba a la calle para que entrara el aire y se llevara las miasmas. Pedro de Alemán, indiferente a los hedores, comenzó a escudriñar por todas partes. Tocó con el pie las latas de pintura que llenaban la sala; la pintura parecía estar ya seca, compactada. Advirtió que había en el suelo dos o tres brochas rotas, con restos de pintura de diversos colores solidificados en sus cerdas. Había restos de comida y bebida: los huesos de un pollo sobre un papel de estraza, mendrugos de pan, huesos de aceituna, cáscaras de huevos duros y un cantarillo manchado con los posos del vino. Y en un rincón observó una lata grande en cuyo interior se habían quemado papeles, documentos tal vez. Se acercó, y sin importarle mancharse las manos con el hollín, examinó los restos a medio quemar. Cogió del suelo el palo de una de las brochas y se ayudó de él para removerlos, hasta dar con algunos trozos que no habían sido consumidos del todo por el fuego. Extrajo de la lata lo que parecía ser un fragmento de papel verjurado en el que se alcanzaba a distinguir los trazos de un dibujo: el contorno de media cara de mujer. Un segundo fragmento mostraba lo que parecía ser un paisaje: partes de nubes y un retal de cielo. En el tercer fragmento, distinguió unas letras. Siguió rebuscando, ayudado de la brocha, pero todos los restos que había en la lata estaban consumidos por las llamas; no eran más que residuos negros que se deshacían al tocarlos.

—Se está usted manchando, abogado —le hizo ver don Lorenzo.

Alemán, absorto en lo que hacía, ni respondió.

—¿Es necesario esto para interponer un pleito por daños, don Pedro? —insistió el rentista, cada vez más extrañado—. Se está poniendo usted la camisa perdida; tenga cuidado, por Dios.

—No se preocupe usted, don Lorenzo. Ya me cuido... Es que...

Se detuvo. Estaba examinando el fragmento de papel en el que no había dibujos, sino letras. Era un trozo de no más de un tercio de vara cuadrada. Lo puso del derecho y del revés hasta dar con la posición correcta. Y pudo leer las letras:

...urbará

...Frande

...ndeZurb...

...salaz...

Y trazos de rúbrica que se repetían. Como si hubieran estado experimentando.

Pedro no tardó ni un minuto en dar sentido a esos garabatos: Francisco de Zurbarán. Agitado, se volvió hacia el Vargas-Machuca y, sin explicación ninguna, le espetó:

—¿Cómo se llamaba de segundo apellido el pintor Zurbarán? ¿Salazar, quizás?

Don Lorenzo se quedó mirando a su abogado como quien mira a un chamán de las Indias. Incluso dio un paso atrás al verlo tan alterado, tan descompuesto.

—¿Se encuentra bien, don Pedro? Mire usted que le veo un poco... ¿cómo diría yo...? trastornado. Eso es, trastornado. Y no olvide que todo problema tiene solución, y si yo aquí veo problemas de alguien, son los míos, que mire usted cómo me ha dejado ese Ignacio de Alarcón la dichosa casa. No se me ponga así, hombre.

—No, no —insistió el abogado de pobres—. No piense que estoy loco. Y respóndame, por favor, ¿sabe usted si el segundo apellido del pintor Zurbarán era Salazar? ¿Y sabe si su nombre era Francisco?

Don Lorenzo Vargas-Machuca dio otro paso atrás, empalideciendo.

—De verdad, don Lorenzo —aclaró Alemán—, de verdad que no me pasa nada. Es que todo esto puede tener algo que ver con otro caso mío. Ahora le explico, se lo aseguro. ¿Puede ayudarme con esas preguntas que le he hecho?

—Lo de Francisco me suena —dijo el rentista, algo tranquilizado por las palabras del letrado—. De lo de Salazar, ni idea.

—¿Llegó usted a conocer a ese Ignacio de Alarcón?

—Claro. Firmé con él el contrato de arrendamiento ante el escribano don Juan Bautista de los Cobos.

—¿Y ya no lo volvió a ver?

—Del cobro de los alquileres se encarga mi administrador, el señor Espinosa. Tal vez me lo cruzara por ahí alguna vez, pero no recuerdo. Y todo esto ¿a qué viene, don Pedro?

—Descríbame a ese Alarcón, por favor.

—Hum... No sé... Alto, más bien carnudo, pelo completamente blanco a pesar de que parecía no ser demasiado mayor, los ojos claros, verdosos...

—¿Llevaba chambergo?

—Don Pedro, ¿de verdad que se encuentra usted bien?

—Sí, sí, claro, por supuesto. ¿Llevaba chambergo?

—¡Qué demonios va a llevar chambergo ese hombre, Dios santo! Era un pintor, no un cuartelero.

—Claro, claro, disculpe. ¿Qué más me puede contar de él? ¿Sabe a qué se dedicó durante el tiempo que estuvo en Jerez? ¿Sabe con quién se veía? ¿Sabe si tenía negocios con alguien?

—De verdad que me está usted preocupando, amigo mío —insistió el Vargas-Machuca, con semblante turbado—. Que me está usted haciendo unas preguntas muy raras y que le veo descompuesto, pardiez. Que ya sé que dicen que hay veces que la locura se confunde con la sabiduría, pero yo nunca acabé de creérmelo. Dígame qué pasa, por Dios.

—Mire usted, don Lorenzo —explicó el abogado de pobres—. Supongo que sabe usted que defiendo a Diego González, el paje del canónigo don Francisco de Mesa, que viene acusado del crimen del sacristanillo. Pues creo que esto que tenemos aquí tiene algo que ver con ese crimen.

Ahora el Vargas-Machuca reveló gesto de franca alarma. De profunda aprensión.

—¿Qué puede tener que ver con ese infausto crimen toda esta basura que tenemos aquí, Virgen Santa? —preguntó.

—Es largo de explicar ahora, señor. Pero le prometo una explicación. Dígame, se lo ruego, ¿sabe por qué estaba Ignacio de Alarcón en Jerez?

—Ni idea. Me arrendó la casa y me habló de negocios. Pero no me dijo ni cuáles ni con quién.

—¿Qué hacía aquí?

—¡Pues pintar, vive Dios! ¿No lo ve usted?

—No, no. Me refiero a si recibía visitas, si mantenía reuniones, si salía...

—¿Y cómo quiere usted que yo lo sepa, abogado? Creo que deberíamos irnos ya. Se hace tarde. Y ya sabe usted que no hay nada apacible en la noche.

—¿Jamás vio usted a Alarcón con nadie?

—¡Es que jamás lo vi, creo yo, salvo cuando la firma del contrato!

El abogado se quedó pensativo, reflexionando. No sabía qué más preguntar al rentista. Éste, de pronto, dijo:

—Bueno, un día vi salir de aquí al marqués de Gibalbín y al alguacil mayor. Y no ha mucho de eso.

—¿Cómo dice usted?

—Pues lo que le he dicho. Que hace unos días vi salir de aquí al marqués de Gibalbín y a don Florián. Venía yo de la calle Medina, de un negocio, y corté por Évora para llegar a mi casa, aquí mismo, en la calle de Doña Phelipa de Austis. Y los vi salir de esta casa, a los dos, al marqués y al alguacil. Nos saludamos con una inclinación de cabeza y yo seguí mi camino y ellos el suyo. Eso fue todo.

—¿Me habla usted de don Raimundo Astorga y de don Florián Alvarado?

—Claro, eso le he dicho. ¿De quién si no?

—¿Y qué hacían esos veinticuatros aquí, con un pintor de Sevilla?

—Creo que deberíamos irnos, don Pedro.

—Respóndame, se lo ruego.

—Pero ¿cómo quiere usted que lo sepa, señor? ¡A lo mejor venían de comprarle un cuadro, yo qué sé! Y creo que ya no quiero ponerle pleito alguno a ese tal Ignacio de Alarcón. Le diré a Espinosa que limpie toda esta porquería y ya está. Esto no me está gustando nada, abogado.

—¿Y no puede usted decirme nada más?

—Sí . Que nos vamos. Ahora.

—¡Aguarde usted un momento! —rogó Alemán—. Siento todo esto, pero le prometo que es importante. Está la vida de un hombre inocente en juego, don Lorenzo. Me dijo usted que el contrato de arrendamiento se firmó ante escribano. Supongo que en el contrato figurará la dirección de Ignacio de Alarcón en Sevilla. Es lo habitual. ¿Podría facilitarme ese dato?

—Se lo haré llegar. Y ahora, por favor, don Pedro...

Abogado y rentista se despidieron en la esquina de la calle Évora, ansioso por irse don Lorenzo y desasosegado Alemán, que se llevó consigo el fragmento de papel con las rúbricas. El abogado de pobres se quedó en la calle mirando cómo su cliente se alejaba rumbo a su casa, distante sólo unos pasos de allí. Miró al frente y vio la casa de don Juan Navas. Pensó que sería dichoso si pudiese ver ahora a Adela, poder hablar con ella y hacerle saber su zozobra. Porque de la conversación con el Vargas-Machuca y de la visita a la casa de calle Évora había obtenido algunos datos, sí, algunos nombres, sí, pero al final todo eran preguntas. Nuevas preguntas. Más incógnitas. Pero no eran horas de visitas en casas como la de don Juan Navas, y menos sin haberse anunciado previamente.

Siguió andando Corredera adelante, en dirección a la plaza del Arenal. Su cabeza bullía en interrogantes. ¿Qué estaba haciendo ese Ignacio de Alarcón en Jerez? El hijo del sacristanillo le había hablado de los desvaríos de su padre, que murmuraba en sueños con cuadros y monedas de oro. Y ese Ignacio de Alarcón era pintor, y los pintores pintaban cuadros. ¿Qué relación había entre ambos hechos? ¿Qué tipo de negocios podían mantener dos veinticuatros como eran don Raimundo José Astorga Azcargorta, marqués de Gibalbín, y don Florián Alvarado, alguacil mayor del concejo, con un pintor a quien no conocía nadie? Bueno, al menos no lo conocía él, Pedro de Alemán, que era profano en pinturas y arte. ¿Por qué ese pintor parecía haber estado experimentando con la firma del pintor Zurbarán? ¿Qué tenía que ver Zurbarán en toda esta trama?

¡Dios!, necesitaba ayuda. No se le iba de la mente la imagen de Diego González y la de los carpinteros del concejo levantando el patíbulo en la plaza del Arenal.

* * *

—¿Qué sabe usted del pintor don Francisco de Zurbarán?

Había llegado a la calle Algarve a eso de las ocho de la noche, después de haber estado deambulando sin rumbo por la calle Larga y la Lancería. Como tantas veces había hecho en los últimos meses, había buscado refugio en casa de don Bartolomé Gutiérrez, el sastre. Era éste un hombre versado en muchas disciplinas y esperaba pudiera prestarle ayuda. Fue acogido por el alfayate cariñosamente y de buen grado, a pesar de lo intempestivo de la visita. Como era habitual en don Bartolomé. Había aceptado una copa de vino y una cena fría en la propia sastrería.

—El arte no es una de mis especialidades, Pedro. ¿Qué es lo que te preocupa?

—El porvenir de Diego González, don Bartolomé.

—¿Tan grave está el asunto?

—Está grave porque sé que es inocente. Y ésa es la mayor desgracia de un abogado: saber que su cliente es inocente. Porque si no fuera así, la responsabilidad sería llevadera. Cuando a un abogado le condenan a un culpable, en el fondo de su alma sabe que se ha hecho justicia, aunque el resultado le pueda doler. Pero que le condenen a un inocente es sentenciarlo a vivir en eterna pugna con su conciencia. Un purgatorio en vida. Sí, don Bartolomé, estoy preocupado. Y mucho.

—Pues dime en qué te puedo ayudar.

—Le explico: llevo semanas sin conseguir apartar de mi mente este caso. He hecho cuanto ha estado en mi mano y no es poco lo que he conseguido saber. Pero en verdad que no he avanzado mucho. O mejor dicho: he avanzado mucho, pero ese avance sólo me ha proporcionado nuevas interrogantes, más incógnitas.

—Tal vez sea bueno que me cuentes todo poco a poco y en orden, Pedro.

—Pues mire usted, las únicas pruebas que existen contra Diego son la pelea que dicen tuvo con el sotasacristán y que constituiría el móvil del crimen, el pañuelo hallado bajo la cama del sacristanillo y la daga que se halló en la cómoda del paje. Eso es todo, pero no es poco. Por menos han pataleado muchos en el patíbulo. Pero resulta que, por un lado, sé que puedo demostrar que esa pelea con Jacinto Jiménez nunca existió, que sólo fue una fábula del sacristanillo...

—Empecemos por ahí —interrumpió el alfayate—. ¿Cómo lo puedes demostrar?

—Pues tenemos que ni el propio José Jiménez creyó a su padre cuando éste le habló de la riña, lo cual ya dice mucho. Pero, sobre todo, tenemos dos testimonios fundamentales: el del platero Lorenzo Moreno Valderrama, que vio los daños en el almacén y a quien ya Diego contó que habían sido producidos por Jacinto al trastabillar y que el sacristanillo estaba dispuesto a correr con los gastos de la reparación; y, sobre todo, el testimonio de don Francisco, que habló con Jacinto y a quien éste reconoció lo que en realidad había pasado.

—Don Francisco es el tutor de Diego. Se pensará que quiere favorecerlo...

—Don Francisco tiene tal prestigio en Jerez que su testimonio no será puesto en entredicho. Y menos por alguien tan juicioso como don Nuño de Quesada. Y resulta que si acreditamos que esa pelea no existió, ¿por qué oscura razón iba Diego a matar al sacristanillo? Pero es que es más, don Bartolomé, aunque esa riña en verdad hubiese existido, ¿por qué dar muerte a ese infeliz? ¿Hay proporción acaso entre causa y efecto? Y más aún, ¿por qué matar a la mujer del sacristán? ¿Y por qué matar a ese infeliz de Jacintillo? ¿Por qué dejar con vida a los hijos pequeños? No hay lógica por ninguna parte. ¡Ninguna!

—Está bien. Continúa.

—El pañuelo de Diego. Él asegura que se lo dio a Jacinto el día del accidente en el almacén para que se enjugase la sangre y que el sacristanillo se lo llevó y no lo devolvió. Tenemos la palabra de Diego, pero también la de doña Ana Ledot, que jura que no veía ese pañuelo entre la ropa sucia de Diego desde principios de noviembre. Y la criada de don Francisco jurará lo mismo si la llamamos, porque es la verdad.

—No es mucho, pero algo es algo.

—Y tenemos, por fin, la dichosa daga. Diego jura que jamás la había visto, y lo mismo afirman don Francisco y doña Ana. La casa del canónigo es vieja, de jambas frágiles y ventanas débiles. Cualquiera puede entrar en la casa si se lo propone. Pero...

—Pero el caso es que la daga ensangrentada se halló en la cómoda de Diego, ¿no es eso?

—Justamente. Eso es lo que me preocupa. Podemos decir una y mil cosas, pero al fin en la mente de don Nuño siempre aparecerá ese maldito puñal lleno de sangre.

—Y por lo tanto, no puedes conformarte con negar que ese puñal sea de Diego.

—Así es. Tengo que demostrar que ese puñal no era de Diego. Y tengo que demostrar que el crimen lo cometió otra mano y por otros propósitos. Y ahora viene lo que en estas semanas he descubierto.

—Venga de ahí, letrado.

—José Jiménez, la noche de los asesinatos, vio a la puerta de su casa a una figura embozada. Su estatura era muy inferior a la de Diego, que es un mocetón. Creo que conseguiré que José diga en el juicio que ese misterioso individuo no podía ser Diego. Y que llevaba chambergo. Un sombrero chambergo. Y ahora, escuche usted.

—Escucho.

—El día antes de las muertes, un individuo abordó a Abelardo Peña, el campanero de la colegial, en la taberna que hay en la calle Cazorla Alta. Se hizo el encontradizo, lo invitó a un par de vasos de vino y luego sacó a colación el nombre de Jacinto Jiménez. Y ese individuo llevaba un sombrero chambergo que ni en la taberna se quitó.

—Interesante —dijo don Bartolomé Gutiérrez, con semblante reflexivo.

—Jacinto Jiménez solía frecuentar, cuando tenía dineros (y ahora le hablaré de los dineros), a una prostituta del mesón del Toro llamada Guadalupe. Pues bien, el mismo lunes de Carnaval, un tipo apareció por el mesón; preguntó por Guadalupe y yació con ella. Y la maltrató como ni a un perro se maltrata. Y le habló de Jacinto. ¿Se figura usted quién era ese tipo?

—El del chambergo —se adelantó el sastre.

—El mismo tipo del sombrero chambergo, eso es. ¿Cree usted que estamos ante una coincidencia, don Bartolomé?

—¿Dónde acaba la coincidencia y dónde empieza la verdad, Pedro? Imposible dilucidarlo. De todas maneras, todo lo que me cuentas es muy raro. Da mucho que pensar. ¿Has conseguido identificar al del chambergo?

—No, claro que no. ¿Cuántos hombres usan chambergo en Jerez? ¡Cientos!

—¿Y adónde nos conduce todo eso?

—A más preguntas. Pero atiéndame, que las coincidencias, por llamarlas de alguna manera, no han finalizado. Tanto en verano como en los últimos meses, Jacinto Jiménez hacía gala de dineros que mal se corresponden con su sueldo de sacristanillo. Gastaba a manos llenas. En tabernas y en la hembra esa de quien le he hablado. ¿Cómo se explica usted que un sotasacristán de la colegial nade en reales?

—Curioso. Y sospechoso.

—Hablaba en sueños de cuadros y de escudos. De miles de escudos. Me lo ha contado su hijo José. Y de poderosos caballeros.

—¡Dios! Ahora que lo recuerdo, también a mí me habló de unos negocios con cuadros, cuando le ofrecí propina y la rehusó. Fue el día en que vino a recoger las nuevas sotanas del canónigo.

Pedro de Alemán hizo que don Bartolomé le repitiese palabra por palabra la conversación con Jacinto Jiménez.

—Esto confirma lo que me dijo su hijo José —aseveró—. O, más que confirmarlo, nos hace ver que no eran sólo sueños, que esos negocios acerca de cuadros existían.

—¿Qué puede tener que ver un sacristanillo con pinturas? —preguntó el sastre.

—Una más de las muchas preguntas que me he hecho. Y que no acaban aquí. Vengo de una casa de la calle Évora propiedad de don Lorenzo Vargas-Machuca García.

—El rentista. Sí, lo conozco, alguna casaca le he hecho, sí.

—Pues bien, don Lorenzo arrendó esa casa a un tal Ignacio de Alarcón, sevillano. Que la dejó el miércoles santo, más o menos. Y cuando don Lorenzo fue a revisar el estado de la casita, se la encontró hecha una leonera. Llena de óleos y trementinas y de basuras de todo tipo.

—No comprendo adónde quieres llegar...

—¡Cuadros, don Bartolomé! ¡Cuadros! ¡Ese tal Ignacio de Alarcón se había pasado casi un año pintando en esa casa! ¡Y el sacristanillo hablaba en sueños de cuadros y pinturas! Y también le habló a usted de cuadros. ¿Otra coincidencia? Y mire usted esto —añadió, sacando el trozo de papel con las firmas y rúbricas de Zurbarán—. ¿Qué me dice usted de esto?

Don Bartolomé tomó de manos de Alemán el fragmento, cuidando de no mancharse. Lo examinó del derecho y del revés. Después, miró a Pedro, muy serio.

—La firma y la rúbrica de don Francisco de Zurbarán, repetidas una vez y otra. Como si alguien las hubiera estado repitiendo hasta... hasta...

—Hasta conseguir imitarla —acabó la frase el abogado de pobres.

—¡Cuadros falsificados! ¡Ese sevillano estaba falsificando cuadros! ¡Y del maestro Zurbarán, probablemente!

—Eso mismo pienso yo, don Bartolomé. Y creo que todo esto está relacionado con la muerte del sotasacristán.

Don Bartolomé Gutiérrez se quedó meditabundo, la vista perdida más allá del ventanal que daba a la calle Algarve. Fuera, ya era de noche. Y así estuvo durante un buen rato.

—Yo también lo creo, Pedro —dijo, al fin—. Pero ¿cómo demostrarlo?

—Sólo se me ocurre una posibilidad: investigar esas falsificaciones y a partir de ahí tirar del hilo. Por eso le preguntaba qué sabe usted de don Francisco de Zurbarán.

—Poco. Que fue un gran pintor. Contemporáneo del gran Velázquez. Murió hará un siglo, más menos. Creo recordar que era extremeño. Y que ejecutó los cuadros que lucen en el altar mayor de la cartuja.

—¿En la cartuja de Jerez? —preguntó Alemán, que desconocía ese dato—. Pero ¿qué me dice usted?

—Creo recordar, si la memoria no me falla, que son más de quince los cuadros que hay en la cartuja obra de don Francisco de Zurbarán. Unas maravillas, según los entendidos. Unas inigualables obras de arte... —Miró al letrado y luego exclamó—: ¡Por Dios y por todos los santos! ¿De verdad crees posible que alguien haya falsificado esos cuadros? ¿Y para qué...? ¿Para sustituirlos por los originales...? ¡Dios mío!

—Eso es lo que me toca investigar, don Bartolomé. ¿De qué tipo de cuadros hablamos?

—No soy experto, ya te lo he dicho. Deberías hablar con tu pariente.

—¿Con qué pariente, don Bartolomé?

—Don Francisco Camacho de Mendoza. El escultor. ¿No era primo lejano de tu difunta madre, que en paz descanse?

—¡Hace años que no lo veo! ¿Aún vive?

—Debe de estar muy mayor, pero sí, vive. O al menos nadie me ha informado de que haya muerto, y ya sabes que los sastres nos enteramos de todo. Las habladurías durante las probanzas... Es escultor, pero ducho en todas las ramas del arte. Deberías hablar con él.

—Claro que sí. Espero que se acuerde de mí. ¿Sigue viviendo en la calle Piernas?

—Ahí debe de seguir, que yo sepa.

—Es tarde para ir a verle ahora...

—Sin duda, y más para una persona de su edad. Ha de tener setenta años, o más.

—Mañana sin falta iré en su busca, por supuesto. Gracias por la información, amigo mío.

—¿Algo más de interés en tus pesquisas, Pedro?

—Hum... No sé... Bueno, sí. Don Lorenzo Vargas-Machuca me contó que un día, no ha mucho, vio salir del estudio de Ignacio de Alarcón a dos veinticuatros. A don Raimundo Astorga, marqués de Gibalbín, y a don Florián Alvarado, el alguacil mayor.

El alfayate abrió mucho los ojos.

—Pues reza al cielo para que no tengas que vértelas con ellos, Pedro —dijo—. Si yo tuviese que elegir enemigos, esos dos estarían al final de la lista. Son caballeros influyentes. Y poderosos, muy poderosos. Y nadie ayuda a quien tiene poderosos enemigos. Ten cuidado, por Dios.

XLII

Una visita a la cartuja de la Defensión

La calle Piernas era una calle de buen tamaño situada en el Llano de las Recogidas. Pertenecía a la collación de Santiago y se llamaba así en honor de don Juan Martínez Piernas, que había vivido en Jerez dos siglos atrás y cuyas viñas, huertas y olivares eran célebres en la zona. Allí, a mitad de la calle, tenía casa y taller don Francisco Camacho de Mendoza, insigne escultor e imaginero local, autor de obras que habrían de perdurar para gozo de los jerezanos en los siglos venideros.

Don Francisco Camacho de Mendoza era primo de grado lejano de doña Mercedes Camacho, madre del abogado de pobres. Éste recordaba al escultor de haber coincidido con él en algunos, y escasos, eventos familiares: un par de entierros —entre ellos el del llorado don Pedro de Alemán y Lagos—, una boda, algún bautizo... Se acordaba de él como un hombre alto, de fuertes brazos, ancho pecho y pelo moreno como la endrina. De vozarrón tan tonante como la campana Gorda de la colegial.

Había aprendido los secretos de la talla del maestro don Francisco Antonio de Soto, retablista de origen sevillano instalado en Jerez a finales del siglo anterior. De la gubia y del genio de don Francisco Camacho habían brotado obras tan significativas como la talla de San Vicente Ferrer del convento de Santo Domingo, la imagen de Jesús del Prendimiento de la cofradía de San Pedro Penitente —ante el que Adelita había rezado tan pocos días atrás—, el retablo de las Ánimas de la iglesia de San Lucas, el retablo y el camarín de la iglesia del convento de San Cristóbal y un larguísimo etcétera. Curiosamente, una de sus últimas obras había sido la talla de dos atriles para la iglesia del monasterio de la cartuja, uno de los cuales contaba en relieves la huida a Egipto de la Sagrada Familia y el otro, el encuentro de Jesús y la samaritana junto al pozo de Jacob.

Pedro de Alemán llegó a la casa del escultor antes de las nueve de la mañana del primer martes después de la Resurrección de Cristo. Se anunció como pariente de don Francisco y expresó su deseo de saludar al anciano. Lamentablemente, uno de sus aprendices le comunicó que el maestro había salido. A pesar de su avanzada edad, había viajado a Rota para tratar de unas fisuras aparecidas en la talla de un San José que años antes había esculpido para la parroquia de la O de aquella ciudad. Le dijeron que hasta la noche no volvería. Y le adelantó el aprendiz que el maestro, tratándose de un pariente, no debería de tener inconvenientes en recibirle a la mañana siguiente.

El abogado abandonó la casa de la calle Piernas cariacontecido. E impaciente, muy impaciente. Necesitaba saber. Precisaba resolver esa enorme incógnita que se le presentaba. ¿Qué tenían que ver esos cuadros con el crimen del sotasacristán? ¿Qué pintaba en todo el enredo don Francisco de Zurbarán?

No se lo pensó. Alquiló un caballo en la casa de postas de los Llanos de San Sebastián y, sin pararse un momento a meditar y con el rocín a buen trote, buscó el camino de Medina y puso rumbo a la cartuja de Santa María de la Defensión.

* * *

La cartuja de Santa María de la Defensión era sin lugar a dudas el más imponente monumento de todo Jerez, de la provincia de Cádiz y uno de los más hermosos de toda Andalucía, si no del reino entero. Se ubicaba en las cercanías del río Guadalete, junto al paraje donde en 1368 se había librado la batalla del río Salado contra los benimerines, ganada por los cristianos gracias a la intercesión de la Virgen, en cuyo honor se erigió la ermita de Nuestra Señora de la Defensión. Y a esa misma advocación se había encomendado el monasterio cartujo jerezano. Debía su fundación a don Álvaro Obertos de Valeto Vargas y Trujillo y Martínez de Trujillo, caballero jurado de Jerez, nacido y muerto en el siglo quince.

La cartuja jerezana había sido erigida inicialmente en estilo gótico tardío. Aunque todo su conjunto era una maravilla digna de ser vista, destacaban la portada de estilo renacentista obra del alarife jerezano Andrés de Ribera y la capilla de Santa María. En ella estaba el retablo mayor en cuya construcción habían intervenido algunos de los mejores artistas del siglo pasado, como Alejandro Saavedra, José de Arce y el maestro Zurbarán.

Pedro de Alemán llegó a la cartuja un poco después de las once de la mañana de aquel martes de gloria. No era un jinete experto y, aunque comenzó la cabalgada con buen trote, pronto todo el cuerpo comenzó a dolerle y decidió ponerse al paso. Eso había hecho el viaje más premioso.

Fue atendido en la puerta por un «familiar»: así se llamaban los legos que vivían en el convento, hacían vida casi monástica y ejercían funciones similares a las de los criados. Le dijo su nombre y su interés por visitar la iglesia y por verse con el prior. El fámulo le pidió que aguardara y lo dejó esperando a la entrada del convento.

El prior de los cartujos apareció tras un buen rato de espera. Era un hombre mayor, tonsurado, extremadamente delgado, con una corona de pelo blanco y barbas luengas y grises. Vestía el doble hábito blanco de los cartujos, unido por la traba, un trozo de tela blanca y áspera. Los cartujos eran monjes que sólo se dedicaban a la contemplación y al rezo: no predicaban ni realizaban obras de caridad, no mantenían escuelas ni hospitales ni pretendían santificarse a través del trabajo. Se entregaban por completo a adorar a Dios a todas horas. Además, y a diferencia de otros monjes que rezaban y comían en comunidad, los padres cartujos vivían en soledad y de forma individual, en régimen de completo silencio y aislamiento. Cada uno en su celda con su jardín, que cuidaban con primor. El prior, sin embargo, tenía una mayor libertad: se le permitía relacionarse con el exterior en cierta medida y cada dos años viajaba para asistir al capítulo general de la orden en la Gran Cartuja, como se llamaba a la casa madre de los cartujos, el monasterio erigido por San Bruno en Saint Pierre de la Chartreuse, en el corazón de Francia.

—La gracia de Nuestro Señor esté contigo —saludó el fray; su voz tenía la ronquera de quienes la usan poco—. Bienvenido a esta cartuja. ¿Qué se te ofrece?

—Buenos días, padre —respondió Alemán—. Y sea también con usted la gracia del Señor. Mi nombre es Pedro de Alemán y Camacho y soy abogado. Me gustaría hablar un momento con usted, si no le incomoda, y visitar su iglesia.

A pesar de ser monasterio de clausura, a los monjes cartujos se les permitía recibir dos días al año a sus padres y familiares, y la entrada al recinto no estaba vedada a los seglares, por más que los cartujos no pudiesen comunicarse con ellos.

—Dicen nuestras reglas que los frutos del silencio los conoce sólo quien los ha experimentado —explicó el prior, con gesto amable—. Y que nuestro mismo silencio irá creando en nosotros una gran atracción hacia un silencio cada vez mayor. Le quiero decir, hijo, que no hablamos si no es absolutamente necesario. Y no me parece que esta conversación lo sea.

—Será sólo un momento, padre, se lo aseguro. Y es un asunto importante.

—¿Qué puede haber más importante que Dios...? Lo siento, hijo. Tengo un rebaño que cuidar, y los padres y los hermanos ya se preparan para el ángelus. Si quieres orar en nuestra iglesia, no se te impide, sino todo lo contrario. Uno de nuestros legos te acompañará. Queda con Dios, hijo mío.

—Padre prior —insistió Alemán, a punto de asir por el brazo al fray, que ya se daba la vuelta para irse—, aguarde. ¡Creo que los cuadros de Zurbarán que adornan su iglesia han podido ser sustituidos por falsificaciones!

* * *

—¿Se puede saber por qué sostienes que nuestros cuadros han podido ser falsificados?

Prior y abogado se hallaban en una sala austera del convento, fuera de la clausura, alejados de oídos curiosos. Pedro le contó al fray en pocas palabras el caso de que se ocupaba, la acusación contra Diego González, haciendo hincapié en que era el paje del respetado canónigo de la colegial don Francisco de Mesa y Xinete, y su teoría de que detrás de ese crimen había algo más. Y sus sospechas de que se pudiesen estar falsificando los cuadros de don Francisco de Zurbarán.

—Ni puedo ni debo inmiscuirme en asuntos mundanos —repuso el prior, que había escuchado atentamente la explicación del abogado de pobres—. Lamento en el fondo de mi alma el calvario que estará atravesando tu cliente, el paje del padre de Mesa y Xinete, a quien tengo profundo aprecio, pero creo que los padres cartujos no te podemos servir de ayuda.

—¿Y los cuadros? ¿Y las posibles falsificaciones?

—Eso que dices es una insensatez, hijo mío. Y disculpa que sea tan crudo. Esos cuadros llevan aquí decenas de años, más de un siglo, y nadie los ha tocado desde que se colgaron. Al igual que las otras pinturas que tenemos en esta cartuja, obras también de pintores famosos como Luca Giordano, Lucas Valdés o José de Ribera.

—¿Cómo puede estar tan seguro, padre prior?

—Por lo mismo que estoy seguro de que estoy sentado frente a ti, hijo. Porque lo sé. Llevo muchos años en este convento: ahora soy su padre prior, pero antes fui vicario, procurador, maestro de novicios y chantre. Y hasta de la biblioteca estuve un tiempo encargado. Sé lo que pasa en este monasterio, como sé lo que pasa en cada uno de sus lagares, de sus cuadras y de sus cortijos. Esos cuadros a los que te refieres son los mismos que colgó el pintor Zurbarán en el siglo pasado. No se han movido de aquí desde entonces. ¿Sabes además lo que pesan esos cuadros? ¿Cómo se puede pensar que alguien los haya podido sustituir sin que nos demos cuenta? Aquí no hay cuadros falsos, ten la completa seguridad. Cree en mi palabra, hijo mío.

—¿Tiene inconvenientes en que entre en la iglesia y pueda ver con mis propios ojos esos cuadros de Zurbarán?

El fray se quedó durante unos instantes en silencio, contemplando al abogado. Después, dijo:

—Con una condición: si te dejo que veas esos cuadros, has de prometerme que dejarás de divulgar esos insensatos rumores.

—Tiene mi palabra, padre.

—Pues sígueme, por favor.

La iglesia tenía una sola nave construida en estilo gótico decadente. La nave, que mediría unas cincuenta y siete varas de largo por doce de ancho, estaba dividida en varios compartimentos. El primero era el destinado a las pilas para el agua bendita, con dos altares, y estaba separado por una verja de hierro del coro de legos. Junto a éste, y delimitado por un murete y un arco, se hallaba el coro de profesos, con relieves de santos salidos del cincel de Alonso Cano.

—Aquí hay dos «zurbaranes» —le indicó el cartujo, señalando dos grandes cuadros.

Esos dos cuadros de don Francisco de Zurbarán que el monje señalaba estaban en el coro de legos: uno representaba a la Virgen del Rosario con cartujos, pintado sobre un lienzo de casi cuatro varas de alto por dos varas y cuarto de ancho; el otro era una *Inmaculada Concepción con San Joaquín y Santa Ana*, algo más pequeño que el primero.

Pedro contempló ambos cuadros. Se acercó a ellos, quedando a apenas media vara de las pinturas. Mientras, el fray lo observaba con curiosidad. Supuso que si hubiesen sido descolgados hacía poco debería de quedar algún rastro: un desconchón, un arañazo, algo... Sin embargo, nada de ello había. Muy al contrario, se distinguía una fina capa de polvo sobre las pinturas, señal indudable de que esos lienzos no habían sido movidos de allí en muchos años. Y los colores, aunque magníficos, parecían atenuados por el polvo, el humo de los incensarios y la antigüedad. Hizo una seña al padre prior y siguieron avanzando por la iglesia.

Llegaron al retablo mayor, y Pedro, que nunca había estado antes en la cartuja jerezana, se quedó fascinado. Presidiendo la iglesia en penumbra, en la que el silencio, como si fuera incienso o una flor recién brotada, parecía poder olerse, el retablo mayor destellaba como si fuera un inmenso velón. Era de estilo renacentista, obra del arquitecto Alejandro Saavedra. Tenía tres cuerpos con doce columnas salomónicas. En los intercolumnios, tallas de apóstoles obras de José de Arce y en los huecos, seis lienzos de Zurbarán: *La batalla entre cristianos y moros en el Sotillo*, *La circuncisión de Jesús, La Adoración de los Magos, La Anunciación, la Adoración de los pastores* y *San Bruno en éxtasis*. Entre los lienzos situados en los laterales, seis pequeños cuadros más que representaban a los cuatro evangelistas, a *San Lorenzo* y a *San Juan Bautista*.

El abogado deseó en ese momento saber de pinturas, poder distinguir el arte, apreciar la destreza de la maestría. Aun así, supo que se hallaba ante las más hermosas obras de arte que jamás había visto. Eran seis cuadros imponentes, plenos de colores y contraluces, insólita perfección en el dibujo, majestuosos ropajes de imposibles pliegues, componiendo todos ellos una estampa irrepetible en aquel retablo. Los cuatro lienzos que representaban escenas evangélicas estaban en los laterales del primer y segundo cuerpo del altar; medían casi tres varas y media de alto por casi dos varas y cuarto de alto. En todos los lienzos había gran cantidad de figuras y una fascinante policromía.

En el centro del primer cuerpo se hallaba el lienzo que recreaba la batalla del Sotillo y la leyenda de la prodigiosa intervención de la Virgen; era de impresionantes proporciones: cuatro varas y cuarto de alto por dos varas y cuarto largas de ancho; el de San Bruno era de parecidas dimensiones, estaba ubicado en el segundo cuerpo del retablo y representaba al santo fundador de la orden con un crucifijo en la mano, la mirada elevada al cielo y un rompimiento de gloria con ángeles y querubines.

Alemán se acercó al retablo todo cuanto el fray le consintió. Pero aun antes de acercarse supo que esos cuadros eran los auténticos, los pintados hacía más de un siglo por la mano genial del maestro Zurbarán. No le cabía en la cabeza que pudiera tratarse de falsificaciones, y no sólo por sus medidas, sino por su perfección. Y se cercioró en cuanto se acercó: allí estaba la fina capa de polvo que hablaba de los años que llevaban allí colgados esos cuadros y el tono amortiguado de los colores aun dentro de su grandiosidad.

—¿Te convences, hijo? —preguntó el cartujo, también embelesado a pesar de que disfrutaba de esas obras de arte varias veces al día, tantas como rezos se hacían en aquella iglesia.

Pedro miró al fray, asintió con la cabeza y preguntó:

—¿Hay más cuadros del maestro Zurbarán en la iglesia?

—En la iglesia, no —respondió el monje, algo exasperado—. En el sagrario. Sígueme.

Caminaron hacia la pequeña capilla existente detrás del altar. Allí estaba el sagrario. Como en todas las cartujas, se seguía la tradición de no situar al Santísimo en un tabernáculo del altar mayor. Y de las paredes del estrecho pasillo semicircular que conducía al sagrario colgaban otros diez cuadros de Zurbarán, en este caso óleos sobre tablas y no sobre lienzo: dos pinturas en la que se representaban ángeles turiferarios precedían a sendos séquitos de santos cartujos, cuatro en cada lado: *San Artoldo, San*

411

Antelmo, obispo de Belley—ambos leyendo atentamente libros piadosos—, *El beato cardenal Nicolás Albergati*, gran penitenciario y tesorero del papa Martín Quinto, representado con esclavina roja, la mirada en alto y los brazos cruzados sobre el pecho; *San Hugo, obispo de Lincoln*, con un cisne a su diestra y un cáliz en la mano; *San Airaldo*, prior de la cartuja de Portés; *El beato John de Houghton*, con la soga de su martirio al cuello y el corazón, que sus verdugos le arrancaron, en su mano derecha; *San Hugo de Grenoble*, a quien el pintor representaba con la mitra y la mirada al cielo; y, cómo no, *San Bruno*, fundador de la orden, con su crucifijo en la mano.

Los cuadros colgaban a poca altura en ese pasillo que conducía al sagrario cartujo. Eran de pequeñas dimensiones: aproximadamente una vara y media de alto por tres cuartos de vara de ancho. Aunque no presentaban la magnificencia de los lienzos del retablo, también en esas tablas se adivinaba la mano de un pintor único. Y cuando Pedro pasó su dedo índice por uno de los cuadros aprovechando que el padre prior estaba distraído en la contemplación de San Bruno, lo retiró manchado de un polvillo negro de humo. Aquellos cuadros también eran originales de Zurbarán, sin duda alguna.

El abogado se despidió del prior en la puerta de la iglesia, después de prometerle por segunda vez que no divulgaría aquella teoría suya sobre cuadros cartujos falsificados. «Desquiciada teoría», la había llamado el padre prior.

—No tiene usted motivos de preocupación, padre —le aseguró—. No soy experto, pero me voy en la certeza de que los cuadros que he visto son los originales del maestro.

Un «familiar» lo acompañó hasta la salida de la cartuja. Cabizbajo, porque veía cómo su hipótesis sobre tramas de falsificaciones pictóricas y miles de escudos se desmoronaba, y con las posaderas doloridas por el viaje de ida, tomó el camino de Jerez con el caballo a un paso lento y melancólico.

XLIII

La desesperación de la barragana

Matilde Berraquero vivía en un estado de continua desesperación. Hastiada de su vida, de sus circunstancias, de su mala fortuna. Y sobre todo de ella misma, de su voluntad tan frágil, de su carácter acomodaticio. Incluso en los días peores en la Torre de los Melgarejo, había momentos en que se sentía en paz con ella misma, días en que no tenía nada que reprocharse, a pesar de aquellos *juegos* depravados con su padre en el pajar. Porque ocurrían en contra de sus deseos, porque se producían sin que ella los quisiera, pero sin que pudiera evitarlos. Sólo era una niñita, por Dios. Ahora, en su pequeña alcoba de la calle Honsario, pensaba que la paz estaba tan lejana para ella, tan inalcanzable, como el confín del imperio.

Así tenía al pobre Antón Revuelta, el aprendiz de panadero con el que andaba medio ennoviada, que sólo hacía repetirle las mismas palabras: «Pero ¿qué te pasa, Matilde? Dime qué te ocurre, por lo que más quieras». Y así una vez y otra, cada vez que se veían. Que eran muchos días a la semana, y no sólo los domingos y los sábados, cuyas tardes el aprendicillo libraba en la tahona de la plaza Quemada. Porque es que la veía aturdida, angustiada, mustia. Tan distinta a la niña que había conocido meses atrás de verla en la panadería, que era radiante como un sol, vivaracha como un canario y tan alegre como las cancioncillas del Carnaval.

Hablarle como le había hablado al cura en el confesonario de San Miguel le había costado reunir todas sus fuerzas, toda su voluntad. Y le había dejado aquella nota en la celosía como quien deja sus penas en la orilla del mar. Pensaba que su vida

413

iba a cambiar a partir de entonces, que podría ser feliz con Antón, que podría recobrar su risa de antaño. Pero ¡qué poco le habían durado sus sueños! ¡Y qué corta había sido su voluntad! Habían bastado tan sólo los dineros del cura colector para que renunciara a su libertad recién conquistada, para que dejara atrás sus ansias de sentirse limpia como antes de que comenzaran los desdichados retozos en el pajar de la Torre.

Se sentía sucia. Se sentía impura. Se sentía mala. Y sabía que ya no podría volver a reunir aquellas fuerzas para romper con el páter, que no tendría arrestos para gritarle a la cara que la dejase en paz, que ya no iba a poder enfrentarse nunca al cura, porque éste había visto su debilidad, y cuando se sabe que alguien es débil, se sabe también que es vulnerable.

Era la noche del martes. Una noche preciosa de abril. Matilde podía ver el cielo desde la ventana abierta de su casa. Era un cielo limpio, negro, cuajado de estrellas. Como había llovido hacía poco, desde la calle no llegaban los malos olores que solían ensuciar el aire de la ciudad por las basuras tiradas de cualquier manera, los excrementos de los animales y los orines de los hombres. Todo lo contrario: olía a jazmines y a las macetas de yerbabuena que uno de sus vecinos, un ancianito que vivía en la planta baja, cuidaba con tanto esmero. Pero a la mancebita ni ese olor la reconfortaba. Para ella todo era tristeza, melancolía.

Y los martes venía el cura a verla. Ni uno sólo faltaba, como si se tratase de uno de los ceremoniales que con tanto boato se celebraban en San Miguel. ¿Y no le importaba que alguien pudiera verlo llegar siempre los mismos días y a las mismas horas, de noche? ¿Nadie lo iba a denunciar nunca a don Ramón Álvarez de Palma, el párroco? ¿Y por qué no lo denunciaba ella misma? Sabía que el amancebamiento era delito civil y canónico que acabaría con la carrera de cualquier cura, aunque fuese el colector de una parroquia tan poderosa como San Miguel. ¿Por qué no lo hacía? ¿Por qué no lo denunciaba? Al párroco, al corregidor, al arzobispo, al papa... ¡A quien fuera!

Y motivos tenía. No sólo porque el que un cura fornicara con una moza como ella era ya de por sí pecado mortal a los ojos de Dios y delito capital a los ojos de los hombres, sino porque lo que hacían era horrible, corrompido. Más que lo que ambos hacían, lo que el páter la obligaba a hacer y lo que él mismo le hacía. Abyecto, obsceno, pecaminoso.

Al páter Alejo ya no le bastaba con acostarse con su barragana de la forma que todos los hombres lo hacían. Ya no se conformaba tampoco con que la niña vistiese de monja y cantase tedeums mientras yacía con ella. No. Ahora quería más. Ahora le exigía que se vistiese con una sábana púrpura que había traído y con unos cartones que imitaban la mitra, y la llamaba *señor obispo* mientras le azotaba el culo. Ahora la obligaba a darle la absolución mientras él lloraba y se tocaba. Ahora... ¡ahora todo era una pura perversión, por Dios y toda su cohorte de santos! ¡Ahora hacían cosas que sin duda los condenaban a quemarse en el fuego eterno! ¡Ni en el purgatorio los iban a admitir, de podridos que estaban!

Y ella, Matilde Berraquero, la barragana de don Alejo, ya no sabía qué hacer en su desesperación para librarse de las babas y de la depravación del cura colector de San Miguel. Si le decía que no a algo, le pegaba, la amenazaba con dejarla sin dineros, sin pagarle el alquiler y el pan. Si advertía al clérigo de que algo era pecado, él le gritaba diciendo que quien sabía de pecados era él, y más lo hacía. Y cuando indicaba al cura que se hallaba en los días de sangre de las mujeres, la obligaba a darse la vuelta y le hacía cosas que no estaban en la naturaleza ni de Dios ni de los hombres. Nada le importaba al páter, sólo saciarse de ella, colmarse de ella, sin importarle que ella quedase vacía, con el alma exhausta.

Quería morirse. De verdad que quería morirse. Y al mismo tiempo no quería morirse, porque quería pasar el resto de su vida con Antón Revuelta, a quien ya empezaba a querer. Y porque le daba miedo morirse, pues sabía lo que le esperaba: las llamas de un infierno inmortal.

Oyó la puerta abrirse y dos lágrimas se derramaron por sus mejillas. Vio entrar al cura colector de San Miguel en la pequeña alcoba de la calle Honsario. Vio su sonrisa taimada, sus labios lúbricos, babeantes, su expresión desdeñosa y ávida a la vez.

—¿Cómo está lo más bonito de Jerez? —preguntó don Alejo Suárez de Toledo—. ¿Cómo está mi niña?

—Bien, páter —acertó a decir la barragana, sorbiéndose los mocos.

415

—¿Lloras? —preguntó don Alejo, al ver sus mejillas húmedas—. ¿Es porque he tardado mucho?

—Sí, páter —dijo Matilde, limpiándose las lágrimas con el dorso de la mano y pugnando por no llorar más. Estaba sentada sobre la cama, vestida con un traje gris, nada sensual, aguardando con gesto tenso a lo que le esperaba.

—Es que hoy ha habido un entierro en San Miguel. Un hidalguillo de medio pelo pero con maravedíes que dispuso un funeral por todo lo alto. Y no he podido venir antes, Matilde, perdóname.

—No se preocupe usted, páter.

—¡Mira lo que te he traído! —dijo el cura, sacando de su sotana un estuchito de terciopelo rojo—. ¡Anda, ábrelo! ¡Esto es para ti, por lo mucho que me quieres!

Matilde, desganada, asió el paquetito que el cura le tendía. Lo abrió y, a pesar de su melancolía, no pudo por menos que asombrarse: era un anillo de oro, con una enorme piedra roja engastada. Ella no sabía ni de piedras ni de joyas, pero se dijo que aquello debía de valer un potosí. Se quedó mirando al clérigo sin saber ni qué hacer ni qué decir.

—Es un rubí —explicó el cura—. Una piedra preciosa para la niña más preciosa. El rubí, Matilde, es como tú: apasionado. Y es símbolo de amor. ¡De nuestro amor! Además, dicen que sirve para prevenir desgracias y para remediar la mala salud. ¿No te lo pones?

El cura se acercó a la cama y Matilde, inconscientemente, dio un pequeño salto hacia atrás. El colector dibujó un ademán agrio en su cara hinchada, pero enseguida se recompuso. Volvió a sonreír, cogió el anillo de las manos de su barragana y se lo puso en el dedo anular de su mano derecha. Luego, con la mano de ella entre las suyas, admiró la joya.

—¿A que es preciosa? ¡Y te queda como los ángeles! ¿No dices nada, Matilde?

—Gracias, páter —se limitó a decir ella, llena de zozobra la voz.

—¿Y eso es todo? —preguntó el páter, cuya faz se iba enrojeciendo por la ira y la decepción—. Te regalo un anillo que para sí quisiera más de una marquesa, ¿y eso es todo lo que sabes decirme?

—Gracias, páter —repitió la manceba; pero, al advertir el gesto de él, añadió, como para vigorizar su agradecimiento—: Ha debido de costarle una fortuna a usted.

—Ya sabes que el dinero no es problema. Pero podrías ser más efusiva, niña...

—¿Ya acabó usted sus negocios, don Alejo?

—¡Y sin problemas, como era de prever! Claro, estando yo de por medio...

—Falsificaron los cuadros...

—Y se cambiaron por los originales y ni Dios se ha dado cuenta... ¡Huy, con perdón!

—¡Pero eso es una atrocidad!

—¡Lo que es una atrocidad es ser pobre! Pero dejemos de hablar de eso, Matildita. Y vamos a lo nuestro, ¿de acuerdo? ¿Qué le gustaría hacer hoy a mi niña?

—Lo que usted diga, páter. Pero antes he de decirle que ya me queda poco dinero...

—¿Ya te has gastado todo el que te di?

—Debía en algunas tiendas y... he comprado algunas cosas que me hacían falta.

—Bueno, está bien —admitió el colector; y sacando una bolsa de su sotana, añadió—: Aquí tienes, hay un buen puñado de reales, para que no te quejes.

—Gracias —repuso la niña, asiendo la bolsa y escudriñando en su interior; luego, la guardó bajo el colchón y se quedó mirando al cura—. ¿Qué... qué es lo que quiere usted hoy, páter?

—¿Dónde has guardado la sábana púrpura y la mitra, *obispilla* mía?

Y, avanzando hacia su manceba, sonriendo como un lobo, extrajo de la manga de su sotana una vara de mimbre, flexible, delgada. Temible.

—Ven aquí, niña —dijo, babeando—. Que esto te va a gustar.

—¡Ay, Dios mío! —se lamentó Matilde, agazapándose contra sábanas y almohadas. Y repitió—: ¡Ay, Dios mío!

Después, Matilde Berraquero, la barragancita del cura, lloró. Lloró de un modo terrible. Como jamás lo había hecho. Un llanto como sólo en el Antiguo Testamento se había visto antes. Un llanto que hizo resquebrajarse su mundo.

XLIV

LECCIONES DE PINTURA

Don Francisco Camacho de Mendoza recibió al abogado de pobres en su casa de la calle Piernas el miércoles por la mañana. En cuanto lo vio, Pedro de Alemán pensó en lo cruel que era el paso del tiempo. Y la edad. Se dijo que el tiempo era como el agua entre las manos, que se escurre y sólo nos deja humedad. Y pensó en sí mismo, tan joven aún, y en el poco valor que daba al tiempo, en lo poco que apreciaba las horas que pasaban sin que se diera cuenta. Y se dijo al fin que el tiempo sólo tiene importancia cuando se envejece.

Del hombre que recordaba apenas quedaba nada. Don Francisco Camacho de Mendoza era un anciano carcomido por la edad. Su pelo, otrora negro como la pez, era blanco y escaso; su pecho había perdido todo su vigor y ahora subía y bajaba con dificultad al ritmo de una respiración sibilante. Su piel, que fue brillante y tersa, se había convertido en un pergamino sobre el que el tiempo había escrito cientos de renglones con su mano inmisericorde. Tan sólo su mirada evocaba al hombre de antaño: esa mirada curiosa y divertida que Pedro recordaba en el escultor; y sus brazos, que parecían seguir siendo fuertes bajo la negra casaca.

Don Francisco Camacho de Mendoza había recibido a Pedro con cariño en su casa de la calle Piernas. Había aparecido enseguida por la salita adonde un aprendiz había conducido al letrado para que allí esperara al maestro. Y había llegado sonriéndole y quitándose el mandil azul oscuro que protegía su ropa de aceites y serrín. Le dio un abrazo con esos brazos aún fuertes, le ofreció café y dulces, y el abogado de pobres se deleitó en el brebaje fuerte y humeante y en la excepcional confitura de los pasteles.

—¡Hacía años que no te veía! —había exclamado el escultor, apreciando la buena planta del joven—. Aunque algo he sabido de ti por tus casos. ¡Un poco más y te haces más famoso que yo, malandrín! Deberíamos vernos más. La familia ha de estar más unida.

Durante un rato hablaron de recuerdos de familia y de la vida, con esa sabiduría y sosiego con que los viejos son capaces de hablar de cosas trascendentes. Cuando acabaron de desgranar recuerdos, el escultor preguntó:

—Bueno, y ahora, querido sobrino, dime qué te trae por aquí. Ojalá fuese tan sólo una visita de cortesía, pero me temo que no.

Pedro tragó el pastelillo que masticaba y respondió:

—Habrá oído usted hablar del crimen del sacristanillo, supongo...

—Sí, y también sé que eres el defensor de Diego González. Soy buen amigo de don Francisco de Mesa y Xinete, por cierto, a pesar de que siempre le reprocho que el cabildo colegial jamás me hizo encargo alguno.

—Pues estudiando ese caso, don Francisco, he dado con una pista que me tiene desorientado. Creo que alguien en Jerez ha estado falsificando cuadros, cuadros de Zurbarán. Y don Bartolomé Gutiérrez, el sastre... ¿lo conoce...?

—Claro que sí. No es mi sastre, pero claro que lo conozco. Y he leído algunos de sus libros.

—Pues don Bartolomé me dijo que quién mejor que usted para ilustrarme sobre Zurbarán, sobre su pintura.

—Vaya, nada menos que sobre don Francisco de Zurbarán y de Salazar, el gran maestro...

—¿Salazar era entonces su segundo apellido? —interrumpió Alemán.

—Así es. Don Francisco de Zurbarán y de Salazar —repitió el tallista—. Aunque lo mío, como bien sabes, es la escultura, no la pintura.

—Don Bartolomé me aseguró que también domina usted esa disciplina —repuso Alemán, preocupado.

—Bueno, el que es artista, aunque se dedique a una rama concreta del arte, siempre tiene buenos ojos para las demás —expuso el tallista, abriendo los brazos—. Sí, algo sé de pintura, pero tampoco esperes de mí una erudición simpar. ¿Qué es lo que quieres saber?

—Lo que quiero es su ayuda, don Francisco. Porque estoy hecho un lío del que no sé cómo salir. Verá usted. Estoy convencido, como le he dicho, de que alguien está falsificando cuadros de Zurbarán en Jerez y que esa trama tiene mucho que ver con el caso que defiendo. Con los crímenes de Jacinto Jiménez y de su mujer y su hijo mayor. Sé que en Jerez hay muchos cuadros del maestro Zurbarán. En la cartuja, más concretamente. Pero ayer por la mañana, después de venir aquí, cabalgué hasta el monasterio, conseguí que el prior me recibiera y pude ver los cuadros. Y aunque no soy entendido, me vine de allí en la certeza de que no ha habido falsificación alguna, de que aquellos cuadros que vi son los originales. Y que nadie los ha tocado en mucho tiempo. Tienen el polvo de decenios y el humo de los velones, y se ve a simple vista que no son réplicas. Y aquí me tiene, hecho un lío y sin saber qué hacer.

—Bien. Piensas que los cuadros de la cartuja no son falsos. Y yo también lo pienso. Bueno, más que pensarlo, lo sé, porque hace poco que los vi y eran los auténticos sin duda. ¿Dónde está el problema?

—Pues el problema está en que si no hay falsificación, no hay defensa. Pensé que podía dar con la verdad a través de esa pista, porque estoy seguro de que Diego González es inocente. Pero la visita a la cartuja me lleva a un callejón sin salida. Y no sé qué hacer.

—¿Y el resto de los cuadros de don Francisco de Zurbarán? ¿No han podido ser éstos los que han sido falsificados y no los de la cartuja?

—¿El resto de los cuadros de Zurbarán? —preguntó el abogado de pobres, con sorpresa—. Pero ¿es que hay más «zurbaranes» en Jerez, además de los que hay en la cartuja?

—¡Pues claro! A ver, déjame un momento... —Don Francisco Camacho de Mendoza quedó por unos instantes pensativo. Abrió los dedos de ambas manos y fue tocando con el pulgar de cada una las yemas de los restantes dedos, contando en silencio—. Me salen nueve, como mínimo. Nueve que yo conozca, pues a lo mejor hay otros de los que nunca he oído hablar, bien en iglesias o conventos o en casas particulares.

—¿Dónde, señor? ¿Dónde están esos cuadros?

—Vamos a ver... —respondió el escultor, volviendo a contar con los dedos—. Siete, en el convento de los padres capuchinos, cerca de aquí, en San Benito. Uno en San Miguel y otro en San Dionisio. Eso hacen nueve, ¿no es cierto? También se habla de otros lienzos en casa de marqueses y nobles, pero de ésos no te puedo dar fe. De los otros, sí, porque los he visto con mis propios ojos e incluso me han servido de inspiración para tallar ropajes y expresiones.

—¿Y cree usted posible que alguno de esos nueve cuadros hayan podido ser falsificados?

—Si fuera así, habría sido no ha mucho. Estuve viendo los de los capuchinos en Navidad y te puedo asegurar que eran los auténticos. De todos modos, podemos salir de dudas yendo allí.

—¿Me acompañaría usted? ¿No sería demasiada molestia? A su edad...

—A mi edad, sobrino, no hay que desaprovechar ocasiones como ésta. ¿Cuándo iba a pensar yo que me iba a ver envuelto en una trama de crímenes y falsificaciones de pinturas de un gran maestro? Cojo una capilla, que aún refresca, y nos vamos. El paseo me va a hacer bien, seguro.

* * *

Mientras caminaban hacia el convento de los padres capuchinos, don Francisco Camacho fue haciendo gala ante Pedro de sus conocimientos sobre el mercado del arte. Le fue contando que en buena parte de Europa, principalmente en Francia, Flandes e Inglaterra, los coleccionistas y marchantes de arte sentían predilección por las obras de los grandes maestros españoles, entre ellos don Bartholomé Murillo, don Diego de Velázquez y don Francisco de Zurbarán.

—Recuerdo que una vez me contaron que en vida de Murillo, un comerciante de Amberes llegó a pagar la escalofriante suma de dos mil florines por uno de sus óleos: *Dos mendigos*. El cuadro, junto a otros cuatro más del maestro, fue sacado fraudulentamente de Sevilla por el cónsul de Flandes. Creo recordar que ello aconteció en 1673, o sea, nueve años antes de la muerte del pintor. ¡Y has de saber en qué pocas ocasiones se valora en vida a un artista! —exclamó el anciano escultor, tal vez refiriéndose a él mismo.

Se refirió luego a comerciantes ingleses como lord Harrington, el irlandés Daniel Arthur y mister John Blackwood, que habían efectuado importantes adquisiciones de maestros españoles.

—Pero, sobre todo —añadió Camacho—, un antiguo primer ministro de Inglaterra, un tal Walpole, es, si aún vive, que no lo sé, el más importante coleccionista europeo de pintura española. Que yo sepa, por lo que he podido leer, se le atribuyen varios «murillos», un par de «velázquez», algún «zurbarán», un «valdés leal» y alguno que otro más que ahora mismo no sé decirte. Así que no te extrañe que lo que barruntas pueda ser cierto.

Entraron en el convento de capuchinos del valle de San Benito después de los rezos de tercia. En cuanto avisó de su presencia, el escultor fue saludado cariñosamente por el abad, un fraile alto, seco y amarillo pero de buen carácter. Camacho había tallado para el convento un San Francisco de Asís en tamaño académico al que los monjes tenían gran devoción, y pudieron entrar en la iglesia sin impedimentos y sin que nadie los molestase. Estaba vacía y en silencio, sólo alumbrada por los velones que iluminaban el altar y por la luz del día que se filtraba por los ventanales. Era una iglesia pequeña y hermosa, donde había numerosas obras de arte y relicarios.

—Ese cuadro es de don Francisco de Zurbarán —dijo don Francisco Camacho de Mendoza, señalando el lienzo que presidía el altar mayor—. El jubileo de la Porciúncula. Para pintarlo, el artista se inspiró en un grabado de Federico Barocci de 1581.

Era un cuadro de gran tamaño, bellamente enmarcado. Representaba la escena del jubileo de la Porciúncula. El escultor contempló el lienzo sumido en un profundo silencio. Se acercó unos pasos, tantos como pudo, y escudriñó la pintura. Llegó a tocar el lienzo incluso, y se llevó los dedos luego a la nariz. Después, con el semblante muy serio, le indicó al abogado de pobres:

—Sígueme.

Tallista y letrado se aproximaron al coro de la iglesia, en cuyas paredes colgaban seis cuadros de santas, tres a cada lado. Eran de tamaño regular y también enmarcados de forma primorosa.

—¿Quiénes son? —preguntó el letrado, señalando a las figuras femeninas que se representaban en los lienzos.

—Seis santas mujeres —respondió el anciano, con la vista fija en las pinturas y algo demudada la faz—. Estas tres de aquí —dijo, señalando los de la pared de la derecha, son *Santa María Egipciaca*, *Santa Eufemia* y *Santa Olalla*; las de la izquierda son *Santa Isabel de Portugal*, *Santa Dorotea* y *Santa Paula*.

Don Francisco Camacho de Mendoza volvió a realizar idéntica operación que ante el cuadro de *La Porciúncula*. Y en esta ocasión, con mayor facilidad, pues los cuadros colgaban a menor altura y era más sencillo el examen. Se acercó, los tocó, los olió, volvió a tocarlos. Se acercó y retrocedió, para después volver a acercarse y volver a tocar las pinturas y a olisquear las telas. Incluso llegó a separar los marcos de la pared para examinar el revés de cada cuadro. Luego, sonriente, se volvió hacia el abogado de pobres y exclamó:

—¡Voto a bríos!

Pedro, extrañado por la sonrisa del tallista, le preguntó:

—¿Qué sucede, don Francisco?

El anciano volvió a girarse hacia los cuadros y, de espaldas al letrado, anunció:

—Cuatro de estos cuadros de santas son falsos, sobrino. Y el de *La Porciúncula*, también. ¡Vaya, vaya! Así que tenías razón...

A Pedro se le demudó la tez. Un escalofrío le recorrió la espalda: la sensación ambigua del que descubre lo que está buscando y al mismo tiempo teme haberlo descubierto.

—¿Cuáles de estos cuadros de santas son falsos? —preguntó.

—De los tres de la derecha —dijo el escultor—, los tres: los de *Santa María Egipciaca*, *Santa Eufemia* y *Santa Olalla*; de los de la derecha, sólo es falso el de *Santa Dorotea*. Los de *Santa Isabel de Portugal* y *Santa Paula* son auténticos.

Pedro examinó los cuadros que le había señalado el tallista. Miró luego a los que éste afirmaba eran auténticos. Y no vio diferencias entre unos y otros. Contempló los mismos ricos colores, los mismos pliegues perfectos de las vestiduras, las mismas expresiones en los ojos de las santas, el mismo trazo maestro en el dibujo.

—¿Cómo puede usted estar tan seguro? —preguntó, sin dejar de mirar los lienzos.

—Son unas magníficas falsificaciones, pero falsificaciones al fin y al cabo. ¡Qué pena que quien ha hecho esto no dedique su talento a mejores fines! Es todo un artista, sí señor. Y un erudito, porque tiene un conocimiento muy profundo de la obra de Zurbarán y de su técnica. Además, ha pintado sobre cuadros antiguos, de la misma época que el maestro, y por eso la parte de atrás de los lienzos presenta la antigüedad precisa para que un simple examen de la tela no nos revele la falsificación. Muy hábil, quienquiera que sea quien ha hecho la fechoría.

—Pero ¿cómo distingue usted un original de una réplica? —insistió Alemán—. ¡Yo no veo diferencias!

—Porque no sabes usar tus sentidos. Mira los colores de unos y otros: en los lienzos de *Santa Isabel de Portugal* y *Santa Paula* se ven los estragos que el paso del tiempo ha provocado en los pigmentos: se ven atenuados, oscurecidos. En los otros, aunque se ha usado betún de Judea para envejecerlos, se descubren visajes que no aparecen en los originales. Brillos que delatan lo reciente de la pintura. Y, por cierto, muy recientes que son. No más de un mes o dos, me atrevería a decir. Y luego tenemos el tacto: si pasas el dedo por los originales, notarás una lisura que no descubrirás en las falsificaciones. Pero, sobre todo, el olfato. A ver, Pedro, acércate, por favor, al lienzo de *Santa Isabel de Portugal*.

El abogado se acercó a la pintura que representaba a Santa Isabel vistiendo lujosos ropajes, con aspecto cortesano y de gran belleza su cara; portaba un cesto de flores y la palma de su martirio.

—Y ahora, huélela.

El letrado acercó la nariz al lienzo y aspiró profundamente.

—Dime a qué hueles —indicó el escultor.

—Pues a... a nada —respondió el abogado—. Bueno, mejor dicho, huele a viejo, a polvo, a humo quizás...

—Eso es —refrendó Camacho de Mendoza—. Y ahora, acércate a uno de los falsos. Al de *Santa Dorotea*, que lo tienes al lado. Y dime a qué huele.

El abogado así lo hizo. Se desplazó un paso y acercó la nariz al lienzo en el que se representaba a la santa con rosas, manzanas y palma de mártir. Al inspirar, frunció la nariz, como si el aroma del cuadro dañara su olfato.

—¡Pardiez! —exclamó—. Huele a aguarrás. A cera. ¡Y a pintura!

—Pues ahí lo tienes —reveló el artista—. ¿Cómo nos podemos explicar que un cuadro que fue pintado hace más de cien años aún huela a trementina? Eso es porque el falsificador le ha aplicado betún de Judea para envejecer su obra.

—¡Dios mío! —exclamó Pedro, mirando fijamente los cuadros falsificados, apreciando las sutiles diferencias que el tallista le había hecho ver—. ¿Cómo han podido hacerlo, Virgen Santa?

—Esa pregunta tiene tres vertientes, sobrino: en primer lugar, lo han hecho, los que lo hayan hecho, porque buscan dinero. Como en tantas cosas, es la avaricia lo que mueve al hombre. Hoy en día los cuadros de Zurbarán se pagan a precio de oro. Como los de Murillo. Y hay un impresionante mercado de coleccionistas españoles y europeos que pagan lo que se les pida por un lienzo de estos maestros, como ya te he explicado. En segundo lugar, lo han hecho porque no tienen conciencia. Y, en tercer lugar, lo han hecho porque han tenido ocasión. Alguien les ha facilitado la oportunidad de introducirse en el convento y disponer del tiempo suficiente para cambiar los originales por las réplicas. Y en un convento, eso no es sencillo. Los monjes rezan continuamente en la iglesia, hay misas, confesiones, fieles... y entrar subrepticiamente aquí no les ha debido resultar fácil. Tal vez el abad nos pueda sacar de dudas, ¿no crees?

—¿Le va a contar usted que les han robado los cuadros? —preguntó Alemán.

—Eso lo dejo a tu criterio —respondió el anciano—. Ahora bien, yo que tú esperaría a ver cómo acaba todo esto. No creo que te convenga dar la voz de alarma en este momento.

Regresaron al convento y pidieron al fray portero hablar con el abad.

—Es casi la hora del ángelus, don Francisco —dijo el abad nada más llegar.

Se quedó de pie ante el tallista y el abogado de pobres, sin invitarlos a tomar asiento o a acompañarlo a un lugar más discreto. Se hallaban en el vestíbulo, junto al refectorio.

—Sí, lo sabemos —dijo el escultor—. Disculpe usted, pero será sólo un momento, padre. ¿Ha acaecido en el convento algún... algún suceso raro en las últimas semanas?

El abad miró al anciano con expresión de no entender nada.

—No sé a qué se refiere usted —repuso, contemplando a uno y otro con desconcierto.

—Mire, padre —intervino Alemán—. Sé que esto no le parecerá muy normal, pero le aseguro que es importante. ¿No ha notado usted nada raro en el convento en días pasados?

—Uno de nuestros frailes falleció hace unos días. Fray Adalberto, pero era muy anciano y llevaba semanas inconsciente. Lo enterramos aquí, en el convento, en la intimidad. Era de Osuna y ya no tenía familia. Pero no sé en qué les puede afectar a ustedes la muerte del pobre fray Adalberto, que en paz descanse.

—¿Ninguna otra incidencia? —insistió el letrado—. ¿Nada que se aparte de la rutina habitual del convento?

—Bueno... no sé —dijo el fraile, intentando hacer memoria, pero con gesto de no saber muy a bien a qué venía todo aquello. Don Francisco Camacho de Mendoza era, sin embargo, un hombre respetado, amigo de los capuchinos, y no quería parecerle descortés—. Una plaga de cochinillas puso en riesgo algunas verduras de la huerta. Pero ya las hemos eliminado con vinagre. Pero sigo sin entender nada, de verdad, hijos.

—¿Nada más? —instó esta vez el tallista—. Algo que se salga de la norma, algo que escape de lo habitual, padre. Intente recordar, por favor.

—No, no... —Y entonces pareció recordar. Se le iluminó la tez amarilla y respondió—: Bueno, hace algunas semanas, durante la Cuaresma, hubo un intento de robo en el convento.

—¿Se llevaron algo? ¿Causaron daños? —preguntó, intrigado, Alemán.

—No, no, nada de eso. Ni siquiera vimos a los ladrones. Simples «juaneros», seguramente. Vino la ronda y se cercioró de que ya habían huido. Y no se llevaron nada, ni causaron destrozos. Fue raro, sí.

—¿Quién avisó a la ronda?

—Nadie. Vinieron los alguaciles, nos dijeron que nos recluyéramos en nuestras celdas por si los ladrones iban armados y eso hicimos. Al rato, don Florián nos dijo que podíamos estar tranquilos, que ya no había peligro. Y se fueron tal como habían venido.

—¿Don Florián Alvarado, el alguacil mayor? —preguntó el letrado. Tenía la expresión del jugador que ve caer el dado a su favor, de la manera por la que llevaba horas rezando a los dioses de los jugadores.

—En efecto. Y se lo agradecimos al día siguiente, por supuesto. Le mandamos un canasto con verduras y frutas de nuestra huerta.

Don Francisco Camacho y el abogado de pobres se despidieron del abad. En cuanto salieron al valle de San Benito, el tallista preguntó:

—¿A qué vino esa cara cuando oíste el nombre de don Florián, sobrino?

Y entonces Pedro relató al anciano lo que había descubierto en relación a don Raimundo Astorga, marqués de Gibalbín, y al alguacil mayor, y cómo todas las pistas parecían indicar una misma dirección. Las palabras del escultor fueron parecidas a las que hacía poco le había dicho don Bartolomé Gutiérrez.

—Ten cuidado, Pedro. Estás hablando de hombres muy poderosos, de nobles, caballeros veinticuatros, regidores del concejo... ¡Por Dios, el alguacil mayor y el depositario general relacionados con tres asesinatos! Esto, de saberse, va a hacer que los cimientos de Jerez se tambaleen. ¡Ten cuidado, por Dios bendito!

—Pretendo tenerlo, don Francisco, pero gracias de todas formas por su advertencia. ¿Se encuentra usted cansado para acompañarme ahora a San Dionisio?

El viejo tallista, cuya cara resplandecía como si le hubieran insuflado varios años de vida, aseguró que estaba perfectamente. En San Dionisio, el escultor localizó enseguida el cuadro de la *Virgen niña dormida*, de don Francisco de Zurbarán, situado junto al mausoleo de doña Catalina de Zurita y Riquelme. Don Francisco Camacho, cuatro años antes, había sido contratado por el párroco de San Dionisio para tallar la imaginería del retablo de la Virgen del Mayor Dolor, y aunque el encargo se había cancelado por dificultades económicas de la iglesia, era un hombre conocido y respetado en la parroquia. Se acercó al cuadro, que era de una belleza soberbia, y Alemán lo contempló mientras el tallista miraba al lienzo, lo tocaba, lo olía.

—Falso —sentenció el anciano—. Y esto sí que es un crimen. El original de este cuadro era una de las obras más excelsas de don Francisco de Zurbarán.

De San Dionisio caminaron hasta San Miguel. El ardor que antes había embargado a escultor y abogado se había difumina- do como una burbuja. Ahora caminaban en silencio y con paso cansino, consternados, como si el saber que varias obras maes- tras de un pintor genial habían desaparecido pesara más en su ánimo que la esperanza de poder resolver el crimen de Jacinto Jiménez Bazán.

El cuadro de la *Santa Faz* se hallaba ubicado en la capilla de los Pabón, una ilustre familia jerezana cuya cabeza era por esos días don Fernando Pabón de Fuentes, caballero veinticuatro y marqués de Casa Pabón. La capilla de los Pabones estaba situa- da en el lado de la Epístola en la iglesia de San Miguel, y a ella se dirigieron. Aunque don Francisco también había trabajado en esa iglesia (había restaurado el retablo del Socorro y tres imáge- nes del retablo mayor), no hicieron falta sus influencias. La igle- sia estaba casi desierta a esa hora del mediodía y pudieron acer- carse al lienzo sin que nadie los importunara.

El cuadro representaba de forma extraordinaria el sufrimien- to de Jesús, cuyo rostro doliente, aun cuando estaba sólo insi- nuado, quedaba impregnado en la frágil huella del paño. Pedro, de forma inconsciente, rezó para que no hubiesen desvalijado también a la iglesia con el robo de esa magnífica pintura. Pero el dictamen de don Francisco Camacho de Mendoza, tras acercar- se al cuadro y repetir el mismo procedimiento llevado a cabo en el convento de capuchinos y San Dionisio, fue inexorable.

—¡Virgen Santa! —exclamó, apesadumbrado—. ¡También es falso! ¡Todos los «zurbaranes» de estas iglesias han sido roba- dos!

El anciano, tan animoso antes, presentaba ahora un aspecto deprimido. Pedro, viéndolo ya extenuado, alquiló un coche de caballos para llevarlo a su casa de la calle Piernas. Fueron en si- lencio durante todo el camino. El anciano, de vez en cuando, musitaba en voz baja palabras ininteligibles. Cuando llegaron a su destino, el letrado ayudó al tallista a bajar del coche. Se des- pidieron en la puerta de la casa del escultor. Éste, antes de que Pedro pagase al cochero, lo asió del brazo con una fuerza insóli- ta y le dijo con la voz ronca:

—Ten cuidado, hijo mío. Ten cuidado.

XLV

La taberna de la calle Mesones

—Estás triste, Matilde.

Era la tercera vez que Antón Revuelta, aprendiz de tahonero, decía las mismas palabras a Matilde Berraquero, la barragana del cura colector de San Miguel. Se hallaban ambos en el mesón nuevo de la Parra, en la calle Mesones, así llamada por los dos establecimientos de comidas que allí se ubicaban desde hacía decenios: el mesón nuevo de la Parra y el mesón viejo de la Parra. Era el mediodía del sábado 21 de abril de 1753 y la taberna nueva estaba casi llena de aprendices, criados, cocheros o aguadores que pagaban a gusto los cuarenta maravedíes que Pedro Martín, el dueño del mesón, cobraba por un almuerzo compuesto de una sopa de ajo, carne mechada en salsa, arroz con leche y un cuartillo de vino sin aguar. El otro mesón, el conocido como «el viejo», era de mejor clase y exigía precios vedados a las gentes de condición humilde; solía ser frecuentado por hidalgos, profesionales liberales, mercaderes y comerciantes. En dos mesones, pues, se reflejaba el abismo que existía entre las clases sociales jerezanas. Allí, en el mesón nuevo, en una mesa cercana a los toneles que servían de barra, se hallaban el aprendiz y la manceba.

—Estás triste —repitió Antón—. ¿Pero qué te pasa, Mati?

—Nada —contestó ella—. De verdad que no me pasa nada.

—¡Pero si apenas comes! —insistió el aprendiz, mirando desolado el plato de carne en salsa que estaba ante la joven sin tocar siquiera—. Si sigues así, vas a enfermar, vida mía. Come, por lo que más quieras.

—De verdad que no me pasa nada, Antón —aseguró Matilde—. Es que no tengo hambre, y ya está.

Pero sí le pasaba. Le pasaba que sentía una angustia que le reconcomía el pecho hasta el punto de no dejarle respirar. Y mucho menos, comer. Le pasaba que se sentía tan sucia que ni siquiera era capaz de partir el pan blanco con sus manos, por temor a corromperlo. Le pasaba que se quería morir y al mismo tiempo no quería. Le pasaba que no sabía qué iba a hacer con su maltrecha vida. Eso le pasaba.

—Así no podemos seguir, Matilde —dijo Antón Revuelta después de unos minutos durante los cuales un silencio inhóspito se había instalado entre ellos—. Así no podemos seguir. De verdad que no.

—Pero ¿qué dices, hombre? —preguntó la niña, atemorizada ahora al oír las palabras de su novio, que le sonaron a ultimátum—. ¡No me digas eso, Antón, por lo que tú más quieras!

—¡Pero si es que te vas a matar tú y me vas a matar a mí también, Matilde! —exclamó el aprendiz.

Dos hombres que ocupaban una mesa cercana lo observaron con curiosidad al oír su imprecación; después, cuando se dieron con la mirada angustiada del muchacho, siguieron a lo suyo.

—¡Si es que ni dormir puedo! —añadió el joven—. Y maese Mateo me regaña cada día porque me ve distraído, porque me ve apesadumbrado durante todo el día y porque no doy una a derechas: peso mal la masa, la dejo en el horno más tiempo del que tiene que estar o se me cae al suelo cuando la saco con la pala. ¡Así no puedo seguir...! Sé que te pasa algo y que no quieres contármelo. ¿Es que no confías en mí, Matilde?

La niña, sorbiéndose los mocos y moviendo distraída la salsa de la carne con la cuchara, respondió:

—Claro que confío en ti, Antón. Eres lo único que tengo en esta vida, ¿cómo no iba a confiar en ti?

Y le corrieron dos lágrimas por las mejillas, porque lo que decía era verdad: aquel aprendiz, aquel mocetón de cabello como la paja, ojos claros y brazos fuertes, era lo único que le quedaba en la vida. Y sabía que también iban a arrebatárselo.

—Si confiaras, me contarías lo que te ocurre, Matilde. Llevas semanas en que no te ríes y antes reías por cualquier cosa. ¡Cómo se me va a olvidar tu sonrisa cuando te regalaba los bollos de canela! ¡Y hace días que no veo esa sonrisa en tu cara!

Sólo veo lágrimas como ésas. ¡Y es que ya no eres tú, por Dios bendito!

Matilde Berraquero, sin embargo, había dejado de escuchar en esos instantes al aprendiz. La conversación de dos hombres que se sentaban en una mesa cercana, apenas dos más allá que ellos, cerca de los ventanales que daban a la calle Mesones, había llamado su atención. Había oído unas palabras que la habían sacado de su abstracción y de su pena. Fue como si una campana resonase en su interior. Y puso sus cinco sentidos en escuchar lo que decían.

—¡Pero es que ya ni me haces caso, ¿lo ves, Matilde?! —decía en esos momentos Antón Revuelta—. ¡Te hablo y no me escuchas, ¿lo ves?!

Y era cierto: Matilde no le escuchaba. Un rayito de luz había penetrado a través de las sombras de su desconsuelo. Y se dijo que tenía que aprehenderlo.

* * *

En el mesón nuevo de la Parra, Pedro y Jerónimo daban cuenta de un almuerzo opíparo. Habían quedado a la hora de comer en el mesón viejo, pero éste se hallaba atestado de escribanos, médicos, procuradores, letrados, comerciantes, mercaderes y clérigos que celebraban el fin de la Cuaresma.

Alemán e Hiniesta no habían podido conseguir mesa en aquel mesón y degustar sus exquisiteces, pero no por ello se quejaban de los platos que les habían servido en el mesón nuevo. Alemán pidió sopa fría de tomate con huevos duros y un róbalo al horno con guarnición de hortalizas que estaba exquisito. Hiniesta, que comía como un vikingo, pidió de primero pescados fritos y de segundo una pata de cordero asada con romero y yerbabuena. Entre ambos daban cuenta de un cantarillo de vino, el mejor del mesón.

—Pues eso es —decía en ese instante el personero—. En cualquier momento me notifican el escrito de acusación de don Laureano, el fiscal. Ya sabes de qué irá la cosa, ¿no?

—Me lo figuro —respondió Pedro de Alemán, admirando la carne blanca de róbalo—. Pena de muerte y escarnio público. Lo tengo asumido. Pero mira lo que te digo, Jerónimo, a ese muchacho, a Diego González, no me lo van a condenar.

Desde el martes, en que había estado durante la mañana con don Francisco Camacho de Mendoza recorriendo iglesias y conventos, el abogado de pobres había pasado las horas estructurando su defensa del paje del canónigo. Había dedicado cada minuto de su tiempo a ordenar sus ideas sobre lo que había acontecido realmente en Jerez durante el martes de Carnaval y a los acontecimientos previos que habían provocado la muerte del sacristanillo. Y creía haber tejido una trama de hechos y sucesos que, si no eran la verdad total, sí se le aproximaban mucho. Salvo la mañana del jueves, en que había tenido que atender a varios juicios de la oficina del abogado de pobres, el resto del tiempo lo había dedicado de forma obsesiva a la preparación de la defensa de Diego González. Tanto que, por primera vez en su vida, estaba ansioso por que le notificaran el escrito de acusación, para por fin poder dar forma a aquella defensa.

—Muy seguro te veo, Pedro —repuso el procurador mientras roía la pata de cordero con manos pringosas—. Y la seguridad no es buena amiga del abogado defensor. Hace que se pierdan las prevenciones y eso no es aconsejable. Pero, bueno, cuéntame los motivos de esa seguridad. Igual te viene bien. Cuando las teorías, en vez de ser pensadas, se exponen en voz alta, podemos descubrir los puntos débiles.

—Todo esto gira, Jerónimo, en torno a una falsificación de cuadros. De cuadros de Zurbarán —aseveró Alemán, cuidándose de bajar la voz aunque sin poder hacerlo en exceso dado el ruido ambiente del local. El personero dejó de roer la carne y se quedó mirando fijamente a su colega, sorprendido—. Y sé que hay dos nobles implicados, nada más y nada menos que el marqués de Gibalbín y el alguacil mayor. Y que el sacristanillo, de alguna forma que no te puedo explicar, descubrió que se proponían sustituir los originales de Zurbarán que estaban en capuchinos, en San Dionisio y en San Miguel, por réplicas. Por falsificaciones que había ejecutado un falsificador sevillano, un tal Ignacio de Alarcón. Jacinto Jiménez los estaba extorsionando y por eso se ordenó su muerte. Es la única explicación a la súbita fortuna del desgraciado.

—¿Y cómo coño sabes tú todo eso? —preguntó Hiniesta, patidifuso, dejando la pata de cordero a medio roer en el plato de loza—. ¡Joder! ¿Y cómo pretendes probarlo...? ¿Pero tú sabes la que se puede formar en Jerez si eso que me cuentas es verdad?

Pedro respondió a las preguntas del personero. Ni él ni Hiniesta advirtieron que, en una mesa cercana, una moza de ojos llorosos, pero guapa como un clavel, no perdía detalle de las explicaciones del abogado.

* * *

—Pero ¿es que no me vas a escuchar, Matilde? ¡Vamos, ya esto es lo último! ¡No sólo no me cuentas lo que te pasa, es que ya ni siquiera me escuchas cuando te hablo!

Antón miraba a su novia, y en sus ojos la desolación había sido sustituida por el enfado. Pero la mirada de la joven, ahora vivamente interesada en claro contraste con su indolencia de antes, seguía clavada en esa mesa cercana en la que dos hombres conversaban con voces amortiguadas que, sin embargo, eran distinguibles a tan corta distancia.

—¿Quiénes son esos hombres, Antón? —preguntó la manceba.

—Pero... ¿cómo...? ¿Que quiénes son esos hombres...? Pero... ¿ahora es que te fijas en otros, Matilde?

—No, no, no es eso. De verdad que no, no es lo que piensas. Y dime, ¿quiénes son?

—¿Y cómo quieres que lo sepa? ¡No tengo ni idea, Mati! ¿A qué viene esto?

—No es nada. Perdona.

Pero ella, aunque volvió la mirada al aprendiz, siguió escuchando aquella extraña conversación, procurando distinguir cada palabra entre el bullicio del local. Y su mente bullía en ideas e intenciones.

—Si no vas a comer, nos vamos —dijo Antón Revuelta.

—No, no, no nos vayamos todavía, por favor, Antón. Me apetece un postre. ¿Y a ti? Un flan sí me comería.

—Bueno, a lo mejor el azúcar te hace cambiar el ánimo.

Y llamó a la camarerilla, una moza pequeña que iba de mesa en mesa sirviendo platos, rellenando jarras y cobrando cuentas.

—¿Tienes flan?

—Claro. De huevo. ¿Traigo dos?

—Con uno va bien, gracias.

—Oye, niña —intervino Matilde Berraquero, haciendo señas a la moza para que se acercara y bajando la voz cuando lo hizo—. ¿Quiénes son esos dos hombres que están ahí sentados? No, ésos no. Los de la siguiente mesa.

La moza miró donde la manceba le indicaba, observó a aquellos dos hombres enfrascados en sus cosas y ajenos al interés de la joven y se encogió de hombros.

—No lo sé —respondió—. No son clientes habituales.

Matilde Berraquero sacó su faltriquera, extrajo un puñado de chavos y se los dio a la camarera.

—¿Podrías enterarte?

—Le puedo preguntar a maese Pedro —dijo, guardándose las monedas en el escote—. Ahora mismo vuelvo.

—De verdad que no entiendo nada, Matilde —dijo Antón, rendido—. No sé a qué viene esto, ni por qué preguntas por esos hombres sin importarte que yo esté aquí contigo, ni sé qué te pasa ni por qué no confías en mí. Vámonos, por favor.

La manceba miró fijamente al aprendiz. Sintió tanta lástima por él como la sentía por ella misma. Lo vio ahí, tan joven, tan enamorado, tan desconcertado y tan triste, y se le rompió el alma. Acercó su mano a la de él y se la apretó. Él no se resistió, pero no le devolvió el apretón.

—Antón, te quiero —le dijo, suave y profundamente.

—Pues vaya forma de querer la tuya...

—Todo se va a arreglar, te lo prometo. Confía en mí, aunque sólo sea por unos días. Y después te contaré todo.

Llegó la camarerilla, vivaracha y jovial, evitando más de un palmetazo en el culo y prodigando sonrisas y chascarrillos. Intentó ponerse seria al acercarse a la manceba y decirle:

—Que dice maese Pedro que el gordo no sabe quién es, pero que el otro es el abogado de pobres.

—¿El abogado de pobres? —preguntó Matilde.

—Ay, hija, claro —repuso la moza—. El que defiende de balde a los maleantes. Trabaja en la Casa del Corregidor.

* * *

Jerónimo de Hiniesta, después del postre, había pedido un chocolate caliente con buñuelos, y en ésas estaba, haciendo naufragar barquitos de buñuelos en el líquido espeso y humeante.

—Me falta algo, sin embargo —explicaba Pedro, como si hablara para sí mismo—. Tengo una hipótesis que sé que es cierta. Y creo que tengo al menos suficientes indicios para poner en duda a don Nuño. Pero, ya te digo, me falta un dato crucial: ¿quién es el individuo del chambergo? ¿Fue éste quien dio muerte al sacristanillo? ¿Y por orden de quién? ¿De don Raimundo? ¿De don Florián? ¿Y dónde están los cuadros originales? ¿Los han vendido? ¿Y a quién? Ya ves, Jerónimo. Creo que tengo una defensa sólida, sí, pero también preguntas a las que dar respuesta.

—Hum... —fue todo lo que dijo el personero, con la boca llena de buñuelos empapados en chocolate.

Pedro, absorto en sus pensamientos, no advirtió que, dos mesas más allá, dos jóvenes, un muchacho y una muchacha, se levantaban y que ella lo miraba fijamente. Siguió hablando, desgranando su tesis ante el procurador.

—Esa moza —dijo Hiniesta, tan dado a las viandas como a las hembras, a pesar de estar bien casado— te ha mirado que vaya, vaya...

El abogado de pobres no hizo caso del comentario del personero. Ni siquiera miró a los jóvenes que ya salían del mesón. Se limitó a decir, contemplando cómo su amigo tragaba, y sonriendo:

—Pero, Jerónimo, ¿cómo diantres te cabe tanto entre pecho y espalda?

* * *

Dos días después, el lunes por la mañana, Pedro de Alemán se hallaba en la oficina del abogado de pobres rodeado de papeles en los que había escrito anotaciones, preguntas, teorías, dudas, posibilidades. Le daba vueltas a las preguntas para las que no tenía respuestas y también a las respuestas que había dado a sus preguntas, para cerciorarse de que no cabía error. La cabeza le hervía como un hormiguero. Recordó aquellas palabras de su padre, aquellas cuatro palabras para las que don Pedro de Alemán y Lagos lo había preparado y, al mismo tiempo, de las que le había advertido: la soledad del abogado. La tremenda, insondable, profunda soledad del abogado cuando, solo frente al sumario, ha de encontrar el camino para proteger lo más preciado de otro hombre: su libertad, su hacienda... o su vida. Y en esa búsqueda no tenía a nadie, no disponía de más ayuda que la que sus conocimientos, su sabiduría, su experiencia le proporcionasen. No tenía más asideros que la propia fuerza de su mente. No tenía más esperanza que la propia confianza en sí mismo. Una soledad temible y al mismo tiempo enriquecedora. Una soledad que era la besana en la que habría de florecer, o agostarse, la semilla de aquella búsqueda. Un soledad tan grande que ni siquiera acompañaba.

Se llevó las manos al pelo para intentar alejar de sí esos pensamientos y volver a concentrarse. Revisó declaraciones, actas, listado de pruebas. Y fue así, mirando y remirando papeles y diligencias, que dio con la solución a aquello que le había inquietado desde el principio. Desde el primer momento de hacerse cargo de la defensa de Diego González, cuando tuvo ante sí las pruebas que incriminaban a su cliente, tuvo el pálpito de que había algo que no cuadraba. Y esa sensación lo había estado acompañando en las últimas semanas como una mariposa que revoloteaba a su alrededor y a la que no podía aprehender por más que manoteaba el aire. Y fue entonces, casi sin querer, cuando cayó en la cuenta de lo que lo aguijoneaba. Estaba ahí, a la vista, pero sin embargo hasta ese momento no se había dado cuenta de la incongruencia. La ropa blanca en el cajón de la cómoda, la daga ensangrentada... ¡Lo había tenido en todo momento a la vista, por Dios! ¿Cómo no se había dado cuenta antes? ¡Eso demostraba que alguien había colocado la daga en el cajón de Diego González mucho después de los crímenes!

Entusiasmado con su descubrimiento, se levantó y se dispuso a abandonar la Casa del Corregidor. Necesitaba hablar con el paje y con el canónigo don Francisco de Mesa y Xinete, hacerles partícipes de su hallazgo, alimentar sus esperanzas. No hablaba desde hacía tres días con ninguno de ellos, y entonces los había encontrado preocupados, sin convencerse del todo de los buenos agüeros que su abogado les quería transmitir. Llegaba ya a la puerta del despacho cuando ésta se abrió. Una cara joven, guapa a pesar de lo demacrado de la tez, asomó por aquella puerta.

—¿Da usted su permiso?

—Tengo prisa —contestó el abogado sin muchos miramientos—. ¿Qué quieres?

—Hablar con usted, si no es mucha molestia. Será sólo un momentito.

Pedro de Alemán miró a la joven que, tras pedir venia y sin esperar a que el letrado se la concediera, se había adentrado en la oficina del abogado de pobres. Tenía los ojos negros y grandes, una mirada brillante y cuerpo que se adivinaba voluptuoso bajo sus ropas de no demasiado mala calidad. Detrás de su juventud y su hermosura se vislumbraba que una congoja la angustiaba: el brillo de sus ojos podía ser un brillo de lágrimas, tenía las mejillas macilentas y el apresuramiento de quien conoce de cerca el miedo.

Por un momento, el abogado del concejo se acordó de Catalina Cortés y de tantas otras Catalinas Cortés ante las que se había hallado en situación que se le antojó parecida. Cerró con fuerza los ojos para espantar de sí aquellas imágenes, aquellas escenas que tantas horas de sueño le habían robado. Hizo un gesto a la niña, indicándole que tomara asiento en la única silla del despacho. Cuando lo hubo hecho, cuidándose de que las faldas le cubriesen los tobillos, el letrado preguntó:

—¿Qué te trae por aquí? ¿Alguien cercano a ti ha sido detenido? ¿Cómo se llama?

La niña se quedó por unos segundos desconcertada. Se recuperó enseguida y respondió:

—No, no. No tengo a nadie detenido. No es eso...

Y guardó silencio, sin saber cómo continuar.

—Pues ¿qué es lo que quieres? —insistió el letrado—. Ya te he dicho que tengo prisa. ¿Cómo te llamas?

—Matilde... Matilde Berraquero.

—Matilde Berraquero... ¿Y bien?

La joven cerró por un instante los ojos, como buscando palabras. Al fin, los abrió y dijo:

—Es usted el abogado de pobres, ¿verdad?

—Claro. Ésta es la oficina del abogado de pobres.

—El otro día le oí hablar... El sábado... Antes de ayer. Al mediodía... En el mesón nuevo de la Parra, en la calle Mesones. Estaba usted con otro hombre... Y le oí hablar...

—¿Me estás diciendo que te dedicaste a escuchar conversaciones ajenas? —preguntó el abogado, más divertido que escandalizado. Le hizo gracia el gesto acongojado de la niña, su tribulación que le dio rubor a sus mejillas, antes tan pálidas, y que iluminó su belleza—. Pues mira, jovencita, ¿sabes qué te digo?, que eso es una falta de educación. Y que es un descaro venir aquí a hacerme perder el tiempo contándome que oíste lo que no debías. Y a todo esto, ¿qué es lo que oíste? ¿Y por qué te interesan las conversaciones de los demás?

—Discúlpeme usted —rogó Matilde Berraquero, que no había notado la ironía en las palabras del letrado—. De verdad que fue sin querer... Yo estaba con Antón, con Antón Revuelta, mi novio, en una mesa al lado, y... y le oí a usted. ¡Le juro por la Virgen Santísima que fue sin querer! Y le oí hablar de cuadros y falsificaciones y yo... y yo...

Y Matilde Berraquero se echó a llorar. Se echó a llorar no por vergüenza, ni por miedo, ni por ansiedad. Se echó a llorar porque tenía el llanto que le hacía un nudo en la garganta y sólo cuando dejaba que las lágrimas brotasen libres y sueltas conseguía respirar. Se echó a llorar porque llevaba su vida como si fuera un peso que la oprimía y parecía que las lágrimas le ayudaban a sobrellevarlo. Se echó a llorar porque era lo que le pedía el alma.

El abogado la miró, descompuesto. Se había criado en una casa sin mujeres y apenas conocía sus llantos. Le hería ver llorar a una mujer. Y había visto a muchas llorando en el ejercicio de su profesión, pero ver no era igual que conocer. Y jamás había oído un llanto como ése, tan desbordado, tan profundo, tan sin medida. Aquella niña estaba aterrorizada. Aunque no, se dijo, no era aterrorizada, era otra cosa: mortificada, torturada...

—Pero ¿qué te pasa, chiquilla?

Pedro se levantó de su asiento, preocupado porque aquel llanto no tenía visos de cesar. Las lágrimas corrían por las mejillas de la niña, de nuevo lívidas, como un torrente desbordado. Se acercó a la manceba y le tomó las manos, que ella se había llevado a los ojos como si quisiera arrancárselos. Se imaginó a

Adela Navas afligida por una pena como aquélla y se dijo que ninguna mujer debería llorar de esa forma. Y así estuvo durante unos minutos interminables, agachado junto a ella, acariciándole las manos y diciéndole en voz baja palabras que pudieran consolarla: «Ya está, no pasa nada, tranquila, mujer, tranquila, cuéntame qué te aflige, ya está, deja de llorar, por Dios, y háblame...».

El llanto de la niña fue poco a poco amainando. Pedro aprovechó que las lágrimas escampaban para coger su silla y ponerla al lado de la de la niña. Y aguardó a que dejara de llorar. El llanto, que había sido silencioso, se convirtió en un hipido apagado y luego en un sollozo casi inaudible. Y al fin la niña dejó de llorar. Cuando miró al abogado de pobres, sus ojos eran líquidos como un mar oscuro.

—Usted... usted perdone... Soy... soy una tonta...

—No, no eres una tonta, mujer. Algo muy grave te aflige. Si quieres confiarme qué te ocurre, tal vez yo pueda ayudarte. Soy abogado, Matilde... ¿me dijiste que te llamabas Matilde, verdad?

La niña asintió, y las lágrimas volvieron a derramarse en sus mejillas. Pero se rehízo enseguida. Respiró con fuerza, como tragándose las lágrimas, como reuniendo las últimas fuerzas de su cuerpo joven pero tan maltratado, tan exhausto. Y entonces, sin tomar aire siquiera, le contó al abogado todo lo que la abrumaba: los abusos de don Alejo, la tristeza de Antón Revuelta, la rabia que ella misma se daba... Y todo lo que le había oído al cura colector de San Miguel: sus tratos con don Raimundo José Astorga Azcárgorta, marqués de Gibalbín, con don Florián Alvarado y López de Orbaneja, alguacil mayor del concejo, con Ignacio de Alarcón, el falsificador sevillano... Le habló de los cuadros que habían falsificado y de los ingleses —ella no recordaba esos nombres tan raros— que los habían adquirido. De los escudos de oro que habían obtenido con el fraude. De todo cuanto había retenido en su memoria por si algún día esos conocimientos la sacaban de su desdicha. Cuando acabó, volvió a echarse a llorar. Otra vez aquel llanto sordo, profundo, desconsolado.

Pedro, atónito ante esas revelaciones, no la interrumpió ni una vez. Sólo cuando pareció que el llanto de nuevo amainaba, se atrevió a preguntar con un hilo de voz:

—¿Y sabes algo del asesinato del sacristanillo de la colegial Jacinto Jiménez Bazán, Matilde?

La barragana miró al abogado con sorpresa, sorbiéndose los mocos. Pero, como no era tonta, preguntó:

—Ése es el crimen del que usted hablaba el otro día, ¿verdad? Yo no sé nada de ese hombre de quien usted me habla, de ese Jacinto... El páter jamás me habló de él. Pero todo está relacionado, ¿no es así?

El abogado asintió, pensativo. Y luego le hizo repetir a la manceba todo cuanto había dicho y tomó notas, para no perder detalle. Todo casaba. Ahí estaba la prueba que necesitaba. Pero estaba lejos aún de sentirse entusiasmado, de experimentar la euforia que se siente al ver cómo el círculo se cierra. Reflexionó en silencio, ajeno a la presencia ante él de la niña, que lo miraba con los ojos esperanzados pero sin atreverse a interrumpir sus cavilaciones. Se dijo que estaba en lo cierto: esos dos nobles habían contratado al sevillano Alarcón para que éste falsificara las obras de arte que el maestro Zurbarán había pintado para el convento capuchino, para doña Catalina de Zurita y Riquelme y para la parroquia de San Miguel. De una forma u otra, Jacinto Jiménez se había enterado de los planes de los veinticuatros y los había extorsionado. Probablemente, no supo parar a tiempo y ello le había costado la vida. La suya y de la su mujer y la del pobre Jacintillo. Los nobles habían dado la orden de que el sotasacristán muriese, y esa orden había sido ejecutada sin piedad por el hombre del chambergo. Estaba más cerca, lo sabía, pero aún tenía preguntas que responder. Pero lo que tenía era suficiente para una defensa sólida de Diego González, para evitarle el escarnio público y el patíbulo. Miró a Matilde Berraquero, que lo contemplaba en silencio.

—¿Serías capaz de repetir todo esto que me has contado ante el juez, Matilde?

—¿Usted me protegerá? —preguntó a su vez la manceba.

Y entonces Pedro cayó en la cuenta de lo que en verdad tenía entre manos. Ya no se trataba de proteger a Diego González, de defenderlo de una acusación amañada. Había más vidas en juego, porque quien había matado una vez —tres, en realidad— no iba a dudar ni un instante en volver a matar para proteger su anonimato y su impunidad. Y sintió miedo entonces. Miedo por esa niña que lo miraba con los ojos muy abiertos, miedo por cuantos serían llamados a testificar ante don Nuño: don Francisco Camacho, don Lorenzo Vargas-Machuca, Abelardo Peña, José Jiménez... Y por sí mismo. Sintió un repeluco que le hizo temblar la voz cuando preguntó a la manceba:

—Si vas a testificar, no creo que sea bueno que sigas en tu casa. Porque entiendo que vives sola, ¿verdad?

—Sí, en la calle Honsario.

—¿Tienes dónde vivir durante unas semanas, hasta el juicio?

La niña dijo que no con la cabeza y el letrado creyó que iba a echarse de nuevo a llorar. Pero entonces los ojos de la manceba se le iluminaron:

—Bueno, tal vez en casa de Antón —dijo—. Puedo pedirle que hable con sus padres... Quizá tengan sitio para mí.

—Pues hazlo. Y vuelve si tienes problemas. Y, por lo que más quieras, Matilde, que el cura no se entere de que has hablado conmigo. Ten mucho cuidado, mujer, por Dios te lo pido, que el asunto es realmente grave. ¿Cómo puedo ponerme en contacto contigo? ¿Cómo puedo saber dónde vivirás?

—Le diré a Antón que venga a verle. ¿Le parece bien?

—Claro que sí. Y que Dios te lo pague, chiquilla. Tal vez estés ayudando a salvar la vida de un inocente.

Ahora sí, Matilde Berraquero volvió a echarse a llorar. Y apenas se la pudo oír cuando balbució:

—Si por fin puedo hacer algo bueno en mi vida, tenga usted por seguro que no dudaré.

XLVI

HECHOS DE LA FERIA DE MAYO

Cuando el rey Alfonso Décimo, llamado el Sabio, conquistó la ciudad de Jerez de la Frontera el día 9 de octubre de 1264, festividad de San Dionisio, concedió licencia a los jerezanos para celebrar dos ferias anuales: una en primavera, en el mes de abril, y la otra en agosto, en los días previos a la vendimia. Y desde entonces ambas, aunque principalmente la de primavera, se habían convertido en acontecimientos célebres a los que acudían gentes de todas las partes del reino, e incluso de Francia, de Bretaña, de Inglaterra, interesados en el comercio de los productos ganaderos y agrícolas que afamaban a Jerez entre los que destacaban los caballos criados por los monjes cartujanos y los vinos.

Debido a que la Semana Santa se había conmemorado en ese año de 1753 bien entrado abril, la feria de primavera se celebró en la primera semana de mayo. Concretamente, desde el jueves día 2 hasta el domingo día 5. Tenía lugar en la plaza del Arenal, en los Llanos del Alcázar y en las calles aledañas, hasta el Egido, más allá del Humilladero de las Angustias. Además de los tratos comerciales había lugar para la diversión: magos, saltimbanquis y titiriteros alegraban a los niños, mientras que los mayores se recreaban con los juegos de cañas en los que participaban los distintos bandos nobiliarios de la ciudad, en las corridas de toros y en las carreras de los espléndidos caballos cartujanos. Y los nobles alquilaban los balcones y cierros del edificio de la Balconería, en la plaza del Arenal, junto a las Carnecerías, para desde allí contemplar, sin las molestias del pueblo llano, los espectáculos ecuestres y taurinos.

Y fue durante la feria de primavera que se precipitaron los acontecimientos que habrían de quedar grabados para siempre en la memoria de muchos jerezanos.

* * *

El primer día de la feria, jueves día 2 de mayo, Pedro de Alemán recibió una escueta esquela de don Francisco Camacho de Mendoza. En ella le hacía saber que, a su propia instancia, dos colegas suyos habían examinado las pinturas que, como de Zurbarán, se guardaban en el convento de los padres capuchinos, en San Dionisio y en San Miguel. Aunque estaba seguro de su criterio, quería que sus apreciaciones fuesen confirmadas por sus doctos camaradas. Los tres habían visitado de nuevo aquellas iglesias, habían contemplado durante largo tiempo las obras, las habían examinado con atención y todos ellos habían llegado a la misma y desoladora conclusión: todas eran falsificaciones. Magníficas réplicas, pintadas por un artista de indudable talento digno de mejores empeños, pero falsificaciones al fin y a la postre.

Eran esos colegas el retablista don Gonzalo Fernández de Pomar, maestro muy afamado, y el escultor de origen genovés, aunque afincado en Jerez desde pequeño, Jácome Vaccaro, que pese a su extremada juventud —apenas si contaba veinte años—, había tenido fama de niño prodigio y gozaba de excelente reputación.

Ambos, según Camacho de Mendoza, se ponían a disposición del abogado de pobres, querían ser útiles al interés del paje de alguien tan respetado para ellos como don Francisco de Mesa y Xinete y se ofrecían a deponer en el juicio si el letrado lo consideraba conveniente.

Fue el mismo jueves de feria cuando Jerónimo de Hiniesta hizo llegar a Pedro de Alemán el escrito de acusación que había formulado don Laureano de Ercilla, promotor fiscal, en el que imputaba a Diego González los delitos de homicidio y tenencia de armas blancas con propósitos criminales. En un escrito inusualmente prolijo, don Laureano relataba con pulcritud los hechos en que basaba su acusación, detallaba las pruebas que incriminaban al acusado, proponía pruebas y finalizaba con una petición de penas que con sólo leerla causaba pavor:

Y que luego que sea firme la sentencia, que por el delito de tenencia de armas blancas con propósitos criminales se le inflijan al acusado cincuenta azotes en el rollo de la plaza del Arenal, y que sea el dicho acusado sometido a pública exposición durante día y medio con la cabeza metida en una argolla.

Y que luego que sea firme la sentencia, y luego que el reo reviva de las heridas que por la pena que corresponde al primer delito se le pudieren haber causado, y acabada la exposición pública, que por el delito de homicidio, que lo es con agravante, pues fue cometido tres veces, una de ellas en la persona de un hombre joven y lerdo, y fue acompañado de fuga, que al acusado Diego González se le propinen doscientos azotes en el rollo de la plaza del Arenal, que tras los azotes sea sometido a vergüenza pública con dogal al cuello por las calles que se determinen, que se le inflija paseo bajo la horca y que le sea dada muerte por ahorcamiento en el patíbulo que se mande levantar.

Y que luego que sea muerto, que le sea amputada al cadáver la mano autora del crimen y que sean sus cuartos expuestos en caminos reales, para la pública admonición de cuantos vieren y oyeren. Y que por fin sean sus bienes confiscados y pasen a añadirse al tesoro real.

Y que de todo ello dé fe el escribano del cabildo por ser la justicia del rey nuestro señor.

Más de un día tardó el abogado de pobres en recuperarse de la consternación que el escrito de acusación de don Laureano le produjo. Esperaba, sí, la pena capital. Pero no esperaba tanta crueldad, tanta inquina en la acusación de alguien tan sereno y tan recto como don Laureano de Ercilla. Preveía un escrito firme pero clemente, y ni siquiera había perdido las esperanzas de que, en vez de la horca, la pena solicitada por el fiscal fuese la de leva forzosa o galeras durante un decenio o más. Pero ¡la mutilación del cadáver, su exposición pública...! ¡Por Dios...! Había aguardado el escrito del fiscal con ansiedad, deseando poder combatirlo, plasmar por escrito su defensa, deseando ver en negro sobre blanco las pruebas en las que tanto confiaba. Pero ahora lo abrumaba la responsabilidad. Sentía sobre sus hombros un peso que lo abatía y que llegó a hacerle dudar de sus propias potencias. ¿Había hecho bien en asumir la defensa en un caso de tanta envergadura? ¿Disponía de la necesaria experiencia? ¿Habrían sido ésas las penas solicitadas por el fiscal si la defensa la ejerciera don Luis de Salazar o don Juan Mateos Murillo? ¿Podría seguir viviendo si condenaban a su cliente?

El mismo jueves por la tarde caminó cabizbajo hasta la casa del canónigo don Francisco de Mesa y Xinete y comunicó el escrito de don Laureano al clérigo y a su paje. Se hallaban con ellos el ama de llaves y don Gerónimo de Estrada, un jesuita que era íntimo amigo de Mesa y Xinete y que era célebre en Jerez por su erudición y por ser sacerdote ejemplar; llevaba meses insistiendo, sin éxito, ante el concejo jerezano para que se recogiesen todos los objetos de valor artístico e histórico que había desperdigados por la población y se colocaran para disfrute común en las casas consistoriales. Al oír las noticias del abogado, Diego González intentó mantener la entereza, pero no pudo evitar que una lividez cadavérica se apoderase de su tez y que las manos le temblaran como a un anciano enfermo. Doña Ana Ledot de la Mota hacía esfuerzos por no echarse a llorar. Don Gerónimo de Estrada y don Francisco intentaron animar a Diego y también al abogado, a quien veían inquieto, casi sumido en zozobras, tan lejano del Pedro que tan sólo unos días atrás les había transmitido seguridad y confianza.

—Las tareas, cuanto más arduas son, más nos glorifican a los ojos del Altísimo, hijo —expuso el jesuita, con su voz melodiosa y dulce.

—Confiemos en Dios y en la justicia —dijo el canónigo, con la mano sobre el hombro del paje—. Todos sabemos que la inocencia no tiene nada que temer.

—Pero la justicia está en manos de hombres, don Francisco —expuso el ama de llaves, con la voz casi atrapada en sollozos—. ¡Y los hombres se equivocan!

—No podemos pensar en eso ahora, doña Ana —repuso el clérigo—. Diego es inocente, y eso es lo único que debemos pensar. Y hemos de confiar en la justicia de los hombres: tal vez no podamos esperar favor, pero tampoco atropello. Pedro, ahora que conocemos la acusación, dinos tu opinión, te lo ruego. Y habla con sinceridad.

Pedro tragó fuerte antes de tomar la palabra. Y aún tragando fuerte le costó unos segundos que la boca se le humedeciera lo suficiente para poder hablar.

—Con toda la sinceridad que usted me exige, les digo que debemos confiar —explicó el abogado del concejo, intentando aparentar mayor confianza que la que en verdad sentía—. Creo que podré demostrar la inocencia de Diego y la verdad de los hechos. Pero no puedo ocultarles que la acusación es grave. Grave no, ¡gravísima! Y que las penas que don Laureano pide son de extrema crueldad. Les digo ahora, y te lo digo especialmente a ti, Diego, lo mismo que le dije a don Francisco cuando me encomendó tu defensa en casa de don Bartolomé Gutiérrez: hay abogados más experimentados que yo. Hay, ¿por qué no decirlo?, abogados mejores que yo en Jerez. Aún estás a tiempo de cambiar de abogado, de buscar a alguien con mayor experiencia, con mayor prestigio y mejores contactos.

El paje vio, confundido, que todas las miradas se posaban en él. Don Francisco de Mesa y Xinete, tan decidido en casa del alfayate en su confianza en Alemán, parecía ahora dudar. Guardó silencio, con gesto reflexivo, mirando a su paje.

—Yo... yo confío en usted, don Pedro —dijo Diego González—. Sé lo que ha hecho por mí hasta ahora, sé con cuánta gente ha hablado, sé lo que ha descubierto y el tiempo que me ha dedicado. ¿Cree usted que un abogado más experto habría hecho lo mismo?

—Pues si es así —intervino el canónigo, que parecía aliviado porque la decisión la hubiese tomado su paje—, no hay más que hablar. Y además, queda muy poco para el juicio. No hay tiempo para cambios. Confiamos en ti, Pedro, hijo. Demuestra todo lo bueno que hay en ti y salva a Diego. Todos nosotros rezaremos para que así sea.

La noche del jueves apenas si durmió. Pedro no pudo conciliar el sueño hasta bien entrada la noche, fumando en la cama, levantándose cada dos por tres para consultar legajos, para anotar ideas, constantemente pensando en preguntas y en respuestas, en la forma de elaborar su escrito de defensa, en si dejar en él constancia de la versión de los hechos que creía en verdad habían acontecido o si limitarse a negar los sostenidos por el promotor fiscal, y en las pruebas que debería proponer. Y cuando al fin, rendido, le pudo el sueño, las pesadillas que lo acometieron le hicieron despertar exhausto y sudoroso.

El viernes no fue a la oficina del abogado de pobres. Se quedó en su bufete de calle Cruces y comenzó a redactar su escrito de defensa. En la inmensa soledad de quien sabe que sólo se tiene a sí mismo para una labor gigantesca. Ajeno por completo a la algazara que se filtraba desde la calle. Tras una larga reflexión, decidió negar simplemente los hechos que sostenía don Laureano y reservarse su versión para el juicio. Y no fue por miedo, fue por prudencia. Pidió la absolución de su defendido y propuso las pruebas que le habrían de servir para demostrar la inocencia de Diego González: su propio interrogatorio, las piezas de convicción y los documentos de su interés, y una larga lista de testigos: don Francisco de Mesa y Xinete; doña Ana Ledot de la Mota; Abelardo Peña; José Jiménez Cabanillas; Guadalupe Zambruno, la hetaira del mesón del Toro; el abad de los capuchinos; el rentista don Lorenzo Vargas-Machuca García; don Antonio de Morla, abad de la colegial; don Alonso Moreno Tamajón, canónigo magistral del cabildo colegial; don Francisco Gutiérrez de la Vega, canónigo racionero; el orfebre Lorenzo Moreno Valderrama; Ignacio de Alarcón, cuyo domicilio en Sevilla le había sido facilitado por Vargas-Machuca; don Francisco Camacho de Mendoza, el viejo escultor; sus colegas don Gonzalo Fernández de Pomar y el joven Jácome Vaccaro; el alguacil Tomás de la Cruz... Y, finalmente, don Alejo Suárez de Toledo, cura colector de la parroquia de San Miguel; don Florián Alvarado y López de Orbaneja, caballero veinticuatro, regidor del concejo y alguacil mayor de Jerez; y don Raimundo José Astorga Azcargorta, marqués de Gibalbín, caballero veinticuatro y regidor.

Cuando acabó el escrito de defensa, lo dejó que reposara durante más de una hora como si fuera un pastel o un cuadro cuya pintura hubiera de secarse. Al volver a leerlo, fue consciente de su responsabilidad, de que en ese envite se acababa el juego. Y fue también consciente de la marejada que se iba a desatar en la Casa de la Justicia y en buena parte de la sociedad jerezana cuando se supiera que uno de los curas relevantes de la principal parroquia de Jerez y dos de los mejores y más poderosos hombres de su concejo eran llamados como testigos en un juicio de asesinato. Y sin que aquel que los proponía desvelase ni su vinculación con los hechos ni sus propósitos.

Respiró hondo, como queriendo darse fuerzas para abordar la tormenta que se avecinaba. Intentó dejar a un lado los miedos que latían en los desvanes de su mente y salió de su bufete para hacer entrega al personero Jerónimo de Hiniesta de un escrito de defensa en el que se jugaba buena parte de su futuro, cuando no su propia vida. Porque Jerez, lo sabía, y sus caballeros eran enemigos poderosos. Y a dos de ellos se iba a enfrentar sin más arma que su palabra. Que tantas veces, cuando no siempre, es la única arma de los abogados. Pero, se dijo, cuando a lomos de la palabra cabalga la verdad, ¿qué hay que temer?

Sabía, empero, que esa pregunta era solamente retórica, porque la verdad era cristal quebradizo que de mala forma podía resistir los embates de los elementos si éstos se desataban.

El lunes siguiente a la feria de Jerez le llegó notificación del tribunal: el juicio quedaba fijado para el día 23 de mayo, miércoles, día de San Desiderio de Langres. Consultó el santoral y comprobó que San Desiderio había sido obispo en la Galia Lugdunense en el siglo cuarto de la era cristiana, y que se había dirigido a Croco, rey de los vándalos, pidiendo justicia ante el maltrato que por parte de sus guerreros se dispensaba a sus fieles. Lejos de recibir justicia, Croco lo condenó a muerte y, a pesar de su virtud y de su piedad, fue ajusticiado.

Cerró de un golpe el santoral deseando alejar de sí tan funesto presagio.

* * *

La mañana del viernes 17 de mayo de aquel año del Señor de 1753 había sido larga y complicada. Pedro de Alemán había tenido seis juicios de pobres, regusto de la recién acabada feria. El último de la mañana de ese viernes fue, de largo, el más complicado: dos trovadores, uno de Algeciras y otro de Lebrija, fueron sorprendidos por un alguacil mientras practicaban el pecado nefando en un callejón cercano al convento de San Agustín. Acusados de sodomía, se exponían a penas de suma gravedad. Desde los tiempos de Carlos Primero, por no decir desde siempre, la sodomía se castigaba severamente. En su *Constitutio Criminalis Carolina*, que había estado vigente en España hasta mediados del siglo anterior, tal delito se castigaba con la muerte en la hoguera.

¡Y a cuántos sodomitas había obligado la Santa Inquisición a lamer las llamas de la hoguera en el reino de España! Sin embargo, a partir de mediados del siglo diecisiete, la pena de muerte se había sustituido por penas de prisión o por condena a las ga-

451

leras reales. Los dos sodomitas a quienes Pedro hubo de defender se enfrentaban a penas de siete años de galeras. En el juicio no había más prueba que el testimonio del alguacil, que manifestó haber sorprendido a los dos bardos sobándose con los pantalones bajados en el Muladar Alto de la calle Guarnidos, afirmando que uno había penetrado a otro, un jovenzuelo afeminado de no más de dieciséis años de edad. Los dos vates afirmaban que simplemente estaban discutiendo y no efectuando impudicias. Pero sólo con oírlos hablar se convencía cualquiera de lo burdo de su versión. El abogado de pobres puso interés en su defensa, pues, más que asco, como a todos los presentes en el juicio, aquellos dos infelices le provocaban lástima. Sabía que no soportarían ni un año de galeras y que sus cadáveres acabarían arrojados al mar como fardos para alimento de los peces del Mediterráneo. Aunque sin invocarlo directamente, pues era un libro prohibido, adujo la teoría que en su tratado mantenía el franciscano Sinistrati d'Ameno: aun admitiendo que hubiese habido penetración, no se había demostrado que hubiese habido eyaculación, por lo que los hechos estaban mal tipificados. La sola penetración anal sin efusión de semen, sostuvo Alemán ante un exasperado don Nuño de Quesada y Manrique de Lara, no constituía una verdadera sodomía, si bien se trataría de un estupro cometido sobre el sujeto varón pasivo corrompido. El juez de lo criminal desechó la tesis del abogado con cajas destempladas: le advirtió de que no le consentiría trivialidades en su sala de juicios, que la teoría invocada era una solemne tontería y que, en cualquier caso, si pedía la condena de uno de sus clientes por haber estuprado al otro, para quien solicitaba absolución, mal estaba compatibilizando los intereses de ambos y mal estaba cumpliendo con sus deberes de defensa. Y condenó a los sodomitas: a seis años de galeras al que era de Algeciras y mayor de edad, y a tres años a quien era de Lebrija y menor de edad.

Acabados los juicios, y cuando el abogado de pobres se disponía a salir de la sala sin querer ni siquiera mirar las caras desoladas y aterrorizadas de sus últimos defendidos, que contemplaban a juez, fiscal, abogado, escribano y ujieres como si fueran criaturas del averno que los condenaban al infierno eterno, oyó la voz de don Nuño, que lo llamaba:

—¡Abogado, no se retire!

Pedro se giró, miró al juez, que seguía enfurruñado como había estado durante toda la mañana, y se dispuso a recibir la reprimenda del magistrado por su actuación en el juicio de los sodomitas.

Se acercó al estrado, saludó a don Nuño con un ademán de la cabeza y quedó a la espera de que el juez se dignase a dirigirle la palabra. Don Nuño, sin embargo, aguardó a que la sala se despejara: esperó a que los alguaciles regresaran a los sodomitas, que gritaban como delfines, a los calabozos, a que don Laureano y don Rafael Ponce de León se retiraran y a que el escribano don Damián Dávalos y Domínguez y los ujieres abandonaran la sala. Sólo entonces dirigió la palabra al abogado de pobres:

—¿A qué juega usted, letrado?

Su voz era grave y severa, al igual que su mirada. Bajo su nariz se distinguían restos del rapé que acostumbraba a aspirar. Llevaba en la mano el monóculo.

—Lo siento, señoría —contestó el letrado—. Me daban lástima esos infelices y creí mi obligación empeñarme en su defensa. Lamento que usted no comparta las tesis del padre Sinistrati d'Ameno.

—¿Y quién coño es ese Sinistrati, diantres? —exclamó el juez, para tremenda sorpresa del abogado. Don Nuño era un hombre que presumía de su rectitud y de su clemencia a partes iguales, pero que sobre todo cuidaba las formas. Jamás se le había oído exabrupto como ése ni en público ni en privado. Pedro se preocupó, pues. Y más aún cuando el juez continuó—: Y no me estoy refiriendo a este juicio, abogado. Así que respóndame: ¿qué pretende usted? ¿Convertir mi tribunal en un corral de comedias? ¿Subvertir a esta ciudad? Dígame, ¿qué es lo que busca?

Alemán, atónito, no supo qué responder.

—Si no es a este último juicio, no sé a qué se refiere usted, señoría —replicó, hecho un mar de dudas, aunque atisbando la razón de esas preguntas.

—¡No se me haga el inocente, señor de Alemán! ¡Pues claro que lo sabe! Me refiero a su escrito de defensa en el asunto de Diego González.

—¿Mi escrito de defensa? Pero ¿qué pasa con él, señoría?

—¿Cómo que qué pasa? ¡Ha propuesto usted como testigos en un juicio por el asesinato de un sacristanillo a un cura colector de San Miguel y a dos nobles, a dos caballeros veinticuatros, amén de un sinfín de personas que no sé ni qué relación guardan con ese maldito caso! ¡Maldita sea! ¿Qué es lo que pretende, si se puede saber?

Ahí estaba el primer nubarrón de la tormenta, se dijo Pedro. Y posiblemente, el más liviano, el más llevadero de todos los que quedaban por venir. Pues don Nuño, pese a su explosión de ira, no se atrevería a inmiscuirse en su labor como abogado ni a tomar medidas contra él. Creyó entender que, tras el arrebato, sólo subyacía el deseo de una residencia como juez sin sobresaltos.

—Pretendo que se haga justicia, señoría. Mi cliente es inocente.

La voz del letrado le había salido firme, convincente, mucho más de lo que él se sentía en su interior.

—¡A mí me importa un rábano que su cliente sea inocente, abogado! ¡Lo que sí me importa es que las cosas sigan un orden y que mi juzgado no se convierta en un teatro de títeres! Y usted parece estar dispuesto a hacerlo y a crearme un sinfín de problemas. ¡Citar a don Raimundo! ¡A don Florián! ¡Habrase visto!

Pedro decidió no arrugarse. Sostuvo la mirada airada del juez y dijo:

—Don Florián es el alguacil mayor del concejo y ha intervenido en la investigación del crimen. No me parece disparatado el que se le proponga como testigo, señoría. Lo raro es que don Laureano no lo haya hecho.

—¿Y don Raimundo? ¿También ha participado en la investigación...? ¡Por Dios, abogado!

Pedro guardó silencio unos instantes. Se pasó la mano por el pelo, alisándoselo. Fue entonces consciente del frío que hacía en la sala y de la quietud que los rodeaba. Fuera se oía llover. A pesar de que estaban en primavera, el día había amanecido gris y lluvioso, y frío como si, en vez de mayo, fuese un viernes de noviembre.

—Lo siento, señoría —dijo finalmente—. Con todos los respetos, he de decirle que no he hecho otra cosa que cumplir con mi obligación. Supongo que también conocerá usted la acusación del promotor fiscal y apreciará la gravedad de lo que se ventila. Es la vida de mi cliente lo que está en juego, señor. Y tanto como su vida, su salvación eterna. ¡Don Laureano solicita la exposición pública de su cadáver, cielo santo! ¡Y su desmembramiento!

Don Nuño miró fijamente a Alemán y poco a poco pareció ir tranquilizándose. Retiró luego la mirada de los ojos del letrado y la paseó por la sala, pensativo.

—No sé lo que se trae usted entre manos, abogado —dijo después—. Pero, sea lo que sea, creo que juega usted con fuego.

—Puedo explicarle mi...

Don Nuño levantó la mano, interrumpiendo al abogado de pobres.

—¡No quiero saber lo que trama usted, señor De Alemán! —expuso, alzando la voz—. Ni debo ni puedo ni quiero, hasta el día del juicio. Pero, mientras tanto, permítame que le diga una cosa, y no se lo tome como amenaza o conminación, sino como consejo de quien piensa que es usted un buen abogado y una buena persona. Pero demasiado joven, tal vez. —Don Nuño puso una mano sobre el antebrazo de Alemán. La retiró enseguida y continuó—: Retar a los poderosos no es juego de niños. Todo lo contrario, es maniobra arriesgada. Le he observado a usted, letrado, en decenas de juicios, y sé de sus capacidades, pero también de sus arrojos. Mas todo tiene un límite en esta vida, hasta la suerte. Es una lección que aprenderá con los años.

—Es la segunda vez que me advierte, señoría. Recuerdo sus palabras cuando el caso de doña Adela Rubio. No distaban mucho de éstas.

—Lo recuerdo, claro. Pero esta vez es diferente. Sí, muy diferente.

—¿Por qué habría de serlo, señor?

—Ya le digo que no sé lo que pretende ni quiero saberlo. Pero algo me huelo, sí. Algo me huelo. No entiendo mucho de leyes, como usted ya sabe, pero sí sé de la vida y de los hombres, que se conocen no por lo que piensan sino por lo que hacen. Y creo que quiere usted complicar el juicio y crear la confusión. Lo cual puede ser ardid astuto del buen abogado, del que puede obtener réditos. Pero, en este caso concreto, para sus juegos de manos ha elegido usted, en vez de ratones de bodega, serpientes, abogado, que no dudarán en morderle hasta dejarle sin sangre.

—La vida del abogado siempre es complicada, señoría —adujo Pedro—. Y se ve obligado a asumir riesgos, aunque no los desee. Porque se halla situado entre dos fuerzas contrapuestas: el interés de su cliente, por un lado, y la verdad y la justicia, por otro. Y el problema surge cuando el primero coincide con la segunda y ha de enfrentarse a la tercera. Porque usted, señoría, como hombre sensato que es, sabe que en muchas ocasiones, en más de las que quisiéramos, la verdad y la justicia no navegan en el mismo barco.

—Y mi misión como juez —repuso don Nuño, ya mucho más calmado, aunque con el semblante aún serio— es que ese barco no naufrague. Y de cualquier forma, letrado, ha olvidado usted una tercera fuerza, mucho más peligrosa y mucho más formidable: el poder, que casi nunca es pacífico. Y se lo digo como hombre de armas que soy. El poder, no lo olvide usted, señor de Alemán, es capaz de aplastar la verdad y la justicia como si aplastase a una hormiga. Y después irá a celebrarlo con vinos viejos y hembras de buen ver. Y ni tanto así de remordimiento. Así que tenga usted cuidado, muchacho. Consejo de viejo, por el que no he de cobrarle ni requerirle agradecimiento. El poder, no olvide mis palabras, abogado. ¡El poder! Y en la corte manda el rey nuestro señor, pero en los pueblos y ciudades mandan caballeros como don Raimundo y don Florián y clérigos como don Alejo. Así que piense bien en lo que va a hacer. Y ahora ya puede marcharse, don Pedro, que es tarde y hora de almorzar.

Y, sin más, se dio la vuelta y se introdujo en su despacho.

Pedro se quedó solo en la sala, meditabundo. Amortiguados por la distancia, desde la cárcel aún podía oír los gritos y lloros, desgarrados, de los trovadores sodomitas.

* * *

Don Raimundo Astorga Azcargorta, marqués de Gibalbín, apuró su copa de vino y se arrellanó en el sillón. Saboreó el oscuro líquido durante unos instantes, antes de tragarlo. Era un vino oloroso de una de las mejores bodegas jerezanas, con varios años de crianza. Un regusto de avellanas, de tabaco fuerte, de maderas nobles, le invadió el paladar. Dejó la copa sobre la mesa que se hallaba junto a él con un gesto de satisfacción.

—¿Cómo puedes estar tan tranquilo, maldita sea? —preguntó, exasperado, don Florián Alvarado y López de Orbaneja, alguacil mayor del concejo. Sentado en un sillón orejero en el salón de juegos de la casa del marqués, y frente al de Gibalbín, era un manojo de nervios—. ¿Y cómo se te ocurrió mandar a ese salvaje de Caputo a dar muerte al sacristanillo, Virgen Santa?

El Alvarado había ido a casa del marqués, alarmado con la citación a juicio de ambos, de Alarcón y del cura de San Miguel, y acababa de enterarse de lo realmente acontecido: de cómo el tal Jacinto Jiménez había intentado extorsionar al marqués, de cómo el Astorga había ordenado a su bravo acabar con el chantaje y de cómo había concluido todo. Y estaba descompuesto, sin creerse lo que su cómplice le había contado, pasmado por su relato y sobrecogido por esas muertes.

El marqués tardó unos segundos en responder. Miró fijamente a Alvarado, sonrió luego, y dijo:

—No le ordené a Caputo dar muerte a ese desgraciado. Y mucho menos a su mujer y al niño lerdo. Simplemente, le dije que actuara conforme a su criterio. Y si su criterio fue acabar con ellos de la forma en que lo hizo, ¿qué le vamos a hacer?

—¿Cómo que qué le vamos a hacer, Raimundo? Pero ¿tú sabes en el embrollo en que ese salvaje nos ha metido?

—No te recomiendo que repitas de nuevo eso de salvaje. Si te oye Caputo, no respondo de su reacción. De cualquier forma, para nada nos vale echar la vista atrás. Ahora tenemos que buscar soluciones. ¿Y dónde está ese maldito cura?

—Al llegar, pardiez. Le mandé recado y me aseguró que estaría aquí a eso de la una, cuando acabara las confesiones. Pero no sé qué solución nos podrá dar el colector. Somos nosotros quienes tenemos que ir pensando qué hacer, qué medidas tomar. Quedan unos pocos días para el juicio, y si nada lo remedia, tú y yo, y ese imbécil de don Alejo nos veremos en el estrado de los testigos respondiendo a las preguntas de ese dichoso abogado, Alemán o como diantres se llame. Que no sé yo cómo ha barruntado nuestra implicación en el asunto, el muy hijo de puta. ¿También quieres, marqués, unir a nuestra retahíla de delitos el de perjurio?

—No llegaremos a eso, descuida. ¿Más vino?

Marqués y alguacil mayor se hallaban solos en la estancia de la mansión. El de Gibalbín llenó las copas de ambos, sirviendo el fragante líquido de una botella de cristal labrado.

—Lo que nos urge —dijo el Astorga, después de saborear un largo trago de vino— es saber de dónde proviene la filtración. Tengo la certeza de que desde esta casa nada ha salido: ni el bravonel ni yo, los únicos que estamos al tanto del asunto, hemos dicho una palabra. Evidentemente. Ni hemos comentado nada con nadie ni hemos permitido una indiscreción. Lo mismo supongo en lo que a ti respecta, Florián.

—¡Por supuesto! No tengas ni la menor duda. ¡Aparte de que sabía de la misa la mitad, por todos los santos! —Respiró con fuerza, intentando calmarse; luego continuó—: Ahora bien, con respecto a Caputo, ¿cómo puedes estar tan seguro? Nunca me fie de esos bravos que dejan el regimiento y prometen nuevas fidelidades. No sé, no sé...

—Por ahí puedes estar tranquilo. Pongo la mano en el fuego por el bravo. A él le va más que a nosotros en el envite. Fue él, en definitiva, quien empuñó la daga y quien colgaría de la soga si se delata. ¿Has examinado la lista de testigos? —preguntó el marqués, tomando de la mesa una copia del escrito de defensa de Pedro de Alemán.

—Mil veces, desde que don Damián me la hizo llegar —dijo el alguacil mayor, refiriéndose al actuario don Damián Dávalos y Domínguez—. Y cada vez que lo he hecho, no he dejado de preguntarme cómo demonios ha podido el abogado de pobres llegar a saber tanto. ¿Cómo ha podido saber de nosotros? ¿Y del cura? ¿Y de Ignacio de Alarcón? ¡Es de locos, por Dios!

—Todo tiene respuesta, o habrá de tenerla. Si repasas la lista, verás que propone al canónigo Mesa y Xinete, al abad, a otros canónigos, al ama de llaves, al hijo del muerto y al campanero de la colegial; todos estos nombres son previsibles y, sobre todo, nada tienen que ver con nosotros. Los problemas empiezan a continuación. Tenemos, en primer lugar, a don Lorenzo Vargas-Machuca.

—El dueño de la casa de la calle Évora, la que el sevillano alquiló. A través de él ha podido dar con Alarcón. Pero la pregunta es ¿cómo ha podido Alemán llegar a saber de lo que se traía entre manos el sevillano?

—He sabido que don Lorenzo es cliente de ese abogado; intervino en un conato de divorcio que después quedó en nada. Continuemos: Guadalupe Zambruno. ¿Qué has sabido de ella?

—Se la cita en el mesón del Toro —explicó Alvarado—. Es una puta. El muerto solía frecuentarla. ¿Crees que pudo contarle algo?

—No lo sé, pero lo sabremos. Hablaremos con Caputo para que le haga una visita. Aunque creo recordar que algo me dijo el bravo acerca de esa tal Guadalupe, no sé... El siguiente en la lista es Lorenzo Moreno Valderrama. Es un platero. ¿Qué diantres pinta este hombre en esta historia?

—Uno de mis alguaciles le hará una visita hoy mismo. Ya te informaré. Pero por ahí podemos estar tranquilos: no sabe nada de nosotros ni tiene ninguna relación ni contigo ni conmigo ni, espero, con el cura.

—Don Francisco Camacho de Mendoza —leyó el de Gibalbín—. Es un viejo artista de Jerez. Supongo que su testimonio estará relacionado con los cuadros. Al igual que don Gonzalo Fernández de Pomar y ese tal Jácome Vaccaro, un jovenzuelo con ínfulas. Y el abad de capuchinos. Pero no pueden vincularnos con las pinturas.

Siguieron repasando la lista, deteniéndose en cada nombre y elucubrando con las intenciones del letrado al proponer el testimonio de cada uno de los restantes testigos. Y llegaron, por fin, al más enigmático de todos ellos: Matilde Berraquero.

—¿Quién es Matilde Berraquero, Florián? —preguntó el de Gibalbín.

Al alguacil mayor no le dio tiempo, sin embargo, a responder a esa pregunta. Tampoco habría podido, pues todas sus pesquisas habían resultado infructuosas. Esa mujer no estaba empadronada en Jerez, ninguno de sus alguaciles sabía nada de ella y su nombre no figuraba en ningún documento público. Y no había tenido tiempo para más.

—Excelencia, ha llegado el reverendo —interrumpió el mayordomo del de Gibalbín.

—Hazlo pasar —ordenó el marqués.

Don Alejo Suárez de Toledo entró en el salón de la casa como alma en pena, como derrotado trasgo. Su mala planta era ahora más que mala, era pésima. Lamentable. Andaba como si estuviese a punto de perder el equilibrio, como un viejo. Tanto que el mayordomo hizo ademán de sujetarlo por el codo, aunque luego desistió. Se le veía más jorobado, más hundido, como si no pudiese con el peso de sus hombros. Su piel aparecía estragada, blanca como tiza, churretosa en las mejillas. Y sus ojos despedían un relumbre de angustia rayano en la demencia.

Ambos veinticuatros se levantaron de sus sillones para recibir al cura colector de San Miguel. Y lo hicieron con extrañeza, asombrados por el aspecto del clérigo. Don Florián, que no dejaba de mirar al páter con ademán sorprendido, asió la mano de don Alejo e hizo el gesto protocolario de llevársela a los labios. Don Raimundo, marqués que era, se limitó a saludar al páter con un gesto de la cabeza. Le ofrecieron asiento y vino, que el cura aceptó sin decir palabra. Se dejó caer en un sillón que pareció tragarlo y apuró la copa de vino que el de Gibalbín le ofreció de un solo buche, y ni aun así su tez adquirió color. Luego, cuando el mayordomo los hubo dejado solos, el marqués preguntó:

—¿Se encuentra usted bien, reverendo? Tiene mala cara.

El cura tosió, como si tuviese que liberar su garganta de flemas para poder hablar. Después dijo, rebosante de aprensión la voz:

—¿Han recibido también ustedes la citación del tribunal?

Ambos caballeros asintieron al unísono. Pero fue don Raimundo quien habló, y en su voz latía un deje de intimidación que hizo que el cura se encogiese aún más en su asiento.

—Y tanto don Florián como yo nos preguntamos cómo hemos podido ser vinculados con ese juicio, don Alejo.

El cura buscó un lugar de la estancia donde fijar la mirada. Pareció encontrarlo en un bodegón que colgaba de la pared de enfrente de donde se sentaba. En el cuadro, entre coles, cebollas, puerros y una jarra de arcilla, los ojos de una liebre muerta se asemejaban a los del clérigo.

—También yo... yo me lo pregunto, ca... caballeros —argumentó, con un hilo de voz.

Marqués y alguacil mayor contemplaron al cura, chocados por la ruina de su aspecto, la congoja que lo abatía, la tremenda angustia que no podía estar tan sólo justificada por haber sido citado a juicio por don Nuño de Quesada.

—Le pregunté antes, padre, si le ocurría algo. Y no me respondió. Le veo muy... ¿cómo diría yo...? afectado. ¿Podemos saber qué sucede?

—No, na... nada. La citación, ¿saben ustedes? Es normal que me sienta algo nervioso, ¿no creen? Después de todo, no estamos acostumbrados a que nos llamen a juicio. ¡A un juicio criminal! Al menos yo no lo estoy, caballeros. Sólo es eso lo que me ocurre. ¿Un poco de vino, por favor? ¿Puedo?

—Claro, sírvase usted mismo.

Don Raimundo y don Florián aguardaron en silencio a que el cura se sirviera y bebiera. Volvió a ingerir de un solo trago el fragante néctar de su copa, que había colmado de vino hasta el borde. Luego, intentó esbozar una sonrisa, que le nació torcida y oscura, y con un gesto de las cejas y alzando su copa preguntó al marqués si podía abusar de su generosidad y servirse más vino. El marqués asintió, también sin decir palabra, y observó con intriga cómo el clérigo volvía a apurar el vino oloroso.

—Está bien —dijo al cabo el de Gibalbín—. Confiemos en que sólo sea eso. Estábamos repasando la lista de testigos propuesta por el defensor del paje, páter. Y tal vez usted pueda ayudarnos. Hay testigos que no conocemos.

—Si no los conocen ustedes, señores, poderosos veinticuatros, ¿cómo iba a conocerlos yo, humilde cura colector?

—Matilde Berraquero.

Astorga Azcargorta había escupido el nombre de la mancebita como quien apretaba el gatillo de un arcabuz. Sin alzar la voz, pero ni falta que le hizo: habló con un tono firme, acusador. Fue una intuición, el presentimiento de que ese cura, con fama de concupiscente, de costarle un mundo mantener su voto de castidad y fracasar vez tras vez en el intento, conocía ese nombre que ni a él ni al alguacil mayor les decía nada. Y contempló con gesto torvo cómo al cura se le demudaba aún más la tez, cómo le temblaban los labios, cómo se le humedecían los ojos, cómo comenzaba a sudar a pesar de que el gran ventanal de la sala estaba abierto y entraba una brisa suave que refrescaba el ambiente.

—Dios mío.

Eso fue todo lo que el cura colector de San Miguel acertó a decir. Y lo dijo con tono bajo y destemplado, mientras se llevaba

ambas manos a la cabeza y enterraba la mirada en el suelo aje-
drezado del salón.

—Dios mío —repitió. Y añadió—: ¿También Matilde ha sido
llamada como testigo?

Veinticuatros y clérigo quedaron en silencio. Durante unos
instantes sólo se oyó en la estancia la respiración agitada del páter, a quien parecía faltarle el aire. Don Alejo se atrevió a mirar a
los veinticuatros durante unos segundos que se le hicieron eternos, y el silencio de ambos respondió a su pregunta. Luego volvió a hundir la mirada en el suelo, desparramándola, incapaz de
encarar la de sus secuaces. Musitaba en silencio, para sí, palabras ininteligibles.

—¿Quién es Matilde Berraquero? —preguntó, poniéndose
en pie, don Florián. El timbre de su voz no admitía objeción: era
imperativo, perentorio. Si hubiera llevado daga al cinto, sin
duda el alguacil mayor la habría esgrimido para conseguir que
ese clérigo plañidero contase lo que sabía.

—Tranquilízate, Florián. Y toma asiento.

El alguacil tardó unos segundos en obedecer al marqués.
Tomó asiento, pero sin dejar de mirar con el semblante encendido al cura, que seguía musitando incoherencias, al borde
del llanto. Los ojos de Alvarado eran carbones incendiados.
El de Gibalbín se inclinó, cogió la botella de vino y rellenó la
copa del cura. Se la ofreció y el páter la asió con manos trému-
las. Derramó el líquido al llevárselo a los labios y apurar la
copa.

—Y ahora, páter, díganos —insistió el marqués, intentando
mantener la calma—, ¿quién es esa Matilde Berraquero? ¿Qué
tiene que ver con usted? ¿De qué la conoce?

—No sé dónde está —fue lo que el cura, sollozante, consiguió responder—. ¡Llevo días buscándola como loco! ¡Y no consigo dar con ella! No sé nada de ella desde la semana pasada...
¡Dios mío, mi Matildita, ¿qué le habrá ocurrido?!

—¡Por Dios! —exclamó don Florián, con gesto de asco, ambas manos en los brazos del sillón como si estuviese presto a sal-
tar al cuello del páter y estrangularlo, y dirigiéndose al marqués
de Gibalbín—: ¡Esa Matilde como se llame es la barragana de
este desgraciado! —Y poniéndose en pie, amenazante, imprecó—: Pero ¿en qué lío nos ha metido, miserable?

—¡Florián, contente! —exclamó Astorga, poniéndose a su vez en pie y sujetando con ambos brazos al alguacil mayor, que se abalanzaba hacia el clérigo—. Hemos de mantener la calma. Siéntate, te lo ruego. —Y cuando consiguió que Alvarado se tranquilizase y regresase a su sillón, añadió—: Y usted, padre, deje de llorar de una puñetera vez. No es momento de gimoteos, sino de soluciones. Y explíquese, hombre de Dios. ¿Quién es Matilde Berraquero? ¿Y qué es lo que sabe?

Marqués y alguacil lograron al fin que el cura hablase. Lo hizo de forma entrecortada, a veces enrevesada, otras incoherente, hipando cada dos por tres, hasta que los veinticuatro obtuvieron una imagen más o menos nítida, más o menos fiel, de lo que había ocurrido: esa Matilde Berraquero era, ¡así se la llevara el diablo y al páter también!, la barragana de don Alejo. Y llevaban años amancebados, pecando contra la ley de Dios y la de los hombres. ¡Y lo más grave era que ese cura rijoso y ruin decía estar enamorado y aseguraba que también la concubina lo estaba de él! ¡Dios bendito! ¿Quién iba a poder enamorarse de esa piltrafa de hombre?

—¿Le contó usted algo de las pinturas, páter? —preguntó el de Gibalbín, llameante, procurando que la cólera no se le trasluciese en la voz.

El cura negó una, dos, tres veces, como San Pedro cuando el canto del gallo. Pero, por fin, después de mucho atosigarlo, marqués y alguacil consiguieron que se descubriera: en una ocasión, explicó el clérigo, que a esas alturas del cuento ya era poco más que un despojo, cuando la mancebita lo amenazó con dejarle, le regaló una bolsa de monedas, y creía recordar que algo le habló de sus planes.

—¿Nombres? —interrogó Alvarado, colérico—. ¿Le dio usted nuestros nombres? ¿Le habló de nosotros?

No hizo falta que el cura respondiera. Se echó a llorar y con su llanto lo dijo todo. Lejos de conmoverles sus gimoteos y sus súplicas, los caballeros siguieron abrumando al páter hasta que lo exprimieron como a una esponja. Y les refirió todo, sin guardarse nada: sus erráticos sentimientos, sus revelaciones a la manceba, sus desahogos con ella, sus inconcebibles perversiones, lo que había hecho con la muchacha, el hijo que le había robado, las joyas que le regaló, sus promesas... Y la súbita desaparición de Matilde, a quien no veía desde el viernes de la pasada semana. Y la había buscado por todas partes, con desesperación.

Cuando ya no tuvo nada más que contar ni los veinticuatros nada más que preguntar, el cura colector de San Miguel se derrumbó en el sillón, exhausto, mirando ora al marqués, ora al alguacil, temiendo lo que esos dos poderosos caballeros, que lo contemplaban con gesto que era mitad repugnancia y mitad furia, pudieran hacer con él.

Don Raimundo, sin embargo, lo tranquilizó. Dio orden a su mayordomo de que preparase el coche de caballos para llevar a don Alejo a su casa de la calle de las Novias. Le aconsejó que no hablase con nadie, que no saliese de su casa si no era imprescindible, que no buscase más a la manceba y que quedase a la espera de sus instrucciones.

—¿Qué nos va a pasar? —se atrevió a preguntar el páter antes de que el mayordomo regresase—. ¿Qué vamos a decir en el juicio?

—No se preocupe, padre. Y, como le digo, espere nuestras noticias. Tenga la seguridad de que no va a ocurrir ningún infortunio. Nosotros nos encargaremos de todo.

Poco después, el cura colector abandonaba la sala, siguiendo en silencio al mayordomo del de Gibalbín. Arrastraba los pies, seguía farfullando desatinos en voz baja, y lo último que se le oyó antes de salir fue un «Dios mío» desesperado.

Marqués y alguacil quedaron en silencio cuando estuvieron a solas. Don Florián continuaba con la mirada inflamada de cólera, mirando la puerta por donde el cura había abandonado el salón, como planteándose si seguirlo y darle una paliza de muerte. Don Raimundo, en cambio, parecía perdido en sus propios pensamientos. Al cabo, se levantó, fue por otra botella de vino del aparador y llenó los vasos de ambos. Bebieron sin hablar hasta que el alguacil mayor preguntó:

—¿Y qué diablos vamos a hacer ahora?

—Todo, menos perder la calma —fue la respuesta del de Gibalbín.

—Deberíamos acabar con ese cura ahora mismo.

—El cura no hablará, por la cuenta que le trae. Quien ha de preocuparnos es la manceba. Si ha hablado con el abogado, como hemos de suponer ha hecho, hemos de temer lo peor.

—¡Cura imbécil! —masculló el Alvarado y López de Orbaneja—. Nunca me gustó confiar en curas a la hora de hacer negocios, maldita sea. ¡Mira el embrollo en que ese desgraciado nos ha metido!

—Matilde Berraquero —susurró el de Gibalbín, con la voz como el silbido de una serpiente—. Hay que dar con ella. Pon a tus alguaciles a ello de inmediato.

—Ordenaré que se intensifique la búsqueda. Pero no confíes en exceso: llevan dos días rastreándola, intentando saber quién es, y hasta ahora su paradero es un misterio. El abogado no ha indicado su domicilio en el escrito de defensa; asegura que ella se presentará ante el tribunal el día que se señale.

—¿Confías en tus alguaciles?

—En casi todos. Especialmente en Benito Andrades. Sería capaz de bajar al infierno si se lo mando.

—Diré también a Caputo que la busque. Él tiene sus propios métodos.

Don Florián, al oír el nombre del bravonel, dio un respingo en su asiento.

—¡Raimundo! —exclamó—. ¿No estarás pensando en lo que... en lo que... en lo que estás pensando, verdad?

—Ya te he dicho que el bravo tiene sus propios métodos. Pero no será preciso que llegue a mayores, bastará con que la silencie.

—¿Qué quieres decir con que la silencie, marqués? ¡Ese Caputo es un desalmado, lleva la muerte en sus ojos!

—Sabré cómo pararlo, Florián, descuida.

—Pues espero que así sea. ¡Pero que sepas que ni tuve nada que ver con las muertes del sacristanillo y su familia, ni quiero tener nada que ver con la suerte de esa barragana! Así que a ver cómo te las avías.

Cuando don Florián abandonó el salón de la mansión del marqués, éste guardó silencio durante un buen rato, perdido en reflexiones, contemplando sin verlos cada objeto de los muchos que adornaban la lujosa estancia. Al cabo, hizo sonar la campanilla para llamar al mayordomo, aguardó a que éste apareciese en el dintel de la puerta, y sin mirarlo, contemplándose fijamente la uña del dedo pulgar de la mano derecha, ordenó:

—Busca a Caputo. Que venga inmediatamente.

* * *

465

—Matilde Berraquero. En la calle Honsario.

El bravo miró al marqués, se sacó con dos dedos de la mano derecha la bola de tabaco que mascaba y la depositó sin miramientos en una bandejita de plata que había en la mesa que separaba a ambos. Luego, sin pedir venia de su amo, se inclinó para coger una copa de la mesa y llenarla de vino, que saboreó sin apartar la mirada de la del de Gibalbín.

—Deme los detalles.

Don Raimundo masculló por lo bajo. ¿Cuándo iba a conseguir que ese condenado cuartelero le pidiera las cosas por favor? Decidió no entrar en recriminaciones, hizo de tripas corazón y contestó a la pregunta del bravo:

—No sabemos mucho de ella. Vino de Torremelgarejo hace ya algún tiempo, se topó con el cura colector de San Miguel don Alejo Suárez de Toledo y desde entonces ha vivido en una casa de la calle Honsario como su manceba. Está o ha estado medio ennoviada con un tal Antón Revuelta, aprendiz en la tahona que un tal maese Mateo tiene abierta en la plaza Quemada. No se le conocen familiares en Jerez ni otras relaciones. Ese tal Antón Revuelta vive en la calle Caracuel, con sus padres. La niña es guapa, según dice el cura, ojos negros, talla media, algo así como cinco pies y algunas pulgadas, ni gorda ni delgada y buen cuerpo. Y eso es todo.

—Que tampoco es mucho, marqués.

—Pues ha de bastarte.

—¿Y qué quiere usted que haga si la encuentro?

—Conseguir que no hable —explicó el de Gibalbín—. No está citada al juicio, sino que se ha comprometido a comparecer en el día que se señale, según dice el abogado en su escrito de defensa.

—Conseguir que no hable... —repitió el bravonel, sin dejar de mirar fijamente al marqués—. ¿Y qué medios para tal fin me habrán de ser consentidos? No quiero luego reprobaciones ni disgustos como ocurrió cuando lo del sotasacristán.

Astorga contempló a su bravo. Observó la musculatura de su pecho, que, sentado en la silla, parecía fuese a hacerle estallar las costuras del jubón que vestía, a la antigua usanza; sus dientes de oro, que relumbraban tras la media sonrisa del sicario; su cara picada de viruelas, el negro mostacho que disimulaba la enorme cicatriz hasta hacerla casi invisible, el desprecio por todo y por todos que le rebosaba en los ojos. Se quedó el marqués meditando, sopesando sus opciones, los pros y los contras, las consecuencias de su respuesta. Después de un largo silencio que al bravo se le debió de antojar divertido, pues agrandó su sonrisa, dijo el de Gibalbín:

—Lo dejo a tu criterio.

Andrés Caputo convirtió su sonrisa aviesa en una carcajada sorda. Apuró la copa de vino, la dejó en la mesa, cogió de la bandeja de plata la bola de tabaco de mascar, volvió a metérsela en la boca y se levantó:

—Entendido, marqués. Ya tendrá noticias mías —declaró.

Y sin más, se marchó del salón de la mansión de don Raimundo. Éste se quedó solo, sumido en sus pensamientos. Cogió una aceituna de un platillo y la masticó despaciosamente. Luego, arrojó el hueso en la bandeja donde el bravo había depositado antes el tabaco mascado. Encendió un puro y dejó que su aroma llenase la estancia y se llevase el olor del bravonel, que era ácido y picante, y se dedicó a pensar en las limosnas que debería depositar en el cepillo de San Mateo, en las misas que debería pagar, en los escudos que debería donar al hospital de la Sangre y en los padrenuestros que debería rezar para que sus pecados le fueran perdonados. Después, ya más tranquilo, cierto de que el Caputo le resolvería sus problemas, llamó a su mayordomo y le preguntó qué había para almorzar.

XLVII

El bravonel del chambergo

—¿Ha vuelto por la tahona?

Matilde Berraquero, más blanca la tez de lo que en ella era habitual después de varios días sin que le diera la luz del sol, se abalanzó hacia su novio en cuanto lo vio aparecer por la puerta de la pequeña buhardilla que habitaba en casa de sus padres, en la calle Caracuel, junto a la iglesia de San Pedro y a poca distancia de donde trabajaba el aprendiz. Era sábado, día 18 de mayo, por la noche. Antón Revuelta volvía de la tahona de la plaza Quemada cansado, sudoroso, oliendo a harina y a humo del inmenso horno de maese Mateo. Antón la besó en la mejilla antes de responder a su pregunta y luego se dejó caer en la pequeña piltra de la manceba. Se le veía, además de cansado, preocupado, intranquilo.

—Hoy no ha aparecido, Matilde.

—¡Loado sea Dios! —exclamó la niña—. Igual ese cura se ha cansado de buscarme, Antón.

—Tal vez sí —respondió el aprendiz—. Pero no estoy tranquilo. Deberías dejarme que hable con maese Mateo, pedirle que él vaya a ver al párroco de San Miguel, a don Ramón, que tiene fama de hombre recto y cabal. No hay derecho, Matilde, a que ese cura odioso te siga atosigando.

Matilde Berraquero no le había contado a Antón Revuelta la verdad. No había podido. Y no sólo por temor al fin de su relación, sino sobre todo por temor al daño que podría hacerle si le contaba esa sórdida verdad, si le reconocía que había yacido con el cura, que se había sometido a sus deseos, perversos y viles, a cambio de dinero, que se sentía sucia como rata de muladar, que

469

no era digna ni de su inocencia ni de su amor. Porque Antón Revuelta estaba cada día más enamorado de ella y ella ya también reconocía su amor por él. Y tenía miedo por todo. Por él, por sí misma, por el amor que empezaba a unirlos. Se había limitado a relatarle, con pocas palabras y semblante mohíno, que a través del páter había entrado en conocimiento de una información relevante para un juicio por crímenes horrendos que en pocos días habría de celebrarse en Jerez, que había sido citada como testigo y que el abogado le había advertido de la conveniencia de no ser hallada hasta que testificara. Y que no le podía garantizar que hasta entonces no corriese riesgo. Antón Revuelta, tan grande como bueno, nada convencido de las explicaciones de Matilde, pero predispuesto a hacer cuanto la niña le pidiera, había accedido a sus ruegos de que no hiciera más preguntas, de que no intentara saber más, pues todo conocimiento más profundo no haría sino ponerle en peligro, y había consentido en hablar con sus padres para que durante unos días dieran refugio a su novia en la buhardilla de la pequeña casa que compartían en la calle Caracuel. Y allí, encerrada entre las cuatro paredes del párvulo desván, se hallaba desde entonces Matilde Berraquero.

—No merece la pena, Antón —repuso la barragana—. Seguro que en cuanto pasen unos días se cansa, si es que no se ha cansado ya, y deja de molestarnos. Y si no, nos vamos de aquí, Antón, tú y yo. Lejos, muy lejos. A El Puerto, no sé; o a Sanlúcar... ¡O a Cádiz, Antón, que dicen que es preciosa! ¡Los barcos, el mar...! ¿Por qué no, vida mía...? Pero te veo inquieto, Antón...

El aprendiz contempló el techo de la buhardilla, inclinado y amenazante, y lleno de manchas. Luego posó la mirada en la mancebita, volvió a decirse para sí lo guapa que era, lo linda que estaba, con ese vestido amarillo, sentada en la cama, mirándolo con ojos preocupados. No quiso aumentar sus turbaciones, pero, casi sin pensarlo, le preguntó:

—¿Conoces a un tipo muy raro, con un bigote muy grande, algunos dientes de oro y un sombrero chambergo?

La moza miró a su novio como si éste le hubiese hablado en latín.

—¡Pero si yo no conozco a casi nadie en Jerez, Antón! —respondió—. Quitándote a ti, a tus padres, a maese Mateo y a una vieja de la calle Ceperos, no conozco a nadie. Bueno, y al cura, claro. ¿De qué hombre me hablas?

Antón Revuelta negó con la cabeza, como queriendo quitar hierro al asunto.

—No, no es nada, seguramente. Que me dijo maese Mateo que un tipo así había estado preguntando por ti y por mí en la tahona, cuando salí a llevar unos pedidos a doña María Consolación Perea Vargas Spínola. Y después, al venir para acá, habría jurado que lo he visto al coger la calle Bizcocheros. Pero no será nada seguramente.

Oyeron que la aldaba de la puerta de la casa sonaba con fuerza. Aunque eran más de las diez de la noche y eran horas intempestivas para visitas, ni aprendiz ni manceba hicieron caso de la llamada. Siguieron a lo suyo, ora hablando de cosas triviales, ora tomándose las manos, ora besándose con ternura, pero sin llegar a mayores por respeto a los padres de él, que estaban en la habitación de abajo.

—No has cenado, Antón —dijo Matilde después de un beso largo.

—No, y tengo hambre. ¿Tú ya cenaste?

—Qué va, te he esperado, como cada noche. Esta tarde ayudé a tu madre a hacer unos callos con garbanzos que deben de estar de rechupete. ¿Bajamos?

—Ahora mismo, vamos.

Bajaron ambos cogidos del brazo, y rieron a carcajadas cuando Antón Revuelta chocó su cabeza con una viga de la escalera. La madre de Antón Revuelta, Patrocinio Cabello, tejía en una butaca a la luz de un velón. El padre, que se llamaba como el aprendiz y era tan grande o más que su hijo y que trabajaba como segundo oficial en una cerrajería de la calle donde los condes de Colchado tenían su mansión, y que también se conocía desde hacía poco como calle Collantes, se afanaba en reparar un cinturón de cuero cuya hebilla se le había descuajaringado. Ambos levantaron la cabeza de sus labores cuando vieron aparecer a la pareja en el pequeño cuarto que les servía de cocina y comedor. La madre sonrió al ver la cara de felicidad de su hijo. El padre, que no acababa de fiarse de la moza, pues recelaba de todas las mujeres guapas y que hablasen más de dos frases seguidas, regresó enseguida la vista a sus faenas sin decir palabra.

471

—Ya están calientes los garbanzos —dijo la madre—. Los calenté mientras estabais arriba. Tu padre dice que les falta un poco de sal, así que serviros vosotros mismos.

—¿Quién llamaba a la puerta, padre? —preguntó el aprendiz.

—No era nadie —respondió Antón Revuelta padre, sin levantar la mirada de su trajín con cinto y hebilla—. Un individuo que se había equivocado de puerta. Preguntaba por un cura de San Miguel, que no sé yo a qué viene preguntar por un cura de San Miguel en la calle Caracuel. ¡Y a estas horas!

—¿Por qué cura preguntaba? —preguntó Matilde, alarmada.

El cerrajero levantó la vista de su tarea y se quedó sorprendido por la sombra de sobresalto que nublaba la cara de la chiquilla.

—No lo dijo. ¿Por qué?

—Por nada, padre —terció el hijo—. ¿Y cómo era ese hombre?

—No sé a qué viene vuestro interés, muchacho. Un tipo bajo, pero fornido, con mostacho y chambergo. ¿Lo conocéis, acaso?

* * *

Andrés Caputo se encasquetó bien el sombrero y se abrigó con la capa. Corría un vientecillo frío y húmedo que calaba. Propio de las noches de mayo, con el mar tan cerca. Nada, en verdad, en comparación con lo soportado en los campos de Italia, en aquellos años de sangre y gloria cuando era joven. Pero también era verdad que sus huesos ya no eran los de antes, y aunque el bravo continuaba sintiéndose fuerte y ágil, y más diestro que nunca con daga y tizona, sus huesos ya eran permeables al frío y las inclemencias.

La calle Caracuel estaba desierta a esas horas de la noche. Ya había sonado la campana de la queda y Jerez dormía, oscura y silenciosa. Apostado en el zaguán de la primera casa de la calle en la esquina más cercana a San Pedro, el bravonel vigilaba la puerta de la casa donde creía se refugiaba Matilde Berraquero, la barragana del cura.

Llevaba todo el día tras de la niña. La había buscado en la calle Honsario, y había conseguido, en la calma del mediodía, colarse en la casa que la moza tenía alquilada. No había nadie, pero allí estaban casi todas sus ropas y sus cosas de mujer. Olió unas enaguas que estaban sobre la cama, los paños que la niña usaba para su limpieza íntima, un justillo que desprendía fragancias de carne de hembra, y se dijo que el encargo del marqués le podía resultar placentero. Que no se iba a conformar con hundir la daga en la garganta como hizo en casa del sacristanillo. Que se iba a tomar su tiempo y sus gustos. *Su criterio.*

A media tarde localizó al dueño de la casa, a quien hizo saber de su interés por arrendarla. El casero, a quien no debieron de gustarle las trazas del bravo, le aseguró que la vivienda seguía alquilada, pues la inquilina estaba al día en sus rentas y no le había anunciado voluntad de resolver el contrato; y de cualquier forma, se apresuró a añadir, si la arrendataria renunciaba a seguir habitando la casa, ya tenía quien había mostrado interés en alquilarla. Así que buenas tardes y disculpe usted, pero tengo otros quehaceres.

Su siguiente paso estuvo en la tahona de maese Mateo, en la plaza Quemada. Preguntó por el aprendiz y se le dijo que había salido a un recado. Aguardó a que volviera, acechando en una casapuerta cercana a la esquina de la calle de don Juan de León. Lo vio regresar, confiado, caminando a buen paso, canturreando por lo bajo una tonada que hablaba de amores galantes. Apreció su tamaño, la anchura de sus hombros y sus brazos y su mirada cándida. Y se dijo que ese muchacho no era de los que se rendían sin luchar. Estuvo toda la tarde en su asechanza, confiando en que la manceba apareciese por la tahona para recoger al aprendiz. Pero llegó la noche, la panadería cerró y Antón Revuelta, que así se llamaba el zagal, salió de ella tras despedirse de su maestro con un jovial «Hasta dentro de un rato, maese».

Cuando comprobó dónde vivía —una casita de la calle Caracuel, de dos plantas, estrecha como una palmera, con tejado abuhardillado y los caliches dejando entrever lo añejo de la construcción— y se cercioró de que no volvía a salir, bebió y comió con la frugalidad del soldado viejo en un tabancucho de la calle Bizcocheros. Y a eso de las diez y media llamó a la puerta de la casa. Le abrió un hombretón de pelo ya cano pero con mechas del color de la paja, como el aprendiz, y tan grande como él. Y conforme había tramado, preguntó por un cura de San Miguel.

Ése era el cebo para su presa. Alarmarla, inquietarla, hacerla saber que la acechaba, que no podía estar tranquila, que había ojos y oídos que esperaban verla y oírla, que se la vigilaba. El anzuelo ya estaba echado. Ahora sólo faltaba que el pez picara.

Estuvo un rato apostado en la esquina de Bizcocheros hasta comprobar que las luces de la casa se apagaban. Luego, regresó a su casa de la calle Balderramas, cerca de la de San Blas, donde su amo el marqués residía. Anduvo por las calles desiertas sin preocuparse de rondas ni forajidos, pues caminaba con daga y espada bien ocultas bajo capa y jubón, y ganas de usarlas. Durmió poco, como en los viejos tiempos, ansioso por que llegara un amanecer que imaginaba lleno de promesas.

* * *

Con las luces apagadas, Matilde Berraquero y Antón Revuelta cuchicheaban en la cocina de la casa del aprendiz de tahonero. Eran susurros llenos de prevención, de inquietudes. Él la tenía tomada de las manos y ella enredaba su mirada en cualquier objeto que hallaba en el cuartito —una olla, una cacerola, el cucharón colgado de una alcayata, el velón encapuchado...— con tal de no toparse con la de él. Porque sabía lo que iba a encontrar: angustia, el dolor de no saber la verdad, la pena porque ella no se le abriera, no confiara en él como deberían confiar dos personas que se aman.

—Ya se ha ido, pero volverá —decía Antón en ese momento, cuidando de no alzar la voz, de no asustar a sus padres que dormían en el cuarto anejo—. Sé que ese sujeto tiene que ver con lo que me ocultas y tú también lo sabes. Y que quiere hacerte daño.

—No te oculto nada, Antón, vida mía —repuso la manceba, pero sin ninguna capacidad de persuasión en su voz, que le brotaba mustia como el arriate bajo la tormenta—. Y tampoco puedes estar seguro de que ese hombre no se haya equivocado de verdad de casa, y que estuviese buscando a otro cura. No lo puedes saber, Antón.

A través de un ventanuco de la buhardilla, el aprendiz, en cuanto cenó y sus padres se acostaron, pudo atisbar al individuo del chambergo camuflado entre las sombras de la calle. Estaba en un portal cercano, pero a pesar de la negrura de la noche, apenas aclarada por la luna menguante que de vez en

474

cuando escapaba de su cárcel de nubes, su sombrero era inconfundible. Y su mandíbula cuadrada que se movía como si mas-
ticara retazos de oscuridad. Y sus ojos fieros como relámpagos.
Y supo que era la encarnación de un peligro inmediato y cierto.

—Viene a buscarte, Matilde —aseguró Antón, con la cara
blanca—. No sé en qué lío te has metido, pero sé que ese hombre
ha venido a buscarte. Y que todo esto tiene que ver con el maldito cura, así arda en las llamas del infierno. Y yo a las seis he de
estar en la tahona, y no podré defenderte. Tenemos que hacer
algo, niña. ¡Y ahora, por Dios!

—¿Y qué quieres que hagamos, Antón? —preguntó la manceba, toda resignación su voz.

Antón Revuelta se quedó pensando. Se levantó de la silla,
paseó por la estancia, golpeó la pared como para castigarse porque las ideas no le venían a su mente, por su impotencia, por el
temor a que a esa niña a quien quería más que a sí mismo le pasara algo y él no estuviera allí para defenderla. Bebió agua de un
cantarillo, se mesó el cabello pajizo, volvió a sentarse, tomó las
manos de ella y dijo:

—Sólo se me ocurre una cosa: recurrir a macse Mateo.

—¿Y qué va a poder hacer por nosotros maese Mateo?

—Vive cerca de aquí, en la calle del Palomar de Rui López, a
medio camino entre Caracuel y la tahona. Es viudo, como sabes,
y tiene dos hijas, una más o menos de tu edad. Podrá darte cobijo, Matilde.

—¿Y cómo me encontrará allí el abogado?

—Yo me encargaré de avisarlo, mi vida. Y vamos ya, que no
hay tiempo que perder.

Era casi la una de la mañana cuando dos sombras furtivas
salieron a paso raudo de una casa de la calle Caracuel. Iban de la
mano y en silencio, corriendo más que andando. Llegaron hasta
la calle Palomar. Ahí vivía maese Mateo, en una casa color del
trigo, que compartía con otras tres familias. El panadero los recibió con ojos legañosos, pero en cuanto vio el gesto atribulado de
los muchachos se le fueron la sorpresa y el susto y los hizo pasar
adentro de inmediato. Apenas si requirió explicaciones, sólo algunas justificaciones someras que enseguida le bastaron.

Aquella noche, Matilde Berraquero, la manceba del cura colector de San Miguel, durmió en la calle del Palomar de Rui Ló-

pez. Donde nadie sabía que se hallaba. Más que dormir, se pasó casi toda la noche hablando con Soledad, la hija del tahonero. Y tuvo con ella más confianza que la que había tenido con el bueno de Antón, aunque se arrepintiera de ello. Pero es que era, a sus dieciocho años, la primera vez que la niña hablaba con otra joven de su edad.

En la amanecida, maese Mateo despertó a las muchachas. Explicó a Matilde que tampoco había pegado ojo en toda la noche. Que había estado dando vueltas en la cama, rumiando que, si la habían hallado en casa de sus futuros suegros, también podían hallarla, quienesquiera que la buscasen, en la casa del maestro de su novio. Y, acompañada de Soledad, tras cerciorarse el padre de que nadie rondaba por los alrededores, ambas niñas corrieron al amparo de las sombras con las que aún no había podido el alba hasta la casa de Eusebia Rodríguez, hermana de maese Mateo, que, viuda y sin hijos, vivía en una casita de la calle del Pollo, en la collación de San Miguel, junto a la capilla del Santo Cristo de los Desagravios.

* * *

Con el caso del paje Diego González, Pedro de Alemán se sintió abogado como en ninguna otra ocasión en su vida.

Esa mañana del domingo día 20 de mayo, caminando hacia la Corredera para recoger a Adela Navas, se sentía... no, eufórico no, no era ésa la palabra. Venía de estar desde primera hora de la mañana reunido en casa de don Francisco Mesa y Xinete con su cliente Diego González, con el canónigo, con doña Ana Ledot de la Mota, con Abelardo Peña, campanero de la colegial. Habían estado preparando el juicio que habría de celebrarse el próximo miércoles y el abogado había estado aleccionando a su cliente y a aquellos testigos en las preguntas que les iba a formular, en las que podría hacerles don Laureano de Ercilla, el promotor fiscal, en sus posibles respuestas, en evitar contestaciones dubitativas y contradicciones, en la concisión con que habrían de contestar a las cuestiones que planteara la acusación y en cómo debían responder a las interrogaciones de la defensa. No podía sentirse eufórico, no, no se podía definir así la sensación que experimentaba, pues sentía sobre sí el peso de la responsabilidad y eso amortiguaba toda euforia. Pero sí se notaba pujante, en plenitud de cuerpo y espíritu, pletórico de fuerza y de ganas, de confianza en sí mismo. Deseoso de ver a Adela y comentar con ella sus estrategias, el ritmo de sus preguntas, la entonación que preveía para sus discursos ante don Nuño de Quesada y Manrique de Lara.

En aquella mañana que había amanecido neblinosa y que mejoraba a medida que el día avanzaba hasta el punto de que la claridad del cielo auguraba un sol radiante para el mediodía, se sentía, sí, más abogado que nunca. Jurista como jamás se había advertido. Sus anteriores comportamientos —Catalina Cortés, don Sebastián de Casas, don Clemente Álvarez, Jenaro Basurto y, ¡ay!, tantos otros— dormían en un profundo y oscuro sobrado de su memoria. No olvidados, por supuesto que no, porque sólo recae en el yerro quien los olvida, pero sí recordados como episodios pasados y superados y que no habrían de repetirse. O, al menos, así pensaba aquel día Pedro, que se percibía letrado como jamás se había percibido, defensor como nunca se había sentido. Y capaz de acabar con las tribulaciones de Diego González. Y aquella sensación, se dijo Alemán, era a la misma vez la grandeza y la miseria del abogado.

En aquellos tiempos, los abogados estaban revestidos de prestigio en esa sociedad de mediados de siglo. Se decía que «con sus sanos consejos previenen el mal de la turbación, y con rectas decisiones apagan el fuego de las ya encendidas discordias». Aunque no faltaban quienes más o menos solapadamente acusaban a los letrados de enriquecerse con las desgracias ajenas, de «comer en los pleitos y en las manotadas», en general se consideraba que ser abogado era motivo de reconocimiento social. Se les tenía por ciudadanos de pro y jurisperitos. Podían ser promocionados a la dignidad de fiscal o de relator judicial, no podían ser presos por deuda civil, podían declarar como testigos domiciliariamente, estaban facultados para reclamar sus honorarios mediante caso de corte, ostentaban por su importe crédito privilegiado en los concursos de acreedores y no se les podía encarcelar si no era por causa grave.

Mas todas esas prebendas no eran nada, pensaba Alemán mientras cruzaba la plaza del Arenal camino a la Corredera, en comparación con lo que él sentía en esos días: la grandeza de ser quien pudiera salvar la vida de un hombre y al mismo tiempo la miseria que suponía esa carga. Una sensación que, aunque ambivalente, al fin y a la postre desembocaba en la pujanza que advertía dentro de sí. Y que lo hacía sentirse vivo como nunca antes y más que nunca abogado.

Cuando llegó a la casa de don Juan Navas, Adela ya lo esperaba tras la cancela del zaguán. Iba vestida con un traje turquesa con puntillas blancas que la hacía aún más hermosa, y portaba una sombrilla de igual tonalidad turquesa, pues también presagiaba un sol inmediato.

Sonrió nada más verla, y tuvo que contenerse para no estrecharla entre sus brazos. La damita percibió el vigor que latía en Pedro, el brillo de sus ojos, la sonrisa que dejaba entrever sus dientes de color marfil, la ligereza de sus pasos.

—¡Hoy te veo más guapo que nunca, Pedro! —exclamó.

Y, sin pensarlo, sin que hubiese reflexionado ni un solo segundo sobre lo que iba a proponer, dijo el abogado de pobres:

—¡Cásate conmigo, Adela!

* * *

—¡Quedan dos días para el juicio, por todos los demonios! ¿Cómo es que no encuentras a esa mujerzuela?

Era lunes día 21 de mayo, a media mañana. El bravonel Andrés Caputo había llegado a la mansión del marqués a primera hora, casi con el alba, mas el marqués no estaba: había acudido al concejo para asuntos de la depositaría general y hasta las once o así no tenía previsto regresar. Andrés Caputo, a quien ni el mayordomo de la casa se atrevía a obstaculizar en sus propósitos, anduvo durante todo el tiempo de la espera vagando por la planta baja de la mansión, fisgoneando, toqueteando columnas y cornucopias, tapices y cuadros, observando con gesto indescifrable el trajín de los criados. Más o menos a las nueve, cuando sintió hambre, aposentó sus reales en la cocina, y allí estuvo desayunando copiosamente.

En ese instante, poco después de que las campanas de San Mateo diesen las once de la mañana, marqués y bravo se hallaban en el despacho del primero, sentados uno frente a otro, sin compartir vino ni refrigerio pues el noble había pretextado tener prisas y urgido a su sicario a una visita breve. Sin embargo, cuando oyó las explicaciones de Caputo sobre la búsqueda infructuosa de la manceba Matilde Berraquero, todos los pretextos quedaron en segundo plano.

—¡Responde, pardiez! —insistió el marqués—. ¿Cómo es que no has conseguido dar con esa barragana?

El bravonel se sacó de la boca el palillo con el que se hurgaba los dientes ennegrecidos, lo dejó en la mesa de madera noble para disgusto del de Gibalbín, se rascó la entrepierna sin recato, miró con demasiada fijeza al marqués y repuso:

—No está en ninguna parte, esa hija de puta. Si es que existe, que lo dudo.

Y explicó con sus palabras descarnadas el resultado de sus pesquisas: que la manceba no había sido vista desde hacía días en sus habitaciones de la calle Honsario, aunque éstas permanecían arrendadas y con la mayor parte de las ropas y objetos de la barragana en los endebles estantes; que no había aparecido por la tahona de maese Mateo, donde trabajaba como aprendiz su pretendiente, Antón Revuelta; que tampoco estaba en casa de los padres de éste, en la calle Caracuel, cuya morada había forzado el domingo por la mañana aprovechando que los viejos y su hijo habían acudido a misa de nueve en San Pedro, sin hallar rastro de la niña; que había pensado que pudiera estar refugiada en la casa del tahonero, en la calle del Palomar de Rui López, y que había preguntado a vecinos y al tendero de la calle, pero que nadie sabía de ella; que se había colado en la casa del panadero de noche, cuando sus moradores dormían, y que la niña no estaba; que incluso había vigilado la casa durante muchas horas, sin resultados; que había ido a la Torre de Melgarejo y que allí nadie sabía nada de ella; y que hasta había seguido al cura colector de San Miguel, por si éste había mentido y sabía del paradero de la barragana. Y sin éxito también. Y que ya no sabía dónde más buscar y que suponía que la manceba se había marchado de Jerez. Y que eso era todo, marqués.

—¡Voto a bríos! —exclamó el de Gibalbín, más para sí que para el bravo—. ¡Los alguaciles de don Florián tampoco saben nada de la dichosa manceba, y apenas si quedan cuarenta y ocho horas para el juicio, por todos los santos! Y si esa niña comparece, no sé cuál va a ser nuestra suerte. ¡No puede ser que nadie dé con ella, Dios!

Y se quedó en silencio, reflexionando acerca de sus posibilidades, de otras opciones. Y como la única que tenía era evidente, la sopesó, analizó sus pros y sus contras, los posibles peligros, las imprevisibles secuelas. Estuvo a punto de compartir sus pensamientos con el bravo, mas caviló que tan arriesgado plan debería ser idea del sicario y no de un marqués como él. Si algo se torcía, siempre podría decir que no había participado en la ideación de la intriga.

—¿Qué otras alternativas tenemos? —preguntó, clavando la vista en el bravonel.

Andrés Caputo sostuvo la mirada del noble, blandió una sonrisa torcida y respondió de inmediato:

—La que usted está pensando, marqués.

—No te pago para que leas mis pensamientos, diablo, sino para que me ofrezcas soluciones.

—Pues bien. Si no lo quiere decir usted, lo digo yo. Si no podemos silenciar a la manceba, la otra alternativa que nos queda, y no atisbo más, salta a la vista: silenciar al abogado.

El marqués apartó la vista de su sicario. Disimuló la media sonrisa que amenazaba con albergarse en sus labios, afectó sumirse en cavilaciones y concluyó:

—A tu *criterio* lo dejo.

—Ya veo que se está aficionando usted a mi *criterio*, marqués —respondió el bravonel, ensanchando la mueca que pretendía pasar por sonrisa.

* * *

Ese mismo lunes, a primera hora de la tarde, Pedro de Alemán caminaba hacia la calle del Pollo. Durante toda la mañana, abandonando sus obligaciones en la oficina del abogado de pobres, había estado entrevistándose con los testigos del caso, apuntalando sus declaraciones. Y ahora andaba hacia la calle del Pollo, donde Antón Revuelta le había avisado residía esos días Matilde Berraquero, tal vez el testigo principal de la defensa. También Antón le había narrado los hechos de los días anteriores: la vigilancia a que creía Matilde había estado sometida y la presencia por las calles de San Pedro del misterioso individuo del chambergo.

Fue al caminar por la calle Barja cuando advirtió la rara presencia. Había dejado atrás la iglesia de San Miguel, admirado una vez más en su majestuosidad, en la elegancia de la puerta de la Epístola, junto a la que pasaba, decorada con cuadrifolias en círculos. Fue entonces, al sobrepasar el templo, más allá del callejón de los Pabones, cuando experimentó una sensación extraña en el cogote. Fue como si un rayo de luz le acariciara la nuca, como si alguien le hiciera cosquillas en la parte de atrás del cuello. Una sensación provocada por un sexto sentido, una intuición inconsciente. Se giró. No lo hizo de golpe, pues no pretendía sorprender a nadie ni descubrir una presencia inesperada. Tan sólo desprenderse de ese pálpito incómodo. Lo hizo despacio, poco a poco. Y en la esquina de la calle Berrocalas advirtió poco más que una sombra, un derviche furtivo, una figura evanescente. Supo intuitivamente que era un hombre, aunque no le pudo ver la cara. Apenas sus ropajes negros, propios de otros tiempos.

Y un sombrero chambergo.

Se quedó atónito, plantado en mitad de la calle, sin saber qué hacer. Mil pensamientos contradictorios se le agolparon súbitamente en la cabeza. ¿Cómo actuar? ¿Ir a por ese individuo, descubrir por fin el secreto último del crimen del sacristanillo, intentar detener al homicida? ¿O huir, desaparecer, poner leguas de por medio con ese sujeto peligroso que posiblemente ya había dado muerte a tres personas: a Jacinto Jiménez, a su mujer y a su hijo lerdo? ¡Y Dios sabía a cuántas más! ¿Qué hacer, Virgen Santa...? Y siguió parado en medio de la calle Barja, mirando hacia Berrocalas, hacia donde el facineroso había ido, suspenso el letrado como una nube.

De pronto, la cabeza ensombrerada apareció por el quicio de la esquina. Y las miradas de ambos, abogado y sicario, se encontraron, quedaron enredadas una en otra. El bravonel, aunque se supo descubierto, no intentó huir. Lejos de ello, avanzó un paso y se quedó clavado en el cruce de ambas calles. Esgrimió una sonrisa burlona que hizo brillar sus dientes de oro, ralentizó el mascado de la bola de tabaco, se acarició el mostacho y un relumbre de peligro brilló en sus ojos oscuros. De un peligro mortal.

Pedro tomó una decisión de inmediato. Vio el pomo de la daga que relucía en el cinto del bravo y no lo dudó un instante. Se dio la vuelta y, sin correr pero a paso raudo, reemprendió la marcha. Mirando atrás de reojo cada dos por tres. Tan preocupado por sí mismo como por la manceba, dejó atrás la calle del Pollo, donde Matilde Berraquero se refugiaba. Supo que no podía revelar su paradero, que pondría la vida de la niña en riesgo irreversible si lo hacía. Siguió adelante, pues. Y se topó con la calle Encaramada. Recordó entonces el juicio del mozo de cuerda, a Catalina Cortés, y otras remembranzas que alejó de su mente con un suspiro que sonó angustioso. O que a él le sonó angustioso, pues la realidad era que no había emitido sonido alguno. Se adentró en la calle Encaramada y, a mitad de la cuesta, se detuvo ante la casa de Saturnino García. Aguardó delante de la puerta abierta que daba al patio de vecinos, hasta que vio aparecer al sicario en la esquina. A apenas treinta pasos de él.

Sobrecogido, se introdujo en el zaguán, alcanzó el patio y las habitaciones donde la familia del mozo de cuerda vivía. Una de las hojas de la puerta de la habitación que les servía de cocina estaba abierta, como era habitual en todas las casas de vecinos. Y allí, ante el pequeño fogón y el barreño de fregar, estaba, de espaldas, Catalina. Olía a jabón y a lentejas, una mezcla que al abogado de pobres le recordó su infancia. Llamó a la puerta abierta y la mujer se volvió con un sobresalto.

—¿Quién es...? ¡Usted!

Se limpió las manos mojadas en el delantal y se quedó parada sin saber qué hacer.

—Buenas tardes, Catalina, buenas tardes. Perdona que os moleste a estas horas, pero necesito ayuda.

Ella se alarmó al oír el timbre de urgencia en la voz del letrado.

—¿Qué ocurre? —preguntó, empalideciendo—. ¿Qué le sucede a usted? ¿Qué quiere ahora de nosotros?

Esa pregunta —«¿Qué quiere ahora de nosotros?»— le quebró el alma. No tenía derecho a esa ayuda que iba a requerir, no tenía derecho a poner en peligro a esa mujer y a sus hijos. Pero no tenía opciones: ya no era sólo su vida la que estaba en juego, sino la de Diego González, la de Matilde Berraquero. Porque quien mata una vez no para jamás. El abogado se adentró en la diminuta habitación y cerró la hoja de la puerta a sus espaldas, después de echar una ojeada al patio. No había nadie en esa tarde de calor primaveral.

—¿Por qué cierra usted la puerta? —preguntó Catalina, comenzando a preocuparse de verdad.

—No te preocupes, Catalina, por favor. No os deseo ningún mal. Pero necesito que me ayudéis. ¿Está Saturnino? ¿Está tu marido?

No era hora, tan reciente el mediodía y la hora del almuerzo, de que los hombres estuvieran en el trabajo. Pero sabía que en muchas ocasiones los mozos de cuerda preferían quedarse cerca de las puertas y portillos de la ciudad, atentos a cualquier oportunidad que se les presentase para ganar unos reales, y que comían cualquier cosa en las tabernuchas de extramuros; hasta la noche, en que regresaban a sus casas con los suyos, a disfrutar de una cena copiosa si el trabajo les había resultado productivo. Rogó para que Saturnino García no siguiera esa costumbre.

—Duerme la siesta —respondió la mujer—. La mañana ha sido agotadora, según me ha contado. Pero lo aviso enseguida. Aguarde usted aquí, don Pedro. Por favor.

El letrado aguardó, nervioso, a que el mozo de cuerda saliese. Vio moverse la cortinilla que dividía la cocina de la habitación aneja y asomar la cabecita del hijo menor del matrimonio, que le sonrió, curioso y burlón, y desapareció luego. Al instante apareció Saturnino García, con el ademán entre preocupado y sorprendido. Venía legañoso, despeinadas sus greñas y oliendo a sudor. Tras él, su mujer, que quedó en un segundo plano, pero atenta a lo que los hombres se dijeran.

—Buenas tardes —saludó.

—Saturnino, disculpa que aparezca por aquí a esta hora y de improviso —expuso el letrado, hablando aceleradamente y sin responder al saludo siquiera—. Pero estoy metido en un embrollo y necesito ayuda. Recuerdo tus palabras cuando finalizó tu juicio el año pasado, aquél en el que te viste implicado por la acusación del alguacil Juan Maestra: «Me tiene para cuanto usted precise», viniste a decir, más o menos. No me siento a gusto viniendo a cobrar deudas que no son tales, pero de verdad que necesito que alguien me ayude.

Saturnino se pasó la mano por la barbilla mal afeitada y observó con mirada pensativa la pequeña habitación. Posó después la vista en su mujer, que clavó los ojos en su marido y parecieron entenderse sin palabras. Ambos parecían valorar lo que tenían, lo poco que tenían, pero que les era suficiente, y lo que podían perder. Porque sabían que el abogado, con su visita intempestiva, traía el peligro, la amenaza a su vida pobre pero que era la suya, la única que tenían. Sin embargo, Saturnino García era hombre de pagar deudas.

—¿Qué puedo hacer por usted? —preguntó, mirando ya al letrado, que lo observaba expectante.

—Alguien me sigue —explicó Alemán, con una exhalación, como si hubiese estado conteniendo el aire, como si la pregunta del mozo de cuerda le aclarara el futuro—. Está ahí fuera, creo. Un individuo peligroso, muy peligroso. Sospecho que fue quien dio muerte al sacristanillo de la colegial, a Jacinto Jiménez. ¿Habéis oído hablar de ese caso?

Y sin dar tiempo a que ni el mozo ni su mujer respondieran a la pregunta que les había hecho, explicó atropelladamente los acontecimientos de los últimos días y la vigilancia a que, según todo indicaba, lo tenía sometido el tipo del chambergo.

—Temo regresar solo —advirtió el abogado de pobres—. No soy hombre de armas, ni siquiera llevo una navaja. Y ese sujeto va armado y parece diestro en su uso. Necesito que alguien me acompañe hasta donde pueda encontrar refugio. Si somos dos, y a estas horas, no se atreverá a nada. Por favor.

Saturnino García asintió, después de un mínimo instante de duda. Se acercó al fogón y de una caja de madera sacó un cuchillo afilado. Se lo guardó al cinto, bajo la camisa. Y dirigiéndose a su mujer, ordenó:

—Quédate aquí con los niños. Y cierra la puerta. Volveré pronto, espero.

Catalina, con semblante atemorizado, no dijo nada. Miró a su marido como diciendo: «Ten cuidado». Y después al abogado de pobres, pero en su mirada no había ni rencor ni reproche, tan sólo comprensión.

—Vamos —dijo el mozo de cuerda.

Pedro de Alemán y Saturnino García salieron a la calle Encaramada. No había nadie allí, estaba desierta. Sólo una viejecilla que cargaba un canasto subiendo la cuesta, en dirección a la calle Oropesa. El mozo miró al letrado, como pidiendo explicaciones.

484

—Ha de estar por aquí. Seguro. No se ha ido.

Bajaron la calle y llegaron a la plaza de Antón Daza, y allí, cerca de la esquina con la calle de Pedro Alonso, lo vieron: la mano en los labios, hurgándose con un palillo, la mirada desafiante, el oro de la dentadura que relució cuando sonrió, provocador.

—¿Adónde quiere que vayamos? —preguntó Saturnino, con urgencia en la voz.

Pedro sintió que la ansiedad lo asaltaba. Era una pregunta que hacía tiempo no se hacía: ¿adónde ir...? Notó que se mareaba. ¿Estaba solo? ¿No tenía adónde ir...? Su propia casa no le parecía segura. Se la estaba jugando con quien ya había allanado una casa habitada y dado muerte a tres de sus moradores. Jerónimo de Hiniesta tenía mujer e hijos pequeños. No podía ponerlos en peligro. La casa de don Juan Navas estaba, por supuesto, descartada. ¿La de don Bartolomé Gutiérrez? No, el sastre era un hombre débil, de mal físico, y aunque su hijo mayor Dimas ya era todo un hombre, no estaba preparado para hacer frente a un sicario armado y no podría vivir si ponía en riesgo la vida de su amigo y su familia. ¿A la Casa del Corregidor, a solicitar el auxilio de don Nicolás Carrillo de Mendoza? ¿Al alcázar, donde don Lorenzo Fernández de Villavicencio y Spínola, a buscar la protección de los dragones que allí se acuartelaban? ¿A la Casa de la Justicia, a requerir el amparo de don Nuño...? ¡Dios! No podía estar seguro de ser bien recibido en ninguno de aquellos lugares. Se sintió solo, más solo que nunca, y miró al mozo de cuerda con desamparo.

—No lo sé —fue lo único que acertó a decir.

—Sígame —dijo enseguida García.

Y giró a la derecha, en dirección a la calle Empedrada y Cerrofuerte.

—¿Adónde vamos? —preguntó el abogado, poniéndose a duras penas a la altura del mozo de cuerda.

Saturnino García giró la cabeza y vio que el individuo que los acechaba se ponía en marcha, en pos de ellos.

—Tomás de la Cruz, el alguacil, vive aquí mismo, en la calle de los Zarzas.

* * *

485

El bravonel Andrés Caputo dejó que el abogado y el extraño individuo que lo acompañaba ganaran unos pasos de distancia. «¿Quién sería ese tipo?», se preguntó para sí. Nadie le había hablado de que el letrado tuviese familia o colegas por aquellos lugares. Aunque, por su pinta, estaba claro que aquel hombre no era un colega del abogado; parecía más bien un obrero, un cochero o un mozo de cuerda quizá. O un herrero, vaya usted a saber. Aunque eran dos, se dijo, no serían rivales para él.

Vio que a mitad de la calle giraban a la derecha, hacia la calle de los Zarzas. Apresuró el paso para alcanzar la esquina y llegó justo a tiempo para ver cómo el letrado y su acompañante se introducían en una casa de color amarillo, situada en el lado izquierdo de la calle según se la miraba, sobrepasado el cruce con la del Molino del Viento. «¿Adónde demonios irían?».

Por la parte de la derecha de la calle bajaba un viejo que a duras penas cargaba una tinaja pequeña. Sabía que por allí había un molino de aceite y supuso que el anciano iría a reponer existencias. Se acercó a él y le preguntó, señalando la casa amarilla:

—¿Quién vive en esa casa, viejo?

Al anciano no pareció caerle nada bien el moteje, pues miró destempladamente al bravo. Sin embargo, algo fiero veía en el ademán de quien le preguntaba pues recompuso la mirada, la bajó y respondió, rezando por poder seguir su camino sin sobresaltos:

—¿Ahí...? Pues Tomás, el alguacil, señor.

Como viera que el hombre apartaba de él la mirada y no decía nada más, el viejo siguió adelante, esquivando al bravonel y dando gracias al cielo cuando comprobó que éste no le prestaba atención. Caputo observó con cierta preocupación la puerta de la casa.

* * *

—Ya sabía yo que tarde o temprano acabaría usted metiéndose en líos, abogado.

La voz del alguacil Tomás de la Cruz quería parecer ocurrente, pero su gesto era grave.

Había acogido en su casa, sin dudarlo, al mozo de cuerda y a Pedro y oyó con interés y preocupación el relato del abogado, que no fue demasiado explícito pero sí suficiente para convencer a De la Cruz del peligro que soportaban y el motivo de esa irrupción repentina. Después descorrió los visillos de una de las ventanas y examinó la calle. Y vio, refugiado entre las sombras de un naranjo, al bravo de quien el abogado le hablaba. Y coincidió con las apreciaciones de Pedro: allí había peligro.

—Está ahí —confirmó Tomás de la Cruz—. El tipo de quien me habla. Y sí, parece peligroso, vive Dios. Y que no alberga intenciones sanas. ¿Qué puedo hacer por usted, abogado?

—Solicito su protección, alguacil —dijo el letrado, grave—. Nos hallamos ante un delito flagrante.

El ministro meneó la cabeza, negando.

—¿Quiere usted que salga a la calle y detenga a ese hombre? —preguntó—. Aunque se dejara arrestar, que no lo doy por hecho, ¿de qué delito lo acuso? ¿De estar parado en medio de la calle? ¿Quiere usted que yo acabe como Juan Maestra?

—¡Pero ese hombre es quien dio muerte al sacristanillo Jacinto Jiménez y a su familia, Tomás! —argumentó Alemán.

—Eso dice usted y yo no tengo por qué creerle ni dejarle de creer. Más aún, conociéndole como le conozco, letrado, me inclino por creerle. Pero hasta que don Nuño o don Florián me lo ordenen, no puedo detener a nadie con respecto al cual y a su crimen no dispongo de pruebas.

—¡Hay pruebas, alguacil! ¡Hay testigos! —insistió el letrado.

—¿Pruebas de qué? —interrogó De la Cruz, que se sentía impotente, pues en verdad deseaba ayudar a ese abogado por quien sentía algo más que predilección—. Según me ha contado, las únicas pruebas de que dispone son que a un tipo como él, con chambergo, lo vieron pasar por delante de la casa del sotasacristán el día de los hechos. Que el mismo individuo habló e invitó a arenques a Abelardo el campanero y que se benefició a una putita del mesón del Toro. ¿Y a eso lo llama usted pruebas? No creo que ningún otro jurista estuviese de acuerdo con usted. No puedo detenerlo a no ser que sea en virtud de orden judicial o del alguacil mayor o por delito flagrante. Y no tenemos ni una cosa ni otra.

El letrado dejó escapar un suspiro, desolado.

—Pensamos que usted nos podría ayudar —dijo—. Si salgo ahí afuera, aunque Saturnino me acompañe, sé que intentará hacer algo, acabar conmigo posiblemente.

—Puedo acompañarle adonde usted me diga —dijo el alguacil—. Pero después ¿qué?

El abogado no respondió. No tenía qué responder, se sentía solo.

—Puedo pedir a don Florián —sugirió el alguacil, sin convencimiento alguno— que una pareja de corchetes vigile su casa, una vez se refugie en ella, y le otorgue protección.

—No, por Dios —dijo el abogado, que parecía derrotado—. Don Florián no puede saber nada de esto. No puedo explicárselo a usted ahora, Tomás, pero le ruego no diga ni palabra de esto a don Florián.

—Ya he oído que también lo ha propuesto usted como testigo —dijo Tomás de la Cruz, que insinuaba saber, o suponerse, más de lo que decía.

—No sé qué voy a hacer, Virgen Santa —se lamentó el abogado.

—Puedo quedarme esta noche con usted en su casa —aseguró el mozo de cuerda—. Si sabe que somos dos allí, tal vez no se atreva a nada.

—No, Saturnino, gracias, pero no —negó Pedro—. Tienes mujer e hijos y no puedo consentir que arriesgues todo por mí. Olvídalo.

Guardaron los tres silencio durante un rato que a Alemán se le antojó interminable. Tomás de la Cruz volvió a escudriñar por la ventana y confirmó que el bravonel seguía allí, apostado, indiferente a que su presencia fuese advertida. Al fin, se acercó al letrado y al mozo de cuerda y dijo:

—Se me ocurre una posibilidad. Una idea. Se me ha ocurrido al hablar usted de delito flagrante. Escúcheme usted con atención, se lo ruego.

* * *

Comenzaban a caer las primeras horas de la noche en la calle de los Zarzas cuando Andrés Caputo, el esbirro de don Raimundo José Astorga Azcargorta, marqués de Gibalbín, vio que la puerta de la casa amarilla se abría con sigilo. Permaneció apoyado en la pared, refugiado en la penumbra que se había adueñado de la calle a medida que la tarde caía. Llevaba allí más de cuatro horas y ya las piernas le dolían. La edad lo estaba debilitando más de lo que él estaba dispuesto a admitir. Estaba impaciente como un perro rabioso y se había pensado muy seriamente si acabar de una vez por todas con esa asechanza estéril e irrumpir armado con daga y cuchillo en la casa del alguacil y acabar con él junto con el abogado y su acompañante, por muy alguacil que fuera. Ya se encargaría don Florián de tapar aquello.

Y cuando la impaciencia amenazaba con desembocar en imprudencia, se fijó en que la puerta se abría. Durante unos segundos no pasó nada. Luego, vio asomar la cabeza greñuda de aquel tipo, el mozo de cuerda o herrero que se había convertido en la sombra del abogado desde primeras horas de la tarde. Reparó en que el sujeto miraba a un lado y a otro. No debió de advertir su presencia, pues hizo un gesto con la cabeza, como indicando a quien aguardaba adentro que no había peligro en la calle casi desierta. Y a renglón seguido salió el abogado.

Ambos, letrado y mozo, caminaron cuesta arriba pegados a la pared, muy junto uno de otro, en dirección a la calle Sancho Vizcaíno. El bravo aguardó sin salir de su refugio umbrío, mirando ora a las dos figuras que a buen paso se alejaban calle arriba, ora a la casa del alguacil. Cuando estuvo seguro de que nadie salía de la casa amarilla —no sabía a qué habían ido aquellos dos a esa casa, pero si habían ido buscando la ayuda del alguacil, se habían quedado con un palmo de narices—, emprendió la marcha, en pos de aquellas figuras acobardadas que huían hacia Sancho Vizcaíno. No se percató de que, antes de que él se acercara a la esquina, la puerta de la casa amarilla se abría sigilosamente y una silueta oscura se pegaba a la pared y seguía sus pasos.

El bravonel Andrés Caputo dobló la esquina de la calle de los Zarzas con Sancho Vizcaíno y divisó a las dos figuras a las que perseguía; caminaban casi corriendo, acercándose al cruce con calle Encaramada, después con calle del Pollo... Pero no tomaron ninguna de esas calles, sino que siguieron adelante. El bravonel aceleró el paso, cuidándose de no hacer ruido ni de levantar sospechas, hasta situarse a poco más de veinte pasos de sus perseguidos, que parecían no haber reparado en el acecho. Se planteó si abalanzarse ya sobre el abogado y si el otro se interponía, que asumiera las consecuencias. Pero decidió esperar. A esas horas de la tarde-noche aún había gente por aquellas calles.

Las dos figuras giraron a la derecha pocos pasos después de sobrepasar la calle del Pollo para tomar la calle del Vicario Viejo. Apresuraron el paso hasta llegar al final de la calle, donde se cruzaba con la denominada Guarnidos, y giraron a la derecha. El bravo recordó entonces que al principio de esa calle Guarnidos existía un muladar donde sólo había ratas. Donde no solía haber ni un alma, salvo sodomitas como los trovadores a quien hacía poco el abogado de pobres había defendido, que saldrían corriendo en cuanto se vieran pillados en sus menesteres. Y se dijo que aquél era el lugar.

Corrió sin hacer ruido, hasta acercarse a quince pasos de sus presas, a diez pasos, a cinco... No había nadie, estaban sólo sus víctimas y él.

Entonces, sacó el puñal, que relumbró como un rayo de luna en la penumbra de primavera. Y cuando se situó a cuatro pasos, a tres, a dos de sus presas, y cuando blandió el cuchillo dispuesto a clavarlo en la cerviz del abogado, oyó un estruendo brutal, un estampido ensordecedor. Y un dolor infinito en el hombro derecho.

Se quedó parado, casi suspendido en el aire, aturdido por el estrépito y el dolor. Vio cómo la daga caía al suelo desde su brazo sin fuerzas. Cómo, sin poder remediarlo, él también caía, poco a poco, como una mota de polvo, como el ala desprendida de una mariposa. Y cómo, luego, todo se volvía oscuro.

* * *

Pedro de Alemán y Saturnino García habían oído al bravonel acercarse a la carrera. Habían sentido cómo el aire se alborotaba y cómo la sensación de peligro parecía solidificarse. Pudieron olfatear el olor del sudor que emanaba del cuerpo del bravo que se les abalanzaba, un hedor dulzón, como de cebollas, mezclado con el del tabaco húmedo que continuamente mascaba. El mozo de cuerda, con una agilidad insólita, empujó al letrado, queriendo apartarlo de la agresión, de la trayectoria de la daga que preveía su atacante blandía. Había sacado su cuchillo del cinto, lo había asido con fuerzas y se disponía a darse la vuelta para encarar el ataque cuando oyó la explosión.

Una detonación atronadora que, en la estrechez de la calle, pareció poner en peligro la estabilidad de los edificios que los escoltaban.

Y luego, el mundo pareció detenerse.

Mozo de cuerda y abogado contemplaron con sorpresa cómo el bravonel quedaba durante un largo instante suspendido en el aire, cómo se abrían sus ojos de forma inhumana, presa de una sorpresa absoluta y de un dolor feroz; cómo la daga caía al suelo y cómo el sicario al fin se desmoronaba lentamente, hasta pegar con su cabeza en el suelo. La sangre comenzó a manar del hombro y de la herida que se le abrió en la nuca al bravonel al dar con sus huesos en las guijas del pavimento.

Enseguida vieron aparecer a la carrera al alguacil Tomás de la Cruz. Venía descompuesto, con la cara febril, sudando, tembloroso. En la mano derecha portaba un largo mosquete cuya boca aún humeaba.

—¿Están ustedes bien? —fue lo primero que el alguacil dijo al encontrarse con Pedro de Alemán y Saturnino García—. ¿Están heridos?

—Estamos bien —repuso el abogado, y entonces pareció que el alguacil se tranquilizaba—. Gracias a Dios que tiene usted una puntería envidiable. Nos podría haber dado a nosotros, pardiez.

Sin dejar de mirar el cuerpo tendido del bravo, que no se movía, Tomás de la Cruz dijo:

—Los alguaciles podemos, por nuestro cargo, cazar en los montes de propios. Eso me ha hecho afinar la puntería, y cuido bien de este mosquete, que lo conservo bien engrasado y con la mira siempre en su punto. De todos modos, era un riesgo que había que asumir, no tenía más alternativas.

Luego se agachó, comprobó que el bravonel estaba inconsciente, pero respiraba. Se giró para espantar a algunos curiosos que, atraídos por el estruendoso disparo, se habían asomado a zaguanes y balcones. De la parte de atrás de su cinto extrajo unos grillos con los que aherrojó las muñecas del herido. Después, sin importarle que Andrés Caputo no pudiese oírle, exclamó con voz solemne:

—¡Quedas detenido, quienquiera que seas, por el intento de asesinato de don Pedro de Alemán, abogado de pobres de este concejo! ¡En nombre del rey Fernando, nuestro señor!

XLVIII

EL JUICIO DEL CRIMEN DEL SACRISTANILLO

—¡Todo el mundo en pie!

La voz del ujier rompió sin miramientos el silencio de la sala del tribunal. Era un silencio de grandes ocasiones el que había en esa sala atestada. Se barruntaban acontecimientos notables, sucesos eminentes que habrían de quedar grabados en la historia de la muy noble y muy leal ciudad de Jerez de la Frontera. Nadie sabía el carácter de esos acontecimientos, el cariz de esos sucesos, pero se conjeturaba —la clarividencia de los pueblos sabios— que algo relevante iba a salir de ese juicio en el que el paje de un canónigo era acusado del cruel asesinato de un sacristanillo de la colegial y de parte de su familia. El día antes, además, se habían desatado por Jerez rumores de que un bravo había sido detenido por un intento de asesinato relacionado con ese juicio y nadie quería perderse la posibilidad de ser testigo de una ocasión memorable. Y allí, en lugar destacado, se hallaban caballeros veinticuatros —no, por supuesto, don Raimundo ni don Florián, que, como testigos que eran, no podían asistir a las sesiones—, regidores del concejo, abogados y escribanos, curas relevantes como don Ramón Álvarez de Palma, párroco de San Miguel, intrigado porque su colector, que no era capaz de darle razón de ello, estaba citado al juicio; don Bartolomé Gutiérrez y don Gerónimo de Estrada, que compartían banco al fondo del salón; hidalgos, bodegueros y labradores, los pocos del pueblo llano que habían conseguido entrar en la sala repleta y hasta don Lorenzo Fernández de Villavicencio, tercer marqués de Vallehermoso y señor de Casa Blanca y alcaide perpetuo del alcázar jerezano. Y Adela Navas, guapa como un girasol, con un traje azul oscuro con guarnición de encajes.

493

Fuera, la mañana de ese miércoles 23 de mayo de 1753 había amanecido cambiante, como si el sol no se atreviera a salir del todo. Las nubes blancas pespunteaban un cielo dorado que se empeñaba en azulear.

Don Nuño de Quesada y Manrique de Lara irrumpió en la sala desde su despacho anejo. Y lo hizo como un vendaval, con un remolino de garnacha. Se le veía enfurruñado, agitado e impaciente. Se sentó en su estrado, se ajustó el monóculo, saludó con un gesto huraño de la cabeza a su asesor don Rafael Ponce de León, revolvió los pocos papeles que había sobre su mesa como buscando algo que no iba a encontrar y, sin mirar a nadie, desabrido, golpeó la madera con el martillo y exclamó:

—¡Se abre el juicio! Que el escribano lea los cargos contra este hombre.

—¡Con la venia, señoría!

La voz de Pedro de Alemán sonó profunda en el silencio de la sala, apenas inquietado por la pluma del escribano y el sonido que había hecho el juez de lo criminal al sacar del bolsillo de la garnacha su cajita de rapé.

—¿Ya empieza usted, letrado? —repuso el juez, más enfurruñado aún, suspendiendo la mano que se alzaba hacia su nariz colorada y cuyos dedos índice y pulgar pellizcaban unas pizcas de tabaco en polvo—. ¡Pronto es, vive Dios!

—Deseo proponer prueba, señoría.

—¿Ahora? —preguntó don Nuño, que comenzaba a sofocarse. Intentó calmarse aspirando el rapé. Estornudó brevemente, meneó la cabeza, se ajustó el monóculo y miró al letrado, serio como cariátide—. ¿Y por qué no la ha propuesto antes? ¡No es momento! ¿Qué pretende usted, abogado?

—Hay un testigo que esta defensa desconocía y del que hasta hace unas horas no conoció ni identidad ni implicación en este caso. Deseamos requerir su testimonio.

—¿Y quién es ese testigo suyo, vive Dios? ¿Y qué tiene que ver con este caso?

—Se llama Andrés Caputo y está preso en la cárcel real, acusado de intento de asesinato —explicó Alemán.

Don Nuño cerró los ojos, intentando contenerse. Los abrió y preguntó:

—¿Y a quién ha intentado matar ese Caputo y qué relación tiene ese crimen con este juicio? No voy a consentir maniobras dilatorias en mi tribunal, señor de Alemán. ¡Se está buscando usted, letrado, proceso por desacato!

—A mí, señor.

—¿Cómo que a usted?

—Que fue a mí a quien intentó dar muerte.

Don Nuño se quedó atónito. No sabía nada de la detención del bravonel, pues Tomás de la Cruz había accedido a los ruegos del abogado de pobres y a sus argumentos legales para esperar al desarrollo del juicio para comunicar el crimen al juez y al alguacil mayor, todo ello con el beneplácito y colaboración del alcaide de la prisión. Y en la sala se oyeron exclamaciones y runrunes que De Quesada atajó con un tremendo martillazo.

—¡Silencio o desalojo! —exclamó el juez; y añadió, cuando todos se hubieron callado—: Y explíquese usted, letrado. Y dígame por qué yo no sé nada de ese crimen y de esa detención.

—Señoría, no soy yo quién para dar razón de los motivos que asisten a los alguaciles para prolongar la detención. De cualquier forma, se acusa al preso de crimen flagrante, por lo que no era precisa orden judicial. Y entiendo que el tiempo de su duración se halla dentro de lo que marcan las provisiones reales.

—¿Y qué tiene que ver ese crimen con este juicio? —preguntó el juez, nada convencido de la explicación del letrado.

Pedro guardó silencio unos instantes antes de responder, consiguiendo de este modo atraer sobre sí toda la atención de los presentes.

—Esta defensa va a demostrar que el detenido es el autor de los crímenes que se imputan a mi cliente, señoría.

Exclamaciones ahogadas del público, algún que otro gritito de mujer, el ruido que hizo el promotor fiscal al dejar caer el legajo que leía, imprecaciones de veinticuatros, toses y votos alteraron el orden de la sala que el juez acalló de nuevo a martillazos y conminaciones de lanzamiento.

Cuando el silencio volvió a hacerse en el tribunal, don Nuño no supo qué hacer. Tras un instante de duda, solicitó el consejo de don Rafael Ponce de León, con quien cuchicheó en voz baja durante unos minutos.

—Se pospone la decisión del tribunal hasta más adelante —sentenció finalmente.

—Pero, señoría... —interrumpió el letrado.

—¡Cállese, abogado, o no respondo!

—¡Es una prueba relevante, señor, imprescindible para la defensa!

—¡He dicho que se calle o lo proceso, señor De Alemán! ¡No estoy dispuesto a consentir sus juegos de manos en este desdichado asunto! ¡He dicho que decidiré después, cuando me informe adecuadamente de lo que pasa, y así se hará! ¡Y ahora he dicho que empecemos el juicio y eso vamos a hacer, por todos los diablos! ¡Que el escribano lea de una vez la acusación que pesa sobre el reo!

—¡Protesto, señoría!

—¡Que se calle le he dicho! ¡No le consiento que pretenda convertir mi tribunal en una gallera!

Pedro no tuvo más remedio que guardar silencio, consternado. Y en silencio escuchó la lectura del demoledor escrito del promotor fiscal don Laureano de Ercilla. A su lado, Diego González se removía nerviosamente. Cuando el escribano acabó de leer, dijo don Nuño:

—Que comiencen las pruebas. Levántese el acusado. Tiene la palabra don Laureano.

Don Laureano de Ercilla fingió examinar por última vez unas notas, esperando que el acusado se colocase ante el estrado y fuese conminado por el juez a decir verdad. Luego, de sopetón, sin ni siquiera pedir venia a don Nuño, espetó:

—¿Mató usted a Jacinto Jiménez, el sacristanillo del cabildo colegial?

—No, señor.

La voz del paje brotó firme, serena, a pesar de que su tez estaba pálida y sus manos, que escondía en el regazo, tras el estrado, temblaban perceptiblemente.

—¿Mató usted a Luisa Cabanillas y a su hijo Jacintillo?

—¡No, señor! —insistió Diego, aún más firme—. A ninguno de ellos maté y nada tuve que ver con sus muertes.

El fiscal miró fijamente al acusado. En sus ojos habitualmente serenos pudo verse un brillo que el abogado de pobres no supo discernir si era de desprecio o de ira.

496

—¿Es cierto que tuvo usted una reyerta con el sotasacristán allá por el mes de noviembre, en la zona de la colegial en obras que se usa por los canónigos como almacén?

—No, señor —repitió Diego González.

—¿Cómo que no?

—No hubo reyerta alguna —insistió el paje. Y relató a continuación, de forma ordenada y creíble, lo que había acontecido ese malhadado día.

—¿Cómo justifica usted que se hallara bajo el colchón de la cama de la víctima un pañuelo con las iniciales del canónigo don Francisco de Mesa manchado de sangre?

—Como he dicho, el sacristanillo tropezó y cayó al suelo aquel día. Y se quebró la nariz, de la que manó sangre abundante. Le presté mi pañuelo para que se enjugara la sangre y jamás me lo devolvió.

Don Laureano de Ercilla se levantó de su sitial, avanzó con paso majestuoso hacia la mesa donde se depositaban las piezas de convicción, rebuscó entre ellas, tomó un pañuelo en el que destacaban las manchas marrones de la sangre seca y lo exhibió para que todo el mundo pudiera verlo.

—Entonces, ¿reconoce el acusado que este pañuelo es suyo? —preguntó.

—Lo reconozco, señor.

Don Laureano enfrentó al público, mirando a la concurrencia como diciendo: «¿Ven ustedes cómo el acusado es culpable?». Después, regresó a la mesa de las pruebas, dejó el pañuelo en una esquina y alzó una daga con similares manchas de sangre en la hoja y en la empuñadura.

—¿Es suyo este puñal?

—Jamás lo había visto hasta hoy.

—¿Cómo explica usted, pues, que se hallara en la cómoda de su alcoba, bajo ropa blanca?

—Alguien debió de ponerlo ahí. Alguien que quiso acusarme para esconder su culpa.

El fiscal continuó interrogando a Diego González con agudeza, intentando incurriese en contradicción, pretendiendo sacarlo de sus casillas, queriendo que se desdijera de anteriores testimonios y agobiándolo con preguntas. Mas sus esfuerzos fueron en vano: Diego González se mantuvo firme, contundente en sus respuestas, sin incurrir en equívocos ni en yerros, y contestando convincentemente a cada pregunta del Ercilla. Tanto que Pedro renunció a su turno de interrogatorio cuando finalizó el promotor fiscal.

El siguiente testigo de la acusación era Benito Andrades, alguacil. Era éste un individuo altísimo, tanto que sus rodillas casi alcanzaban la baranda del estrado de los testigos, y sumamente delgado, blanco como el albayalde y con ojos saltones. Juró decir verdad sobre la Biblia que el ujier puso ante él. Su voz era ronca, profunda; desentonaba por completo con su cuerpo desgarbado. Respondió con concisión a las preguntas de don Laureano de Ercilla, dando cuenta del hallazgo del pañuelo ensangrentado bajo el colchón de Jacinto Jiménez y de la daga igualmente manchada de sangre en un cajón de la cómoda que había en la alcoba que el acusado ocupaba en la casa del canónigo don Francisco de Mesa y Xinete, escondido bajo ropa de cama. Aseguró además que no había señales de forzamiento en ninguna puerta o ventana de la casa del canónigo.

Cuando le llegó el turno a Pedro, éste anunció:

—Con su venia, señoría. Sólo voy a hacer unas pocas preguntas. Solicito permiso para levantarme y exhibirle al testigo algunas piezas de convicción.

—Lo tiene —concedió don Nuño de mala gana.

El abogado de pobres se levantó de su asiento, se dirigió a la mesa de pruebas y tomó de allí, en primer lugar, el pañuelo ensangrentado. Lo exhibió brevemente ante el testigo y preguntó:

—¿Fue éste el pañuelo que hallaron bajo el colchón del sacristanillo?

—Eso he dicho, abogado.

—¿Ve usted estas iniciales y el escudo que hay bordados en el pañuelo?

—Las veo.

—¿Han podido identificarlas?

—Claro —respondió el alguacil, con una media sonrisa—. Esas iniciales y ese escudo son los del reverendo don Francisco de Mesa y Xinete, amo del acusado. Los hemos cotejado con documentos del canónigo y son los mismos. Sin duda alguna.

—Según el relato de la acusación, el día de los hechos, la noche del lunes al martes de Carnaval, es decir, del 26 al 27 de febrero de este mismo año, el acusado Diego González penetró subrepticiamente en la casa del sacristanillo Jacinto Jiménez y, una vez dentro, con el propósito de no ser denunciado por el tal Jacinto, que le había sorprendido robando en el almacén de la colegial tiempo atrás, dio muerte a cuchillo al sotasacristán, a su mujer y a su hijo primogénito. ¿Es así como la acusación plantea los hechos que se enjuician?

—Así es —respondió el alguacil, asintiendo vigorosamente con la cabeza—. Eso es lo que mantiene el señor fiscal y eso es también lo que yo creo pasó.

—Y hemos de suponer que, tras el crimen, el acusado huyó de la casa llevando consigo la daga homicida.

—Supongo —dudó Benito Andrades, que no alcanzaba a desentrañar los derroteros de las preguntas del defensor.

—Bien. Pues entonces, ¿puede usted explicar para qué iba Diego González a esconder bajo el colchón del sacristanillo un pañuelo con las iniciales y escudo de su tutor, manchado de sangre?

El alguacil miró al abogado, como si hubiese sido atrapado en un desliz. Abrió la boca para hablar, pero la cerró de inmediato. Y guardó silencio, sin saber qué decir.

—¡Responda el testigo, pardiez! —intervino don Nuño, impaciente. Parecía querer acabar con aquel juicio de la forma más expeditiva posible.

—¿Me pueden repetir la pregunta? —acertó a pedir Benito Andrades.

—Claro —aseguró el abogado y procedió a formular de nuevo la cuestión—. Responda, por favor.

—Pues... pues —balbuceó el alguacil—. ¿Que por qué dejó el pañuelo allí, bajo el colchón...? Pues yo creo que sería por...por... ¡No lo sé, diantres!

—Gracias —atajó el defensor.

Regresó a la mesa de pruebas, dejó el pañuelo y tomó el puñal y el montón de ropa blanca que habían sido hallados en la cómoda del paje. Ahí estaba el detalle que durante tanto tiempo le había pasado desapercibido, que le había inquietado como una mosca impertinente y en el que tan sólo unos días atrás había reparado. Exhibió el puñal y preguntó:

—¿Es ésta la daga que se halló en la cómoda?

—Eso le he dicho al fiscal —respondió el alguacil, cada vez más incómodo.

—Descríbala, por favor.

—¿Cómo?

—Que describa la daga, si es tan amable.

—Pues... es una daga normal, de algo más de un palmo, y está manchada de sangre. ¿Qué quiere que le diga?

—Observará usted que está manchada de sangre tanto la hoja como buena parte de la empuñadura.

—Sí.

—Bien. Descríbame ahora esta ropa blanca.

—¿Esto es preciso? —preguntó Andrades.

—Mientras su señoría no lo considere impertinente, sí.

Y como don Nuño, aunque miraba con irritación al letrado, no dijera nada, el testigo describió la ropa que el defensor le exhibía:

—Pues... unas fundas de almohadas, unas sábanas dobladas, y parece que ya está, ¿no?

—Describa su estado.

—Pues dobladas, como ya le he dicho.

—No, me refiero a si presentan alguna anomalía, algo que no concuerde.

—No sé a qué se refiere usted, abogado.

—Seré más preciso: se dice que en medio de estas ropas se halló la daga. Dígame si observa alguna irregularidad en ellas, por favor. Alguna mancha, algún roto, alguna incoherencia.

—Son ropas blancas, señor —dijo el alguacil, mirando atentamente las ropas que se le mostraban, desorientado—. No tienen manchas, sí polvo, de estar guardadas en el tribunal, supongo.

—Bien, así es. Y yo le pregunto, si se afirma que la daga ensangrentada fue escondida instantes después del crimen entre estas telas, ¿puede explicar por qué no hay manchas de sangre en estas ropas blancas?

Un murmullo de expectación recorrió el tribunal. Tanto don Nuño como don Laureano se inclinaron en sus sitiales, como queriendo atisbar las ropas que el letrado conservaba en su mano siniestra, mientras con la diestra exhibía el puñal ahíto de manchas parduzcas. La incoherencia era evidente.

—No lo sé —respondió Benito Andrades tajantemente.

—¿Y no es cierto que si el puñal, tal como se mantiene por la acusación, hubiese sido escondido entre estas ropas inmediatamente después de los crímenes, deberían éstas estar manchadas de sangre?

—Sí —contestó el alguacil.

—¿A qué conclusión nos ha llevar tal circunstancia?

—A que, cuando el puñal se escondió en la cómoda, la sangre ya estaba seca.

—¿Qué tarda la sangre humana en secarse de forma tal que no deje manchas de contacto?

—¡Y yo qué sé!

—Está bien. Dígame, ¿no le hace pensar el detalle puesto en evidencia que la daga fue escondida mucho después de los crímenes entre esas ropas blancas?

—Sí, así es.

—Estuvo usted en la casa del canónigo Mesa y Xinete, según nos ha dicho, efectuando el registro. ¿Es cierto que la casa es antigua, casi ruinosa, y que sus postigos son débiles?

—Bueno, sí, es una casa vieja.

—¿Considera descabellado que alguien entrara a través de, por ejemplo, una ventana sin necesidad de dejar rastros de forzamiento?

—No es imposible, no.

—Así pues, ¿cabe la posibilidad de que alguien pusiera intencionadamente la daga entre las cosas del acusado muchas horas después del crimen, para incriminarle, de tal forma que la daga, con la sangre ya seca, no manchó las ropas blancas?

—Es posible, sí —contestó Benito Andrades, que ya había renunciado a contradecir al defensor y se dejaba llevar, dócil, por la fuerza de la argumentación del letrado.

—Una última cuestión, alguacil, ¿se hallaron rastros de sangre en la indumentaria que vestía el acusado al momento de ser detenido o en la que guardaba en su casa?

—No, señor, aunque tuvo tiempo para lavar lo que se hubiese manchado.

—Pues no hay más preguntas, señoría.

El auditorio, que había estado en silencio durante el interrogatorio de la defensa, pareció exhalar el aire que había estado conteniendo. Se oyeron tosecillas, runrunes de telas, maderas que crujían al moverse sobre bancos y sillas los espectadores.

Don Laureano llamó a continuación a dos alguaciles más, quienes se manifestaron en similares términos que Benito Andrades y respondieron de igual forma a las preguntas de Pedro. Admitieron que la daga tuvo que ser puesta en el cajón muchas horas después del crimen y que no tenía sentido que el acusado dejara su propio pañuelo tras los asesinatos bajo el colchón del sotasacristán. Y que no hallaron ropas del acusado manchadas de sangre.

Luego les llegó el turno a José Jiménez Cabanillas y a Abelardo Peña, que contaron lo que sabían y, a preguntas del defensor, hablaron del individuo del chambergo, a quien no podían identificar.

Seguidamente, dos vecinos de la collación del Salvador comparecieron en el juicio. Eran un canastero y una costurera. Testificaron que durante las semanas previas a los asesinatos vieron al muerto Jacinto Jiménez en varias ocasiones en compañía de Diego González, y que consideraban que tales compañas no eran habituales hasta donde ellos sabían. Aunque testimonios irrelevantes, el abogado hizo uso de su turno de palabra. Formuló a cada uno de los testigos una misma pregunta:

—¿Observó usted algún signo de violencia, de coacción, de discusión o de intimidación en las conversaciones que paje y sacristanillo mantenían?

Ambos deponentes respondieron escueta y negativamente, tras lo cual abandonaron la sala, exultantes tras haber escapado durante unos breves minutos al anonimato de sus vidas.

El último testigo de la acusación era el médico don Humberto Guzmán y Céspedes, un hombre obeso, sanguíneo y de aspecto bonachón, que hablaba muy despacio y con un acento castellano irreprochable. Fue preguntado por don Laureano de Ercilla acerca de las heridas que presentaban los cadáveres y si las mismas eran compatibles con la daga hallada en la casa del acusado.

—Examiné los cadáveres al día siguiente de su hallazgo, señor —expuso el galeno— y pude inspeccionar las heridas que la daga dejó en los cuerpos. Para poder responder a su pregunta, hice matar un cerdo y ordené se acuchillaran sus gaznates con una daga idéntica a la que está ahí, y después cotejé los resultados. Y pude cerciorarme de que las heridas eran muy similares, casi idénticas, a las que presentaban los cadáveres. Sí, puedo decir que los cuerpos fueron acuchillados con esa daga o con una similar, por no decir igual. Sí, señor.

—No hay más preguntas —manifestó el fiscal, algo repuesto tras este interrogatorio.

—El turno de la defensa —anunció don Nuño.

—Gracias, señoría, con su venia —dijo Pedro—. Don Humberto, dice usted que las heridas fueron infligidas con el puñal hallado en casa de mi cliente o con uno igual, lo cual ni siquiera voy a contradecir. Pero tengo interés en otras cuestiones insinuadas en su interrogatorio.

—Pues intentaré responder como Dios mejor me dé a entender —repuso el médico, sonriente.

—Gracias, don Humberto. ¿Qué tiempo tarda la sangre humana en secarse?

—Querrá decir usted en coagularse —corrigió el físico.

—Bien, pues en coagularse.

Don Humberto se rellanó en su asiento, como encantado de la oportunidad que se le ofrecía.

—La sangre humana, y la de los animales también, brota del cuerpo cuando la piel es hendida y la herida alcanza a los vasos sanguíneos. Una vez fuera del cuerpo humano, la sangre tarda en coagularse entre diez y quince minutos, según los casos. Ello se produce porque, por un mecanismo que ignoramos de la naturaleza sabia, tiene lugar una reacción química que convierte la sangre en insoluble. Todo ello con el fin de que la herida se cierre por sí sola y el cuerpo no se desangre.

—¿Quiere decir que después de diez o quince minutos la sangre se solidifica? —preguntó el abogado, desconcertado, viendo cómo su teoría se iba al traste.

—No, no es así —repuso el médico—. No se solidifica en ese corto espacio de tiempo. Primero se convierte en una especie de gel viscoso y es después cuando se hace sólida, aunque siempre queda una parte líquida a la que denominamos suero. También depende de que se trate de sangre venosa o de sangre arterial. La primera brota de las venas y la segunda de las arterias, como puede suponer. La sangre de las arterias es de color rojo claro y la de las venas, de un rojo más oscuro. Cuando se perfora una vena, la fuerza de expulsión de la sangre es mucho menor que cuando se perfora una arteria, de la que la sangre brota a modo de chorro. ¿Es eso lo que quería saber?

—No —dijo el abogado, que comenzaba a perderse entre los tecnicismos del médico—. Lo que quiero saber, señor, es lo siguiente: se dice que la daga hallada en casa del acusado fue escondida entre la ropa blanca inmediatamente después del crimen. ¿Es posible que la ropa no se manchara al entrar en contacto con la daga ensangrentada?

El médico reflexionó durante unos instantes.

—Si la daga —dictaminó— se escondió entre las ropas varias horas después de ser impregnada de sangre, por ejemplo al día siguiente de los crímenes o después, si tenemos en cuenta que fueron perpetrados a primera hora de la madrugada, considero posible que las ropas no se manchasen. Para entonces la sangre ya estaría completamente solidificada y no dejaría rastro. Pero si fue escondida antes, esto es, durante la misma madrugada, considero imposible que las ropas no se manchasen, que no quedase en ellas rastro alguno de sangre.

El abogado suspiró. Eso era lo que quería oír.

—Otra cuestión, don Humberto. La distancia a la que los cuerpos fueron acuchillados no pudo ser superior a la de un brazo, ¿verdad?

—Lógico, señor.

—¿Considera que el agresor tuvo que ser salpicado por la sangre que brotó de los cuerpos?

—¡Claro que sí! —saltó el médico. ¡Si viera usted cómo quedó mi ayudante después de acuchillar al cerdo! No tiene la maña de un matarife, claro. Estamos hablando de heridas en el cuello, que alcanzaron a las arterias que hay en esa parte del cuerpo. La sangre tuvo que brotar a chorros y dejar empapado al agresor. Sí, sin duda. Por mucho cuidado que el asesino pusiese en no mancharse, tuvo que quedar perdido, sí, señor.

—¿Le consta a usted que no se ha hallado sangre en ninguna de las casacas ni calzones de Diego González?

—¡Esa pregunta es impertinente! —protestó don Laureano—. Este testigo no tiene por qué saber lo que se le pregunta.

—De acuerdo, ya lo dijeron antes los alguaciles —se conformó Pedro antes de que el juez pudiese zanjar la protesta del fiscal—. Pues ninguna pregunta más, señoría.

—¿Algún testigo más el fiscal?

—Ninguno, señoría —dijo don Laureano.

—Pues es el turno de la defensa. ¿A qué testigo quiere que llamemos, abogado?

El letrado se levantó respetuosamente de su asiento y dijo:

—Me gustaría, señoría, con su venia, que antes de que comenzaran a practicarse las pruebas de la defensa, resolviese usted sobre la prueba propuesta al principio del juicio, sobre la testifical de Andrés Caputo. Creo que ya es momento, señoría.

—¡No, no lo es! —saltó don Nuño—. ¡El momento será cuando yo lo diga! Le repito, ¿a qué testigo quiere que llamemos, abogado?

—Pero, señor...

—¡He dicho que no y es que no! ¡Y responda a mi pregunta!

Don Nuño de Quesada y Manrique de Lara, hombre habitualmente calmo y prudente, se mostraba esa mañana extrañamente alterado, irascible. O bien le pesaba la responsabilidad o bien tenía que dar cuentas de su actuación ante alguien, pensó el abogado, que no obstante confiaba en la imparcialidad y honestidad de ese buen hombre, a quien conocía y a quien apreciaba.

—Don Francisco de Mesa y Xinete, señoría —respondió el abogado, sentándose de nuevo.

El canónigo entró en la sala, majestuoso, todo vestido de negro, sotana inmaculada y capelo negros con tres borlas igualmente negras que evidenciaban su dignidad. Saludó con la cabeza a varios miembros del público, con gesto serio, hierático. Se inclinó brevemente ante don Nuño, se situó erguido ante el estrado, miró cariñosamente a su paje y juró sobre la Biblia decir verdad. A preguntas del defensor, con voz clara y pausada, la de los grandes sermones —a pesar de que el canónigo no era gran orador—, relató que Diego había cenado con él la noche del crimen, que se había recogido a eso de las once y que no le constaba hubiese salido luego de la vivienda; que por la mañana desayunó con él y el paje estaba tan normal, como siempre; que supo de lo que aconteció en noviembre en el almacén de la colegial y que habló con el sacristanillo acerca de ello y que el muerto le reconoció que había sido sorprendido por Diego hurtando el vino de consagrar; que trastabilló en el almacén y se llevó por delante copones, turíbulos y otros enseres, los que dañó; y que se obligó a costear la reparación, a cuyo fin había entregado unos escudos y consentido en que el resto se le descontara de su salario de sotasacristán. En cada ocasión, don Francisco de Mesa y Xinete respondía con aplomo y con convicción y transmitía certeza.

—¿Es cierto, pues, que el sacristanillo disponía en aquella época de más dinero del que su salario le podría hacer manejar?

—Sin duda. Me extrañó que un sacristanillo pudiese tener ahorradas monedas de oro, con lo poco que ganaba. Pero dejé ahí la extrañeza y no le eché más cuenta.

—Describa, reverendo, por favor —le preguntó Pedro al final del interrogatorio—, el estado actual de su vivienda.

—Ruinoso —contestó el canónigo— y de difícil y costosa reparación. Tanto es así que me encuentro en tratos con el cabildo colegial para que la adquiera, la derribe y aproveche el solar para ampliar el futuro reducto. Hay vigas podridas, cada día hay que recoger montones de caliches, la cocina se llueve por un rincón, los techos están en mal estado y las paredes se comban cada día más. Un desastre, como le digo.

—¿Sería fácil que alguien se introdujera en su vivienda, si lo pretendiese?

—Facilísimo. Las puertas son endebles y encajan mal, las ventanas ídem de ídem; cualquiera podría entrar si quisiese y sin necesidad de forzar nada. O, al menos, nada que dejase rastro. Le bastaría con empujar la hoja de una de las ventanas. Siempre pensé: «¿Quién va a querer robar a un canónigo tan pobre como yo?». Ahora me lamento de no haber adoptado medidas que hicieran más difícil el acceso a la casa.

—¿Por qué lo dice?

—¿Por qué va a ser? ¡Porque sé que alguien irrumpió en ella la mañana después del crimen, cuando ninguno estábamos allí, para dejar esa maldita daga entre las cosas de Diego!

—Entiendo que no cree usted que Diego sea el autor del crimen.

Don Laureano y don Nuño se miraron entre sí. Uno esperaba que el otro declarase la pregunta impertinente —pues lo era, ya que se le pedía al testigo opinión de lo que no podía conocer— y el otro esperaba que el uno protestase y le diese lugar a declarar la impertinencia. Al final, ninguno de los dos habló —mucho era el prestigio del canónigo en Jerez— y pudo don Francisco responder sin objeción a la pregunta del letrado.

—¡Por Dios! —exclamó, a modo de respuesta—. ¡Pues claro que no! No sólo es que no tuviese motivos para dar muerte a esos pobres infelices, que Dios los tenga en su gloria, sino es que el crimen, por leve que sea, no está en la condición de Diego. Lo conozco desde pequeño, puedo decir que lo he criado, y antes negaría la existencia del diablo que admitir la culpabilidad de mi paje. Y que Dios me perdone por la irreverencia.

Doña Ana Ledot de la Mota fue el siguiente testigo en prestar declaración. Compareció, viuda que era, vestida de negro, elegante y emocionada. No pudo evitar echarse a llorar en un par de ocasiones, cada vez que tenía que hablar de Diego González. Ratificó punto por punto lo que había dicho el canónigo acerca de las noches previa y posterior a los crímenes.

—Doña Ana —preguntó finalmente el letrado—, ¿es usted quien se encarga del cuidado de la casa del canónigo don Francisco?

—Así es —señaló—. Soy su ama de llaves, pero en realidad, como tenemos tan poca servidumbre, me encargo de casi todas las faenas de la casa.

—¿De qué servidumbre disponen ustedes?

—Tan sólo de la pobre Juana, que es vieja y sorda y por eso no viene hoy como testigo.

—¿Quién se encarga de lavar la ropa de cada uno de los moradores de la casa?

—Fregar, friega Juana, aunque la ayudo de vez en cuando, cuando los dolores no la dejan tenerse en pie. Pero soy yo quien cada mañana se responsabiliza de recoger la ropa sucia de las alcobas de don Francisco y de Diego y de llevarla a la cocina, donde Juana, para que ella la lave.

—¿Desde cuándo no veía usted este pañuelo? —preguntó, mostrando a la testigo el pañuelo manchado de sangre e incautado.

—Desde mucho antes de que Diego fuese detenido, señor. Pensé que lo había extraviado.

—Le hablo ahora, doña Ana, de la mañana después del crimen, ¿la recuerda?

—¿Cómo podría olvidarla, don Pedro?

—Claro, lo comprendo. Pues bien, ¿recogió usted ese día la ropa usada de Diego del día anterior?

—Sí, como todos los días. Y recuerdo que sólo fue una camisa blanca lo que llevé a lavar; y la ropa interior, recuerdo. Ya tocaba. La casaca y los calzones estaban limpios todavía. Diego se los volvió a poner esa mañana.

—¿Y observó usted rastros de sangre en esa ropa sucia?

—¡Dios, claro que no! ¡Si hubiera habido sangre, enseguida se lo habría comunicado a don Francisco! Pero si esa camisa ni siquiera olía a sudor, Virgen Santa, ¿cómo iba a tener sangre?

—Nada más, doña Ana, muchas gracias —dijo el abogado.

—¿Alguna pregunta, don Laureano?

—Ninguna, señoría —respondió el fiscal, que a cada minuto que pasaba más aburrido parecía.

—Pues su siguiente testigo, abogado. Por cierto, ¿le quedan muchos?

—Algunos, señoría —se limitó a responder Pedro—. Solicito se llame al estrado a don Francisco Camacho de Mendoza.

El abogado de pobres se giró, aguardando la entrada en la sala del viejo escultor. Se abrió la puerta, pero quien apareció no fue el tallista, sino la imponente figura de don Nicolás Carrillo de Mendoza, corregidor de Jerez, que iba acompañado de un guardia. Don Nicolás le indicó a su escolta un asiento entre el público —aunque por su cargo y dignidad podría haber ocupado estrado junto a don Nuño—, justamente al lado de don Lorenzo Fernández de Villavicencio, alcaide de los alcázares jerezanos. El guardia hizo que quien ocupaba el lugar se apartara, dejando hueco a don Nicolás, que tomó asiento. Como era habitual en él, vestía de negro riguroso, portaba espada al cinto, cuya vaina labrada rechinó en el suelo al tomar asiento el corregidor. Sobre la capa lucía la cruz de la Orden de Calatrava. Fijó sus ojos claros en el letrado y lo saludó con un gesto de la cabeza, extremadamente serio. Luego miró a don Nuño y ambos se saludaron con un ademán de la testa.

A continuación, conferenció en voz baja con el marqués de Vallehermoso.

Tras el corregidor, hizo entrada en la sala el escultor don Francisco Camacho de Mendoza, a quien el ujier señaló el lugar hasta el que debería avanzar. Juró decir verdad y respondió a las preguntas de Pedro. Y contó todo cuanto sabía del caso: la visita del abogado a su taller, sus sospechas sobre las falsificaciones de cuadros de Zurbarán y...

—¿Y qué tienen que ver los cuadros de Zurbarán con este juicio? —interrumpió don Nuño, que había ido ofuscándose a medida que oía al escultor.

—Señoría, esta defensa —contestó Alemán— sostiene que las falsificaciones de cuadros de Zurbarán fueron el móvil de los crímenes. O mejor dicho, que el sacristanillo Jacinto Jiménez fue muerto porque descubrió que esos cuadros habían sido falsificados y los originales vendidos al extranjero, y estaba chantajeando a los que habían urdido el fraude. De ahí que dispusiera de más dinero del que sería normal en él, como antes hemos oído.

—¡Eso es una solemne bobada! —exclamó don Laureano, poniéndose en pie y perdiendo por una vez la compostura —. ¡Protesto! ¡Este interrogatorio no tiene ni pies ni cabeza!

—Los tiene, señoría. Déjeme proseguir y lo comprobará.

—¿De qué va todo esto? —preguntó el juez de lo criminal, estupefacto.

—A medida que vayamos avanzando lo irá viendo, señoría. Le ruego encarecidamente que me permita continuar. Le aseguro que todo esto es pertinente.

Indeciso, don Nuño compuso un gesto de fastidio. Aunque juez de capa y espada, solía conducir los juicios sin sobresaltos gracias a su sentido común. En esta ocasión, sin embargo, sentía que el proceso se le estaba yendo de las manos. Hizo un ademán a don Rafael Ponce de León, requiriéndolo a consultas, y durante unos instantes ambos conversaron en voz baja. Cuando don Nuño acabó de oír su consejo, dictaminó, no sin hastío:

—Letrado, puede proseguir su interrogatorio acerca de esos cuadros. Por ahora.

—Gracias, señoría —agradeció Alemán—. Don Francisco, estábamos hablando de los cuadros de Zurbarán. ¿Quiere continuar, por favor?

El escultor, que había seguido el debate con pasmo, salió de su arrobo y respondió:

—Bueno, sí. Estábamos hablando de los cuadros que del maestro don Francisco de Zurbarán hay, o mejor debo decir había, en el convento de los padres capuchinos, en San Dionisio y en San Miguel. Me contó usted sus sospechas y entonces yo me ofrecí a acompañarle a ver esas pinturas.

Y narró con detalle esas visitas a los templos y el examen de los cuadros. Y concluyó, con su voz grave y rotunda:

—Tanto el cuadro de la *Virgen niña dormida*, de San Dionisio, propiedad de doña Catalina de Zurita y Riquelme, como el de la *Santa Faz*, de San Miguel, han sido sustituidos por réplicas. De los que había en capuchinos, son falsos los de *La Porciúncula* y los de *Santa María Egipciaca*, *Santa Olalla*, *Santa Eufemia* y *Santa Dorotea*. En cambio, siguen allí, no sé por qué razones, los originales de las pinturas de otras dos santas: *Santa Isabel de Portugal* y *Santa Paula*.

Un murmullo de sorpresa recorrió la sala. ¡Se estaba hablando en ese juicio de que los cuadros de Zurbarán de varias iglesias jerezanas habían sido falsificados y sustraídos!

—Una última pregunta, don Francisco —anunció Alemán cuando don Nuño hubo acallado los murmullos—. Recuerda usted que cuando fuimos a capuchinos, preguntamos al abad si en las últimas semanas se había producido algún suceso raro que pudiera estar relacionado con el latrocinio. Primero nos dijo que no recordaba nada relevante, pero después nos habló de un acontecimiento extraño. ¿Nos podría decir cuál fue?

—Sí, claro. Nos habló de que se había personado en el convento la ronda de noche, algunos días atrás. Que se le dijo que intentaban robar en el convento y que instara a los monjes a recluirse en sus celdas. Y que al final todo resultó ser una falsa alarma.

—¿Quién iba al frente de la ronda?

Don Francisco Camacho de Mendoza no dudó ni un instante. Dijo en voz clara y alta:

—Don Florián Alvarado y López de Orbaneja, alguacil mayor de este concejo.

—Pues no hay más preguntas, señoría.

Un silencio de hipogeo se hizo en el tribunal. Fue oír el nombre de un poderoso de Jerez en un juicio por asesinato para que a todos los presentes se les encogiera el corazón, como si previeran catástrofes. Más de uno ya pudo intuir el motivo de la citación como testigo del alguacil mayor. Mientras regresaba a su sitial, Pedro de Alemán no miró a don Nuño. Lo suponía contrariado, al borde de la ira. Sí miró en cambio a Adela Navas, que le sonrió con admiración y le hizo un gesto de ánimo. Y al tomar asiento, de refilón, observó a don Nicolás Carrillo de Mendoza. El corregidor miraba fijamente al juez, como queriendo llamar su atención. Como el juez no advirtiera su mudo requerimiento, pues conferenciaba en ese momento con su asesor, hizo que su guardia llamase a un ujier, exigió papel y recado de escribir que le fueron traídos al instante y garabateó una esquela e hizo que el ujier la llevara a don Nuño. Éste, extrañado por la llegada del oficial a su estrado, tomó la nota, oyó al ujier, que le indicaba su procedencia, la leyó y, luego, alzó la mirada y la clavó en el corregidor, con desconcierto. Pedro reflexionó extrañado sobre cuál sería el motivo de esa comunicación entrambos, aunque enseguida salió de sus cavilaciones al oír en ese momento a don Laureano de Ercilla, que interrogaba al escultor alzando la voz:

—¿Pero cómo —decía, enfadado—, siendo usted tallista, puede opinar sobre pinturas?

—El arte es el arte, señor fiscal. Aunque lo mío son las maderas, sé cuándo un cuadro es falso y cuándo no.

—¿Cómo puede estar tan seguro?

—¿Tiene usted pinturas antiguas en su casa? Pues acérquese a ellas cuando llegue. Y le aseguro que si huelen a óleos y trementina, son falsas. ¿Cómo quiere usted, señor fiscal, que un cuadro pintado hace un siglo huela aún a aguarrases, por Dios Santo? ¡Pues eso es lo que ocurría con esos cuadros de Zurbarán!

Un murmullo de risas nerviosas acompañó la respuesta del viejo escultor. Casi nadie en la sala había advertido la maniobra del corregidor de Jerez. Pedro, a pesar de lo acertado de la respuesta de su testigo, ni siquiera sonrió. Se le veía preocupado.

—Además de ello —explicó Camacho de Mendoza a un cariacontecido promotor fiscal—, hay otros muchos detalles que nos llevan a pensar que esos cuadros son simples imitaciones. Buenas, verdad es, pero falsificaciones, sin duda alguna.

Y se explayó en una retahíla de concienzudas explicaciones que tuvo que ser atajada por don Nuño, a quien se notaba aún perplejo.

Tras el escultor, comparecieron los retablistas don Gonzalo Fernández de Pomar —de casi cincuenta años, pelo blanco, porte elegante y fina indumentaria— y Jácome Vaccaro, insultantemente joven pero ilustrado, con una cuidada pronunciación en sus palabras que no ocultaba su origen genovés. Ambos ratificaron convincentemente las argumentaciones de don Francisco Camacho de Mendoza. Profano en pinturas, el fiscal ni los interrogó, después del incidente habido con el escultor Camacho.

Cuando ambos acabaron sus declaraciones, el juez preguntó al abogado:

—¿Quién es su siguiente testigo?

El abogado dudó. Podía llamar al fraile capuchino, para de nuevo vincular a don Florián con los hechos; o a don Antonio de Morla, el abad de la colegial; o a don Alonso Moreno Tamajón, canónigo magistral de su cabildo; o a don Francisco Gutiérrez de la Vega, canónigo racionero; o incluso al orfebre Lorenzo Moreno Valderrama, para con ellos seguir machacando la tesis de la acusación sobre el móvil de los crímenes. Sin embargo, pensó que con esos testimonios iba a aburrir a tribunal y público, y que el juicio había alcanzado un punto álgido que no podía permitir se difuminase. Se podía palpar el interés de los asistentes al proceso, que debían de estar preguntándose sobre el papel que los cuadros falsos jugaban en el crimen de Jacinto Jiménez y sobre la implicación de don Florián en esos sucesos. Y respondió sin vacilar:

—Matilde Berraquero, señoría.

Don Nuño miró fijamente al abogado. Después cerró los ojos. Pedro se extrañó de que no diera orden al ujier de llamar a la testigo propuesta, a quien Jerónimo de Hiniesta había acompañado desde la calle del Pollo al tribunal. Al fin, don Nuño, que parecía inusualmente exhausto, dijo:

—Se suspende el juicio hasta mañana.

Todos, desde el abogado de pobres hasta don Laureano de Ercilla, pasando por el propio don Rafael Ponce de León, el escribano don Damián Dávalos, los ujieres y el público, miraron con sorpresa al juez de lo criminal. Sólo era media mañana. El juicio había comenzado a las ocho y las declaraciones se habían sucedido con celeridad. No era normal suspender un juicio de ese calibre a esas horas.

—Pero sólo deben de ser las doce y cuarto, señoría —dijo Pedro, confundido, que hacía poco había oído dar las doce en el campanario de San Dionisio.

—¿Y qué? —rezongó don Nuño.

—Pues... pues que podríamos seguir un par de horas más. Ya he interrogado a muchos testigos y no restan demasiados. O podríamos seguir por la tarde.

—Esta tarde hay Cruces de Mayo, letrado —acertó a aducir absurdamente don Nuño.

—Las cruces son por la noche, señoría.

—He dicho que se suspende el juicio y no hay más que hablar. Se reanudará mañana a la misma hora, a las ocho. Y ahora, ¡desalojen!

Y sin más argumentos, con gesto ofuscado, se levantó de su asiento y se refugió en su despacho sin esperar siquiera a don Rafael Ponce de León.

El abogado de pobres se acercó a don Laureano de Ercilla.

—¿Sabe usted qué sucede, don Laureano? —le preguntó—. No es normal suspender a estas horas. ¿Le ocurre algo a don Nuño?

—No, que yo sepa. Y no puedo darle razón de la suspensión. No he sido consultado, letrado.

Pedro aguardó a que el público poco a poco desalojase la sala. Intentó localizar a don Nicolás Carrillo de Mendoza, pero al corregidor no se le veía por ninguna parte. Tampoco a don Lorenzo Fernández de Villavicencio y Spínola. El público se marchaba lentamente, comentando en corrillos la imprevista suspensión del juicio, como si de pronto les hubiesen arrebatado de los labios una golosina que estaban a punto de degustar.

Cuando el abogado salió a la plaza de los Escribanos en compañía de Diego González, allí lo aguardaban don Francisco de Mesa y Xinete, doña Ana Ledot de la Mota, don Gerónimo de Estrada y don Bartolomé Gutiérrez. Doña Ana corrió enseguida a abrazar al paje. Los tres hombres, don Francisco, don Gerónimo y don Bartolomé, se acercaron al letrado. Fue don Francisco quien preguntó:

—¿Por qué ha suspendido el juicio don Nuño?

—No lo sé —contestó el letrado—. Tampoco don Laureano tiene ni idea. Es raro. He visto que el corregidor pasaba una nota al juez. No sé si eso tendrá algo que ver.

—¿Puede afectar esta suspensión al curso del juicio? —preguntó el jesuita Estrada—. Don Francisco no ha estado desde el principio, pues tenía que testificar, pero tanto don Bartolomé como yo opinamos que las cosas se han desarrollado maravillosamente.

—Y que has estado imponente, Pedro —añadió el alfayate.

—Espero que no —argumentó el letrado, que continuaba reflexivo—. Esta suspensión, aunque inesperada, no tiene por qué afectar al juicio. O al menos eso espero. Cuando mañana oigamos a Matilde Berraquero... Por cierto, ¿dónde está esa niña?

—Don Jerónimo de Hiniesta la ha llevado a la calle del Pollo. Ha querido sacarla de aquí cuanto antes.

—Ah, bien —asintió Alemán—. Les decía que cuando mañana continuemos con los testimonios que restan, incluido el del bravonel Andrés Caputo, que espero el juez admita, todo se sabrá. Y creo que entonces podremos respirar tranquilos.

—Le veo preocupado, don Pedro —dijo don Gerónimo de Estrada.

—Cansado solamente —mintió el letrado, porque en verdad barruntaba algo raro. No entendía el porqué de esa suspensión inopinada, no sabía qué tenía que ver con ella la esquela de don Nicolás, y todo eso lo turbaba—. Es hora de descansar, para estar frescos para mañana. Aquí me despido de ustedes, señores. No obstante, sepan que si necesitan algo de mí o si quieren comunicarme algo, estaré el resto del día en mi bufete, preparando la sesión de mañana. Diego, descansa tranquilo. Preveo lo mejor para ti.

El abogado se despidió afectuosamente de su cliente, de los clérigos, del sastre y del ama de llaves. Tomó la cuesta de la Cárcel Vieja, rumbo a la calle de las Cruces. Ojalá, se dijo, fuera verdad. Y tanto él como Diego González pudiesen dormir tranquilos en los próximos días. Pero un pálpito le latía detrás de los ojos, un pálpito que le decía que no todo estaba ganado aún. Ni mucho menos.

* * *

Eran más o menos las siete de la tarde cuando oyó que llamaban a la puerta de su bufete. Llevaba encerrado en él desde después de comer un almuerzo frugal: apenas un trozo de queso, un cogollo de lechuga con limón y vinagre y vino aguapié. Repasando cada testimonio del día siguiente, el alcance de las pruebas, recitando en voz baja su discurso final.

Sorprendido, pues no esperaba a nadie a esas horas, se levantó de su sillón. Pensó que podrían ser el paje o el canónigo, a una consulta de última hora, y abrió la puerta. Fuera el sol aún llenaba de claridad la calle, pues ya los días se alargaban, presagiando el estío. Vio con sorpresa que quienes llamaban a su puerta eran dos alguaciles: Benito Andrades y un segundo a quien no ponía nombre, aunque lo había visto por la Casa de la Justicia.

—¿Qué se les ofrece a estas horas? —preguntó, con un timbre de prevención en la voz.

—Se requiere su presencia, señor —repuso el segundo alguacil.

—¿Dónde?

—En la Casa del Corregidor. Y de inmediato. Le ruego nos acompañe.

—Tengo trabajo —objetó el letrado—. Como saben, el juicio sigue mañana.

—Las órdenes del corregidor no se discuten, abogado, lo siento. Usted debería saberlo mejor que nadie. ¿Vamos?

Pedro, indócil por naturaleza, y más cuando no se le ofrecían las adecuadas explicaciones, pensó en negarse. Mas enseguida cambió de idea. Era cierto. Las órdenes del corregidor, que no sólo era el representante del rey en Jerez sino además quien le pagaba con el concejo su salario de abogado de pobres y, por tanto, su superior, no se discutían. Además, algo le decía que debía ir, que ese requerimiento estaba sin duda relacionado con el juicio de la mañana y con la insólita suspensión.

—Aguarden un momento.

Regresó al bufete, se puso la casaca, eligió unos legajos y dijo:

—Cuando ustedes quieran, señores.

Subieron por el callejón del Aire y no tardaron ni diez minutos en llegar a la Casa del Corregidor. Pedro fue conducido a una sala de la planta baja, cerca de su propia oficina. Para su sorpresa, vio que allí ya estaban don Francisco de Mesa y Xinete y el paje Diego González.

—¿Qué ocurre, Pedro? —preguntó el canónigo, a quien se veía intranquilo.

—¿No le han dado a usted explicaciones?

—Ninguna. Dos alguaciles se han personado en casa no ha mucho y nos han dicho que habíamos de venir aquí. He pedido aclaraciones y no me las han dado. Me han dicho que no sabían el motivo del requerimiento. Y aquí estamos desde entonces.

—A mí tampoco me han dicho nada.

No pudieron hablar más. La puerta de la sala se abrió y llegó un individuo elegantemente vestido, a quien Pedro conocía. Era Romualdo Morales, el intendente del corregidor.

—Acompáñenme, por favor —dijo, adusto.

El intendente los condujo a la planta alta, en la que el abogado jamás había estado. Allí se encontraban la residencia de don Nicolás, su despacho y los salones que se usaban para celebraciones y conferencias. Lujosos tapices decoraban las paredes de los pasillos, delicados bargueños daban calidez al piso, se veían por doquier plantas florecidas en hermosos colores. Romualdo Morales abrió la puerta de uno de los salones.

—Pasen. Les esperan —dijo.

Pedro de Alemán, don Francisco de Mesa y Xinete y Diego González entraron en un salón de mediano tamaño. La puerta se cerró a sus espaldas. Al principio, les costó ver a quienes se hallaban en la sala, pues los cortinajes de terciopelo estaban corridos cegando las ventanas y sólo había dos o tres velones encendidos; la estancia se hallaba en media penumbra. Cuando sus ojos se acostumbraron a la escasa luz, distinguió allí, para su sorpresa, a la flor y nata de la ciudad: presidiendo la sala, sentado a una mesa labrada, don Nicolás Carrillo de Mendoza, corregidor de Jerez; a su derecha, don Nuño de Quesada y Manrique de Lara, juez de lo criminal; a su izquierda, don Lorenzo Fernández de Villavicencio, el alcalde mayor don Fernando de Paredes y García Pelayo y el teniente corregidor letrado. Junto a ellos, don Laureano de Ercilla, promotor fiscal, y don Agustín de Spínola y Adorno, síndico procurador mayor de la ciudad. Y separados unos pocos pero significativos pasos, don Raimundo José Astorga Azcargorta, marqués de Gibalbín y depositario general del concejo, y don Florián Alvarado y López de Orbaneja, su alguacil mayor.

La imagen de esos caballeros reunidos en la penumbra le recordó a Pedro de Alemán a un tribunal de la Inquisición y sintió que un escalofrío le recorría la espalda.

—Buenas tardes, señores —saludó don Nicolás, el corregidor—. Y tomen asiento, por favor. Romualdo, ¿podrías encender algunas lámparas? Después puedes marcharte.

El corregidor aguardó a que su intendente prendiese tres velones más, que llenaron de claridad la sala. Luego, cuando Romualdo Morales se hubo ido y los tres visitantes se hallaban sentados frente a él, dijo:

—Don Nuño tiene algo que decirnos. Hemos creído más apropiado que lo conocieran ustedes ahora, en vez de mañana, durante el juicio. Aquí, entre caballeros, todo ha de ser más sencillo. Don Nuño, cuando usted quiera.

Todos miraron al juez, a quien se le veía tremendamente incómodo. Cuando habló, no lo hizo con su habitual voz clara y firme, sino con una voz indecisa:

—Mañana, en cuanto reanudemos el juicio, decretaré la absolución del inculpado Diego González, aquí presente, y el sobreseimiento del proceso.

Todos se quedaron en silencio, esperando la reacción de los visitantes. En especial, del abogado de pobres. Pero quien antes habló fue el canónigo, que exclamó:

—¡Oh, Dios mío, gracias! ¡De verdad, muchas gracias!

Y Diego González, sofocado:

—¿Quiere ello decir que soy... libre? Quiero decir, ¿que ya no habrá juicio? ¿Que no seré condenado?

—Por supuesto —asintió don Nuño, sin alegría en la voz—. Con el sobreseimiento se pone fin al proceso. Puede retomar su vida, joven, como si nada hubiera pasado.

Pedro, sin embargo, permanecía en silencio. Esas palabras del juez —«Como si nada hubiera pasado»— repicaban en su mente como las campanas que alertaban de los incendios. Y llegó a su cabeza un alud de pensamientos y sentimientos contradictorios. La alegría que sin disimulos manifestaban canónigo y paje intentaba contagiársele, pero apenas si se abría paso entre la sensación de desánimo que lo invadía. Intuía que detrás de esa decisión de don Nuño había más, mucho más: estaba la esquela que don Nicolás por la mañana le enviara, durante el juicio, sin recatos, a la vista de todos; estaba la propia presencia, tan inhabitual, del corregidor en el juicio, mezclado entre el público, junto al alcaide de los alcázares; estaban esas palabras del juez: «Como si nada hubiera pasado»; y estaba, al fin, la insoslayable presencia en esa reunión insólita de don Raimundo José Astorga Azcargorta y don Florián Alvarado y López de Orbaneja, responsables últimos, lo sabía él y lo sabían ya todos quienes allí se reunían, de los hechos que habían dado lugar al procedimiento: del crimen de Jacinto Jiménez y parte de su familia, de la falsificación de los cuadros de don Francisco de Zurbarán, del lucro obtenido con su venta ilegítima. Alemán supo que detrás de aquel regalo a su cliente —el fin del proceso, el sobreseimiento, la tranquilidad definitiva— había algo oscuro, algo a lo que sin duda ponía nombre en la primera trinchera de su cerebro: la connivencia entre poderosos, que pretendían arreglar las cosas a su modo, despreciando a la justicia; la conchabanza entre quienes mandaban, que anteponían sus propios intereses a los generales del reino; la rendición de don Nuño, que había agachado la cabeza, azarado; el sometimiento de la justicia, que emanaba no sólo del rey sino también y sobre todo de Dios, al poder de los hombres. Miró a don Francisco de Mesa y Xinete y a Diego González, que a su vez lo contemplaban a él, como esperando que bendijera el acuerdo, llenas de alivio sus caras francas. Y lo lamentó por ellos, lo lamentó por él y lo lamentó, sobre todo, por esa idea de justicia a la que había jurado servir. Y habló, no como su deber de defensor de la parte le exigía, sino como su corazón y su mente de hombre de leyes le reclamaban.

—La absolución... El sobreseimiento... —dijo, lleno de zozobras—. Bien. Saben todos ustedes que todo esto es algo manifiestamente irregular.

—Pero... ¡Pedro! —exclamó el canónigo, confundido.

—¿Es irregular que se absuelva a su cliente, abogado? —interrogó el corregidor, con una sonrisa irónica.

—Es irregular, señor, que se intente ocultar la verdad. Y me temo que es eso lo que se pretende.

—¡Es usted un impertinente! Y un desagradecido.

Era don Agustín de Spínola y Adorno, síndico procurador mayor, quien había hablado. Hombre de temperamento colérico, había pronunciado esas palabras acalorándose, dejando que un rubor de ira tiñese de rojo su rostro. Como si ya supiera, como si de siempre lo hubiera sabido, como si fuera omnisciente, en qué lado estaba el bien y en qué lado estaba el mal.

—¡Don Agustín! —terció don Nicolás Carrillo de Mendoza—. No perdamos las formas, por favor. Estoy seguro de que es la juventud y la propia integridad mal entendida de don Pedro las que lo mal aconsejan. Considero, letrado, que la solución propuesta es la mejor para todos. He sido informado de sus teorías y de sus propósitos. Y ni la ciudad de Jerez ni los intereses del rey se pueden permitir un escándalo como el que esas tesis pueden provocar.

—¿Es un escándalo que se sepa la verdad, señor corregidor? —preguntó el abogado de pobres—. ¿Es un escándalo que se dé su merecido a quienes acabaron con la vida de un desgraciado como Jacinto Jiménez? ¿Es un escándalo que quienes han robado miles de escudos de las iglesias y conventos de Jerez paguen por su culpa? ¿De verdad que todo eso es un escándalo, excelencia?

Fue don Laureano de Ercilla quien habló en ese instante:

—He de informarle, colega, que el preso Andrés Caputo, que como usted bien sabe se hallaba detenido en la cárcel real desde la noche del pasado lunes, confesó esta misma mañana ser el autor de las muertes de Jacinto Jiménez, de Luisa Cabanillas y del hijo de ambos.

—¿Y también ha confesado por orden de quién cometió tal tropelía? —preguntó Pedro, airado, mirando al marqués de Gibalbín y al alguacil mayor, que permanecían en silencio, al margen de la discusión. Cuando don Raimundo sintió la mirada del letrado que se clavaba en sus ojos, se la sostuvo con brillo de prepotencia, casi esbozando una sonrisa de menosprecio. Como diciendo: «Hasta aquí llegaste, y no más». Don Florián, en cambio, permanecía pálido, con la mirada perdida en uno de los tapices de la sala.

—Le decía, abogado —intervino de nuevo el corregidor—, que ni Jerez ni el reino se pueden permitir escándalos en los tiempos que vivimos. Y no ha parecido oírme. Lo que intentamos es conciliar todos los intereses: los de su cliente, que va a obtener la satisfacción de la absolución y el público reconocimiento de su inocencia; los suyos, pues sus honorarios van a ser asumidos por el concejo, por el importe que usted señale y sin discusiones; y los generales de la ciudad y del reino, que han de procurar la estabilidad de sus instituciones. —Don Nicolás Carrillo de Mendoza hizo una pausa para recalcar la relevancia de sus palabras. Después, continuó—: Vivimos tiempos convulsos, todos lo sabemos. El reino vive conflictos sociales. Miren ustedes la situación de los pueblos y ciudades en España: las instituciones municipales son puestas en entredicho, se discuten las antiguas formas, el pueblo protesta al rey. Nuestro señor Fernando, sin ir más lejos, tuvo que dictar pragmática el 19 de abril de 1750 prohibiendo que corregidores, alcaldes mayores y otros oficios de justicia (como los alguacilazgos) alquilasen sus cargos, y ordenó que las regidurías fuesen ejercidas por sus propietarios y no por tenientes. Ello fue debido a las revueltas populares, porque ya la plebe no siente temor a alzar su voz contra sus señores naturales. Es sólo un ejemplo, y le podría poner cientos. ¿Y en esas circunstancias quiere usted, don Pedro, que la ciudad de Jerez abra proceso, en base a pruebas no concluyentes, contra dos de sus veinticuatros y regidores? ¡Sería un disparate! ¡Sería como ponerse la soga uno mismo!

—Hay pruebas, señor —adujo Alemán—, y son concluyentes. Si permitiesen que el juicio continuase, lo sabrían.

—Le presumo hombre razonable, don Pedro, y no veo que sus palabras estén hoy alimentadas por la razón —argumentó en ese momento don Lorenzo Fernández de Villavicencio y Spínola, alcaide del alcázar, tercer marqués de Vallehermoso y señor de Casa Blanca—. Actuar como usted propone sería como abrir las puertas de la ciudad a un ejército invasor. Es como decir a quienes quieren el caos: «Venid, que aquí tenéis el caos». Porque eso es lo que significaría que el concejo abriese proceso contra sus propios concejiles. ¿Sabe usted lo que está pasando en los campos y labradíos de Jerez? Un ejército de menesterosos hostiga a labriegos y agricultores, amenazando con destrozos si no reciben limosna. Porque pretenden vivir todo el año con el salario del trabajo de unos pocos meses y holgazanear el resto. Como le digo, las campiñas están anegadas de numerosas partidas de gente vagante, la mayor parte forastera, que andan pidiendo limosna de cortijo en cortijo a cuya sombra cometen mil maneras de insultos. ¿Quiere verlos usted entre los muros de Jerez? Porque eso es lo que harán si saben que en Jerez se desata el desorden.

—¿Y es desorden, don Lorenzo —preguntó el letrado—, que se intente procesar a quien ha cometido delito? ¿No significaría eso justo lo contrario de lo que usted predice? ¿No pensaría el pueblo que la justicia es poderosa, y que su mano no va a temblar en aplicar la ley a todos los delincuentes, sin distinción de clases ni de poderes? ¡Pues claro que sí! Lo que ustedes sugieren sólo va a nutrir el desgobierno y a debilitar a la justicia. No puedo estar de acuerdo, lo siento. Exijo que el juicio continúe.

—Tal vez debiéramos oír a su cliente —propuso el promotor fiscal—. Al fin y al cabo, es quien ha de tener la última palabra, pues es el más interesado. Si el juicio prosigue, asume el riesgo de una condena.

—Ese riesgo no existe, don Laureano —zanjó el abogado de pobres—. Otro preso, como usted mismo nos acaba de informar, ha reconocido ser autor de las muertes. Diego González jamás podría ser condenado por ellas.

—Ese preso ha muerto —anunció el alcalde mayor don Fernando de Paredes y García Pelayo, que intervenía por vez primera en la conversación—. No resistió el tormento. Era soldado viejo y ya debilitado, y a los verdugos debió de írseles la mano.

—Constará su confesión por escrito —afirmó el letrado, aunque inseguro. Sabía que esos caballeros no se iban a detener en mientes para conseguir sus propósitos. A saber lo que en verdad había pasado con el bravonel y las causas de su muerte.

—No me consta —aseveró el corregidor—. Y aunque figurase esa confesión por escrito, podrían ocurrir muchas cosas: los papeles se pierden, o se puede considerar como inválida una confesión bajo tortura que no es ratificada en juicio.

—¡Don Nuño! —exclamó el abogado—. ¡Usted no puede permitir que eso ocurra! ¡Usted es juez, por Dios!

Don Nuño miró al abogado. En sus ojos latía una súplica. Parecía querer decir que él no participaba de esos manejos, pero que tampoco podía ponerles frenos. Y rogaba se le dejase al margen.

—Sabe usted que soy juez de capa y espada —farfulló—. Me pierdo en los vericuetos legales. Y don Rafael Ponce de León no ha sido avisado hoy, no dispongo de su consejo.

Pedro guardó silencio, consternado, confuso, impotente. Sentía todas las miradas clavadas en él. Miró a Diego González y a don Francisco de Mesa y Xinete, que a su vez lo contemplaban expectantes. Diego González, en voz baja pero audible, dijo:

—Don Pedro, usted ha peleado por mí como nadie. Yo ratificaré lo que usted diga. Y asumiré lo que venga.

El abogado de pobres sintió que se le humedecían los ojos y que las palabras no le iban a brotar secas. Apretó el brazo de Diego González, dándole las gracias, y vio que el canónigo, emocionado por lo que había dicho su pupilo, asentía. Cuando se recompuso, dijo:

—¿Y la justicia? ¿Qué va a ser de la justicia en Jerez?

Fue una pregunta hecha para sí mismo, no esperaba respuesta. Más que una pregunta, era un lamento. Sin embargo, don Nicolás Carrillo de Mendoza, regocijado porque preveía el fin del debate, respondió con presteza:

—La justicia será satisfecha, abogado. Tenemos a un culpable de los crímenes: el bravonel Andrés Caputo, que los cometió de su propia mano. Y los caballeros que dispusieron de forma... digamos que irregular... de unos cuadros que no les pertenecían se han obligado a procurar su devolución. Y se han comprometido a instituir fundaciones a favor del convento de capuchinos, San Dionisio y San Miguel, para socorrer las necesidades materiales y espirituales de sus feligresías. Por tanto, la justicia queda reparada.

—¿E Ignacio de Alarcón, el falsificador? —preguntó el letrado, reacio—. ¡He sabido que esta mañana ni siquiera se dignó comparecer al juicio! ¿Qué se va a disponer con respecto a él?

—¿Y quién es ése? —preguntó don Laureano de Ercilla, retórico—. No puede usted pretender que lo abarquemos todo.

—A don Alejo Suárez de Toledo sí lo conocerán, supongo. ¿Qué ocurrirá con ese clérigo?

—Ya se ha hablado con don Ramón Álvarez de Palma —respondió el corregidor, aludiendo al párroco de San Miguel—. Se adoptarán las medidas que procedan.

El abogado de pobres hundió la cabeza en el cuello, se inclinó levemente y se llevó los dedos a los ojos, y se los frotó como si le dolieran. Se sentía impotente ante esos hombres poderosos que parecían tenerlo todo amarrado, que parecían haber previsto hasta el último detalle de su amaño. Que tenían respuestas para todo. Pero decidió no conformarse.

—¡Muy bien, pero de todas maneras todo esto es un extravío! —imprecó—. ¡Se está vulnerando la ley! La justicia que se hace al margen de los jueces no es justicia, señor corregidor.

—Aquí está don Nuño, que ratifica nuestro acuerdo.

—Pero esto no es un tribunal.

—No podemos perdernos en nimiedades, don Pedro. Lo que en verdad importa es que todo vuelva a su cauce y que no se ponga en riesgo la estabilidad de Jerez.

—Me temo que se ha puesto en riesgo, en un riesgo tan grande que ni usted ni yo podemos figurárnoslo.

—Déjeme que yo me ocupe de todo —insistió don Nicolás—, y le aseguro que no tendremos de qué arrepentirnos.

—Sabe usted, y todos sabemos, que dos culpables van a quedar en libertad. ¿Qué clase de justicia es ésta, por Dios?

—Mire usted, le voy a contar una cosa que tal vez no sepa. Cuando he de asumir el corregimiento de una ciudad, me gusta, como ya hice en Alcalá, Loja y Alhama, ilustrarme de su historia y de sus usos. Y leí una cosa curiosa que ocurrió en Jerez y que puede ser interesante que usted la conozca, si es que nunca la leyó. —Don Nicolás Carrillo de Mendoza, marqués de Alcocébar, hizo una pausa para aclararse la voz. Luego, cuando la atención de todos los presentes se concentraba en él, continuó—: Sucedió hará cosa de cuatro siglos, sobre 1340 o así, creo recordar. Fue en los tiempos del buen rey Alfonso Onceno. Visitaba el monarca Jerez con ocasión de la preparación de las guerras de conquista de Algeciras y de Gibraltar, y en Jerez fue recibido como todo rey merece: con fastos y agasajos.

»Pero en medio del ambiente festivo por la presencia real, dos caballeros le solicitaron audiencia: eran don Cayo Rodríguez de Ávila y don Rui Pérez de Viedma, célebres por la enemistad que mantenían. Pues bien, aprovechando la visita real, ambos caballeros, como digo, solicitaron audiencia a don Alfonso. Dada su dignidad, consintió el rey y oyó a ambos. Y resultó que se acusaron el uno al otro de ser traidores al rey y conspirar contra él.

Hizo una nueva pausa. Buscó agua o vino, pero en la mesa no había dispuesto ningún refrigerio. Era una reunión política a la que no estaba invitada la distracción del vino. Continuó, pues, procurando que la saliva le aclarase la voz.

—No se les escapará a ustedes que ambas acusaciones eran gravísimas. Se imputaban recíprocamente delitos mayores, de traición, de lesa majestad. Y don Alfonso pudo haber ordenado la muerte inmediata de ambos, sin dilaciones ni juicios. Pero, como saben, don Alfonso Onceno era un hombre justo, indulgente. Y se inclinó por una solución que podríamos llamar salomónica: dispuso someter la cuestión al «juicio de Dios»: don Cayo Rodríguez de Ávila y don Rui Pérez de Viedma habrían de enfrentarse en lucha a muerte y sin cuartel en un palenque cerrado que se levantó al efecto en la plaza que desde entonces se llamó del Arenal. Y que fuera Dios quien pusiese a cada uno en su lugar.

»El palenque se levantó en la plaza, todo Jerez asistió a las justas y el rey las presenció desde el palco que se le preparó con todas las comodidades. Durante tres días, sin más interrupción que para alimentarse, curar heridas y dormir algunas horas, don Cayo y don Rui lucharon con una bravura simpar. A pie y a caballo, y se dice que hasta tres rocines perdieron cada uno. Sus cuerpos sangraban de las múltiples heridas infligidas. La sangre empapaba la arena de la plaza y dagas, picas y espadas resbalaban de las manos de los contendientes a causa de la sangre y el sudor.

»Tan grande fue el arrojo que manifestaron, tan grande su valentía, tan indómito su brío que el rey se dijo que no era cuestión de perder en ese combate a dos caballeros tan bravos, tan necesarios para las guerras venideras. Y en la hora de vísperas del tercer día, don Alfonso el rey bajó a la arena, abrazó a los dos caballeros, ordenó cesase el duelo, mandó fuesen curadas sus heridas, que don Cayo y don Rui públicamente se reconciliaran, que si alguna culpa había fuese para siempre olvidada y que sus ejecutorias quedasen limpias de toda mancha. Porque en aquellos tiempos de luchas contra los benimerines, todo arrojado caballero era necesario. Y así se hizo.

Calló, en una última y brevísima pausa, para que todos entendieran el sentido de sus palabras, la moraleja de aquella historia. Después, concluyó:

—Y si el mismísimo rey, ante delitos gravísimos, y haciendo prevalecer los intereses generales sobre los suyos propios y de la justicia, decidió perdonar a ambos caballeros, ¿por qué no íbamos a hacer nosotros lo mismo en supuesto tan afín? ¿O es que acaso nos creemos nosotros, o usted, don Pedro, más sabios que el rey nuestro señor?

* * *

A las ocho de la mañana del día siguiente, jueves 24 de mayo de 1753, día de la Virgen, se reanudó en la Casa de la Justicia el juicio contra Diego González, el que todos conocían en la ciudad como «el juicio del sacristanillo».

La sala estaba de nuevo abarrotada, más aún que el día anterior. La noticia de lo acontecido en la primera sesión del juicio y los extraños acontecimientos habidos —la denuncia por la falsificación de los cuadros, la detención del bravonel, la insólita suspensión a media mañana...— había alimentado los rumores y había una expectación insólita.

Insólita expectación que se tornó frustración cuando don Nuño de Quesada y Manrique de Lara, recién abierta la sesión, declaró con voz lúgubre y sin levantar la vista de sus notas que el juicio contra el paje Diego González quedaba sobreseído, pues se había detenido al auténtico autor de los crímenes, el bravonel Andrés Caputo, quien había muerto en la cárcel real después de que se le aplicara tormento para la confesión de sus culpas. Sólo pareció revivir el juez de lo criminal cuando aludió al «gran empeño mostrado por el defensor del acusado, el letrado don Pedro de Alemán, en proteger la vida de su cliente y en que la verdad fuere hallada, arriesgando incluso su vida que a punto estuvo de ser cercenada por el muerto».

Después, cuando los rumores se hubieron acallado en la sala, dictó su sentencia *in voce*:

> *En el nombre del rey don Fernando nuestro señor, y por la autoridad que a nos se nos ha conferido, hallamos atentos los autos y méritos de este proceso de pleito, que por la inocencia que de él resulta contra el dicho Diego González, paje del canónigo don Francisco de Mesa y Xinete y en su morada domiciliado, mandamos que este pleito hoy se sobresea, quede el dicho Diego González sin culpa alguna desde este mismo instante y sin demora, que se le reponga en su honra y se le devuelva lo que incautado le hubiere sido. Y haremos por que se le reintegre en el modo y forma posible en su honor e intereses, y que no se le moleste en su persona y bienes por los hechos aquí enjuiciados. Y que se disponga lo necesario sobre el cadáver y bienes del real autor del crimen, el antiguo cabo mayor Andrés Caputo, muerto en la cárcel real. Y mandamos que todo así se haga sin demora y con presteza, en el nombre del rey don Fernando.*

Pedro recibió con desgana los plácemes de muchos colegas y conocidos. Sí recibió con agrado el abrazo del paje y del canónigo, la felicitación sincera de don Bartolomé Gutiérrez y don Gerónimo de Estrada y el beso en la mejilla de Adela Navas, que había acudido al juicio acompañada de su madre, doña Adela Rubio.

Cuando en compañía de su cliente y del canónigo, cuya casa estaba en su camino, bajaba la cuesta de la Cárcel Vieja, don Francisco de Mesa y Xinete dijo:

—No te veo contento, Pedro.

—Es una sensación extraña, padre —respondió, después de un momento de reflexión—. Estoy feliz por el resultado, porque se haya hecho justicia con Diego. Pero, al mismo tiempo, estoy frustrado porque los auténticos culpables queden impunes. Al fin y al cabo, sólo se ha hecho justicia a medias, don Francisco. Y la justicia, como la virtud, no admite medias tintas.

—Te comprendo —asintió el canónigo—. Pero la cosa ya no tiene remedio. Te aconsejo que veas las partes buenas, Pedro. Y entre ellas está el prestigio que vas a adquirir después de que todos hayan oído las palabras de don Nuño, que van a ser un espaldarazo a tu carrera de abogado.

El abogado de pobres pensó un instante, meditando las palabras del cura.

—A partir de ahora, cada vez que don Nuño pronuncie una sentencia de culpabilidad contra un defendido mío, recordaré lo que ha pasado —dijo por fin—. Y habré de preguntarme: ¿por qué se condena a unos y se consiente la impunidad de otros? ¿Por qué puede el poder más que la justicia? ¿Por qué no es la justicia igual para todos? ¿Por qué es la justicia un títere cuyos hilos manejan los poderosos? —Hizo una pausa. Y con voz triste concluyó—: Así pues, padre, ¿cree usted que después de lo vivido me quedan ganas de seguir siendo abogado?

EPÍLOGO

Tras los acontecimientos narrados, la muy noble y muy leal ciudad de Jerez de la Frontera siguió el curso de su vida en aquella España de su majestad don Fernando Sexto. Y lo hizo como si nada hubiera pasado, aunque en el silencio de los pasillos concejiles se dispuso se diera remedio a algunas cosas.

Se ordenó el decomiso y pública venta de los bienes de Andrés Caputo. Un caballero de gustos tétricos que coleccionaba cosas espeluznantes adquirió en la subasta pública de los bienes del muerto su sombrero chambergo por casi dos escudos. Del resto de sus bienes, viejos y escasos, apenas si se obtuvo un puñado de reales. Todo lo recaudado se entregó a José Jiménez Cabanillas y a sus hermanitos Manuel, Luisilla y María, como indemnización por la muerte de sus padres y hermano. Pero, considerándose que lo recaudado fue harto escaso, se ofreció a José, y éste aceptó, empleo público en las caballerizas del alcázar, con un salario anual de muchos reales. Con respecto a su hermano Manuel, que había sido puesto al cuidado de don Juan Pablo Riquelme, el concejo acordó pagarle estudios en la escuela de la Compañía de Jesús. Y en cuanto a las pequeñas Luisilla y María, quedarían bajo la custodia de su tía Cristina Cabanillas hasta que cumplieran los siete y los cinco años respectivamente, momento en el cual les sería dado empleo como doncellas de la hija pequeña de don Fernando Pabón de Fuentes, marqués de Casa Pabón.

También creyó conveniente el concejo jerezano adoptar medidas con respecto a Matilde Berraquero, por los daños padecidos. Y mediante acuerdo reservado de sus regidores del que no quedó rastro documental, se estatuyó que el cabildo municipal pagaría la dote de la manceba, en suma de doscientos reales, en su próximo matrimonio con el aprendiz Antón Revuelta, con quien ya estaba comprometida.

Peor suerte tuvo don Alejo Suárez de Toledo. Por providencia del arzobispado de Sevilla a propuesta de su vicario en Jerez, don Alejo fue cesado de su cargo de cura colector de San Miguel y destinado como capellán a un convento de monjes jerónimos de clausura en Puerto Real, donde sólo moraban media docena de frailes ancianos. Y con la orden de guardar él mismo estricta clausura so pena de excomunión. De don Alejo corría en Jerez el rumor de que se pasaba las noches llorando, recordando las carnes blancas de su mancebita.

A Saturnino García, por su cooperación desinteresada en la detención del bravonel Andrés Caputo, se le recompensó con un empleo público como ayudante del comisario del Pósito, con un salario anual de setenta y cinco escudos de oro. Su mujer, Catalina Cortés, se quedó preñada de su quinto hijo poco después de conocer la buena nueva.

Tomás de la Cruz fue ascendido a la jefatura de los alguaciles, bajo las órdenes directas de don Manuel Cueva Córdoba, caballero veinticuatro y elegido nuevo alguacil mayor tras la dimisión de don Florián Alvarado y López de Orbaneja, a la que se decía fue obligado por sus colegas regidores.

Don Nuño de Quesada y Manrique de Lara pidió en el mes de junio de ese año del Señor de 1753 su traslado como juez de residencia, después de cinco años sirviendo el tribunal jerezano. Fue destinado a Córdoba. Su juicio de residencia mereció los máximos loores.

En cuanto a Diego González, el cabildo municipal acordó sufragar sus estudios de jurisprudencia en el colegio imperial del Señor San Miguel, en la ciudad de Granada, el mismo en el que su tutor había obtenido su título de bachiller.

Don Francisco de Mesa y Xinete también obtuvo su desagravio. Mediante carta fechada en 13 de enero de 1754, el concejo de la ciudad emitió informe favorable al hospicio de niñas huérfanas y amiga general instituido por el canónigo años atrás. Elevó dicho informe a don Fernando Valdés, encargado por su majestad para el socorro de Andalucía y por cuya mediación se benefició al hospicio con ciento cincuenta fanegas de trigo y tres mil reales de vellón de una sola vez. Además, el 23 de junio de 1753, don Francisco de Mesa y Xinete, en unión de don Gerónimo de Estrada, consiguió que el corregidor don Nicolás Carrillo de Mendoza, marqués de Alcocébar y vizconde de Acuña, procediera a la recopilación de epígrafes y esculturas que se hallaban dispersos en diversos puntos de la ciudad y que se instalaran en el cabildo, logrando con ello mostrar la antigüedad de la villa de Jerez de la Frontera para usarla como fundamento histórico para reivindicar la creación de una sede episcopal propia e independiente de la de Sevilla.

Don Francisco Camacho de Mendoza, don Gonzalo Fernández de Pomar y Jácome Vaccaro también supieron de la generosidad del concejo jerezano. A don Francisco, el cabildo colegial le encargó la imaginería del retablo de Ánimas, cuyo coste sufragó el cabildo municipal. A Pomar, el retablista gaditano, se le encomendó la restauración de uno de los altares del convento de San Agustín. Y a Vaccaro, el genovés, la talla de la imagen del Santísimo Cristo de la Flagelación para la nueva iglesia colegial.

Don Raimundo Astorga Azcargorta y don Florián Alvarado y López de Orbaneja se habían obligado a recomprar los cuadros originales de don Francisco de Zurbarán que se hallaban colgados en la pinacoteca de mister John Blackwood y aseguraron haber cumplido su palabra. Pedro fue informado por el concejo de que, a finales de julio de ese año de 1753, los cuadros habían llegado por barco a Sevilla y ya venían camino de Jerez. El letrado se preguntó el porqué de enviar los cuadros a Sevilla, en vez de desembarcarlos en Cádiz, como era lo lógico, y recordó que el tal Ignacio de Alarcón era sevillano. Pero no dijo nada: enterró su suspicacia y calló. Estaba cansado de todo aquello.

Sin embargo, aunque la justicia de los hombres se pueda amañar, la de Dios es inexorable.

A principios de año, don Florián cayó de su caballo durante una partida de caza en los montes de propios y se fracturó la pierna izquierda. Una gangrena galopante acabó con su vida en cuestión de días. Murió entre inmensos dolores que no pudieron ser mitigados ni con las grandes dosis de láudano que los físicos le administraron.

El terremoto de Lisboa de 1755 dejó sentir sus efectos en Jerez. Se produjeron daños en iglesias y edificios, pero no hubo que lamentar desgracias personales. Empero, poco antes de las nueve de la mañana del día 23 de noviembre de 1755, es decir, veintitrés días después del seísmo, de un edificio del extremo de la calle San Blas se desprendió un trozo macizo de cornisa que impactó directamente sobre la cabeza de Doña Petronila Argomedo Velasco, esposa del marqués de Gibalbín, cuando se dirigía a la capilla conocida como San Mateo Chico, situada en la calle de San Ildefonso, en la que se celebraban los cultos parroquiales mientras se completaban los trabajos de restauración de la iglesia de San Mateo, que había sufrido daños considerables como consecuencia del terremoto. Murió en el acto. Después de muchos años de boda y esterilidad, se hallaba embarazada del primer hijo legítimo del marqués. Se contó en Jerez que el de Gibalbín apenas si derramó una lágrima por Doña Petronila, pero que se daba chocazos contra las paredes por haber quedado, y ya para siempre, sin un hijo a quien reconocer y sin un heredero en el que inmortalizarse. Y que destilaba odio como las vacas leche.

El concejo, conforme se había obligado, satisfizo a Pedro de Alemán cien escudos de oro como honorarios por su intervención en el «juicio del sacristanillo», que el letrado aceptó. No admitió, no obstante, el aumento de salario que se le ofreció por su empleo público.

—Ni siquiera sé si seguiré siendo el abogado de pobres de esta ciudad —dicen que dijo.

De todo lo que aquí se ha contado no quedó rastro escrito en los anales de Jerez de la Frontera. Los regidores de la muy noble y muy leal ciudad destruyeron documentos, quemaron sumarios, borraron acuerdos, pues no querían que lo acontecido trascendiera. No sería, pensaron, un ejemplo edificante para las generaciones venideras. Sí se fue contando durante mucho tiempo de padres a hijos, hasta que con el paso de los decenios los recuerdos se perdieron y todo se olvidó.

* * *

Era de nuevo septiembre en Jerez, donde la vida seguía, a veces placentera, a veces conflictiva. Pero seguía. Y llegó una nueva feria, una nueva vendimia, nuevas rogativas por la lluvia, las mismas alegrías y los mismos problemas.

Pedro de Alemán y Adela Navas se hallaban ese luminoso domingo de septiembre en la iglesia de San Dionisio, adonde habían acudido a oír misa. Una vez que el cura pronunció el *Ite, missa est*, pasearon por dentro de la iglesia, aprovechando el fresco de sus naves y demorando el encuentro con el calor que fuera hacía. Admiraron los altos pilares cruciformes que sostenían las tres naves del templo, adornados con grandes lazos almohades que abrazaban los capiteles; los retablos barrocos, las oscuras capillas.

—Me encantaría casarme en esta iglesia —dijo Adela Navas, que caminaba asida al brazo de Pedro de Alemán, ya su novio formal—. Me parece más íntima que San Miguel, y más cercana a la Casa de la Justicia, con todo lo que eso significa para ti, Pedro. Pero mi madre, ya sabes, se empeña en que nos casemos en San Miguel, donde mis padres se casaron. Bueno, para lo que les ha servido... Pero qué le vamos a hacer.

Don Bartolomé Gutiérrez, en nombre del abogado, que era huérfano, y don Juan Navas del Rivero habían concertado la boda de Adela y Pedro a finales del pasado julio y la habían fijado para mayo del año próximo, previos los esponsales y las amonestaciones. En la iglesia de San Miguel, insistía doña Adela. Don Juan, por su parte, se había empeñado en pagar una jugosa dote al abogado a pesar de que éste sólo pretendía una dote simbólica, pues sabía mejor que nadie de las dificultades económicas por las que atravesaba el bodeguero. Mas éste, a quien las últimas desgracias no habían mitigado su soberbia, aseveró tajante que Adela era su única hija y que no iba a consentir que se casara como una menesterosa. Adela y Pedro rieron a carcajadas cuando oyeron a don Bartolomé relatar sus negociaciones con el bodeguero.

Cuando pasaban por la capilla de doña Catalina de Zurita y Riquelme, ambos se detuvieron ante el lienzo de la *Virgen niña dormida*, del maestro Zurbarán. Lo contemplaron en silencio, admirados en sus colores, en sus tonalidades, en sus claroscuros, en la dulzura que se desprendía de la imagen de la Virgen infante que llenaba el cuadro. El letrado se acercó, aprovechando que nadie observaba, y husmeó el lienzo. Le olió a viejo, aunque... Pero... ¿quién era él para opinar de pinturas?

—¿Dónde quieres que almorcemos? —preguntó a la damita, que se había emocionado ante el hermoso óleo.

—Donde a ti te parezca, Pedro. Tampoco tengo mucha hambre.

—¿Te va bien en el mesón nuevo de la Parra, en la calle Mesones? El de Pedro Martín. Me trae buenos recuerdos.

—¿Por qué no?

Ambos se dispusieron a abandonar San Dionisio. Antes de alejarse de la capilla donde descansaban los restos de doña Catalina de Zurita y Riquelme, Adela Navas echó una última mirada al cuadro de Zurbarán. Se quedó pensativa.

—¿Crees que de verdad es el original, Pedro? —preguntó.

El letrado Pedro de Alemán, abogado de pobres del concejo de la muy noble y muy leal ciudad de Jerez de la Frontera, se demoró unos instantes antes de responder a su novia, cuyos ojos verdes, inmensos, se perdían en la profundidad de la pintura. Sintió una angustia sorda que le estremeció el pecho. Apretó el brazo de la damita, para reemprender el camino, y respondió en voz baja.

—Quién sabe, Adelita, quién sabe.

Eso fue lo que dijo.

FIN